Schriften zur  **:ung**

Uhland, Ludwig

Schriften zur Geschichte der Dichtung und Sage

Inktank publishing, 2018

www.inktank-publishing.com

ISBN/EAN: 9783747789186

Uhlands Schriften

zur

Geschichte der Dichtung und Sage.

Vierter Band.

Stuttgart.

Verlag der J. G. Cotta'schen Buchhandlung.

1869.

Vorwort des Herausgebers.

Die Absicht, einen Theil der in seine Sammlung alter hoch= und niederdeutscher Volkslieder aufgenommenen Stücke im Ein= zelnen zu erläutern, hat Uhland schon in dem vom 4 August 1844 datierten Vorworte, Band I, S. V, angekündigt. „Zwei kleinere Bände," sagt er, „sollen eine Abhandlung über die deutschen Volkslieder, sodann diejenigen besonderen Anmerkungen umfassen, welche zur Kritik, Erläuterung und Geschichte einzelner Lieder noch dienlich scheinen."

Aus diesen Worten ergibt sich deutlich, daß keineswegs alle Lieder mit Anmerkungen bedacht werden sollten, und so enthält denn auch in der That das hier zum Abdrucke gelangende Manu= script nur Erläuterungen zu einem Theile der 368 Numern, welche die Sammlung im Ganzen befaßt.

Gegenüber dieser sich beschränkenden Auswahl mag daran erinnert werden, daß zu einer nicht unbeträchtlichen Anzahl histo= rischer Volkslieder der zweite Band der „Schriften" Erklärungen gebracht hat, daß viele andere Stücke im dritten Bande erörtert worden sind. Von weiteren Hilfsmitteln zum Verständnis unseres Volksliedes sei es mir gestattet, hier nur das große Werk von R. von Liliencron, die Schriften von Soltau, Hildebrand und Vilmar zu erwähnen!

Wann Uhland die „Anmerkungen" begonnen und abgeschlossen, darüber habe ich in dem sehr sauber auf einzelne Quartblätter mit lateinischen Buchstaben von ihm selbst geschriebenen Manuscripte keine Angabe gefunden. Aus den angeführten Büchern geht wenigstens hervor, daß er bis in seine letzten Jahre an dieser Arbeit thätig gewesen ist, wie er denn auch in sein Handexemplar der „Volkslieder" fortwährend verschiedene Ergänzungen nachgetragen hat, die ich nun in eckigen Klammern an den betreffenden Orten eingereiht habe.

Über die Art, wie Uhland seine Aufgabe gefaßt hat, bedarf es, da sich die Anlage des Ganzen sogleich erkennen läßt, kaum der Bemerkung, daß zuerst die Quellen der Lieder angegeben werden, hierauf die Nachweisung der verschiedenen Lesarten und die Erklärung schwieriger Stellen folgt und daß sich[3] endlich hieran häufig Vergleichungen aus der Litteratur des Volksliedes der verschiedensten Sprachen in überraschender Fülle anreihen, die uns aufs neue Uhlands außerordentliche Gelehrsamkeit und seinen unermüdlichen Fleiß bewundern läßt.

Wie der Schluß des Vorwortes zum dritten Bande der „Schriften" zeigt, hatte die Veröffentlichung der „Anmerkungen" unser unvergeßlicher Mitherausgeber Franz Pfeiffer übernommen, und er hatte auch bereits Hand angelegt, als er seinen Freunden und der von ihm so rüstig gepflegten Wissenschaft allzu frühe entrissen wurde. Pfeiffers übrigens noch nicht abschließende Bearbeitung des Manuscriptes, das er schon in seinem ganzen Umfange geordnet, hat sich bis auf Nr 89 erstreckt. Es versteht sich, daß alle von ihm herrührenden Bemerkungen die Anfangsbuchstaben seines Namens erhalten haben.

Die Zusätze von Professor von Keller sind durch ein K, meine eigenen durch ein H bezeichnet.

Die weiter folgende Abhandlung ist unter der Aufschrift „Über das altfranzösische Epos. Von D. Ludwig Uhland" zuerst gedruckt worden in: Die Musen. Eine norddeutsche Zeitschrift. Herausgegeben von Friedrich Baron de la Motte Fouqué und Wilhelm Neumann. Drittes Quartal. Berlin, in der Saalfeldschen Buchhandlung. 1812. 8. S. 59 bis 109. Am Schlusse des Aufsatzes findet sich S. 109 die Bemerkung: „Die Beilage, welche Proben aus altfranzösischen Gedichten enthält, folgt im nächsten Heft." Dieser Ankündigung entsprechend wurden die fraglichen Proben in dem vierten Quartal S. 101 bis 155 mitgetheilt.

Für die neue Ausgabe habe ich von verschiedenen Hilfsmitteln Gebrauch machen können. Es hat mir nicht nur der erste Druck, sondern auch Uhlands Handschrift vorgelegen, die ich für einzelne Stellen mit Vortheil verglichen habe. Besonders nützlich ist mir sodann ein von Uhland selbst angelegtes Verzeichnis der zahlreichen, manchmal nicht ganz leicht erkennbaren Fehler des ersten Druckes geworden. Ich habe dieselben sämmtlich stillschweigend verbessert.

Die genannten Hefte der „Musen" hat Uhland lange Zeit nicht mehr besessen und er hat erst in den fünfziger Jahren, wenn ich nicht irre, die eigene Arbeit wieder erwerben können. In diesem seinem Exemplare aber, und zwar in dem Hefte, welches die „Proben" enthält, habe ich eine Reihe handschriftlicher Änderungen gefunden, welche ich denn auch an der Stelle der früheren Lesarten, die ich in die Anmerkungen verwiesen, in den Text aufgenommen habe. Was ich selbst zugesetzt, habe ich auch hier durch eckige Klammern und den Anfangsbuchstaben meines Namens als von mir herrührend bezeichnet.

Die Bedeutung der Abhandlung über das altfranzösische Epos, ihre belangreichen Ergebnisse kann ich nicht besser hervorheben, als wenn ich den Gang, welchen die Untersuchung nimmt, aufzeige, was ich glücklicher Weise nach einem handschriftlichen Blatte mit des Verfassers eigenen Worten zu thun im Stande bin. Die Gliederung seines Aufsatzes hat Uhland hier folgendermaßen angegeben:

„Die zwei Hauptbranchen der altfranzösischen Poesie sind:
A) der epische Gesang,
B) die Erzählung.
   A) epischer Nationalgesang.
     a) Constituierung desselben
      1) nach Stoff und Umfang,
      2) nach dem Geiste der Darstellung,
      3) nach Form und Vortrag.
     b) Geschichte desselben.
     c) Absonderung desselben von andern sich zum Epischen neigenden Gedichtkreisen: dem normännischen und bretagnischen.
   B) Erzählung.
Schlußbemerkung: Überwiegen des germanischen Elements im epischen Gesang, des gallischen in der Erzählung."

Nach dieser Übersicht bedarf es kaum einer Hinweisung darauf, welche Herrschaft Uhland sich alsbald über das Gebiet seiner Forschung erworben, mit welch klarem Blick er sofort die Eigenthümlichkeit desselben erkannt hat, und ebenso kann eine weitere Hervorhebung des bleibenden Gewinnes nicht wol von Nöthen sein, welchen seine Studien der Wissenschaft eingebracht haben. Die Arbeit, ausgestattet mit all dem anziehenden Reize, welchen stets der Bericht einer ersten Entdeckung ausübt, hat auch heute noch nichts von ihrem Werthe verloren und die nachfolgenden Untersuchungen haben nur dazu gedient, · im Einzelnen näher auszuführen und fester zu begründen, was Uhland zuerst nachgewiesen hat. Seine Leistung aber wird man um so höher schätzen, wenn man bedenkt, daß ihm noch keineswegs zahlreiche Ausgaben altfranzösischer Dichtungen zu bequemer Benützung zur Hand gelegen, daß er seine Kenntnis des altfranzösischen Epos sich mühsam aus der Quelle geschöpft, aus den Handschriften selbst und in verhältnismäßig kurzer Zeit (sein Aufenthalt in Paris dauerte nur vom Mai 1810 bis in den Januar 1811) sich geholt hat.

Die Männer aufzuzählen, welche nach Uhland an den altfranzösischen Studien in verschiedenen Richtungen sich erfolgreich betheiligt, darf ich mit Rücksicht auf meine Zusätze zu der Abhandlung hier unterlassen. Eine Geschichte der dem altfranzösischen Heldengedichte gewidmeten Arbeiten hat überdieß Léon Gautier im ersten Bande seines großen Werkes „Les épopées françaises. Étude sur les origines et l'histoire de la littérature nationale." Paris 1865. 8. gegeben.

Tübingen, 17 Juni 1868.

Wilhelm Ludwig Holland.

Inhalt.

Anmerkungen zu den Volksliedern.

Erſtes Buch.

Trougemunt.

(1) Straßburger Pergament-Handſchrift A. 94, Bl. 17ᵇ bis 18ᶜ (vgl. J. Grimm, Altd. Wälder II, 8 ff. Wackernagels Altd. Leſebuch, 2te Ausg. 1839, S. 831 ff.).

1. lege. were. 3. trovgemunt. 4. ſwarbe ſoll heißen: ſcarbe, ſcharbe, mergus, Tauchente, Deutſche Gramm. III, 363. Schmeller III, 397. 6. der rech. 7. trogmunt. w'vmbe. 9. trovgmunt. 10. wolf] wal. entwichen von dem andern. 12. ageleie.

— 1. Fridthiofs S. C. 11: (Fornald. S. II, 91) „hvat heitir þû, maðr? eðr hvar varstu î nôtt? eðr hvar er kyn þit?ᵘ (Ebd. 92. 499.) Fornm. S. VI, 360: hvar hôku þer land, eðr hvar voru þer î nôtt?ᵘ Saxo V, 76: „quorsum inde cursum direxeris aut ubi te vesper exceperit, quæso.ᵘ Arwidsſon, Svenſka Fornſ. II, 148: „Hvar hafver Herr Pilegrim gästat i natt?ᵘ Vgl. I, 326, 9. Zu 1, 5 (2, 6) vgl. Teichner: Von den Wappen (Wiener Jahrb. I, Anz.-Bl. 36) V. 36 bis 40:

> Ez ſolt manigem zoren ſein,
> daz man ſeit ſein ritterſchaft.
> warumb fleuſt [verliert] er leib und chraft?
> nicht anders, dann durch ſpeis bejag [1],
> und wil dann, daz man ſtille dag.

2. Hartmanns Gregor 2905:

> niwan der himel was ſin dach.

3. Orendel (Augsb. 1512) V. 108 f.:

> Do kam ein armer wallender man,
> der wolt zu dem heiligen grabe gan.

---

[1] Allein um Erwerb der Koſt.

V. 113 f. er was genant [1] Tragemunt,

     im waren LXXII künigreich kunt.

Sanct Oswald:

a. [Wiener Handschrift in der Zeitschrift für deutsches Alterth. II, 92 ff.

V. 41 ff. Also Oswalt an die zinne quam,

     do sach her komen einen man,

     zu seinem hofe her da ging,

     Oswalt en wirdiglich entphing.

     her sprach: „lieber bruder mein,

     wi ist der naime dein?"

     her sprach: „ich heiße Tragemunt,

     alle lant sint mir wol kunt,

     zwe und sebenzig zungen.

V. 101 ff. Sinte Oswalt an der stunt

     sprach: „vil lieber Tragemunt u. s. w.

Über die Bedeutung des Wortes Tragemund, von dem die Form Trougemunt nur eine entstellende Umdeutung = Trügemunt ist, vgl. das Schriften III, S. 190 Bemerkte, außerdem noch Dufresne, Glossarium med. et inf. latinitatis, ed. Henschel, II (Paris 1842), S. 937, wo folgende Formen verzeichnet werden:. „Dragumanus, Drogamundus, Drocmandus, Drogemannus, Drogomannus, Turchimannus." Pf.]

b. Schaffhauser Handschrift, herausgegeben von Ludw. Ettmüller. Zürich 1835.

V. 195 ff. Im kam uf sinen hof gegän

     ein edler pilgrim wolgetän,

     der was geheizen Wärmunt.

     zwei und sibenzig lant wären im kunt,

     diu heter gewandelt mit eren

     in dem dienst unsers lieben herren

     und durch die ere der himelschen künigin,

     dar zuo stuont im daz gemüete sin.

     er truog ein palm in siner hant

     und gruozt sant Oswalt in Engellant.

V. 223 f. dô sprach der pilgrin Wäremunt:

     „zwei und sibenzig lant sint mir wol kunt."

---

[1] Hagens Ausgabe: geheißen.

B. 207 f. „Wârmunt, edler pilgerin,
du folt mir gotwilkomen sin."
B. 399 den stolzen pilgrîn Wârmunt.

Wârmunt (wie wârqueto, wârspello, veridicus, Deutsche Gramm. II, 640. Graff I, 921, wâr, n. veritas, Graff I, 919), Gegensatz von Trougemunt = Trügemunt, munt im noch gewöhnlichen Sinne genommen. (Warmunt heißt im Gedichte von Orendel ein Herzog, dessen wilde Rosse Meister Eise jagt, vgl. Fornald. Sög. I, 150.) Über alte fahrende, wallende Männer vgl. Morolf B. 1852. 1855 ff. 3647 ff. Biterolf B. 211 bis 387. Eggen-Liet Av. XXVIII f. Wilkina S. C. 229. Ellis I, 245 f. MS. I, 88, XII, 1. König Throl (MS. II, 249ᵃ):

zwô und sibenzic sprâche diu werlt hát.

3, 7. Zu ützüt (im Mscr. v̈zût) s. Deutsche Gramm. III, 62.

4. Im gedruckten Räthselbuch Biij ist der Vogel one Magen: der Habich. Vgl. Mone, Anzeiger 1838, Sp. 260.

6. die rame? [der Rabe, vgl. Wackernagels Glossar s. v. raben und mhd. Wörterbuch II, 546⁶. Pf.]

7, 8. Dainos S. 175:

Reden wollen wir ein Wörtlein,
denken einen Gedanken:
wo der Quelle Tiefstes,
was der Liebe Liebstes?

10. Zu den unnützen gengen vgl. J. Grimm, Reinhart Fuchs XXXV. In Mones Anzeiger 1838, Sp. 260 lautet das Räthsel, aus dem 16ten Jahrhundert in ein Buch eingeschrieben, also:

Sag mir, jungfer wis!
warum ist der wolf gris?
warum ist der wald wis?
warum hopt der has?
warum grient der was?
warum ist schilt und helm verblichen?
warum ist ain gnot gesell von dem andern gewichen?
Antwort.
von alter wird der wolf gris¹,
von tuft und schne wird der wald wis,

¹ Vgl. Merlin S. 4 f.

von gwonheit hopt der has,
von regen und thow gront der was,
von großen schlegen und stichen
ist schild und helm verblichen,
von großer untrew ist ain guot gesell von dem andern gewichen.

Hiernach möchte Str. 10, Z. 6 statt unnützen Sübichen zu setzen sein: von Sibchen untriu.

Altdeutsche Wälder III, 125 unten, 138.

12. Parzival 1, 1 ff.:

Ist zwivel herzen nâchgebûr,
daz muoz der sêle werden sûr.
gesmähet unde gezieret
ist, swâ sich parrieret
unverzaget mannes muot,
als agelstern varwe tuot.
der mac dennoch wesen geil,
wand an im sint beidiu teil,
des himels und der helle.
der unstäte geselle
hât die swarzen varwe gar
und wirt ôch nâch der vinster var:
sô habt sich an die blanken
der mit stäten gedanken.

2, 17 valsch geselleclicher muot
ist zem hellefiure guot
und ist hôher werdekeit ein hagel.

Lachmann, über den Eingang des Parzival S. 7 f.

Finnische Sprüchwörter (aus einem Werke von G. A. Gottlund, einem jungen schwedischen Gelehrten, nach mündlicher Überlieferung), mitgetheilt von K. Sederholm, Morgenblatt 1837, Nr. 252, S. 1012: „Der Specht ist bunt im Walde, das Menschenleben noch bunter."

Kranzsingen.

(2) Handschriftlich, auf Papier in großem 8⁰, aus der zweiten Hälfte des 15ten Jahrhunderts, mit der Überschrift: Inpetratio serti;

das folgende Blatt der Lage fehlt, das noch vorhandene dritte gibt nachstehende Strophe:

Eye ist mir liep die allerliepste frouwe min
Für sye do wolt ich sterben gern und solt es syn
Man seit in hymelrych
Eyg man vil fröude gewert
Wan ich myn schönes liep ansich
So han ich was myn hertz begert.

Dann folgt: „Ein Gedicht von Mortten, alß der Hertzog von Burgundien darvor lag. Im 76. Jor." u. s. w.

Herr Dr Heinrich Schreiber, dem ich die Mittheilung des fragmentarischen Kranzliedes im Original verdanke, hat dasselbe der Hauptsache nach in seinem Taschenbuch für Geschichte und Alterthum in Süddeutschland, Freiburg i. Br. 1839, S. 362 ff., veröffentlicht. Vgl. Hoffmann, Fundgruben II, 297 f.

Str. 1: hiet vß, cave (cavete), apoge! über die Formel: hütt sich Schmeller II, 258. Str. 2: wichz, weichet! alte Dual-, dann Pluralform, Grimm, d. Gramm. I, 1049 f., Schmeller I, 118 f. Z. 3: die Handschrift hat immer lübste, hübsten u. s. w.; treyt. Z 5: rger, so auch weiterhin; roßen krentzlin. Z. 6: nach küsselichen ist: vnd sin, ausgestrichen. Z. 9: rch. Z. 10: fürett. Z. 14: mirß; hübste. Z. 15: N. bezeichnet, daß die Formel je nach der Örtlichkeit ausgefüllt werden könne. Str. 2, Z. 1: iungfrouwe. Z. 2: hütt. Z. 4: wortten schür. Str. 3, Z. 1: vater ist in der ältern Sprache im Singular unveränderlich, d. Gramm. I, 686. Z. 4: dz. Z. 5: hynnen. Str. 4, Z. 3: siessen eygelin. Z. 4, 5: gutz, mutz. Z. 7: schrinß. Z. 8: zartt. Z. 9: gen für geben, gebent, wie Str. 6, Z. 6; dz. Z. 9: eß; zylt. Z. 10: wortten. Str. 5, Z. 1: kynnen. Z. 4 fehlt: kein. Z. 4, 5: wag, sprowe, in der folgenden Str.: sprong, versuchte starke Formen des Prät. von wäjen, wehen, spräjen, sprenzen, vgl. d. Gramm. I, 968 f.; vgl. Herborts Liet von Troye, V. 2191 f. und Frommanns Anm. dazu:

Mine ougen ich besprewete (sprête),
Den wint ich mir zuwewete (wête).

Z. 6, 7: Die Wiederholung dieser Zeilen aus Str. 3 ist nur angezeigt. Str. 6, Z. 1: litt.

[Zu Str. 4 vgl. J. Grimm, Reinhart Fuchs S. 368 unten.] Zu Str. 5, 6 vgl. auch Grimm, Mährchen II, 241 f.:

Deck' dich zu, mein Schwesterlein,
daß Regen dich nicht näßt,

daß Wind dich nicht beſtäubt,
daß du fein ſchön zum König kommſt!

Meinert 14:

Do hounde heärſt du ka'n Glouckeklang,
Do hounde heärſt du ka'n Vogelgeſang,
Do hounde heärſt ka'n Weind ni wehu,
Do hounde ſihſt ka'n Raen ni ſprehu.

Grimm, deutſche Rechtsalterthümer 38:

als die ſuun ofgêt und der wint weiet und der regen ſpreit. Bodm.
S. 628. alles, was der wint bewegt und der regen beſprecht (l. bewäjet,
beſpräjet). Weisth. von 1515 bei Würdtw. I, 427. [Weisthümer I, S. 162
oben.] Vgl. Grimm, deutſche Mythol. 536.**

Zu Str. 5, 6. Konrads von Würzburg Goldene Schmiede von
W. Grimm, Berlin 1840, V. 24 ff.:

ſô min gebanc wil gâhen
ûf ʒe dinem [= Marien] werden lobe,
ſô ſwebet eʒ den himeln obe
reht als ein vlüdeʒ vederſpil;
ſwenn aber ich hie niden wil
mit gedanken ſuochen eʒ,
ſô reichet ſiner tiefe meʒ
vür alleʒ abgründe;
ſin ende ich nimmer vlinde
und grüebe ich ûf den billeſtein.

Anmerkung S. 145: „32. billeſtein, grundfeſte, auf welcher die erde
ruht, hier gleichbedeutend mit hellebodem (unten 1253), entgegengeſetzt
der himele dach" (1252). Konrad beſchreibt die gewalt gottes (MS. 2,
199ᵇ): „vür der himele dach dû blickeſt und dur (der) helle billeſtein."
Dieterichs drachenkämpfe (Pfälz. handſchr. 226ᵃ) ruft Wolfhart, als
er die ſtimme eines rieſen vernimt: „wan, eʒ kumt des tiuvels ſchrei,
dâ von wir ſin erſchrecket: der billeſtein der iſt enʒwei, die tôten ſint
ûf gewecket." V. 1252 ff.:

des höhe vür der himele dach
und durch der helle bodem vert,
der häte im ſelben dich beſchert
zeinte ûʒ erweltem gademe.

Zu Str. 5, Z. 3 vgl. Liederſaal III, 607, 17 ff. [W. Grimm, Vridankes Beſcheidenheit. Göttingen 1834. 8. S. 109, Z. 10. 11. H.]:

An einer ſtat ein hunt erbal,
Daz über al die welt erhal.

Zu Str. 6, Z. 1 vgl. Wackernagel, deutſches Leſebuch II, 28, 22: Vor helles flammen.

(3) Fl. Bl. o. J.: „Ein ſchön neüw Lied, Wie man vmb ein Kranz ſingt." Holzſchnitt. Der Singer, den Kranz aufhebend, zwiſchen zwei bekränzten Frauen. Hinten: T. B. S. (Thiebolt Berger, Straß- burg, um 1570.) Auf das hier Mitgetheilte folgen noch drei Räthſel mit Auflöſungen: Singer, ſag mir u. ſ. w. Das dritte von der das Evangelium bedeutenden Mühle (vgl. Künig Thyro, MS. II, 248ᵇ f. Aretin, Beitr.).

[Str. 1, Z. 3, 4 vgl. MS. III, S. 299 a, 3.] Str. 6, Z. 2: Wann jr mir. Str. 8, Z. 8: ſpaziere. Str. 9, Z. 10: Truckers knaben.

Sebaſtian Francks Weltbuch, 1542. B. ljb. „(Superſtition der Franken an S. Johans tag:) Die meid machen auf diſen tag roſen- häſen, alſo, ſi laſſen inen machen häſen voller löcher, die löcher kleiben ſi mit roſenblettern zů und ſtecken ein liecht darein, wie in ein latern, henken nachmals diſen in der höhe zum laden herauß, da ſingt man alsdann umb ein kranz meiſterlieder; ſunſt auch oftmals im jar zů ſummers zeit, ſo die meid am abent in eim ring herumb ſingen, kummen die geſellen in ring und ſingen umb ein kranz, gemeinklich von nägelin gmacht, reimweis vor, welcher das beſt thůt, der hat den kranz." (Leyſer, deutſche Predigt. Einl. XXXI, Anm. „annulos vitreos, serta" u. ſ. w.) Vgl. Muſ. f. altd. Lit., Bd. II, S. 186 f., 3. Regenbogen. Görres, Meiſter- lieder 226 ff. Samml. f. altd. Lit. I, 39 ff.: Beham. J. Grimm, Meiſter- geſang 114. MS. II, 173ª, II. Nithart (Beneckes Beiträge II, 325):

Si ronſten ſines vater kneht
hiure vor dem meier Frideriche
umbe anders niht,
wan daz er ein krenzel truoc, daz was von bluomen rôt;
daz verſeit er dâ zehant den meiden.

Bibliotheca Tieckiana. Berlin (Aſher u. Comp.) 1849. (Chansons. Nr.) 225. Wie man umb ein Kranz ſingt. Ebb. (Augsburg) o. J.

Ein fl. Bl., gedruckt zu Nürnberg dnrch Valentin Newber, o. J., enthält: „Vier Gehstliche Nehen Lieder, das erste: Nun kumm herzu du junge schar. Im thon, Wie man vmb krentz singt" u. s. w. Das erste, 12. Str., beginnt so:

Ein Reien Lied, im Thon,
wie man umb Krenz singet.
Nun kumb herzu, du junge schar,
und was ich euch singe, das nempt war!
Mit frewden wölln wir singen,
Das fröhlich thut erklingen.

Wir wöllen preisen unsern got,
Der bei uns stehet in aller not
und ist zu helfen stäts bereit;
Dem sei lob, ehr in ewigkeit! u. s. w.

Die letzte Strophe hat drei Reimpaare. Am Schlusse dieses Liedes: „Hermanus Vulpius." Schmeller, II, 391: Das Kränz-Singen oder Singen „umb die Krenz an den Abendreien" wird verboten durch das alte Amberg. Stdtb.: „Kain Jungfrau oder Maid soll den Handwerks-gesellen und Knechten an einem Abendrehen einen Kranz zu ersingen geben." Ebb. III, 375. H. Schreiber, Das Theater zu Freiburg u. s. w. Freiburg i. Br. 1837. S. 10 f. Verordnungen des Raths zu Freiburg gegen „das Abendtanzen auf den Gassen, um das Kränzlein singen, den Reihen springen," 1556 bis 1568, in den Monaten Juni und Juli. Anzeiger 1836, Sp. 50. MS. III, 228ᵇ I. krenzleite. Nithart, Ben. 429, 3. 415, 6.

Zu Str. 2, Z. 7 f. vgl. Toblers Appenzellischen Sprachschatz 425ᵇ ob.

Zu Str. 7, Z. 11 f. vgl. Fristus, Ceremoniel der Büchsen-macher u. s. w. Leipzig 1712. S. 621 f.: Umfrage der Gesellen, oder Gesellen-Stab. I. Glückzu, mein Jung-Gesell! Hab Dank, mein Alt-Gesell! Wo kommt mein guter Gesell her, daß er so schön gebutzt ist in seinen krausen Haaren, als wie ein Igel? Zwar in seinem schönen Angesicht, als wenn er alle Tage was neues erdicht, in seinen schönen Bart, recht auf die spanische Art, in seinen schönen Kragen, gleich wie es die Junkern gerne tragen, in seinem schönen Elends-Coller, mit Barmherzigkeit gefüttert, in seinen schönen Hosen, als thät er gerne mit schönen Jungfrauen kosen, in seinen schönen Strümpfen und Schuhen, aber durchstochen und unten durchbrochen, als wär er lang des

Kaisers Trabant gewesen, hinter der Jungfrauen Wagen her, und hat eine Helleparten tragen müssen, mit drei Zinken, in meiner Heimbte heißt man es eine Mist=Gabel. Wo kömmt mein guter Gesell weiter her so geschwind, daß ich ihn bei Meister, Gesellen und Jünger hinter dem Tische find?

Zu Str. 9 vgl. Ruodlieb, Fragm. XVI:

V. 10 Quid respondere Ruotlieb nunc vis, hera per me?
Dixit: „dic illi nunc de me corde fideli
Tantundem liebes, veniat quantum modo loub[es],
Et volucrum wunna quot sint, tot dic sibi [minne],
Graminis et florum quantum sit, dic et honor[um]!"

V. 65 Dixit: „dic illi de me de corde fideli
Tantundem liebes, quantum veniat modo laubes,
Et volucrum wunna quot sunt, sibi dic men minna,
Graminis et florum quantum sit, dic et honorum!"

Das ist:

Sag ihm so viel liebes, als jetzt komme laubes! so viel der vögel wonne, sag ihm meiner minne! so viel gras und blumen, sag ihm auch des ruhmes (zu ruhme)!

Vgl. S. 226. 216. (Tobler, Appenzellischer Sprachschatz 239 b.)

Zu Str. 10, Z. 15 f. vgl. den Schluß eines Dreikönigliedes (Nürnberg, F. Gutknecht, in Docens Miszcellan. I, 278):

Wir standen auf ein Lilgen Reis,
Gott geb euch allen das Himmelreich!
Wir stehend auf ein Lilgen Blatt,
Gott geb euch allen ein gute Nacht!

Ritsons Anc. popul. Poetr. 19, 375 f.:

Thus be these good yemen gon to the wod,
And lyghtly as lefe on lynde. (Percy I, 134, 3.)

Deutsche Gram. III, 750:

Une feuille de lis.

Lieberfaal II, 477, 168:

Sô tiur als umb ein blat der linden.

Ebend. I, 300, 132:

niht ein rôsenblat.

Kinderl. 37 (Mittfastenlied):

Wir schreibens wohl auf ein Lilienblatt,
Wir wünschen dem Herrn einen guten Tag u. s. w.

Wir wünschen dem Herrn einen silbernen Wagen,
damit soll er ins Himmelreich fahren.

S. auch „Nachtfahrt", Nr. 260, Str. 3 und Anm. dazu.
Büsching, der Deutschen Leben u. s. w. im Mittelalter II, 400,
Str. 7:

So wolln wir euch nun danken
mit Sachsen und mit Franken.

(Kirchweihlied aus dem hildburghausischen Lande.)

Fischarts Geschichtklitterung Cap. 25. 1651. S. 292. Spiele:
„Räters." „Was für Blümlein gebt ihr mir zum Kranz?" S. 296:
„Des Verdiensts des Liebkranzes." Ebd.: „Womit verdieneten ihr den
Kranz?" S. 297: „Was für Blumen zieren sich wol?"

––––––

Eitle Dinge.

(4) A. Bicinia u. s. w. Viteb. 1545. B. I. Ten. nach Nr. XCX.
Disc. XCVI, überschrieben: „Ein Berckrey."

Str. 3, 4: Cöln. 4, 5: zelen. 5: bawen.

B. Joh. Adolfis, gen. Neocorus, Chronik des Landes Dithmarschen,
herausgegeben von Dahlmann. Kiel 1827. I, 180; vgl. Anton Vie-
thens Beschreibung und Geschichte des Landes Dithmarschen. Hamburg
1733. S. 109 f.

Weitere Behandlungen: Meinert S. 80. Schmeller, Mundarten
Bayerns S. 556. Wunderh. II, 410. Sternezählen, 1 Mos. 15, 5. Man.
II, 65ᵇ, 5 bis 66ᵇ, 3. (MS. II, 91ᵇ VIII, IX. 92ᵃ X). 100ᵇ, 3.
109ᵃ, 1 bis 3 (Verwandl.). 236ᵇ, 3 bis 237ᵃ, 2. (MS. II, 385ᵇ,
VIII.) Kindermährchen III, 249 bis 52. Rechtsalterth. 60, 36. 677 bis
79 (Scheinbußen). Arwidsson II, 85. 86, 6 bis 15. 205 bis 7 (vgl. 1,
310). 302: Herr Magnus. Nyerup I, 84, 4 f. 88, 33; III, 342 bis 45,
aus Levning II, 28. Udv. af d. Vis. II, 10. (Hier reihen sich dann die
mancherlei Verwandlungsgeschichten an; die Wünsche und Einbildungen
werden in Handlung gesetzt, vgl. Minstrelsy 5 ed. III, 43 u., s. ob.
(Jamieson II, 374 u., s. ob. 379 u., s. ob. Chambers 191 u.).
Buchan I, 24 u., ff. II, 219 u., s. Poln. Volkssagen 113 f. (Ar-
widsson II, 188); die Heirath zwischen Bruder und Schwester gehört

eben auch zu den unmöglichen Dingen, vgl. Minstrelsy 5 edit. II,
250. III, 275 fgg. Poln. Volkssagen 128 bis 30 ob. Motherwell
LXXX, 77). Jamieson II, 158. Kinloch 145 ff. The elfin knight
(Buchan II, 296 bis 98. Motherwell, Append. I bis 111). Kinloch
74 ff. The gardener (Buchan II, 189 f.). Buchan I, 232 f. Schwabs
Schweizerburgen I, 113. (Th. Wright), Songs and Carols u. f. w. Nr. 6.
Motherwell LXXIV, 44. Egeria 45, Nr. 27. (Altd. Wälb. I, 130).
(Fornald. S. I, 245 bis 47 (Kráka); vgl. Grimm, Mährchen II, 53,
Nr. 94. III, 175 u. bis 77). Reinhart Fuchs CCXVI*. Meinert
28. 60. 73. 93. Anmerkung zu Nachtfahrt.

Wünsche.

(5) B. Niederdeutsches Liederbuch Nr. 99.
Str. 1, 3. 1 sollte wohl heißen: Hedd ick de söven wünsche gewalbt.
Str. 8, 3. 3: wär. Die dritte Zeile erscheint zuweilen als ursprüngliches
Reimpaar, Str. 3, 5, vielleicht auch 7.

Laßbergs Liedersaal I, 180, 187 f.:

> Hân ich unrehte nû geseit, sô muoz mir geschehen leit.

Leo, Rectitud. 57:

> Beo þe be þinum. and læt me be minum.

Laßbergs Liedersaal III, 477 ff.: Die Wünsche.

B. 1 ff. Ich wünsch mir allez durch daz jár,
Ich wän und wurd ez halbes wâr,
Ich wurd nách wâne riche.

B. 37 ff. Ich wölt, daz durch den winter kalt
Vogel sungen jung und alt
Und viol, rôsen und der clê
Schône wüechsen durch den snê.
Ich wölte aller meister sang,
Sô wär mir niht der winter lanc.

Wol verstân und kunnen,
Ich wölte, daz die prunnen
Ze merzen wären guoter wîn,
Sô möhte ich des gesunder sîn.

B. 61 f. Wünschen ist kurze wîl
Und wirt sin niempt gebezzert ze keinem zil.

Hoffmanns Fundgruben I, 338, 13. Mone, Quellen und For-
schungen I, 145 ff.: „De vier heren wenschen" (aus dem 14ten Jahrh.).
Mone bemerkt darüber S. 147: „Erfindung nenne ich den Spruch, weil
in derselben Handschrift mehre Erzählungen von Herren- und Frauen-
Wünschen vorkommen, so daß man sieht, daß die Namen der Helden-
sage auch in diese Dichtart hineingezogen wurden."

W. Wackernagels Deutsches Lesebuch I (2te Ausgabe), 567: „Das
Mähre von den drei Wünschen."

Sp. 570, 34 habe drier wünsche gewalt.

Sp. 571, 20 oder ich wünsch einen schrin vol
swie guoter pfenniuge ich wil,
der immer si gelîche vil,
swie vil ich drûz genemen kan;
und swem ich drûz ze nemene gan,
daz er doch si gelîche vol.

Vgl. Mone a. a. O. 152, 125 ff.:
ende daer vôr mi soude staen
een cop van sinen goude,
die van guldenen penningen
altôs vol wesen soude,
sô wat ic daer ût bêde,
dat hi altôs vol blêve;
dat ic alder werelt
genoech mochte geven.

Nibelunge (Lachmann) 1063 [= Holtzmann 1136. 1137. Pf.]:
Ez was ouch niht anders, wan gesteine unde golt.
unde ob man al die welte häte versolt,
sin wäre minner niht einer marke wert.

1064 Der wunsch lac dar under, von golde ein rüetelin.
der daz het erkunnet, der möhte meister sin
wol in al der werlde über islîchen man.

v. d. Hagens Ausgabe 2040[e] ff.:
Sivrit was sô rîche, als ir wol habt gehört;
im diente daz kilnicrîche unt Nibelunge hort;
des gab er sinen degenen vil volleclich genuoc,
wande sin wart doch niht minre, swie vil man von dem schatze truoc.

J. Grimm, Reinhart Fuchs CXXI u., f. ob. Méon IV, 386: Les
quatre souhais S. Martin. Schänbliches Zerrbild der Fabel; darin
jedoch beachtenswerth, was der Bauer zu seinem Weibe sagt, V. 81 ff.:

Et sachiez bien, que je criembroie,
Se le sohait vos octrioie,
Que tel chose souhaidissiez,
Dont moi et vous empirissiez.
Ne connois pas bien vos amors;
Se déissiez, que fusse uns ors,
Ou asnel, ou chievre, ou jument,
Jel' seroie tout esraument;
Por ce si redout vostre otroi.

Keller, Sept sages CLXXXI ff. Marie de France II, 140.
Grimm, Mährchen III, 151, 87. 198, 110. Simrock, Walther von der
Vogelweide II, 161, Z. 1. Reinmar von Zweter, Minnes. II, 145 b:

Und het ich drier wünsche gewalt
Und die wurden wâr,
Sô kunde ich niemer werden alt,
Sô wolde ich wünschen u. s. w.

Fast dieselben Worte wie im niederdeutschen Liede Str. 1, Z. 1. 3.
Str. 8, Z. 3, auch ähnlicher Rhythmus von Str. 1, Z. 1. 3. Walther
von der Vogelweide (Lachmann) 84 [= Pf. Nr. 127]:

Dri sorge hab ich mir genomen u. s. w.
76 Der wintersorge hân ich dri.

Fischard III, 260:

Der schaden der wârent dri.

Iwein S. 312, 554. MS. III, 423 b, 3.

Fischarts Geschichtklitterung Cap. 25 im Verzeichnis der Spiele S.
297 a: „Drei wünsch auf ein stiel." Ebend.: „Wünsch daß beiden
nutzt." S. 294 b: „Was wünscht bir von beim bulen?" Burkart
v. Hohenvels, Man. I, 88 b, 3 (vgl. 89 a, 1):

Ich hân funden mir ein spil,
Daz mir minen vinger bindet,
Sô wünsche ich doch, swaz ich wil.

Nibelunge 281, 3:

ob ieman wünschen solde u. s. w.

MS. III, 443 b, XLIV.

Die Perſonification des Wunſches (Grimm, deutſche Mythol. 99 f. 692) iſt nicht als eine mythiſche nachgewieſen, ſondern nur als eine allegoriſche oder vielmehr ſprachliche, aus der fortwirkenden Lebendigkeit und Bildlichkeit der Sprache hervorgegangene; die Belege ſind auch nur der Ritterpoeſie entnommen. Auf ähnliche Weiſe werden Sälde, Glück, Minne, Ehre, Welt, Abenteure (ſ. Zeitſchr. f. deutſches Alterth. I, 55 f.) u. ſ. w. perſonificiert. Das perſönliche Auftreten der Sälde in einem Gedichte der deutſchen Heldenſage, Etzels Hofhaltung, beruht auf einem Misverſtändnis der ſpäteren Bearbeitung, wie eine Vergleichung derſelben mit dem Regensburger Bruchſtück [1] ergeben wird. Odin als Oſki iſt adoptator, nemlich ſeiner Wunſchſöhne und Wunſchtöchter, der Einherjen und Valkyrjen.

(6) Aus einer Handſchrift des 16ten Jahrhunderts, im Beſitze des Frhrn. W. v. Haxthauſen, in Mones Anzeiger 1838, Sp. 73 f. Aus einem geſchriebenen Liederbuche mit der Jahrzahl 1639 (mit niederdeutſchen Formen) im deutſchen Muſeum von 1780, Bd II, S. 283 f.

Str. 1 fehlt im Muſ. Z. 5: hette. Z. 6: wüſte. Str. 2, Z. 5: Muſ. unverſchmehet. Z. 6: knecht? Str. 3, Z. 2: frundlich. Z. 7: möchte, Muſ. machte mir. Str. 4, Z. 1: were, Muſ.: wer. Z. 2, Muſ.: zu ihrem fueſſe. Z. 3: urſprünglich etwa: g. ſt. wolt ich mich ſchmeichen zu ir? vgl. Schmeller III, 463. Z. 5: wol vor d. ſch., Muſ.: u. ſpr. wolde ich vor die ſch. Z. 6: dan, Muſ.: dann. Str. 5, Z. 2: ſäße uf einem. Z. 7 andere. Str. 6, Z. 1: new, Muſ.: neue. Z. 3, Muſ.: ruetter. Z. 5: es ſteht maniger, Muſ.: Es ſtehet mannicher; dür. Z. 6: bliebe da vur, Muſ.: bleve he davor. Z. 7 Muſ.: brecht.

Einfacher, doch auch verdorben, ſteht das Lied im fein. Almanach 1777, S. 116 ff. Darüber bemerkt Büſching, Samml. d. Volkſl., S. 380: „Dieſes Lied, zu welchem die Melodie vom Herrn Kapellmeiſter Reichard iſt, nahm Herr Nikolai aus der in ſeiner Bibliothek befindlichen gedruckten Sammlung von Volksliedern, unter dem Titel: Schöne Bergreyen, auffs new zuſammen bracht mit außerleßnen Liedern; zu Nürnberg Truckts Hans Daubmann 1547.“

Die Verwandlungen laſſen ſich hier ſo an:

> Wolt gott, ich wer ein kleins vögelein,
> ein kleins waldvögelein!
> gar lieblich wolt ich mich ſchwingen
> der lieben zum fenſter ein.

---

[1] [Abgedruckt in meinen Erzählungen aus altdeutſchen Handſchriften S. 1. R.]

Wolt gott, ich wer ein kleins hechtelein,
ein kleins hechtelein!
gar lieblich wolt ich ir wischen
under iren tische.

Wolt gott, ich wer ein kleins ketzelein,
ein kleins ketzelein! [1]
gar lieblich wolt ich ir mausen
in irem hause.

Wolt gott, ich wer ein kleins pferdelein,
ein artlichs zelterlein!
gar zartlich wolt ich ir traben
zu irem lieben knaben.

Wolt gott, ich wer ein kleins hundelein,
ein kleins hundelein!
gar treulich wolt ich ir jagen
die hirschen, hünlein und hasen.

(Willkürlich mit andrem zusammengesetzt im Wunderhorn I, 363 f.)
Meinert 49.

„Ein hübsches lied in des Brembergers thon." Anf.: „Wie wol
dem tag" u. s. w. Fl. Bl. 4⁰. o. O. u. J., Berliner Bibl., abschrift-
lich mitgetheilt durch Ph. Wackernagel, 3 Str., die zweite lautet so:

Wölte got, das ich were ein (lauter) spiegel glas,
das sich die meine allerschönste frawe alltag solte vor mir zieren!
So wer mir wol und wer mir immer dester baß,
das si das ir golt farbes hare (alltag) solte vor mir pflanzen [2].

Wer ich ein guldens fingerlein
und das mich mein allerschönste (fraw) in iren henden zwüfge!
wer ich ein seidens hemmetlein,
das mich die rein und die zart an irem liebe (l. leibe) trüge!
wer ich ein aichorn prawn und sprung ir auf ir schöß!
von rechter lieb si mich an ir arm schlöß;
ich hiels und kusts in (l. an) ir rotes münblein,
das nem ich für des kaisers gut und solt ich immer dester ärmer sein.

---

[1] Vgl. Tobler 231 u.
[2] pflanzieren, vgl. Wunderhorn III, 114.

Anfang des Liedes von der schönen Mablena, fl. Bl. um 1570:

> Wer ich ein wilder falte[1],
> so wolt ich mich schwingen auf,
> ich wolt mich nider lassen
> für eins reichen schuomachers [burgers] haus.
>
> Darinnen ist ein mägetlein,
> Mablena ist sie genant,
> so hab ich alle meine tag
> fein schöners brauns mädlein erfant u. s. w.

Vgl. fein. Alm. 1777, S. 160. Wunderhorn III, 25. Dagegen ist das Lied gleichen Anfangs Wunderhorn I, 63 f. neue Dichtung. S. auch die Schlußstrophe des Liedes Nr. 88:

> Wolt gott, ich wär ein weißer schwan u. s. w.

Viel Verwandtes aus den Liedern andrer Völker in den Anmerkungen zu dem Liede „eitle Dinge" (Nr. 4). Minstrelsy, 5 ed. III, 106 f. Fischarts Geschichtklitterung Cap. 25, im Verzeichnis der Spiele S. 291ª: „Du der Has, ich der Winb." Zell, Ferienschriften I, 79. Reinhart Fuchs CXXI f.

Vogelhochzeit.

(10) Fl. Bl. 1613. o. D.: „Von einer Vogel Hochzeit. Das erst: Der Stieglitz genant, vormals nie gedruckt. Das ander, Es wolt gut Reiger fischen u. s. w."

Zu B, Str. 31, Z. 1: Wannenwöhr, eine Sperberart. Mones Anzeiger 1838, Sp. 429. Schmeller IV, 3. 9. Tobler, Appenzellischer Sprachschatz 277ᵇ ob.

Norwegisch, fl. Bl.: Rabna=Bryblup uti Kraafalund u. s. w. Christiania. Trykt i det Wulfsbergske Bogtrykkerie af R. Hviid. (Dän. Übersetzung vom Anfang des 17ten Jahrh. in Nyerups Udvalg u. s. w. II, 97). Wendisch, aus dem Lüneburgischen in: J. G. Eccardi Histor. studii etymol. linguæ german. u. s. w. Hannover 1711. S. 269 (Cantilena, quam in tabernis considentes Venedi nostri cantare solent), mit deutscher Übersetzung, daraus in Herders Volksliedern I,

---

[1] MS. I, 87 b, 3 (Burf. v. Hohenvels):

> Möhte ich vliegen als ein sneller valke,
> Ich wolte ouch dä bin.

104. Litthauifch: Dainos u. f. w. S. 67 bis 71. Lettifch: ebendafelbſt S. 312 bis 14. Engliſch: Ancient Ballads and Songs u. f. w. By Th. Lyle. London 1827. S. 65: The marriage of the Froggie and the Mouse. Aus Th. Ravenscrofts Melismata, London 1611. (Bgl. Scotish Songs. London 1794. Vol. I. S. XLI. Jahr 1549. Bonerius S. 23.) Chambers, Scott. Songs I, XXIV bis XXIX. Käfer und Fliege, v. b. Hagen 156, vgl. Nyerups Udvalg II, 104. Eule und Adler, Meinert 69. Robins Tesment, Buchan I, 273. 318. Minstrelsy, 5 ed. I, 20. N. (basfelbe, 2 ed. III, 6. N.) Shaffpeares Cymbeline, Act. IV, Sc. II, ed. Sam. Weller Singer, Th. IX, S. 97 f. Douce, Illustrat. of Shaksp. II, 107 f. 343 bis 47. K. Halling: „Thierfabel vom Zaunkönig" in Mones Anzeiger 1835, Sp. 312 ff. Grimm, Reinhart Fuchs XLIV. Ritfons Ancient Songs and Ball. I, LXXXV f. II, 155. (Percy III, 154, 2.) Motherw. 11. Grimm, Hausmährchen II, 92 (Nr. 102). III, 190. Buchan II, 298, 2 v. u. Méon IV, 365, B. 341 ff. Christmas Carols by Sandys S. LXV. Meinert 68, 2. 248 u. (wenn man den Erſchlagenen liegen läßt. Vgl. Boner 203, LXI. Meinrads Raben. Chambers, Scott. Songs II, 583 f.: The Wren. N. Jahrb. der Berliniſchen Geſellſchaft u. f. w. II, 64: Eisvögel. Chans. pop. de la Bret. II, 135 u. 138. Nothkehlchen. J. Grimm, deutſche Rechtsalterth. 378, I. Weber, de invest. et servit. feudor. ludicr. S. 49; vgl. Sæm. Edd. 33, 21. 45, 40 f. Schayes 232 ob. Udvalg af b. Vif. II, 122: „Bonden og Kra= gen" (vgl. Altdeutſche Wälder I, 112). Dainos 63. J. Grimm, Rein= hart Fuchs CCXVIII bis CCXXII oben. 447, 1. CXXVIII, 17. Mones Anzeiger 1835, Sp. 358: Exequiæ lupi. Thiermann: Jwein, 396 bis 599, 979 bis 988, vgl. Histoire littér. de la France, B. XV. Paris 1820. S. 236 f. [Vgl. meine Ausgabe des Chevalier au lyon von Creſtien von Troies. Hannover 1862. 8⁰. S. 15. ff. 36. H.] [Fauriel II, 390. I, LXXXII.] Nyerup I, 86, Str. 17 bis 23 (Bonved). In Svensk. Folkv. II, 138 kommt der Thiermann nicht vor. Schröter, Finn. Runen 71. 73. 81. 140. Ganander, Finn. Mythol. 14 f. 22 f. 51 bis 53. Vita Merlini B. 451 bis 63. 102 f. Introd. S. XLII. Dietr. Drachenk. Str. 106 bis 113. 117 (S. 156 f.), vgl. Ellis III, 279 f. Ein Lied vom Gimpel, Wunderhorn III, 42. De Florance et de Blancheflor, Méon, Fabliaux IV, 354. (Nou-

veau Recueil I, 353). Roquefort, de l'état de la poés. françoise
dans les 12 et 13 siècles, S. 295. W. Scotts Sir Tristrem 285
(280 ob.): des Raben Theil am Hirsche. Sn. Edd. 80 (vgl. Sæm. Edd.
140 f. Ubb. b. Vis. I, 197). Jubinal, Cont. I, 168 ob. Bögel=
futtern, mein Walther v. b. B. 153. Anzeiger 1833, Sp. 70. Vita B.
Mathild. ap. Leibnit. B. I, S. 202. (Schwabs Schweizerburgen II,
346 u. 358 u. 370: Vogelrecht? Atzung für Jagdvögel? vgl. Pipitz 74,
Anm. 3.) Finn Magnus., Lex. mythol. 836. Pipitz, Die Grafen
v. Kyburg 133 u., f. ob. Helmpr. 551: „dein geneuffet der wolffe
unb ber ar." (Die Wolfsklag B. 65 bis 71.) Christliche Kunst=
symbolik und Ikonographie, Frankfurt 1839. S. 191: „S. Sophronia,
als Einsiedlerin. Vögel bedecken ihren Leichnam mit Blumen." (In
der Leg. aur. kommt sie nicht vor.) Parziv. 119, 15: fuln vogele
durch mich freude lân? (überhaupt die Stelle vom Vogelsang 118 bis
120). Laßbergs Liedersaal II, 385 [= Pfeiffers altd. Übungsbuch
Nr. XVII, 28 ff.]:

> Ein rapp vil hôher minne pflag;
> Der gie hin ze dem tanze,
> Mit sinem rôsen kranze
> Trat er den sirggan braŷ [1];
> Des frôute sich der liehte mai,
> Die rein begunden rîsen u. s. w.

(Renner 180, 76: „unb als ob ein' den virlei trete" u. s. w.
Schmeller I, 632 ob.: Fŷerltanz. Roquefort II, 186[a]: „Qui font
rondeaux et vireluis." Schmeller II, 108 (Grill). (Vgl. Liederf. I,
323, 30 bis 35.)

Kuckuck.

(11) Bassus des andern theŷls viler kurtzweŷliger, frischer Teut=
scher Liedlein u. f. w. Nürnberg 1553. Nr. 29. Sechsstimmig comp.
von L. Lemblin.

Str. 3, Z. 1: „alß dann schwang er sein gsibere." Vgl. Meinert
174. Wunderhorn III, 130. Der beregnete Hahn ein Bild der Ver=
legenheit und Niedergeschlagenheit, Méon, Nouv. Rec. II, 240 f.:

---

[1] [Pf. Frien virelei; anderwärts virlei, firlefei, vgl. mhd. Wörterbuch 3, 327. Pf.]

Et je las qui sni enchéus,
Sui comme li cos empléus.
S. 241 Chiere encline com afolez,
Et comme li mastin foulez.

J. Grimm, Andreas u. Elene XXVI f. (vgl. Sæm. Edd. 167ᵇ, 30 mit ebend. 66ᵇ, 48, auch Trougm. Str. 1. 2 und „Frau Nachtigall.")
(12) Joh. Eccard, Newe deutzsche Lieder u. s. w. Mülhausen 1578. Nr. 23. Die erste Strophe am Anfang, die beiden andern am Schluß eines Quodlibet.
Str. 1, Z. 2: Hertzen Liebe.
Wolfgang Schmeltzels teutsch. Ges. 1544. Nr. 9. „Quodlibet. Guckguck." Anfang:

> Ein guckguck wolt auß fliegen
> zu seinem hertzen liebe u. s. w.

Weiterhin:

> pfui dich, pfui dich, du schwarzer vogel!
> so thut man dich doch nindert loben;
> so fleug du hin gar balde
> wol in den grönen walde, guckguck!

Bis hieher ist der Text des Quodlibets derselbe, wie bei Eccard, allein dieser schließt hier, wogegen Schmeltzel gleich lange fortfährt und so endigt:

> all mein anschleg geen hintersich,
> ich armer guckguck wo sol ich auß?
> wil fliegen auf die zinnen,
> wil heben an zu singen,
> guck guck g. g.g.g. g.g. g. mit freiem mut,
> guckguck, du bist schabab,
> ich weiß mir ein andre im hag.

(13) 115 guter newer Lieblein. Nürnberg 1544. Nr. 30, durch-componirt von Joh. Müller. Frankfurter Liederbuch von 1582 und 1584, Nr. 38. Heidelberger Handschr. 343, Bl. 95 mit 4 weitern, nicht dazu gehörenden Strophen. De morte Cuculi, Dornavii Amphi-theatrum u. s. w. (Hannover 1619) I, 457; auch bei Mabillon, Vetera Analecta (Paris 1723), S. 409. Vgl. J. Grimm, deutsche Mythologie 389 ff. Hoffmann, Horæ belg. VI, 238. Fischarts Geschichtklitterung C. 25, S. 297, Spiel: „Im Winter auß, im Sommer an."

Käuzlein.

(14) A. 115 guter newer Lieblein. Nürmberg 1544. Nr. 59. (Comp. Lud. Senffl.)

Str. 1, Z. 3: bey der. Z. 4: den walde. Str. 2, Z. 2: soll. Z. 3: sein. B. G. Forsters fr. Liebl. III, 1549. Nr. 4. (Comp. Lud. Senffl.) III, 1563. Nr. 4. (Comp. Steff. Mahu. Bass. III, 1552. Nr. 4, nur Str. 1, auch Steff. Mahu.)

Str. 2, Z. 3: läblein, 1563: leublein. Str. 3, Z. 3: geschach, 1563: gschach.

C. G. Forsters fr. Lieblein III, 1549 u. 1563. Nr. 64. (Comp. G. Othmayr.) Bass. 1552 nur Str. 1. In der Ausgabe von 1549 Nr. 11, (Comp. J. B. Brant) steht die erste Strophe in der Form C, wie unter Nr. 64, dagegen die zwei folgenden in der Form B, wie Nr. 4, die Ausgabe von 1563 hat dann aber auch diese beiden Strophen nach der Form C berichtigt.

Str. 1, Z. 2, 1549, Nr. 11: i. fliegen auß. Z. 3 ebd.: b. u. so gar a. Z. 4. ebb: m. so m. Z. 5 ebb.: die ewlen. Z. 6: trawren, nur 1549. Nr. 11 hat richtiger: trawen, dräuen, vgl. Schmeller I, 412 u. Str. 3, Z. 4: verzalt; in der Ausgabe von 1563, Nr. 64, sonst: verzelt; Schmeller IV, 250: Einen verzellen (ä. Sp.), ein gerichtliches Urtheil, besonders das der Acht oder des Bannes über ihn aussprechen u. s. w. Wer einen Verzalten gehauset u. s. w. Über die Conjug. von zellen s. d. Gramm. I, 946 u. Z. 6 auch: zurück; vgl. Schmeller III, 73.

Eine ausführlichere, allegorische Klage des Käuzleins von seiner Liebe zur Nachtigall: „Ich armes fogelin kleine" u. s. w. in Fichards Frankfurter Archiv III, 263 ff.

Nachtigall.

(15) A. Fl. Bl. Straßburg bei Thiebolt Berger.

Str. 3, Z. 1: Ich meint du bist. Str. 12, Z. 2 und Str. 13, Z. 1: fürs Burgenmeysters hauß. Am Schlusse noch 3 Str.:

> Wer ist, der uns das Lieblein sang?
> ein freyer Trummeter ist ers genant u. s. w.

Vgl. Fischarts Gargantua Cap. 1, S. 25: „Es ist ein Lind iu jenem Thal, ist oben breit und unden schmal u. s. w. Der Guck-gauch der flog hinden auß, wol für der Becferin Hauß, darinn ein Goldschmidt maußt." [Vgl. auch A. F. C. Vilmar, Handbüchlein für Freunde des deutschen Volksliedes. Marburg 1867. 8⁰. S. 204 bis 207. H.]

B. P. Mohr, Zur Verfassung Dithmarsens. Altona 1820. S. 194, aus der handschriftlichen Chronik von Hans Dethlefs.

Str. 9, Z. 2: vor ein Borgermeisters Döhr. Str. 10, Z. 1: juw Borgermeister.

Geistlich von Heinrich v. Lauffenberg: Es stot ein lind in himel-rich u. s. w.

Sir Ferumbras (Ellis, Specim. II, 371):

> It befell, between March and May,
>   When kind[1] corage[2] beginneth to prick,
> When frith and fielde waxen gay
> And every wight desireth her like,
>   When lovers slepen with open eye,
> As nightingales on green tree,
> And sore desire that they coud fly,
>   That they mighten with their love be u. s. w.

(Der provenzalische Ferabras hat nichts hievon.) Minnes. II, 248ᵇ, 2:

> ir sêle zen vogelen si gezalt! (Deutsche Myth. 705, 478.)

(18) G. Forsters fr. Liebl. I, 1539 und 1560. Nr. 47. (Comp. Laur. Lemlin, Baß. 1552 nur die unvollständige Str. 1.)

Str. 1, Z. 5: die nachtigal, Ausg. v. 1552 u. 1560: fraw (frau) nacht-gal. Z. 8: br. ja bringen, so auch je am Schlusse der folgenden Strophen. Str. 2, Z. 1: Yedoch seindt, die Ausg. von 1560: Jedoch so seind. Str. 3, Z. 1: Margaretha. Z. 5, 6: sind, juncfraw. Z. 7 s. vgl. d. Gramm. IV, 674: sanges krönen (Mth.).

Zu Str. 1, Z. 6 vgl. Bribanc 142, 11 f.:

> Ich näme der nahtegalen sauc
> vür der sfiezen harphen flanc.

---

[1] Nature.
[2] The heart.

Zu Str. 2 vgl. Gudrun Str. 1197 bis 1220. Str. 3, Z. 4: „das meyblein mit fraw Gertraut" ist die geliebte Ungenannte, s. Anm. zu „Drei Fräulein" (Nr. 21).

(19) a. Als ein Lied zum Reigen um „den feyhel," die erste Frühlingsblume, eingerückt in Hans Sachsen Fasnachtspiel: „der Neydhardt mit dem Feyhel," 1562. (Ged. B. 4. Th. 3. Nürnberg 1578. Bl. 50.)

Der Anfang des Liedes findet sich schon in einer niederländischen Pergament=Handschr. geistlicher Gesänge aus dem 15ten Jahrhundert (Hoffmann, Horæ belg. II, 82):

Die mei, die mei, die meie
die brinct u. s. w.

Die erste Strophe, mit Singnoten, eröffnet auch ein geistliches Lied, überschrieben: „Ein schöner abend reyen," auf einem fl. Bl.: „Drey hüpsche newe Geystliche Lieder u. s. w., getruckt zů Basel, bey Samuel Apiario, 1569." Dasselbe geistliche Lied, mit der weltlichen Eingangsstrophe und mit der Unterschrift: „Jacob Klieber", auf einem andern fl. Bl.: „Vier Geistliche Reyen Lieder" u. s. w., gedruckt zu Nürnberg durch Val. Newber. Str. 1, Z. 2 lautet in diesen beiden Drucken: „bringt uns der bl. v." Zu Str. 1, Z. 3 vgl. Sigenot (v. d. Hagens Ausgabe) Str. 26:

er furt ein freiß gemute
der hoch gelobte man.

b. „Das Geystlich Meyen Lied. Von dem Gnadenreichen, lieblichen Meyen, Christum am Creütz hangende. Im thon, Es nahet sich dem Sommer, der Winter ist bald dahin u. s. w. Getruckt zů Basel, bey Samuel Apiario. 1567," Am Schlusse: „Bendict Gletting." Die ausgehobenen drei weltlichen Strophen sind dort, unter 27, die erste, vierte und sechste. Die klingenden Reime u. s. w. mögen vom Be= arbeiter herrühren.

Niederländischer Liedesanfang in einer Papier=Handschr. des 15ten Jahrhunderts (Horæ belg. II, 83):

Het gaet hier teghen den semer
al datmen singhen sal.

Anfangsstrophe in: „Altus des dritten teyls viler schöner Teutscher Liedlein" u. s. w. Nürnberg 1549. Nr. 33. (G. Othmayr):

Es nahet sich gegen dem sommer,
grün wil ich mich kleiden;
den liebsten bulen, den ich hab,
von dem wil ich auch scheiden,
das schafft allein ir untrew wankelmütig sin;
hab urlaub, far dohin!

Drei Fräulein.

(21) A. 115 guter newer Lieblein. Nürmberg 1544. Nr. 25.
Comp. von Lud. Senffl. Orl. d. Lassus, 3ter Th. schöner newer teut-
scher Lieder. München 1576. Nr. 6. Frankfurter Lieberbuch von
1584. Nr. 50. G. Forsters fr. Liebl. III. 1549. Nr. 30. (Comp.
G. Forsterus.) III. 1563. Nr. 30. (Comp. G. Othmayr.) Im
Baff. III, 1552 (auch G. Othmayr), nur Str. 1.

B. 115 guter newer Lieder Nr. 40, comp. von Lud. Senffl, mit
dem Refrain: „bölpel, bölpel, bölpel."

Den wahren Namen der Geliebten zu nennen, galt im Minne-
sange für unschicklich (Lachmann, die Gedichte Walthers von der Vogel-
weide S. 189. Raynouard V, 192. 195 u. [F. Diez, Die Poesie der
Troubadours. Zwickau 1826. 8°. S. 149. 150. H.]). Es scheint aber
auch eine alte Form gewesen zu sein, das Dritte, Trefflichste, unge-
nannt zu lassen, vgl. li Romans de Berte, par Paris (Paris 1832),
S. 17 f.:

Trois menestrels y ot qui mout font à proisier,
devant le roy s'en vindrent, ni voudrent detrier,
et devant la royne pour li esbanoier;
li uns fu vielleres, on l'apeloit Gautier,
et l'autres fu harperes, ot non maistre Garnier,
l'autres fu fléuteres, moult s'en sot bien aidier,
ne sai comment ot nom, mentir ne vous en quier.

Chans. 1538, Bl. 120:

Et si a [mon pere] troys beaulx chevaulx,
le roy nen a point de si beaulx;
Lung est gris, laultre est moreau,
mais le petit est le plus beau.

Ebb. Bl. 69ᵇ:

> de troys chasteaulx que iay
> aura [ma dame] la seigneurie;
> lung est dedans Millan,
> laultre en Picardie,
> laultre dedans mon cueur,
> mais ie ne lose dire.

Landnâm. 4, 7 (Isl. sög. I, 199): hialpi mer svâ Freyr ok Niördr ok hinn almâttki âs! Egilsf. 365: Freyr, Niördr, landâs. (Deutsche Mythol. 140.) Sn. Edd. 3: Hâr, Jafnhâr, en sâ ofarst er þridi heitir. (Ebb. 110) (Thunar, Wodan, Saxnôt?) Deutsche Mythol. 244: Habburc, Siglint und eine Ungenannte: aller wiseste wip; zwei oder drei? In den neugriechischen Volksliedern ist das Ansteigen zum Dritten, Erheblichsten, das besonders auch auf die Liebe Bezug hat, herkömmlich: τὸ τρίτον, τὸ καλλίτερον u. s. w. Fauriel, Chants populair. de la Grèce mod. II, 254, vgl. I, 4. II, 190. 316. 318. 344. 380. Italiän. Volkslied (Br. Grimm, Altd. Wälder I, 130):

> C'erano tre zitelle, e tutte tre di amor,
> ninetta, la più bella, si messe a navigar.

Simrock, Walther v. d. Vogelw. II, 161, 3. 1. Meinert 122. Anfang eines alten schottischen Liedes (Scotish Songs, London 1794. Vol. I, S. L, N. 46):

> Three birds on a tree,
> Three and three, and other three,
> The boniest bird come down to me u. s. w.

Ebendaselbst:

I saw three ladies fair singing, hey and how upon yon leyland, hey.
I saw threw mariners singing Rumbelow, upon yon see stand, hey.

Vgl. Fauriel I, 4. II, 344:

> Τρία πουλάκια κάθονταν u. s. w.
> Τὸ τρίτον, τὸ καλήτερον μυριολογάει καὶ λέγει.

Saga Ragnars Lodbr. Cap. 8 (Fornald. S. I, 256):

þèr munud sjá at fuglar þrír sátu í trènu hjá ydr, þeir sögdu mèr þessi tídendi.

S. auch Anm. zu: „Er ist der morgensterne." Nr. 66 B; zu „Brennenberg." Nr. 75; zu „die Wünsche." Nr. 5. Nyerup III,

346, 6. 8.   347, 13.   Levninger af Middel-Alberens Digtekunst II,
Kopenhagen 1784. 8°. 119 bis 21. Indhold Nr. 16. „Die Nonne."
Nr. 96, Str. 1. 2.   „Elslein."   Nr. 257, Str. 5 bis 9, namentlich
Str. 9:

> Der jüngst, der under den brüdern war,
> der war der allerbeste u. s. w.

„Nachtfahrt" (Nr. 260), A, Str. 9 f. B, Str. 4. „Der mei
wil sich mit gunsten" (Nr. 18), Str. 3, Z. 4: „das meidlein mit
frau Gertraut." Drei singende Jungfräulein im Liede: „Schloß in
Østerreich" (Nr. 125), Str. 17. Auch im Leben der Gertrud v. Osten
Cap. 1, § 4. Nachtigallen und Jungfraun, Nyerup II, 178, 8 f.
Ritson I, LXXXVI Not. Drei Jagdhunde, Altd. Wäld. III, 142, 185.
[B, Str. 2. Gassenhaw. 7.]

Rosenbrechen.

(22) A. Niederdeutsches Liederbuch Nr. 39.

Das kleine Lied ist von allerlei Zuthat erdrückt. Voran gehen
zwei Strophen:

> Ick gink my gistern morgen
> spatzeren dorch den woldt,
> ick hörde de vögelin singen,
> se sungen junk und oldt,
> unde ick hörde se also gerne singen.

> Ick steech up einen boem,
> de my tho hoge was,
> de twyge breken tho stücken
> unde ick vell in dat gras,
> mit des quam dar myn söte leef gegangen.

Dieser Weise zulieb ist dann auch jeder Strophe des im Texte
ausgeschiedenen Liedes eine müßige Zeile angehängt; der ersten: „dar
wil ick yuw trüwen tho einer echten frouwen;" der zweiten: „unde ich
wörde sehr geschlagen werden;" der dritten: „gy hebbet ock yuw ehr
beholden." Hintennach folgen noch zwei unpassende Strophen:

> In myn syns leef armen
> dar lach ick unde schleep,

ick möst dar webberümm uthgahn,
was heeth, was lofbt, was warm,
van der allerleveften möst ick scheiden.

Scheiden, bitter scheiden,
alst hümmer wesen moth,
wo node dat ick scheide
van myns herten blodt,
wo node dat ick scheide van der allerleveften myn!

Die vorangestellten zwei Strophen sind Anfänge andrer Lieder. In einer Pergament=Handschr. niederländischer geistlicher Lieder, die dem Schlusse des 15ten Jahrhunderts anzugehören scheint, findet sich unter den vorgesetzten Anfängen weltlicher Lieder: „Je clam die boem al op, die mij thoghe was." Hoffmann, Horæ belg. I, 111. II, 84.

B. In: Thirsis Minnewit, Amsterdam 1752, III, 97 (vgl. II, 9) steht das Lied holländisch mit denselben Anhängseln, wie im nieder= deutschen Liederbuche, nur mit Ausnahme der Strophe, die hier den Anfang macht, es beginnt: „Ik klom 'er den boom al op" u. s. w. Die drei ausgeschiedenen Strophen lauten:

Lief, wilt gy met my ryden,
lief, wilt gy met my gaen?
ik zalder jou henen lyden,
daer de geele goudroosjes staen.

Ik wilder niet met jou ryden,
ik wilder niet met jou gaen,
myn moeder zouder myn schelden,
myn vader zou my slaen.

Waerom zou moeder jou schelden?
waerom zou vader jou slaen?
gy hebt de geele goudroosjes
voorwaer geen leed gedaen.

(Man. II, 208ᵇ, 3 f. 118ᵇ, 2.)

Eine Parodie des hergestellten Liedes in den kurzweiligen, frischen Lieblein. Nürnberg 1553. Nr. 73:

Ach junckfraw, wolt ir (mit mir gan)
aber (oder) wölt ir mit mir reitten,

so lauff ich dir ein sichelein,
vorm Schwartzwald müst ir schneiden.

Eine andre ebend. Nr. 35:

Zu Regenspurg hat es sich verkert,
ei nitte verstan,
die megdlein haben spanisch glert,
ist wol gethan, ei nitte verstan,
gebt mir ein kron, sunst last mich gon!
mein mütterlein würt mich schelten.

Ach junckfrau, wolt ir mit mir gan,
da dann die roten röslein stan?
ist wol gethan,
gib euch ein kron, thut mit mir gon!
euer mütterlein wirt nicht schelten.

Zu Str. 1 vgl. Buchan I, 23:

But will ye go to yon greenwood side?
if ye canna' gang, I will cause you to ride.

(23) Fl. Bl. Straubing, bei Andre Sommer.

Das benützte Exemplar ist vorne mangelhaft, es beginnt mit den Worten: „rewet dich, ja dich." Die Ergänzung aus Fischarts Gargantua Cap. 6: „Jedoch das weiß ich, wann einen die Ros an-lächelt, daß ers gern abbrech. Ich brech immer hin, auf das alte Lieblein:

Die Röslin sind zu brechen Zeit,
derhalben brecht sie heut!
und wer sie nicht im Sommer bricht,
der brichts im Winter nicht."

Str. 6, Z. 3: ir trew.

[Vilmar S. 215 bis 218. H.]

(24) Frankfurter Liederbuch von 1584. Nr. 147. Es folgen noch 9 Strophen, weitere Versuche in derselben Versweise. Zu Str. 4 vgl. Hoffmann, Kirchenlied 138 ob. Anthol. kathol. Gesänge 104, 1. Horæ belg. II, 138, 8: „ter halver middernacht."

Hasel.

(25) (Herders) Volkslieder I. Leipzig 1778. 109. Meinert 29.
Zarnack, Deutsche Volkslieder. 2ter Theil. Berlin 1820. Vorrede
S. VI bis IX. Englisch, aus einer Handschrift um das letzte Viertel
des 16ten Jahrhunderts, in Ritsons Ancient Songs and Ballads. Lon-
don 1829. II, 44: „A mery ballet of the hathorne tre." Zu Str.
2. 3 vgl. Jamieson I, 30:

O whare got ye that water, Annie,
That washes you sae white?

(Percy II, 258, 5. Chambers 274 ob.)
Helmbrecht 556 f.:

já wirt vil manic frouwe
von dem bůwe geschönet.

Liedersaal II, 426, V. 252 f.:

waz vor salzes hât der verzert?

Vgl. Sv. Folkvis. III, 115 f. 118 f. (Ist die Verwandlung in
nordischer Weise hinzugedichtet, wie bei der zur Nachtigall verwandelten
Jungfrau?) Dainos 141 (vgl. 227). Rechtsalterth. 577.

Linde.

(26) G. Forsters fr. Lieblein. Ten. III. 1549 und 1563. Nr. 74.
(Comp. J. B. Brant.) Nur Str. 1 in: Bass. II. 1553 und Ten. II.
1565. Nr. 76. (Comp. J. Leonhar. de Langenaw.) Auch in: Alt. III.
1549 und Bass. III. 1552. Nr. 74. (Comp. J. B. Brant.)

(27) [Fl. Bl. Augsburg bei Agatha Geglerin. Vgl. Uhlands
Volkslieder II, S. 1000. H.] G. Forsters fr. Liebl. Ten. V. 1556.
Nr. 18. (Comp. J. B. B.)

MS. III, 329ᵃ: „Diu linde" u. s. w. Minnes. II, 74ᵇ, 4 (Rith.):

Wigerát, singe alsô, daz ich dir iemer lône!
Diu linde vil schöne geloubet stât.

Miscellan. II, 205 u. [= Carmina Burana S. 216. Pf.]: Refl.
Hoy et oe maledicantur tiliæ juxta viam positæ.

Jungbrunnen.

(29) Handschriftliches Notenbuch von 1533. (Wiener Hofbibliothek, Musikal. AN. 47. D. 30). Newe Teutsche Lieder u. s. w., durch Juo de Vento comp. München 1570. Nr. 16. Fischarts Geschichtklitterung Cap. 8, S. 149. Docens Miscellan. I, 261 aus einer musikalischen Sammlung der ersten Hälfte des 16ten Jahrhunderts. Joh. Schultzen Musicalischer Lüstgarte, Lüneburg 1622. Nr. 9.

(30) Frankfurter Liederbuch von 1584. Nr. 56. Heidelb. Hdschr. 343, Bl. 132. Auch mehrfach auf fliegenden Blättern: Basel bei Sam. Apiario o. J., ebd. bei Joh. Schröter 1608. Niederdeutsch im Liederbuch Nr. 68. Überall gehen die zwei Strophen voran:

Von deinetwegen bin ich hie,
herzlieb, vernimm mein wort!
all mein hoffnung setz ich zu dir,
daraus treib ich kein spott;
laß mich der treu genießen,
herzallerliebste mein,
thu mir dein herz aufschließen,
schleuß mich, herzlieb, darein!

Man hat uns beid verlogen u. s. w.

Auch folgt eine siebente:

Zu dienst sei das gesungen u. s. w.

Die Schlußstrophe wechselt mehrfach. Es ist klar, daß jene drei farblosen Strophen nicht aus Einem Gusse mit den übrigen sein können. Der echte Anfang des Liedes, der im Deutschen verloren gegangen, hat sich holländisch, mit hinzugekommenem Refrain, an die Spitze fremdartiger Strophen gestellt:

Noa Oostland wil ik varen,
daar woont er mijn zoete lief
over berg en over dalen,
schier over der heiden,
daar woont er mijn zoete lief.

Al voor mijn zoeteliefs deurtje
daar staan twee boompjes fijn,

d'een draagt noten van muskaten,
schier over der heiden,
en d'ander draagt nagelen fijn.

(Horæ belg. II, 170. Thirsis minnewit I, 101.)

Auch schwedisch-eröffnet dieser Anfang eine geistliche Umdichtung,
die nach dem hohen Liede hinüberspielt:

Till Österland vill jag fara,
där bor allra käraften min,
öfver berg och bjupa dalar,
allt under så grönan lind.

Allt för min kärastes hybba,
där står två trän så grön,
som alltid äro beprydda
med frukter som lukta så skön.

De grönskas både vinter och sommar,
i lunden där de stå,
den ena bär muskotte-blommor,
den andra neglikor små.

(Svenska Folkvis. af Geijer och Afzelius II, 235.)

Eine deutsche geistliche Veränderung des Liedes, fl. Bl., Nürn-
berg durch Val. Newber, o. J., hebt an:

In meines herren garten
wachsen der blümblein vil,
der glaub thut sich schon warten,
die lieb sein pflegen wil u. s. w.

Str. 3, Z. 1 bis 4, lautet verschiedentlich, z. B.:

In meines bulen garten
da stehn vil edler blüt,
wolt gott, ich solt ihr warten!
das wer meins herzen freud.

oder:

In meines bulen garten
do schmeckets alzeit wol,
darin sie mein thut warten,
mein herz ist freuden voll.

Die gewählte Lesart findet sich in der Strophe, wie solche im Frank-
furter Liederbuch von 1584, Nr. 111, in das Lied: „Der Rosengarten"

(Nr. 52) eingeschoben ist. Ähnlicher Weise bei Mailand (1575). Nr. 1.
[Vilmar S. 218. H.]

Sonnenschein.

(31) A. Frankfurter Lieberbuch von 1582 und 1584. Nr. 66.
B. Niederdeutsches Lieberbuch Nr. 105.

Der Gedanke dieses Liedes ist in einem andern, weitläufigen des
Frankfurter Lieberbuchs Nr. 219: „Mein herz thut sich erfreuen" u. f. w.
unbehülflich ausgebeutet. Dort lautet Str. 2:

> Also ich unbesonnen
> gebenk bei mir allein,
> daß mir scheinet die sonnen[1];
> du edler sonnenschein,
> schein mir den weg zu ir!
> nach ir steht mein begir,
> der schein thut mich sonst trenten,
> das mag man glauben mir.

Str. 4 schließt:

> doch muß gottes will geschehen,
> bei dem es steht allein.

Anzeiger 1837, Sp. 467: Beschwörung „bei dem heilgen Tag,"
„und bei dem heilgen Sonnenschein und bei der heilgen Erden." Vgl.
b. Mythol. 425, 3. Sæm. Edd. 194, 3. Sonnenschein als Eigen=
name, Grüneisen, Manuel 118. (P. v. d. Aelst), Blümm und
Außbund u. f. w. 1602. S. 92: „Ein jämerliche Klag' eines Lieb=
habers, darin:

> Ob villeicht solch groß ungemach
> Die helle Sonn ersehen thete
> Und uber mich erbarmung hette.

Ob nur Phrase oder ob volksmäßige Erinnerung, ist nicht zu ent=
scheiden. Vgl. Eiselein, Sprichw. 472 ob. Erec 3015 bis 21. Gesammt=
abenteuer 13, B. 321 bis 28.

[1] Niederdeutsches Lieberbuch Nr. 47.

Goldmühle.

(32) Diese Strophen schließen sich in denselben Liederbüchern unabgesondert dem vorigen Liede (Nr. 31) an. Im niederdeutschen Liederbuche ist die Strophe angehängt:

> De uns dith nie leedtlin sank,
> so wol gesungen hat,
> dat hefft gedahn ein schlömer;
> godt geve em ein frölik jahr!

Dieser Schlemmer ist auch in Str. 3 statt des Ritters eingedrungen. Auf der Vorstellung von der Goldmühle beruht schon der altnordische Gróttasaungr (Sn. Edd. 146 ff.). Unter der Segensherrschaft des finnischen Ukko wurde Gold in den Mühlen gemahlen (Gananders Finn. Mythol., übersetzt von Petersen. Reval 1821. S. 15). Gudrun 1291 bis 94 (4515 bis 20) [= Bartsch Str. 323. 1129. H.]. Nyerup IV, 63, 24: „be maler canel og hvede, Sv. Follv. I, 26, 2 v. u.: „mandel". (Udv. II, 11, 3. Arwidsf. II, 205, 3.) MS. III, 348, 8: „die zwên die malnt in tougen golt.

Mühlrad.

(33) In zwei mir bekannten Drucken des Liedes: „Jungfräulein, sol ich mit euch gan" u. s. w. (Nr. 52), namentlich einem fl. Bl. von Basel, bei Sam. Apiario, ist diese Strophe vermöge der gleichen Versart untergebracht. Auf einem fl. Bl. von 1641, o. O., hilft sie die zwei letzten Gesätze eines verworrenen Liedes bilden: „Schabab ist mir gewachsen" u. s. w.

Z. 2: da stat, da steht, auch: steht sich.

Frankfurter Liederbuch von 1584. Nr. 70: „Vor Lieb brennt mir mein Herz im Leib" u. s. w. Schlußstrophe:

> Dort ferne auf jenem Berge
> da malet ein Narrenrad,
> Das treibet nichts, denn Liebe,
> den Tag und auch die Nacht.
> Das Rad ist ganz zerbrochen,
> die Liebe hat ein End,

Fahr hin, du guter Geselle!
ich frei noch, wo ich will.

Dasselbe im niederdeutschen Lieberbuch Nr. 95:

Dort verne up einem Berge
dar malet ein Narrenrat,
Dat drift nichts, denn de Leve,
den Dach unde och de Nacht.
dat Rat is ganz thobraken,
de Leve heft ein Ent,
vahr hen, du gude Geselle!
ick frie, wor ick wil.

Fl. Bl. 1641 (Meiringer Heft, Bl. 41[b]):

Dort oben auf jenem Berge
steht sich ein krummes Rad,
es malet nichts, dann Liebe,
die Nacht biß an den Tag,
und wem es werden mag,
Ade! ich fahr dahin.

Das Rad das ist zerbrochen,
die Liebe hat ein End,
gesegen dich Gott, mein schönes Lieb!
ich gesich dich heut und nimmermehr,
Ade! ich fahr dahin.

Laß rauschen!

(34) A. Str. 1 in Docens Miscellan. I, 262, aus einer musika-
lischen Sammlung der ersten Hälfte des 16ten Jahrhunderts. Str. 2
und 3 aus Wolfg. Schmeltzels teutschen Gesängen. 1544. Nr. 25.
Str. 1, Z. 1: hört. Z. 3: D. e. seine Magd, F. meiblin trawren.
Str. 2, Z. 1: Schm. La r. l. la r. Z. 2: get. Z. 3: pulen. Z. 4: grüne.
Str. 3, Z. 1: haftu. Z. 2; grünen. Z. 4: herzem.

B. In Forsters fr. Lieblein. Ten. V. 1556. Nr. 35. (Comp.
J. V. B.)

Daß diese drei Strophen zusammen gehören, zeigt die vermittelnde
Strophe bei Forster. Im Wunderhorn II, 50 („mündlich") sind sie auch

verbunden und durch neue Zudichtung gemehrt. [Vgl. Schriften III,
S. 409. 410. Vilmar S. 191 bis 195. H.]

Ringlein.

(35) G. Forsters fr. Lieblein. Ten. V. 1556. Nr. 6 (Comp.
L. S.) und Nr. 9. (Comp. J. V. B.) Vgl. Wunderhorn III, 129.
W. Wackernagels deutsches Lesebuch II, 28.
Z. 3: so wil.

Lieb und Leid.

(36) Fichards Frankfurter-Archiv III, 270, aus einer Handschrift
des 15ten Jahrhunderts: „Eyn suberlich lytlin von einem bulen."
Str. 1, Z. 1: liechter s. Z. 2: siel. Str. 5, Z. 3; Str. 6, Z. 1:
eigelin. Str. 5, Z. 2: gand. Str. 6, Z. 4: leg, dar by. Vgl. Minnes. I,
68 a, 1. 96 b, 4. 180 b, 7. II, 24 b, 6. Str. 7, Z. 3: Und das ich uch
neme. Vgl. Str. 8, Z. 3. Str. 9, Z. 4: rich. Str. 10, Z. 4: gedenckt.
Str. 11, Z. 1: numme. Str. 12, Z. 1: ienem dail. Z. 3: uch. Z. 4:
nemment.

Der öfters angezeigte Ton: „Es get ein frischer sommer daher (do
wert ir hören newe mer)" u. s. w. setzt eine andre Versweise voraus,
vgl. Soltau 307. 377. Grüneisens Manuel 216 (vgl. 416, 1).

Zu Str. 1, Z. 1 vgl. Frankfurter Liederbuch von 1584, Nr. 119
(„Ich habs gestellt" u. s. w.), Str. 2, Z. 3 f.:

Es kompt ein frischer sommer daher,
es grünet an der heiden.

Zu Str. 4 vgl. Walther von der Vogelweide (Lachmann) 74, 10 ff.
[= Pfeiffer S. 69, 25 ff. H.] Ettmüller, Sechs Briefe u. s. w.
9, 36 f.:

und claget sine wunden,
die noch unverbunden stánt u. s. w.

[Zu Str. 5 vgl. S. 182, Str. 2.]

Zu Str. 6, Z. 4 Gudrun 1620 [= Bartsch Str. 405. H.]:

ich wolte im ligen bí.

Zu Str. 12 f. das Reuterlieblein: „Ich ritt mit luſt burch einen walb" u. ſ. w. (Nr. 150) Str. 3 (vgl. Meinert 239, 4). Fein. Alm. 1777. 124, 1. 128: „Die Linde im Thal" Str. 4. Minneſ. I, 39ᵇ, 5. (Dainos 307.) Str. 11 und 12 knüpfen wieder an Str. 1 und 2 an.

Springeltanz.

(37) P. Mohr, Zur Verfaſſung Dithmarſens u. ſ. w. Altona 1820. S. 198 f., aus der handſchriftlichen Chronik von Hans Dethlefs. A. Viethens Beſchreibung und Geſchichte des Landes Dithmarſchen. Hamburg 1733. S. 109. Joh. Adolfis, gen. Neocorus, Chronik des Landes Dithmarſchen, herausgegeben von Dahlmann. Kiel 1827. II, 569 f.: „Springel = ebber Langedanz." Mone, Niederländiſche Volks= litteratur 212, Liebesanfang:

Moeder, lieve moeder, mocht id ter linden gaen.

Chanson des Saxons, préface LXVIII, 15. (Vgl. Görres, Volksl. LXI. Altd. Blätter II, 143, 11.)

Reigen.

(40) Frankfurter Liederbuch von 1584. Nr. 106 [ᵃ]. Otth Sieg= friden Harniſch Newe Auserleſne Teutſche Lieder u. ſ. w. Helmſtadt 1588. Ten. Nr. 8. Hier nur Str. 1. 2. 5.

Str. 1, Z. 1: H. dnd ſpr. Z. 2: Fr. kein Mann. Z. 3: Fr. gedencke. Z. 4: H. ach fehlt; Fr. ſ. du. Str. 2, Z. 1: H. nicht. Z. 2: H. mir, vgl. Schmeller IV, 114. Z. 3: H. v. iſt ein j. Z. 4: H. buhlns arme. Str. 3, Z. 2: wol auß. Str. 4, Z. 3: dieſen tanz. Z. 4: anderen. Z. 5: gebe. Str. 5, Z. 1: H. geht. Z. 2: Fr. der hat gut fr. zu ſ. Z. 3: Fr. der j. bulen. Z. 4: H. wol fehlt. Z. 5: Fr. i. auch d. m.

Zu Str. 5 vgl. Brief Meiſter Ruodperts von S. Gallen, 11tes Jahrhundert (W. Wackernagels d. Leſebuch I. 2te Aufl. 157): „Temo die heiligen holt ſint, der mag horſco gebetôn" [horſk, celer]. (Vgl. auch Hoffmann, Kirchenlied 90, 2.)

Jahreszeiten.

(41) A. Aus einer Handschrift des 16ten Jahrhunderts, im Besitze des Frhrn. W. v. Harthausen, in Mones Anzeiger 1838, Sp. 82. Aus einem geschriebenen Lieberbuch mit der Jahrzahl 1639 im deutschen Museum 1780, Bd. II, S. 282 f. Auch hier halb niederdeutsch.

Str. 1, Z. 2: Muf. mirk i. ahn d. dache. Z. 4: Muf. perlin. Z. 5: solte, Muf. solde. Z. 6: Muf. dage. Str. 2, Z. 1: Muf. Ahn p. geid. Z. 2: Muf. lengern u. d. dage. Z. 3: Muf. underpfand. Z. 4: ermlein, Muf. ermlin. Z. 5: solte i. m. ruften, Muf. so sold i. m. ruften. Z. 6: wans m. lufte, Muf. Woes m. lüfte. Str. 3, Z. 1: Her nach, Muf. Hier nach kümpt. Z. 2: Der metze d. br. u. blome. Z. 3: blomelin manigerlei. Z. 4: toldt, Muf. Hold. Z. 5: hoerde, Muf. hör d. fr. nachtigall. Str. 4, Z. 1: Muf. allen waldvögelin. Z. 3: läge ich in meines liebes, Muf. Leig ich in meines liebs ermelin bl. Z. 4: wufts. Z. 5: nummer vorromen, Muf. nümmer verroemen. Z. 6: Muf. Als sie qu.

Hierauf folgt noch an beiden Orten die unpassende Strophe:

> Der uns diß new [Muf. neue] lieblin sank,
>> der hat gar wol gesungen,
> es hat [Muf. es] gethan ein junkfraw sin [Muf. jungfraulin],
>> drank gerne win,
> sie war ihrem freunde [Muf. freund] auch getreuwe,
>> es wirt ihr [Muf. wird i. nicht] ruwen [Muf. rewen].

(Bearbeitet im Wunderhorn I, 39 f.)

B. Antwerp. Liedekensb. 14ᵇ.

Auch im ritterlichen Frauendienste fand Beschenkung mit Ärmeln statt: Ste. Palaye, Mémoires sur l'ancienne Chevalerie. Paris 1781. Th. I, S. 91. 164, Npt. 69. [K. Weinhold, Die deutschen Frauen in dem Mittelalter. Wien 1851. 8⁰. S. 165. Benecke-Müller-Zarncke, Mittelhochdeutsches Wörterbuch unter Stüche. W. J. A. Jonckbloet, Geschiedenis der middennederlandsche dichtkunst. II. Amsterdam 1852. 8⁰, S. 313. Le chevalier à la manche. H.]

Stäte Liebe.

(42) A. Niederdeutsches Lieberbuch Nr. 18. Frankfurter Lieberbuch von 1584. Nr. 37. Mit der Überschrift: „Diß Lied haben un(s) die Weisen bedacht, von einer schönen Jungfrauwen gemacht."

Str. 3, Z. 1: diſſem nyen Jahr. Str. 5, Z. 2: ſchweuet. Str. 1: ſoor, dürre, verſoren, dürr werden, dürr machen. Bremiſch niederſächſiſches Wörter-buch IV, 924. Auch in oberdeutſchen Mundarten, Stalder II, 371 f. Schmeller III, 280 f. Durch Misverſtändnis im Frankfurter Liederbuch ſaur und ver-ſauren, vgl. D. Mythologie 615: ſauere Winde.

B. Heidelberger Handſchrift 343, Bl. 139. Str. 4, Z. 3: kert.

Parodiſch in einem handſchr. Notenbuche der Univerſitäts-Bibliothek zu Baſel, F. X, 2:

> Wann ich des morgens frûe uffſtand,
> ſo iſt mir min ſtuble geheitzet ſchon,
> ſo kumpt min lieb und gibt mir ein gutte morgen.

Vgl. Wunderhorn III, 71. Antwerpener Liederbuch von 1544, Nr. 10.

Verſchneiter Weg.

(43) Fl. Bl. um 1570. Die erſte Strophe auch in Docens Miscellan. I, 261.

Auf dem fl. Bl. bilden je zwei Zeilen ein Geſätz mit zwiſchen-ſtehendem Refrain: „Jörg niſſel, ſig michel, hudelump, hans jocel, gût tûch, hudelumpe." In ſolcher Geſtalt kannte Fiſchart das Lied, Gar-gantua Cap. 8: „Sein Nachbaur Jäckelein, Hanß Jäckel Guttuch Hude-lump. Es iſt ein Schnee gefallen, es giengen drei gut Geſellen, Jörg Nißel, Sig Michel, Hudelump Hanß Jäckel, Spatzieren umb das Hauß, Hudelumpe, dann es iſt noch nit Zeit, O Lempe, der Weg der iſt ver-ſchneit." Der Refrain gibt die poſſenhaften Namen der drei Geſellen. Str. 1, Z. 2 bei Docen: und es. Nach Str. 3: Das meitlin das kondt ſtricken, biß es ſie auß gemacht; was in keinem Reimverbande ſteht und den Zuſammenhang ſtört. Str. 4, Z. 2: ſiden.

Zwei Waſſer.

(46) Eſchenburgs Denkmäler altdeutſcher Dichtkunſt. Bremen 1799. S. 461. Wie es ſcheint, aus Haßlers Luſtgarten Neuer Teut-

fcher Gefäng u. f. w. 1601. Anders gewendet bei Meinert 39: „der vorfichtige Liebhaber will fich ein Steglein legen, ein Schiff ift ihm zu koftbar." In Forfters fr. Lieblein II, Baff. 1553. Ten. 1565. Nr. 49 ftehen zwei Strophen einer Ballade:

> Es warb ein schöner jüngling
> uber ain braiten see
> umb eines königs tochter,
> nach leib geschach im wee.
>
> Ach Elßlein, holder bule,
> wie gern wer ich bei dir!
> so fliessen zwei tiefe waffer
> wol zwischen mir und dir.

Vgl. „Zwei Königskinder" (Nr. 91). Das scherzhafte Lied scheint eine Parodie des tragischen zu sein. Der unbeholfene Junge und das kundige Mädchen auch in dem Liede: „Wo find ich dann deins Vaters Haus" u. f. w. Nr. 258. Alterthumszeitung 1816, Nr. 13, S. 52. Mone, Quellen und Forschungen I, 160 f. Meinert 110. Wunderhorn II, 413. [Vilmar S. 211. 212. H.]

Reif und Schnee.

(47) A. Frankfurter Liederbuch von 1584, Nr. 62.

Str. 1 bis 4 ift je die vierte Zeile wiederholt; ftatt deffen hat Str. 5 den Anhang: daß fie nit tanzen kan, Str. 6: daß ich fo elend bin.

B. Niederdeutfches Liederbuch Nr. 14.

Str. 6, Z. 4 ift wiederholt.

C. Heidelberger Handfchr. 343, Bl. 109.

Str. 3, Z. 1: Gries. Str. 5, Z. 4: hör ichs fingen off.

Die zweite Hälfte jeder Strophe ift als fich wiederholend bezeichnet.

Die Aufforderung, trauern zu helfen und die Finger aufzurecken, ift den Rechtsformen der Eideshülfe entnommen, vgl. J. Grimm, deutfche Rechtsalterth. 141. 862 f. Im Minnefange wird mehrfach zum mithelfenden Gnadenruf, Gefang und Wunfche aufgefordert.

Heinrich v. Morungen, Man. I, 57ª [= Minnefangs Frühling 146. Pf.]:

> Helfet fingen, alle [1]
> mine friunt, und zieht ir zuo
> . . . . . mit fchalle,
> daz fi mir genâde tuo!
> fchriet, daz mîn fmerze
> mîner frouwen herze
> breche und in ir ôren gê!
> fi tuot mir ze lange wê.

Ulrich v. Liechtenftein, ebb. II, 42[b]:

> Wol her alle, helfent fingen [2]
> wibes lop, daz ich ie gerne fanc!
> tuot ir daz, iu mac gelingen,
> fwie mir noch nie wol an in gelanc.

Konrad v. Altftetten, ebb. II, 48[a]:

> Nu wünfchent algemeine,
> daz mîn leit zergê! u. f. w.
> ein unbevanc mit armen blanc
> des wünfchent dem, der den reigen fanc!

Steinmar, ebb. II, 106[a], als Kehrreim:

> wünfchent, daz fi mînen pîn
> wende, daz ir iemer faelic mûezent fîn!

(Vgl. ebb. I, 44[a], 5. II, 47[b], 5. 106[b], 3. 107[b], 6.) Über das provenzalifche clamar merce f. Raynouard, Choix u. f. w. B. V, S. III, Note a. (Cento novelle antiche, Nr. 61. J. Grimm, Meiftergef. 95 f. Diez, Leben und Werke der Troubadours. Zwickau 1829. S. 532 ff.) 434, 1. 354. Auch dieß beruhte auf einem lehn= rechtlichen Gebrauche, Assises de Jerus. Cap. 256. 261. (Wilken, Geschichte der Kreuzzüge I, 373.) Lieberfaal II, 236, 942 f. Sonft wird in deutfchen Volksliedern manchmal die Hülfe zur Beftattung an= gerufen. Niederdeutfches Lieberbuch Nr. 120:

> Godt gröte juw heren alle,
> mînen vader mit im talle!
> unde is hir ein here efte ein edelman,
> de mi diffen boden
> begraven helpen kan?

----

[1] Man. II, 54 a, 2 v. ob., 1 v. u., 65 b, 2 v. u.
[2] Vgl. Lachmann über Singen und Sagen 5 u. MS. II, 38 a, 5.

Herders Volkslieder I, 118 f.:

> Wo krieg ich nun zwei leibfräulein,
> die mein seines liebchen zu grabe wein'n?

> Wo krieg ich nun sechs reuterknab'n,
> die mein feins liebchen zu grabe trag'n?

Herzogs Geschichte der deutschen Nation.=Litter. S. 177:

> Wolt got, het ich zween hawersknaben,
> die mir mein lieb zu grabe helfen tragen!

Lied von der Bernauerin:

> Die mir helfen meinen vater begraben,
> rothe mäntel müssen sie haben,
> roth müssen sie sich tragen.

> Und die mir helfen mein seins lieb begraben,
> schwarze mäntel müssen sie haben
> und schwarz müssen sie sich tragen.

Nibelunge 1007, 2:

> mit klage ir helfende dâ manic brouwe was.

Floresta I, 245:

> los responsos, que le dicen,
> yo los ayudé á decir;
> siete condes la lloraban,
> caballeros mas de mil u. s. w.

Lai d'Ignaurès V. 532: „Or m'aidiés à faire mon doel u. s. w. (Das Trauernhelfen besteht hier im Gelübde gemeinsamen Fastens mehrerer Frauen.) Landsknechtorden Str. 14: „Darnach helfen sie einander das Requiem singen." Falkenstein (Nr. 124):

> A, Str. 4 ei so wil ik wal jegen de müren tren
> un helpen leften truren.

> B, Str. 6 so wil ich under die muren stan
> und wil im helfen truren.

[Vilmar, Rud. v. Ems 32 ob. Fische, Vögel sollen weinen helfen. Im Liede bei Forster V, 18 will die Linde helfen trauern. Rhesa 135: die Sonne.] Lied: „Es waren drei Soldaten gut" (Züricher Liederbuch 596), Str. 9:

> Sie wurden in einen Thurn gelegt,
> wol zwischen zweien Mauren, ja Mauren,

da kam Graf Held sein Töchterlein, sein Töchterlein,
den Soldaten half sie trauren,
wol zwischen zweien Mauren.

[Vgl. Schriften III, S. 542. 543, Anm. 274 bis 276, wo ein
Theil dieser Stellen auch angeführt ist. Pf.]

Winterleid.

(48) A. Fl. Bl. mit dem Zeichen: T. B. S. (Thiebolt Berger,
Straßburg, um 1570). Frankfurter Lieberbuch von 1584, Nr. 120.
Niederdeutsch im niederdeutschen Lieberbuch Nr. 41.

B. Heidelberger Handschr. 343, Bl. 91⁵, mit Abweichungen (vgl.
Görres, altd. Volks = und Meisterlieder 45).

A. Str. 2, Z. 1: Diesen? Str. 4, Z. 1: und vil; niederdeutsch: tho
weinich, tho veel.

B. Str. 6, Z. 1: Auch Süden. Z. 3 fehlt: wenn.

Die beiden hochdeutschen Drucke haben am Schlusse noch:

Gott wöll allen jungfrauen ihr ehr bewaren
vor allen falschen zungen!

Zu Str. 2. 3 vgl. Nyerup III, 417:

ihvo som haver en suldtro ven,
han elsker hende vist over alle.

Zu Str. 4 vgl. Horæ belg. II, 177:

Het windje, dat nit den oosten waait,
dat waait tot allen tijden u. s. w.

[Vgl. Schriften III, S. 544, Anm. 284. Pf.] Vgl. auch die
Räthsel von der Ruhelosigkeit des Windes.

Feinslieb von Flandern.

(49) Frankfurter Lieberbuch von 1584, Nr. 77.

Str. 3, Z. 5: an ihren Henden. Str. 5, Z. 7: nimmermehr. Zu Str.
1, Z. 6: aller, adv. ganz, vgl. Schmeller I, 42.

Niederdeutsch im Lieberbuch Nr. 51, vgl. Nr. 6.

Gelehrte Anzeigen, herausgegeben von Mitgliedern der königlich bayerischen Akademie der Wissenschaften. B. 1. München 1835, Nr. 7, Sp. 55 (Warnkönigs flandrische Staats- und Rechtsgeschichte. B. 1, angezeigt von Phillips): „Nur die Schweizer gebrauchen flämisch für fein; so ist z. B. ein flämisches Schaf eines von edlerer Art, mit einer überaus zarten Wolle, davon auch ein halbflämisches Schaf, Flämili aber und Flamili ein zärtlicher, weichlicher Mensch. (Vgl. Stalder, schweizerisches Idiotikon I, 377 f.) Sonst aber herrscht über die Flamländer nur eine Stimme; ihre Derbheit und ihr Wankelmuth sind sprüchwörtlich geworden. Z. B. Cod. mon. chart. lat. s. (Deutsche Reime von Mönch Husemann in Westfalen, vom Jahre 1575) Bl. 79ᵃ:

> Junger Gesell, sieh vor dich!
> De Jungkfrouwen synt bedreichlich,
> Se synt uth Flandern [1]
> Und geven einen um den andern.

Eben so heißt es in dem von Büsching herausgegebenen Leben Hansens von Schweinichen Th. 1, S. 77:

> Ich bin von Flandern,
> ich gebe eine um die andern;

ferner in dem Liederbüchlein von Frankfurt a. M. 1584, Lied LXXVII:

> Mein feins Lieb ist von Flandern
> Und hat einen wankeln Muht,
> Sie gibt ein umb den andern,
> Das thut die Leng nit gut.

So läßt auch Leonhard Fronspergers Kriegsbuch (1596) die bei den damaligen Heeren im Trosse befindlichen Weiber sagen:

> So seindt wir Hurn fast von Flandern,
> Gebn ein Landsknecht umb den andern.

Ähnliche Auskünfte geben einzelne Idiotika, z. B. Behrendt, Schlesisches Idiotikon. 1787. S. 15: „den kennt man schon, er ist von Flandern, er ist ein Flander, er flandert, d. h. er lügt und windbeutelt." Ähnlich Goelius (Ulysses Belgius. 1631. Lugd. S. 12):

> Flandria fles fletu flectes fallacia frena
> Flandria flos florum formidas fraude fruentes.

---

[1] Der Reim wird in derlei Stellen das Beste gethan haben.

So sagt auch Schmeller (bayer. Wörterbuch I, 588): Flandern, fländern: hin und her bewegen, das Fländerlein (Fland'l): flatterhaftes Mädchen. Demgemäß heißt es auch von den Niederländern im Allgemeinen: Man solle sich hüten vor einem schwarzen Deutschen, weißen Italiäner, rothen Spanier und einem Niederländer, er sei, was Farb er wolle. Vgl. (Simon Dach) Zeitvertreiber. 1700. S. 168." [Wilmar S. 190. 191. H.]

Wurzgärtlein.

(51) Fl. Bl. „Getruckt zu Strasburg bey Thiebolt Berger" (um 1570). Frankfurter Liederbuch von 1584, Nr. 165. An beiden Orten mit der Überschrift: „Ein schöner Bergreyen."

Str. 2, Z. 3: Zwey kleine b. Str. 4, Z. 2: Fl. Bl. nit gar. Str. 5, Z. 3: Frankfurter Lieberb. der liebsten. Str. 6, Z. 5: ganze. Str. 7, Z. 3: und welche. Str. 8, Z. 3: Fl. Bl. bewrisch. Z. 4: Fl. Bl. des w. Str. 9, Z. 4: Frankfurter Lieberb. S. Annenberg.

Das fl. Bl. hat eine Strophe weiter:

> Singt er uns das, er singt uns mehr,
> er hats so frey gesungen.
> Gott behüt allen frawen ihr ehr!
> es ist under die rhatschmid kommen,
> sie habens so frey gesungen.

Zelten, zeltnen (tolutim ire), im Paß gehen; Zelter, Zeltner, Paßgänger (equus ambulator, Schmeller IV, 256), hier vom Reiter eines schmucken Pferdes, vielleicht im Gegensatze des Herrn zum Knechte, dessen Str. 9 gedenkt; vgl. die Stelle aus den Monum. Boic. VII, 241 (bei Schmeller a. a. O.): „Vier zeltendpfärd und vier knechtspfärd."

Str. 1 bis 3 sind ein Räthsellied von beglückter Liebe. Str. 4 stellt die Frage, das wohl verzäunte Gärtlein, das „noch nit offenbar ist", soll erschlossen, der Zaum aufgebunden, d. h. das Räthsel, der Knoten gelöst werden. Str. 5 bis 8 enthalten die Antwort, das Verständnis wird aber nur angedeutet und dem Bilde des Minneglücks der bittre Hohn eines Enttäuschten in der Weise der Lügen = und Possenlieder (vgl. Wackernagels Lesebuch II, IX f.) entgegengesetzt. Man kann sich vorstellen, daß der Zeltner den einen, sein Knecht den andern Theil

finge. Str. 9, welche hierauf hinweist, ist verborben, vermuthlich ba=
burch, daß bas Lieb zu einem Bergreien aus S. Annaberg gestempelt
werben sollte Auch die im Texte weggelaffene Endstrophe zeigt mit
bem doppelsinnigen: „unber bie rhatschmib kommen" den Räthselsang
an. Eines ber altenglischen Räthsellieber (in Th. Wrights Songs and
Carols u. s. w. London 1836. Nr. 8, aus einer Handschrift des
15ten Jahrhunderts) hebt so an:

> I have a newe gardyn
> and newe·is be-gunne,
> Swych an other gardyn
> know I not under sunne.

> In the myddis of my gardyn
> is a peryr set,
> And it wele non pere bern,
> but a pere jenet.

> The fayrest mayde of this town
> preyid me
> For to gryffyn here a gryf
> of myn pery·tre u. s. w.

Der Garten als Bild ber Christenheit unter ben Räthselaufgaben
bes Wartburgkrieges, Docen, Miscellan. I, 131 f. Zu Str. 5, Z. 5.
Über Strohkränze s. Schmeller III, 676. Burk. v. Hohenvels, Man. I,
85ᵃ u., Refrain:

> Mir ist von strowe ein schapel und min vrier muot
> Lieber, danne ein rösenkranz, so ich bin behuot.

Lieberbuch ber Hätzlerin 187, 29. [Vgl. die Anmerkungen zu Nr. 86.
252 unb Schriften III, S. 417. 418. H.] Nyerup III, 128 (417):

> Jeg haver plantet en Urtegaard u. s. w.

Helmbrecht 324 f.:

> ob ich ie gezinnte zūn bir ober anber ieman u. s. w.

Wernher v. Niederrhein 36, 24 bis 27:

> nu wil ich û den garden inslizen,
> wi iz ber mennischi sal anne bán,
> ob he barin willit gán.

[Vgl. Schriften III, S. 541, Anm. 266. S. 542, Anm. 273. Pf.]
Zu Str. 6 vgl. Lieberbuch ber Hätzlerin 78, 103. [Schwabenkr. 155ᵃ ob.]

Rosengarten.

(52) Bergkreyen Nr. 54. Fl. Bl. „Getruckt zu Basel, bey Samuel Apiario" (gegen 1570). Meiland 1575. Nr. 1. Frankfurter Liederbuch von 1584, Nr. 76 und 111. Fl. Bl. Basel, bei Joh. Schröter, 1605. P. v. d. Aelst S. 69. Fein. Alm. I, 69.

Der Anfang lautet auch: „Ach jungfraw, sol ich" u. s. w. Das Lied ist in den Drucken mehr oder weniger mit ungehörigen Strophen, zum Theil aus: „Von deinet wegen bin ich hie" u. s. w. versetzt, wogegen bei Meiland Str. 3 bis 5, im fl. Bl. bei Joh. Schröter Str. 3 weggefallen sind; jene wurden im Texte ausgeschieden.

Zu Str. 4 vgl. die Stelle aus einem Minneliede Gotfrids von Straßburg (Man. II, 183. v. d. Hagen, Gottfr. v. Straßb. W. II, 101 f.):

    Ich unverdähter man

    war tuon ich wort, war tuon ich sinne,

    swanne ich bi der schönen bin,

    Daz ich niht reden kan?

    sô gar verstummet mich ir minne,

    daz ich bin gar âne sin.

    Swanne ich sprechen sol ze nôt,

    sô kan ich harte kleine, des mich vrume,

    sô wird ich blûc von schamen rôt;

    dar nâch besunder

    kan ich wunder,

    swanne ich von ir kume.

(S. auch Man. I, 54ᵃ, 2. 165ᵃ, 5. 23ᵃ, 2. 62ᵇ, 2 u. s. w.)

    Waz hilfet min umbesagen?

    mit einem worte siz besliuzet,

    si sprichet kürzlich: ine wil u. s. w.

Aus demselben Liede zu Str. 3:

    Swaz grüenes ûf von erden gê

    oder towwes oben an nider risen muoz,

    loup, gras, bluomen und klê,

    der vogel dönen

    geb der schönen

    wunneclichen gruoz!

Zu Str. 5, Z. 8 vgl. Wigalois 2191: „ez dûhte sie allez kleine."
Zu Str. 6, Z. 5 vgl. Schmeller I, 329: „Ihre Haar pflanzen sie in

die Locken." Meiners Tändelmarkt. „sich pflänzeln, sich zieren, putzen, schmücken." Zu Str. 6, Z. 7. 8 Wolfdietr. 118:

> biu edel keiserin reine
> tet im manchen segen nâch.

Alphart Str. 113:

> dâ segnet ime nâch
> biu herzogin frau Uote mit ir snêwîzen hant.

[Eyn schön rimbökelin H, 2 b, u.]

Das Blümlein.

(53) Aus einer Handschrift des 15ten Jahrhunderts in Fichards Frankfurter Archiv III, 265.

Str. 1, Z. 4: lyt, auch weiterhin so. Str. 3, Z. 4: ich dienen, vgl. b. Gramm. I, 958. Str. 6, Z. 4: min herz das? Str. 7, Z. 4 etwa: ich hoff, daß mir nit sel?

(54) Fl. Bl. o. O. u. J. (um 1570). Heidelberger Handschrift 343, Bl. 70 b.

Str. 1, Z. 1: Hdf. Ich weis mir ein blümlein bloe. Z. 3: Hdf. es sthett in gruener anwe. Z. 5: Hdf. ich thundt es nirgent f. Z. 7, 8: Hdf. vor Reiff vnnd khalttem winde ist es nimmer da. Z. 8: Fl. Bl. ful. Str. 2, Z. 1: Hdf. Ich weiß mir ein bluemlein weise es steht in gennem Riett. Z. 4: nun im Sinne von nur, nimwan (vgl. Schmeller II, 698 f.). Z. 5: Fl. Bl. abgemähet, Hdf. es ist mir abgemeyt. Z. 7: Fl. Bl. Mein lieb han ich verloren, Hdf. mein lieb hatt mich verschmett. Z. 8: Fl. Bl. ich dann fr. f., Hdf. ich than nit fr. f. Str. 3, Z. 1: Hdf. meine. Z. 2: Fl. Bl. roßyen rott, Hdf. rosina rott. Z. 3: Fl. Bl. hertzen trost ist es genennet. Z. 4: Hdf. auff birrer heiden stett. Z. 6: Hdf. ist birr. Z. 8: Hdf. hab i. m. trost. Str. 4, Z. 1: Hdf. Ich w. m. e. blümlein w. Z. 2: Fl. Bl. gewachsen inn, Hdf. sthett mir in. Z. 3: Hdf. ist gew. Z. 4: Fl. Bl. das heisset sch., Hdf. Es heist nun gar sch. Z. 5: Hdf. Das bluemlein. Z. 6: Fl. Bl. wol gegen disem f. l. Z. 7: Hdf. wollt. Z. 8: Hdf. mein bulen vmbefanng. Str. 5, Z. 1: Hdf. seinen zeitten. (Vgl. „des todes zeichen" b. Myth. 492.) Z. 2: Hdf. vil blümlein z. Z. 3: Fl. Bl. vnder den klaffer kan er sich schmeichlen, Hdf. ghett vmb die klaffer schmeichlen (vgl. Schmeller III, 463). Z. 4: Fl. Bl. m. anbächtiger a., Hdf. m. ungtrewwer a. Z. 5: Fl. Bl. wol nach. Z. 8: so m. Die Hdf. hat für Z. 5 bis 8:

vil großer lieb uff erben,
die itzund mus zerghen,
was mir heuer nit mag werden,
das wil ich ein ander jar hann.

Str. 6, Z. 1: Hdf. M. h. leidt groß kummer. Z. 4: Fl. Bl. Meyens, Hdf. woluff des Meyes frist. Z. 5: Hdf. wan sich die Reiffen v. Z. 6: Hdf. und auch. Z. 7, 8: Hdf. von der allerliebsten werdt ich Entpfanngen betts dem klaffer Im hertzen whe.

Das fliegende Blatt hat vier, die Handschrift (vgl. Görres S. 9 ff.) drei, wenn nicht durchaus unechte, doch wohl entbehrliche Gesätze weiter, als in den Text aufgenommen worden, auch ist von Str. 5 an die Stellung der Strophen und Halbstrophen verschieden.

Über Schabab s. Stalder II, 305. J. Grimm, Reinhart Fuchs 283. Schmeller III, 305. [Vgl. meine Ausgabe der Schauspiele des Herzogs Heinrich Julius von Braunschweig. Stuttgart 1855. 8. S. 730, Anm. 1. S. 906. H.]

Zu Str. 3, Z. 6 „hat verdorrt" vgl. b. Gramm. IV, 162 u.

Flos u. Blankflos B. 1016:

De blomen, de ek meyne u. s. w.
B. 1053 Dat is de blome, de ik meyne.

P. Etterlins eidgenössische Chronik, Basel 1507, Bl. XXXIX b (Züricher Mordnacht 1350): „Die sich danne allenthalben verschlagen hatten in die hüser, die wurdent alle gerebrot; der houptman, graff Hans von Hapspurg, der viel über die muren uß in die statt graben, darinnen ward er ergriffen und gefangen und leit man in in den Wellenberg, da lag er inn dri jar gefangen und macht das liebli: Ich weiß ein blouwes blümelin u. s. w. Und wurdent demnach groß krieg gen der herschaft und denen von Zürich von sinen wegen, als ir das hienach werden hören; und do er lebig ward, wurdent vil sachen und krieg verricht mit dem keiser, dem herzogen und anderen fürsten und herren u. s. w."

Crusii Annal. Suev. Dodecas tertia (Frankfurt 1596) S. 260:

„Anno 1352 u. s. w. Medio mense Julio Tigurum iterum ab Alberto Austrio obsessum est, Imperatore Wirtembergensi Eberhardo. Interventu autem Brandenburgici Marchionis, cum vix mensem obsidio durasset, pax est facta. Ex cuius conditionibus Joan. Habspurgius absque precio dimissus est. Detentus fuerat is duos annos et sex menses in turri Wellenberg, in qua fecerat cantionem: „Ich weiß ein blauwes Blümelein."

Ægid. Tschudii Chronicon Helvetic., herausg. von J. R. Iselin, Thl. I, Basel 1734, S. 386 (a. 1350):

„Graf Hanß von Habspurg und andre die wurdent im Statt=Graben gefangen, es ward ouch der obgenant Friherr von Bonstetten gefangen, si wurdent beid in Wellenberg, jeder an ein besonder Ort, gelegt,·darinne der von Habspurg dritthalb Jar gefangen lag, und machet in der Gefäuknuß das Liedli: „Ich weiß ein blawes Blümelein" u. s. w."

Der Thurm Wellenberg ist der (neuerlich abgebrochene) Wasser= thurm zu Zürich.

Ein weiteres Lied ähnlicher Art: „Der Mai trit rein mit freuden" u. s. w. Bicinia, Viteb. 1545, T. I, Nr. 92. [Vgl. Schriften III, S. 436 bis 438. Die Erzählung von Tschudi hat Göthe wahrschein= lich Veranlassung zu seinem Gedichte „Das Blümlein Wunderschön" ge= geben. Vgl. Göthes Gedichte, erläutert von H. Viehoff. II. Düssel= dorf 1847. 8⁰. S. 349. 350. Göthes lyrische Gedichte, für gebildete Leser erläutert von H. Düntzer. 1. Elberfeld 1858. 8⁰. S. 238. H.]

Mailieder.

(57) Bicinia u. s. w. Viteb. 1545. T. I, Nr. 91. Heidelberger Handschrift 343, Bl. 34ᵇ. Meiland 1575, Nr. 3, nur Str. 1 bis 3; dagegen unter Nr. 4 (mit der Anfangs=Str.: Wolauff, gut Gsell, von hinnen u. s. w.) Str. 4. 5. Fl. Bl. (Zwen schöne bergkreyen u. s. w.) Nürnberg durch Christoph Gutknecht, in Bragur I, 358. Frankfurter Liederbuch Nr. 20. Fl. Bl. Nürnberg bei Johann Lantzenberger, 1610. Fl. Bl. Basel bei Johann Schröter, 1613, mit der Anfangs= Str.: Wolauf, gut gsel, von hinnen u. s. w. (Nr. 64) Str. 4. 5. 6. 2. 7. (Wackernagel II, 29. 1609.)

Str. 1, Z. 8: Var. darzu, Var. Fraw Nachtigal. Str. 2, Z. 5: Var. dem. Z. 6: in b. z. Z. 8: Var. ferr, Var. breit. Str. 3, Z. 1: grunet. Var. dem Walde. Z. 2: blümlein bl. fein. Z. 3: Var. dem Felde. Str. 4, Z. 3: Var. gliebt, Var. den schön Jungfrawen. Z. 4: Var. die Holderblüt. Z. 5: Var. weissen. Z. 6: Var. guter. Z. 7: gros gelt, Var. vnd tuts gelb darumb glossen; man kan gelt darauß lösen; vgl. Schmeller II, 504. Z. 8: Var. schöne (schön) kräntzlein drauß gemacht, Var. schön Kräntz darauß gemacht. Str. 5, Z. 3: Var. heimlichs. Z. 4: Var. nicht darfstr, darnor nit. Z. 5:

Var. oft v., Var. ich habs gar wol. Z. 6: Var. alls was diß. Z. 7: Var. fürkommen. Z. 8: wer was liebs braucht all tag (so auch die Heidelb. Hdschr.); wer messige lieb braucht all tag; me(ä)ssig (mässiglich) lieb alle tag; aus diesen Var. läßt sich als ursprüngliche Fassung erschließen: wer Maßlieb braucht all tag. Str. 6, Z. 4: Var. bl. schon. Z. 5: Var. davon. Z. 6: schenken sie. Var. schenkens. Z. 7: thun sie. Var. den sie. Var. freundlich sie jn. Z. 8: jhn, Var. ihm. Str. 7, Z. 2: Var. die Mey(en)zeit. Z. 3: Die. Z. 6: Var. d. ichs leben. Var. pfenning. Z. 7: Var. den. Z. 8: hinab, Var. nab (Brag.); stiege hinab; stiegen ab; stägen ab.

Niederdeutsch im Lieberbuch Nr. 17. [Vgl. Schriften II, S. 449. Vilmar S. 222 bis 224. H.]

(58) [Fl. Bl. Nürnberg durch Kunegund Hergotin. Pf.] Meiland 1575, Nr. 2. [P. v. d. Aelst S. 95. Pf.] Heidelberger Handschrift 343, Bl. 18, auch Bl. 136, Str. 1. 3. 2, beidemal vermischt mit dem Liede: Der mon der stet am höchsten u. s. w. (Nr. 86). Frankfurter [und Erfurter] Lieberbuch von 1584, Nr. 30. Fl. Bl. Nürnberg bei Joh. Lantzenberger, 1610. Fl. Bl. o. O. u. J., wahrscheinlich: Basel bei Joh. Schröter. [Vgl. G. Forsters fr. Lieblein III, 1549 u. s. w. Nr. 19 Pf.]

Str. 1, Z. 3: Var. fein. Z. 5: Var. so offt ist meinem hertzen wol. Str. 2, Z. 2: Var. schöns. Z. 4: Var. so finde ich nichts hie (nichts dar). Z. 5: Var. denn hebt sich erst ein. In der Heidelb. Hdschr. lautet Str. 2:

> Und wann ich lig und schlaffe,
> kommt mir mein seins lieb für,
> wann ich dann wider erwache,
> so fert er (sie) wider dahin.
> o wee meins herzen ein große noth!
> vil lieber wolt ich(s) sterben,
> vil weger wer mir der tod.

Str. 3, Z. 1: Var. zwey. Var. auff grüner h. Z. 2: Var. die heißen W. Str. 4, Z. 1: Var. möcht. Z. 2: Var. einen. Z. 6: Var. nur.

[Im fl. Bl. o. O. u. J. (= Züricher Lieberband 669 b. 687) folgt noch eine Strophe:

> Der uns das lied gesungen,
> von neuem gesungen hat,
> das hat gethan ein junger knab,
> gott geb ihm ein fein gut jahr!

er finget uns das und noch viel mehr,
denn er ift innen worden,
was fcheiden von der liebe thut. Pf.]

Niederdeutfch im Lieberbuch Nr. 63.
Str. 1, Z. 2: herin.
       Str. 3: Ein blömelin up gröner heiden,
         mit nahmen Wolgemodt,
         leth uns de fene godt waffen,
         ift uns vor trurent gudt u. f. w.

Zu Str. 4. 5 Wackernagel zu Simrocks Walther von der Vogel=
weide II, 161, Z. 1. Zu Str. 4, Z. 3: wecken, f. Deutfche Mythol.
504, 2. Anzeiger 1834, 278 u.

(59) Fl. Bl. Bafel bei Johann Schröter 1611. Andres Flug=
blatt o. O. u. J., doch wahrfcheinlich aus derfelben Druckftätte. Hier
fteht am Schluffe des Liedes (dem noch zwei andre folgen): G. Grünew.
Vgl. Anm. zu Nr. 238. [Zwei weitere Drucke f. Volkslieder, Quellen
S. 1004. Pf.]

Str. 1, Z. 1: inn. Z. 5: Var. die Allerliebft a. e. Str. 2, Z. 1: d.
e. Meyen. Z. 3: Var. thuft fo h. Str. 3, Z. 3: fr. und gefundes. Z. 5:
die mir o Gott haft erfchaffen. Var. die du mir Gott haft erfchaffen. Str. 4,
Z. 5 fehlt: gott. Var. wanns nit fchicket vnd fchaffet Gott. Z. 6: Var. ifts
alles. Str. 5, Z. 3: Var. frewt. Z. 5: beffer. Var. nicht liebers möcht mir
gefchehen. Str. 6, Z. 3: Var. feines m. Z. 5: nun foll vnd wil. Str. 7,
Z. 5: Jungfra(u)wen. Z. 6: Var. fie herzlich l. a. Str. 8, Z. 5: recht-
gefchaff(e)ner. Z. 6: Var. m. ich jhr. Str. 9, Z. 1, 2: Var. gern bin, je.
Z. 3: mirs. Z. 4: Var. d. m. fo d. Var. neyd. Z. 5: fo fau vnd will.
Str. 10, Z. 2: der n. Var. find der Neyder fo viel. Z. 3: Var. dannoch.
Z. 5: herzlich tr. Z. 6: Var. weift. Str. 11, Z. 4: Var. die Herz allerliebfte.
Str. 12, Z. 5: erfrewen. Str. 13, Z. 6: Var. befilch ich jhr in jhre Händ.
Str. 14, Z. 2: der Allerliebften. Z. 3: Es möcht fonft ein anderen (Var. den
andern) v. Z. 4: der auch m. Z. 5: folches. Z. 6: Var. Mägetlein.

Niederdeutfch im Lieberbuch Nr. 77.
Str. 1, Z. 1: im. Z. 5, 6: vnd ock de fenefte vp Erden, de my im
Herten licht. Str. 2, Z. 1: du Edler Meye. Str. 3, Z. 3: ein frölyck vnd
gefundt Feeuent. Z. 5: de du my Godt hefft gefchapen. Str. 4, Z. 3: myn
Herte fucht vnd fehnet. Z. 4: behafft. Z. 5: went Godt nicht fchickt vnd
fchaffet. Z. 6: fo ys ydt alles. Str. 5, Z. 5: nicht feuers möcht my doch
gefchehen. Str. 6, Z. 3: ein fyn bruns Megdelin. Z. 5: nu fchal vnde wil

ick er warden. Str. 8, Z. 1: in allen. Z. 5: rechtschäpner leeff. Str. 9, Z. 3: schal my doch. Str. 11, Z. 5: hefft se my Gott anders vtherkaren. Str. 14, Z. 4: de ock meent de Megeste syn. Z. 5, 6: So hebbe ick doch sülckes gemacht, van wegen aller brunen Megdelin.

[Vilmar S. 200. H.]

Die Liebste.

(60) Frankfurter Liederbuch von 1584, Nr. 42: Im Thon, Jr jungen Gesellen, jr habt ewern willen.

Niederdeutsch im Liederbuch Nr. 31.

Str. 1, Z. 2, 3: Allerliebsten. Z. 5: niederd. deyth he se. Str. 2, Z. 1: hatte. Z. 6: förcht. Str. 4, Z. 1: seines. Str. 5, Z. 2: geb. Str. 6, Z. 1, 2: Ehe. Z. 3: wolt auch. Z. 4: etwa: auf guter baut, auf gutem Unterbau, Grunde? niederd. vp gudt gebuwt. Str. 7, Z. 1: dieses. Z. 4: Lanenburg, niederd. Lüneborch.

[Vilmar S. 197 bis 199. H.]

Abschiedslieder.

(64) [Forsters fr. Lieblein III, Nr. 65. Pf.] Frankfurter [und Erfurter] Liederbuch von 1584, Nr. 54. Str. 1 auch bei Meiland, 1575, Nr. 4, mit zwei Strophen aus: Herzlich thut mich erfreuen u. s. w., ebenso fl. Bl. Basel bei Joh. Schröter, 1613, mit 5 Strophen desselben Liedes.

Str. 1, Z. 2: Meil. mein bleibn; fl. Bl. nit mehr hie, nimmermee? Z. 3: Frkf. Lbb. der Meye th. Z. 4: Frkf. Lbb. die Feyel, Meil. und fl. Bl. den Beyl. Z. 5: Frkf. Lbb. Vor dem Wald höret m. s., Meil. und fl. Bl. im Wald da. Z. 6: Meil. der klein Waldvöglin gf. Fl. Bl. der kleinen Waltvöglein Gesang. Str. 2, Z. 2: Frkf. Lbb. gelag. Z. 4: gegen. Str. 3, Z. 3: gegen. Z. 8: ander, deutsche Gramm. I, 764.

Ein bildliches Jägerlied: Dort ferne vor jenem Walde u. s. w. fl. Bl. Nürnberg durch Val. Newber (Frankf. Bibl.) schließt:

Die junkfraw stunt an der zinnen,
sie sach zum fenster nauß,
in rechter siebe und trewe
warf sie ein krenzlein rauß

von feiel und auch von rojen,
von feiel und grünem klee;
von herzen liebe scheiden,
scheiden das thut wee.

[Vilmar S. 176. 177. H.]

(66) [Fl. Bl. o. O. u. J., wahrscheinlich durch Kunegund Hergotin, im Weimarer Sammelband A. 16. Fl. Bl. Augsburg, Mattheus Franck, um 1566, im Würzburger Liederband Nr. 54, in beiden fast wörtlich übereinstimmend und danach gedruckt. Pf.] G. Forsters fr. Lieblein III, 1549 und 1563, Nr. 33 (comp. von G. Othmayr, Baff. 1552, nur Str. 1). [Vielfach unter sich und von den fl. Bl. abweichend. Pf.] Heidelberger Handschrift 343, Bl. 112 (bei Görres S. 77). [Vgl. Schriften III, S. 433. H.]

(67) G. Forsters fr. Lieblein III, 1549, Nr. 17. 1563, Nr. 18. Heidelberger Handschrift 343, Bl. 89 b. Vgl. Wunderhorn I, 207. Varianten der Heidelberger Handschrift:

Str. 1, Z. 2: aus herzen grundt (jo). Z. 4: trawr doch zue. Z. 5: der fehlt. Str. 2, Z. 1: Ich h. m. e. gärtlen geb. Z. 3: der garten ist mir erf. Z. 4: mir in meim h. Z. 5: mirs. Z. 6: kreütlein. Str. 3, Z. 4: si hat ein m. rot. Z. 5: ir hend sind. Str. 4, Z. 1: solt ich mich. verw. Z. 2: a. doch mancher th. Z. 4: darum der ein leücht mit nues (jo). Z. 5: so mag es leider nit gejein. Z. 6: von h.

Vgl. Eiselein 546. Antwerpener Liederbuch von 1544, Nr. 141. [Vilmar S. 177. 178. H.]

(68) 65 teutscher Lieder. Tenor. Argentor. Nr. 42 (comp. von F. Stoltzer). G. Forsters fr. Lieblein I, 1539 u. j. w. Nr. 61. III, 1549 u. j. w. Nr. 5. Heidelberger Handschrift 343, Bl. 96. 115 guter newer Lieblein, Nürnberg 1544, Nr. 54. 55 (comp. von Ludw. Senffl). Frankfurter und Erfurter Liederbuch Nr. 16. Lieberhandschrift aus Westfalen S. 38. [Zu 12 Strophen erweitert: Fl. Bl. o. J. Augsburg durch Mattheum Francken, im Würzburger Liederband Nr. 57 und bei P. v. d. Aelst, 1602, S. 161 bis 163. Pf.]

Str. 1, Z. 1: Var. ist vns d. w. Z. 2: Var. diesen. Z. 3: Var. wird. Z. 3, 4: Var. betrübet w. i. b. mein feins lieb m. m. a. Z. 5: Var. schöust. Z. 7: Var. heimliches l.; gros heimlichs l. Z. 8: Var. vnd macht mir schw. m.; macht mir ein schw. m. Str. 2, Z. 1: Var. Läßt du mir nichts zur letz. Z. 2: Var. schwarz brauns weiß meidelein; mein feins prauns megetlein; du

schönes mägdlein sein. Z. 5: Var. thut m.   Z. 8: Var. die weyl; wirdt mir
so l.   Str. 3, Z. 1: Var. Schauw zu; Feins lieb; Z. 2: Var. Kläffer; zu vil.
Z. 3: Var. recht gschaffen (vgl. Schmeller III, 328 f.).   Z. 6: Var. b. bis.
Z. 8: Var. zue hundert (tausent) g. n.

Das Lied ist im Texte gegeben, wie es im 16ten Jahrhundert ver-
breitet war; aus einer Handschrift des 15ten Jahrhunderts (1452) in
6 Strophen, auch sonst vielfach verschieden, ist dasselbe mitgetheilt und
mit den Drucken bei Docen 1537, Nürnberg 1544 und Wittenberg,
Bicinia 1545, zusammengestellt von Maßmann in der Münchner allge-
meinen Musik-Zeitung, 1827, Nr. 6. Diese ältere Fassung ist weit-
schweifig und zum Theil unklar. Sie beginnt:

> Der walt hat sich entlawbet
> gen disem winter kalt.
> mein freud pin ich werawet,
> gedenken machn mich alt   u. s. w.

Im niederdeutschen Liederbuch Nr. 91 beginnt ein Lied von andrem
Strophenbau:

> Entlovet weren uns de wölde,
> de frische mei tritt herin   u. s. w.

[Vilmar S. 175. 176. H.]

(69) A. [der Text nach Forster, der, wie auch das Frankfurter
Liederbuch, „Jsbruck" statt „Jnsbruck" hat. In den drei übrigen
Aufzeichnungen ist zwischen Str. 2. 3 eine vierte eingeschoben:

> Ach frätwlein, du solt nicht weinen,
> du bist doch (noch: Augsb.) nicht alleine,
> nimb dir ein ringen muot!
> ich will dich nicht aufgeben,
> die weil ich hab das leben,
> hett ich des keisers guot.
> (für dich nem ich nicht 's keisers guot. Augsb.)   Pf.]

Str. 3, Z. 4: der eren frumm, s. Schmeller I, 611.

B. Heidelberger Handschrift 343, Bl. 107b.

Str. 1, Z. 1: Jsprugth; mues, auch weiterhin. Str. 2, Z. 2: bueln.
Z. 3: büch. Z. 4: sehe, zorudh. Z. 5: feins Glückh. Str. 3, Z. 5: gehabt.
Z. 6: dan, alleine. Str. 4, Z. 1: stiend. Z. 2: waynen. Z. 3: muet. Z. 6:
guet. Str. 5, Z. 2: Anna. Z. 6: behüet.

[Vilmar S. 173 bis 175. H.]

(70) [Vgl. Volkslieder I, 2, S. 1005. H.] Docens Miscellaneen I, 269. Feiner kleiner Almanach 130. Mit geistlicher Umdichtung in Wackernagels Lesebuch II, 93, letztere aus dem Wunderhorn III, 46.

Vulgaris Cantio, Ich stund an einem morgen u. s. w. per Henricum Bebelium poëtam in carmen Latinum redactum. (Nicod. Frischlini Facetiæ u. s. w. Lips. 1600. S. 283.)

Str. 1, Z. 3: Var. hett. Z. 4: hört. Z. 5: Var. was h. u. s. Z. 6: Var. er sprach zu s. b., sie sprach zu irem b. Z. 7: Var. muß; durch die Schreibung „mus“ soll angezeigt werden, daß hier die alte Form des Prät. muose (b. Gramm. I, 962) vorliegt, wie offenbar Str. 4, Z. 5 das Prät. Conj. müese. Var. geschieden. Str. 2, Z. 3: Var. thust. Z. 5: Var. merck auff mein lieb (seins lieb), so (nun) merck seins lieb. Z. 6: Var. thust du. thut m. fröwen. Z. 7: Var. ich weiß. Str. 3, Z. 2: Var. ir h. traurens, leides. Z. 5: Var. für dich setzen (so setz) ich all mein hab. Z. 6: Var. dus; vnnd wiltu bey mir bleiben. Z. 7: ich hatt. Str. 4, Z. 1: Var. der knab sprach wolgemuthe; der gsell der sprach mit züchten. Z. 2: Var. dein Gedancken. Z. 3: verzer; verzeeret ich dir all d. G.; so verzehrte mich dein Gute; so verzehr(t)en wir d. g. Z. 4: Var. ist bald dahin. Z. 5: muß; müßt; müß. Z. 7: Var. gib; setz du dein w. d. Str. 5, Z. 5, 6: Var. ich will verlaßen guet vnd Eehr, mit dir will Ich von hinnen. Z. 7: Var. ist; schwer. Str. 6, Z. 1 bis 4: In der Heidelb. Handschr. 343: Du sollt dich wol gehaben, sprach sich der Jüngling guet, du sinst wol ander knaben, die dir geben freüd vnd muet, vnd gedenck wol a. Z. 4: Var. nun schl.; schlag dirs auß deinem Muth. Z. 5: Var. vnd gedenck a. Z. 6: Var. kein solches trettwendt (trawen); keins Argen trauen; kein arges gönnen; solchs nit getrawen. Str. 7, Z. 1: Var. herumme; da keret er sich umbe. Z. 2: Var. vnd spr.; er redt; nichts. Z. 3: Var. schmiegen; das vil vmme. Z. 5: Var. es w. Z. 6: Var. Schlemmer; Trucker. Z. 7: Var. wie es eim Fräwlein gieng; niederb. wo ydt dem Fröuwlin ginck; der Hertz allerliebsten sein; in der Heidelb. Hdschr. 343 lauten Z. 5 bis 7: sie waynet das schier was todt, der Ists wol Innen worden, dem solchs zuhannden gotth.

Die Heidelberger Handschrift 343, die das Lied am meisten abweichend und, wie es scheint, aus getrübter Erinnerung niedergeschrieben gibt, fügt drei weitere Strophen ein, deren letzte in eine andre Versart fällt. Nach Str. 2:

> Ich mues in frembde lande,
> tuet meinem herzen wee.
> beüt mir dein schneweis hende!

ich gesehe dich nimer mee.

nun gsegen dich gott, meins herzens ein cron!

gott dank dir deiner trewe,

die du mir hast getou!

Weiterhin:

Wir haben der lieb mit ein gepflegt

gar heimlich srue und spet.

du solt dich mein verwegen,

in trewen ich dirs rat,

und solt es werden offenbar,

so kembst du, lieb, zu schanden,

das wer mir laid fürwahr.

Dann als vorletzte Strophe:

kund ich dich, herzlieb, schließen ein

in das junge herze mein,

wann ee ich dich wolt fahren lan,

ee wolt ich ewig parfues uf dornen gan.

Übrigens hat Bebel diese drei Strophen vor sich gehabt, z. B.:

Ante per hamatos errarem, mortis ad horam

Sentes et tribulos nuda genu atque pedes.

So auch die Fassung des Anfangs der Str. 6:

Invenies etiam de tot modo millibus unum

Urbis amatorem, cui placuisse velis,

Quique tibi penitus veteres expectoret ignes,

Tam cito foemineo corde recedit amor.

Ähnlichen Anfang hat das schottische Lied: Jock o' Hazelgreen, Kinloch 206:

It was on a morning early,

Afore day licht did appear,

I heard a pretty damsel

Making a heavy bier u. s. w.

(Auch bei Buchan II, 252. Vgl. Minstrelsy, 5 ed. I, 276. II, 216. Buchan I, 111 und 169. II, 23 und 259. Floresta I, 250, Nr. 134.) [Vilmar S. 165 bis 173. H.]

Zweites Buch.

Ulinger.

(74) A. Fl. Bl. Basel bei Sam. Apiario (um 1570): „Ein hüpsch new Lied, Von dem Ulinger genant" u. s. w. Fl. Bl. ebb. bei Joh. Schröter, 1605.

Str. 2, 3. 3: Var. der der s. Str. 3, 3. 1: Var. wolt. 3. 3: Var. lehren, aber 3. 2: lehrnen. Str. 4, 3. 2: Var. haar in. 3. 3: Var. kleidet. Str. 7, 3. 3: Junckfrawen. Var. gehangen. Str. 8, 3. 3: Var. Tauben. 3. 4: Var. auff einer. Str. 10, 3. 1: Var. Er breyt. Str. 11, 3. 1: Var. sah. 3. 2: Var. weint. 3. 4: Var. leib. Str. 13, 3. 1: Var. mit jn. Str. 14, 3. 3: Var. ich will bey. Str. 15, 3. 4: Junckfrawen. Str. 17, 3. 4: Var. eyngangen. Str. 18, 3. 3: Var. Scharlamantel. 3. 4: Var. stehet. Str. 21, 3. 2: Marie, Var. Soue. 3. 3: Var. kompst, so auch weiterhin. Str. 22, 3. 1: Var. andren. Str. 23, 3. 2: Var. hilff mir lieber br. m. 3. 3: Var. zu br. 3. 4: Var. wird zu. Str. 24, 3. 3: Var. allen. Str. 25, 3. 2: seinen. Str. 26, 3. 3: Var. stand (vgl. d. Gramm. I, 945). 3. 4: Follen, so auch nachher. Str. 27, 3. 2: Var. an= binden witt. 3. 3: Var. rede. Str. 28, 3. 4: jetz st. Str. 29, 3. 1: Var. du nit Bl. 3. 2: Var. das bitt nit du. 3. 3: Scharlamantel. Str. 30, 3. 4: Batters.

Ortsname Olingen im untern Elsaß, s. Herzogs Chron. Alsat. Straßburg 1592, B. 3, S. 40. [Vgl. Ulingen a. 965 bei Neugart Nr. 754. Uihlingen im badischen Amte Bondorf. S. Förstemann II, 1432. Pf.]

Zu Str. 10, 3. 3. 4 Meinert 62:

> Ar böt, se soulld' ien lause,
> sai galwaiß hoer austrause.

Feiner Almanach II, 101:

> Feins libchen, ihr müßet mir lausen,
> mein gelbkraus härlein durchzausen.

Arwidsson 1, 298, 4:

    Och två skola kamma och krusa edert hår.

1, 303 Men aldrig löska jag ert fagergula hår.

    Bäl kan J så löska mitt fagergula hår.

[Zeitschrift f. deutsches Alterthum 3, 494 u. 7, 547.]

a. Zu Str. 16. 20 vgl. Three early english metrical romances, ed. by J. Robson, London 1842, S. 65: the avowynge of king Arther u. s. w. Str. XVII:

    If he were in a dale depe,
    He had no knyghte him to kepe.

b. Zu Str. 25 Gudrun Str. 1198:

    Die valken liez er vliegen, dô reit er balde dan.

Altdeutsche Blätter I, 129:

    unde vergaz der hinden met den hunden.

Widuk. e. 1, c. 2 in fine: Saxo statim emittens accipitrem, sociis retulit quæ audivit.

Volksbuch: Fortunatus, Augsburg 1609, Aiiij[b]: „Dem Grafen gefielen die Wort des Jungen wol und sprach: „Nun will die Galea gleich gehn, bist du fertig?" Er sagt: „Ja, Herr!" und warf das Feberspil, so er in der Hand het, in die Luft, ließ es fliegen, gieng ungesegnet und ohn Urlaub Vatter und Müter mit dem Grafen als sein Knecht in die Galea und führ also von Land" u. s. w. (Busses) Wladimir 75 f.

[B. Str. 17 Schambach, Niedersächsische Sagen 350 ob.]

Am nächsten kommt dem alten Liede vom Ulinger das bei Meinert 61, vgl. 438, wo die Taube den Mörder anruft: „du Ollegehr!" (Worth. 410: „dar Ollegehr: der Nimmersatt.") Demselben wird jedoch das Haupt abgeschlagen: „Do lieg, du Hävle, blutte" u. s. w. (Soltau 183, 2: „Ain haubtman der hieß algeer"?) (Das Anreden des abgeschlagenen Hauptes auch in Hinrich [= Volkslieder Nr. 128. Pf.] Str. 10.) Bei Herder (Volksl. I, 79) führt Ulrich lieb Ännchen in den Wald, um sie den Vogelsang zu lehren; der Bruder findet sie gehangen und dennoch die Frage: „warum sind deine schuh so blutroth?" und die Antwort vom geschossenen Turteltäublein. Ännchen kommt ins Grab, Ulrich auf das Rad, um sie singen die Engel, um ihn schreien die Raben.

Alterthumszeitung 1812, Nr. 35, Beilage, breslauisches Volkslied mit Tonweise. Ulrich und Hanselein freien um Rautendelein; Ulrich führt sie in den Wald, wo eilf Jungfrauen hangen; er gestattet ihr vier „Gal"; blutige Hände, erstochenes Täublein; der Bruder haut dem Mörder den Kopf ab: „jetzt lieg du hier im Blute" u. f. w.; sie ins Grab, er aufs Rad, ihr spielen die Glocken, ihm schreien die Raben.

Bei Meinert 66: Ulrich und Annle. „Anfar (?) Uleraich" freit einer Königin Töchterlein (ähnlicher Anf. 5 und 246), im achten Jahre führt er sie in den Tannenwald zu einem Brunnen und schlägt ihr das Haupt ab; als er kaum eine halbe Meile gegangen, begegnet ihm der Bruder; wie kommts, daß das Schwert blutig? (Vgl. Meinert 248.) Turtel= täublein. Der Bruder haut ihm das Haupt weg: „Do lieg, du Häple, blutte" u. f. w. (Wortb. 385: „Anfar, bisher unverständlicher Vor= name des Ritters Uleraich.")

Fein. Alm. II, 100: Der singende Ritter entführt die Königstochter; sie soll ihm laufen und weint darüber; hätte sie dem Vater gefolgt, wäre sie Kaiserin worden; wegen dieser Rede schlägt er ihr das Haupt ab:

> Da liege, feins Liebchen, und faule!
> Mein jung Herze muß trawren.
> Er namb sein Rößlein bei dem Zaum
> Und band es an einen Wasserstrom.
> Hier stee, mein Rößlein, und trinke!
> Mein jung frisch Herze muß sinken.

Hier knüpfen sich die Tödtungen aus Eifersucht an, doch mehr der Anlage und Stimmung, als den einzelnen Zügen nach, s. bei dem Liede: „Es stehen drei stern am himmel" [Nr. 76 D. H.].

Die Frage um den blutigen Schuh, das blutige Schwert, ist ein Zug, der nur auf die wirkliche Tödtung der Jungfrau, und zwar nur auf die Tödtung durch Hauptabschlagen oder Erstechen paßt. Durch diesen Zug klingen die deutschen Lieder mit den sonst sehr verschiedenen schottischen und schwedischen vom blutigen Bruder an: Percy I, 47. Motherwell 60. Jamieson I, 59. Svenska Folkv. III, 3, mit der Be= merkung S. 6, daß sich kein entsprechendes dänisches Lied vorfinde. Arwidsson II, 83, vgl. I, 309. Schröter, Finn. Runen 124. 141. Nials-Saga c. 12: „blódug er öx þín, hvat hefir þú unnit?" Cromek 225.

Nibelunge, Lachmanns Ausg. Str. 1892:

Nu saget mir, bruoder Dancwart! wie sit ir so rot?
ich wäne, ir von wunden lidet gröze not u. s. w. (vgl. Str. 1888, 3.)
Str. 2247 Nu sagt mir, meister Hildebrant! wie sit ir so naz
von dem verchbluote, oder wer tet iu daz?
(Vgl. 2245, 3. 2246, 3. v. b. Hagen Anmerk. 294. Alfonsi
discipl. cleric. 76. XXX. 160 f.) Sæm. Edd. 160, 6: hví er brynja
þín blóði stockin? Auch hier wird Jagd vorgegeben (Sn. 226ᵃ, 2:
ör = oddr, vgl. 215ᵃ u.: oddr = sverd), vgl. 154, 35. Grimm, Edda 94.

Niederländisch: Das Lied von Halewyn, mitgetheilt durch Willems
im Anzeiger 1836, Sp. 448 ff., auch auf neuern fliegenden Blättern:
Antwerpen by J. Thys, Nr. 15. Gend by L. L. van Paemel,
Nr. 25.

Willems bemerkt a. a. O. Sp. 450: „Dieses alte Volkslied wird
noch jetzt in Brabant und Flandern viel gesungen; die Melodie ist sehr
schön, der Text aber in den fliegenden Blättern, die auf den Märkten
verkauft werden, vielfältig verdorben. Man versicherte mich neulich,
daß auch in Norddeutschland, in Westfalen und der Gegend von Ham-
burg ähnliche Lieder vom Zauberkönig Halewyn im Gebrauche sind."

Herr Halewyn singt ein Lied; alle, die es hören, wollen bei ihm
sein. Das Königskind reitet wohlgeschmückt in den Wald; sie kommen
an ein Galgenfeld, wo viele Frauen hangen; er heißt sie sich den Tod
kiesen, sie wählt das Schwert. Sie heißt ihn das Oberkleid ausziehen,
weil Mägdeblut weit spritze; eh er das Kleid ausgezogen, liegt ihm das
Haupt vor den Füßen, das noch trügerische Räthe gibt; sie wascht es
in einem Bronnen und reitet damit fort; der Mutter Halewyns, die
ihr begegnet und nach dem Sohne fragt, sagt sie:

if heb zijn hoofd in mijnen schoot,
van bloed is mijn vorschoot rood.

Vor ihres Vaters Thore bläst sie das Horn; das Haupt wird beim
Mahle aufgesetzt.

Hoffmann, Horæ belg. II, 162 (Le Jeune 292): „Van des
markgrafen zoon." Diese Aufzeichnung stimmt am meisten mit der
im Fein. Alm. II, 100; der Ritter, der nachher auch Landsknecht heißt,
gibt sich als eines Markgrafen Sohn zu erkennen; dennoch will sie sich
lieber das Haupt abhauen lassen, als seine Hausfrau werden; ersteres
geschieht:

Hij nam het hoofdje bij het haar,
hij wierp het in een fontein was klaar,
een fontein was diep van gronde:
„leg daar, jou lagchende monde!
leg hier, leg daar, jou lagchende mond! u. s. w.

Die Annäherung an das Lied vom eifersüchtigen Knaben ist hier am stärksten.

(Das Lied: „Dat alle berghen goude waren," Horæ belg. II, 116, wozu noch Arwidsson II, 227 anzuführen, hat andre Grundlage und klingt nur entfernt hier an.)

Schwedisch: Sv. Folkv. III, 94: „Rösvaren Rymer." Er will die Jungfrau in ein herrlich Land führen, wo soviel Gold ist, als hier Sand (vgl. Nyerup III, 327 f. W. Grimm, Altdän. Heldenl. 75. 507), im Rosenwald aber zeigt er ihr ein Grab, worin sie liegen soll. Sie bindet den Schlafenden und durchsticht ihn mit ihrem Messer, dann bläst sie sein vergoldetes Horn (dessen auch im Liede von Halewyn gedacht ist) nach seinen sieben Schwestern, welche sich schon der Beute freuen und mit Spaten herbeikommen, die Jungfrau zu begraben, nun aber den Bruder begraben müssen. Ebd. III, 97: „Rösvaren Brun," mit dem Refrain „Det bläser och det regnar norbast ut i fjällen, der hvila och tre Nordmän." Brun verkündet der Jungfrau, daß er schon eilf andre getödtet. Sie bindet, weckt und ersticht ihn, er soll für Hunde und Raben daliegen. Arwidsson I, 298: „Den falske Ribbaren." Sie reiten über den Fünfzehnmeilenwald (vgl. Aucas. et Nicol. Méon I, 397: „li forès, qui bien duroit trente liues de lonc et de lé"); er hat acht Königstöchter umgebracht, sie soll die neunte sein; sie bindet, weckt und ersticht ihn mit seinem Messer, heißt ihn für Hunde und Raben liegen, alsdann bläst sie die sieben Schwestern mit Schaufeln und Spaten herbei und reitet vogelschnell von bannen. Eine Variante ebd. 301: als sie durch den Fünfzehnmeilenwald geritten, sieht die Jungfrau, wie ihr Liebster ein Grab gräbt, zu eng für das Roß, zu lang für die Hunde, es ist für sie bestimmt; wo acht Pfähle stehn, liegen acht Jungfraun; sie erbietet sich, ihm zu laufen, bindet und weckt ihn, schlägt ihm dann mit seinem Schwerte Haupt und Hand ab: „lieg nun für Hunde und Raben, lieg nun und schwimm in deinem Blute!"

Schottisch: Kinloch 212 (vgl. 228 f. Anf.): „Duke of Perth's

three daughters." Die Erſte geht in den Wald, Roſe und Lilie zu
pflücken, ein Herr aus Lothian (Loudon Lord) ſpringt auf und heißt
ſie, zur Strafe für das Blumenpflücken, wählen, ob ſie eines Räubers
Weib genannt oder mit ſeinem Meſſer erſtochen ſein wolle. Sie wählt
Jenes. Ebenſo ergeht es der zweiten Schweſter. Die dritte wählt
gleicherweiſe; als er aber auch ſie ermorden will, reitet ihr Bruder John
heran mit drei Dienern und verkündigt dem Mörder, daß er an einen
Baum gehangen oder in den Giftſee werde geworfen werden, den Kröten
und Klapperſchlangen zur Speiſe.

Motherwell 88 (vgl. XXII, Nr. XXVI, C* u.): „Baby Lon"
(aus Perthſhire): Drei Jungfraun gehen aus, Blumen zu pflücken, ein
verbannter Mann ſpringt auf und gibt der erſten Schweſter die Wahl
wie oben, ſo auch der zweiten; die dritte will keines von beiden, denn
ſie habe in dieſem Wald einen Bruder, der ſie rächen würde; ſie ſagt
den Namen desſelben: Baby Lon. Der Mörder iſt eben dieſer Bruder
und wendet ſein Meſſer gegen ſich ſelbſt.

Buchan I, 22 (292): „The gowans sae gay." Refr.: „aye as
the gowans (Maßliebe) grow gay the first morning in may." Die
ſchöne Iſabel ſitzt nähend in ihrem Zimmer, da hört ſie einen elfiſchen
Ritter (elf-knight) ſein Horn blaſen. (Vgl. Ebb. II, 296. Kinloch 145.
Motherwell, Append. I.) Sie wünſcht ſich das Horn und den Elf=
ritter, alsbald ſpringt er zum Fenſter herein; er könne das Horn nicht
blaſen, als wenn ſie ihn anrufe. Sie reitet mit ihm in den Wald, da
heißt er ſie abſteigen; ſieben Königstöchter hab' er hier erſchlagen, ſie
müſſe die achte ſein. Sie beredet ihn, auszuruhen, und lullt ihn durch
einen kleinen Zauber in feſten Schlaf; mit ſeinem eigenen Schwertgurt
bindet ſie ihn und mit ſeinem Dolche durchſtößt ſie ihn; hat er ſieben
Königstöchter erſchlagen, ſo lieg' er hier als Ehemann von allen!

Buchan II, 201 (331): „The water o' Wearie's well." Der Ver=
führer harfnet Alle in Schlaf, ausgenommen die Königstochter; er nimmt
ſie hinter ſich auf ſein Pferd und reitet mit ihr zum Waſſer von
Wearies=Well; ſie muß immer tiefer hinein ſchreiten, bis ans Knie,
bis an den Goldgürtel, bis ans Kinn. Sieben Königstöchter hat er
hier ertränkt, ſie will er zur achten machen und ihr die Glocke läuten.
Da bittet ſie ihn noch um einen Kuß zur Stärkung im Tode; als er
ſich aber nach ihr über den Sattelbogen bückt, nimmt ſie ihn in beide

Arme und wirft ihn kopfüber hinein. Hat er sieben Königstöchter hier ertränkt, so will sie ihn zum Bräutigam von allen machen und selbst die Glocke läuten. Sie schwimmt ans Land und dankt Gott für ihre Rettung.

Ebd. II, 45 (309): „Fause Sir John and May Colvin." Sir John wirbt um May Colvin, er versichert, Burgen, Städte dreiundzwanzig zu haben; sie will ohne Erlaubnis ihrer Eltern ihm nicht folgen. Er hat ein Gelübde gethan, daß sie diese Nacht mit ihm gehen soll. Durch einen Zauber, den er in ihren Ärmel steckt, wird sie dazu gebracht. Sie nimmt viel Gold und Silber mit, sowie ihres Vaters bestes Pferd (dieß auch im Liede von Halewyn). Sie reiten zu Binyan's Bai, einer einsamen Stelle mit hohen, steilen Felsen, wo Niemand ihr Schreien hören kann. Acht Jungfraun hat er hier ertränkt, sie soll die neunte sein. (Are these your bowers and lofty towers?) Er heißt sie Juwelen und Kleider ablegen, zu kostbar, um sie verderben zu lassen. Sie bittet ihn, sich umzuwenden, damit er sie nicht entkleidet sehe. Als er sich umdreht, wirft sie ihn in die See; dort soll er liegen, wohin er sie legen wollte. Bevor die Glocke drei schlägt, ist sie wieder zu Hause. Der schlaue Papagei fragt, was sie mit John gemacht, mit dem sie gestern Abend weggegangen. Sie schweigt ihn und er hilft ihr hehlen. (Der Stil ist theilweise trocken, aber der Inhalt gut.)

Vgl. Percy III, 225.

Motherwell 67 (LX. LXX, 24): „May Colvin, or false Sir John." Hier reiten sie einen langen Sommertag; die Stelle ist nicht genannt; sieben Königstöchter hat er ertränkt; er soll sich umdrehen und nach dem Blatt am Baume sehen; er fleht noch aus dem Wasser um Hand= reichung (St. Oswald V. 711 ff. Udv. d. Vis. I, 213, 20 f.); sie ver= spricht dem Papagei ein Käfig von geschlagenem Golde, die Stäbe (spakes) von Elfenbein.

Chambers 232: „May Collean." Hauptsächlich die Anmerkung über die Örtlichkeit und Ortssage.

Französisch: Roman de Rou 1, 288 bis 290: Der normännische Herzog Richard (sans peur) sieht auf der Jagd, als schon der August vorüber, von fern einen Ritter, das Schwert neben sich im Grase und bei ihm eine schöne, wohlgekleidete Jungfrau. Als der Ritter den Herzog kommen sieht, enthauptet er die Jungfrau, wofür ihm Jener das Haupt abschlägt. Der Herzog bewundert die Schönheit Weiber und läßt sie am vierten Tage begraben. Nie erfuhr er, woher sie waren. Wegen der Sünde dieses Todschlags ward die Sache nicht aufgeschrieben, aber die Väter haben es den Söhnen gesagt.

Blaubartmährchen: Perrault, la barbe bleue (eine neue Ausgabe des Perrault durch Jacob Bibliophile 1835). Grimm, Hausmährchen I, 206, Nr. 40. 224, Nr. 46. III, 70, Nr. 40. 75, Nr. 46. 378, 3. Armer Heinrich 173.

Morgenblatt Nr. 28, 13 Juli 1856, S. 657 (Wanderungen durch celtisches Land I): „Hätten wir bloße Romantik gesucht, in der Nähe von Nantes würden wir genug gefunden haben. Ich nenne z. B. nur das Schloß Raoul des Blaubarts, dessen Ruinen sich wenige Stunden nördlich von der Stadt an einem kleinen See reizend schön erheben. Zwischen den Ruinen wachsen sieben Trauerbäume zur Erinnerung an die sieben Weiber, die der edle Ritter für ihre Neugierde etwas hart bestraft hatte."

Sæm. Edda 53 (Hým. kv. 10):

„var karls er kom
kiunskógr frörinn."

Spanisch: Romance de Ricofranco, J. Grimm, Silva 252 [= D. F. J. Wolf y D. C. Hofmann, Primavera y flor de romances II. Berlin 1856. 8⁰. S. 22. 23. Man vergleiche ferner: Altspanische Romanzen, übersetzt von F. Diez. Berlin 1821. 8⁰. S. 179. 180. Romanzero der Spanier und Portugiesen von E. Geibel und A. F. v. Schack. Stuttgart 1860. 8⁰. S. 377. 378. H.]. Nach vergeblicher Jagd nahen sich die Jäger des Königs dem Schlosse Maynes. Darin ist eine Jungfrau, um die sieben Grafen und drei Könige werben. Ricofranco, der Aragoner, raubt sie. „Weinst du um Vater oder Mutter, nie mehr wirst du sie sehen; weinst du um deine Brüder, ich erschlug alle drei." Sie weint über ihr ungewisses Schicksal. Er mög' ihr sein Messer leihen, damit sie den Saum vom Schleier schneide. Er reicht es ihr und sie stößt ihms in die Brust, so rächt sie Vater und Mutter sammt den drei Brüdern.

[Vilmar S. 51 bis 60. H.]

Brennenberg.

(75) A. Niederdeutsches Liederbuch Nr. 44.

Str. 10, Z. 2: schencke. Str. 12, Z. 3: du r.

In: „Nye Christlyke Gesenge vnde Lede, vp allerley arbt Melodien, der besten olden, Dübescher Leber u. f. w. börch Herm. Vespasium, Prediger tho Stade. P. K. (Paul Knoblauch zu Lübeck) 1571." steht vor einem der geistlich veränderten Lieder (Nr. 44) der Anfang des weltlichen:

Jbt is nicht lange, dat ibt geschach,
Dat Brwnenberch u. f. w.

(Kinderling in Bragur V, 25. Koch, Compendium der deutschen Litteratur-Geschichte, 2te Ausg. II, 87.)

Zu Str. 3. 4 vgl. Minnef. I, 7ᵃ, Lied unter dem Namen des Herzogs Johann von Brabant (er kam 1260 zur Regierung und starb 1294):

Eins meienmorgens fruo
was ich ûf gestân,
in ein schönz boungartegin
solde ich spiln gân;
dá vant ich drie juncfrouwen stân,
si wârn so wol getân,
diu eine sang für, diu ander sang nâ:
Harba lôri fá   harba lôri fá   harba lôri fá u. f. w.

Dô ich ersach daz schöne krût
in dem boungartegin
und ich erhörte dá slieze gelût
von den megden sin,
dô verblîde daz herze mîn,
daz ich muoste singen nâ:
Harba lôri fá u. f. w.

Dô gruofte ich die allerschönsten,
diu dar under stuont,
ich liez mîn arme alumbe gân
dô zer selben stunt,
ich wolte si küffen an ir munt,
si sprach: lât stân, lât stân, lât stân!
Harba lôri fá u. f. w.

(Vgl. MS. I, 184 ᵃ, 5: Ah lâ ſtên u. ſ. w. Parise la Duchesse 201:
or me laisiez ester! 214: je laiserai ester. Levninger II, 118 bis 27,
Indhold Nr. 16. Nyerup III, 345 bis 347.) [Zu Str. 7 vgl. S. om Dibr.
af Bern, utg. af Hylten-Cav. 151 u.]

Hochdeutſch iſt Brennenberges Schickſal in einem Meiſtergeſang er-
zählt: „Ein hübſches lied von des Brembergers enbt und tobt, In
des Brembergers thon." Fl. Blatt o. J., gedruckt zu Nürnberg durch
Chriſtoff Gûtknecht. Anfang:

> Mit urlaub, fraw, umb ewern werden bienſtman,
> geheißen was er Bremberger,
> ein edler ritter weiſe.

> In ſeinem thon fro ich euch wol ſingen kan,
> darin mich niemand verdenke, (ſo)
> ſein lob ich immer preiſe.

> Er hat geſungen manichfalt,
> das redt ich auf die trewe mein,
> von einer ſchönen frawen u. ſ. w.

(Vgl. Wunderhorn II, 229, hier fehlt die zweite Strophe. Grimm,
deutſche Sagen II, 207 bis 212.) Auch im N. Lit. Anzeiger durch
Grimm, Muſeum I, 141.

Die mittelhochdeutſche Erzählung Konrads von Würzburg [das Herz-
mähre. Pf.], worin der Ritter nicht genannt iſt, ſtimmt mehr mit der
nordfranzöſiſchen vom Caſtellan von Coucy; doch erſcheint der Liebende
nicht als Sänger. Sie iſt gedruckt in Laßbergs Liederſaal II, 359 und
ſchon früher in Müllers Sammlung Bd. I, „Von der Minnen," wo
jedoch die Schlußſtelle, in welcher ſich der Dichter nennt, durch etliche
andre Zeilen erſetzt iſt. [S. auch die Ausgabe von Fr. Roth. Frankfurt
1846 und in v. d. Hagen, Geſammtabenteuer I, 225 ff. Pf.]

Die Lieder Reinmanns von Brennenberg ſtehen in der Sammlung
von Minneſ. I, 184 ff. Auch im Verzeichnis über die Dichter der
Kolmarer Handſchrift erſcheint „der Brannenberger," Muſeum f. altb.
Lit. II, 184. [S. nun: Meiſterlieder der Kolmarer Handſchrift, herausg.
von K. Bartſch. Stuttgart 1862. S. 69. 163. Pf.] Vgl. auch ebb.
I, 140 f. 107, Anm. 18. Aus denſelben, I, 184 ᵇ, 5:

> Swem ſi wont mit rehten triuwen ſtâteclîchen bî,
> dem wahſet niemer grâwez hâr und wirt ouch aller ſorgen frî.

185 b, 4 Ꝙd bin mit ganzem libe enzwei geteilet wunderliche u. f. w.
biu liebe håt baჳ ßerze min.
Daſt min der beſte teil, der ſtäte muoჳ bi ir beliben u. f. w.
Nu ſprechent an! wer wurde alſus geteilet ie u. f. w.
Über ba𝔰 bairiſche Abelsgeſchlecht „die Prennberger" f. Hormayr,
Taſchenbuch für bie vaterländiſche Geſchichte 1830.
Däniſch: Ubvalg af banſke Viſer II, 238: „Hertog Frybenborg."
Schwediſch: Sv. Folkv. I, 95: „Hertig Fröjdenborg och Fröken
Abelin."
Altfranzöſiſch: Histoire du Châtelain de Coucy et de la Dame
de Fayel, publ. par Crapelet. (F. Wolf, Lais 52. 236 u. bis
238 ob.: Lai de Guirun.) Vgl. Bouterwek, Geſch. der Poeſie und
· Beredf. V, 25 ff. Altengliſche ſtrophiſche Bearbeitung, ohne poetiſches
Verdienſt, in Ritſons Anc. engl. metric. Romanc. III, 193 ff. (vgl.
353 ff.) Darin S. 196:

> This knight was in a garden grene
> And thus began him to complayne u. f. w.

S. 218 Schluß:

> Wyth that the lady, in all theyr syght,
> Yelded up her spyrit, making her mone.
> The hyghe god moost of myght
> On her have mercy and us echone!

Percy III, XXVII: „The Editor has seen a very beautiful old
ballad on this subject in French." (Die Lieder des Caſtellans von Couch
hat neuerlich [Paris 1830. 8º. H.] Fr. Michel herausgegeben.)
Lai d'Ignaurès u. f. w., publ. par Monmerqué et Fr. Michel.
Paris, Silveſtre, 1832.

> B. 15 Une aventure molt estraigne,
> Que jadis avint en Bretaigne u. f. w.

> B. 625 D'eles .xij. fu li deus fais,
> Et .xij. vers plains a li lais,
> C'on doit bien tenir en mémoire;
> Car la matere est toute voire.
> Ensi con tiesmoigne Renaus,
> Morut Ignaurès, li bons vassaus,
> Et celes, qui lor drues furent,
> Pour l'amisté de lui morurent;

Car dex ait pité des ames
Et des chevaliers et des dames
Et benis soit, ki le fist faire,
Cest lai, ki as amans doit plaire!

B. 665 (Schluß) C'est la matère de cel lay;
Ichi le vous definerai.
Franchois, Poitevin et Breton
L'apielent le Lay del Prison.
Je n'en sai plus ne o ne nou,
Si fu por Ignaure trouvés,
Ki por amours fu desmembrés.

Das Herz des bretagnischen Ritters wird gar von zwölf Frauen die ihn liebten, verzehrt; diese Auffassung der Sage ist übrigens die einzige, welche mit dem niederdeutschen Liede gemein hat, daß der Ritter gefangen gehalten wird, doch nicht sieben Jahre lang, wie Brunen-berch, sondern nur bis zum vierten Tage.

Daß die Sage von Ignaurés, obwohl in abweichender Version, auch den Provenzalen bekannt war, hat Ferd. Wolf (Berliner Jahrbücher für wissensch. Krit. 1834, II, Sp. 253 f.) aus einer Gedichtstelle des Arnaud de Marsan, aus dem 13ten Jahrh. (Raynouard II, 308 f.), nachgewiesen.

Provenzalisch haftet sonst die Sage auf dem Troubadour Guillems de Cabestaing, gest. zwischen 1181 und 1196, in verschiedenen Dar-stellungen, Raynouard V, 187 ff., Diez, Leben und Werke der Trou-badours, Zwickau 1829, S. 77 ff.

Die Frau, die das Herz genossen, wird hier von ihrem Gemahl mit dem Schwert angerannt und stürzt sich vom Balcon. Raynouard V, 189 [C. A. F. Mahn, Die Werke der Troubadours I, Berlin 1846. 8°. S. 104 bis 109. Derselbe, Die Biographieen der Troubadours. Berlin 1853. 8°. S. 3. 4. 45. 46. H.]:

El rei d'Arago venc en la terra, quan saup lo fag, e pres R. de castel Rossilho e desfetz li los castels e las terras e fes metr' En G. de Cabestanh denan l'us de la gleiza de San Joan a Perpinhau e la domna ab el. E fon una longa sazon, que tug li cortes cavayer e las domnas gentils de Cataluenha e de Rossilho e de Sardanha e de Cofolen e de Narbones venian far cascun an anoal per lur armas aital jorn, quan moriro, pregan nostre senhor, que lur agues merce. S. 195: Et josteron si li paren d'En Guillem et de la dompna et tuit cil, qi eron amador,

[S. 189: totz los cortes cavayers d'aquela encontrada] et guerriron R. a foc et a sanc; e 'l reis Anfos d'Aragon venc en aqella encontrada, qant saup la mort de la dompna et del chavalier; et pres R. et desfetz li lo chastels et las terras; et fetz G. et la dompna metre en un monimen denan l'uis de la gleiza a Perpignat, en un borc q'es en plan de Rossillion et de Sardogna, lo cals borc es del reis d'Aragon. Et fo sazos, qe tuit li cavalier de Rossillion et de Sardogna et de Cofolen et de Riuples et de Peiralaide et de Narbones lor fasian chascun annoal; et tuit li fin amadors et las finas amaressas pregaven dieus per las lor armas u. f. w. El borc, en lo cal foron seppellitz G. et la dompna, a non Perpignac.

Hiernach „secondo che raccontano i Provenzali," wieder in Neben= umständen abweichend, Boccaccio, Decamer., Giorn. 4, Nov. 9. Inhalt: Messer Guiglielmo Rossiglione dà a mangiare alla moglie sua il cuore di messer Guiglielmo Guardastagno, ucciso da lui et amato da lei. Il che ella sappiendo, poi si gitta da una alta finestra in terra e muore, e col suo amante è sepellita.

Raynouard III, 111 (Guillem von Cabestaing):

Aissi cum selh, que laissa 'l fuelh
E pren de las flors la gensor,
Ai eu chauzit en un aut bruelh
Sobre totas la belhazor.

III, 117 (Ebd.) Suffretz, qu' ie us bais los guans!
Que de l'als sui doptans.

Verwandten Inhalts ist das dänische Lied: „Maribos Kilde" (Nyerup I, 316). Hier läßt der eifersüchtige König seinen Grafen durch die Köche in Stücke hauen und auf der Königin Tisch tragen; aber diese sammelt die Stücke und taucht sie in die Quelle von Maribo, worauf der Mann wieder ersteht. Der Refrain ist: „Den langeste Rat — Mig tvinger Elskoven." Eine Strophe, die bei Nyerup fehlt, lautet in W. Grimms Übersetzung (Altdänische Heldenlieder u. f. w. S. 85):

Zerhaut ihn klein wie einen Fisch
Und tragt ihn auf der Königin Tisch!

S. auch eine schottische Ballade späteren Stils: „Lady Diamond," Buchan II, 208.

In einer Münchner Pergamenthandschrift des 13ten Jahrhunderts Bl. 19ᵃ stehen die lateinischen Strophen [= Carmina Burana, ed. Schmeller, S. 116. Pf.]:

Ista Phrison decantabat
juxta regis filiam,
ægram quæ se simulabat,
dum perrexit per viam
desponsari.
Sed hæc gnanus (nanus?)
notans sponso retulit,
mox truncatur ut profanus,
tandem sponso (sponsæ?) detulit.

J. Grimm, Silva 138 bis 140. Vgl. J. Grimm, beutſche Rechts=
alterth. 616 bis 618 ob. Lieberſaal II, 359 ff.
Über bes Brennenbergers Ton ober Weiſe ſ. J. Grimm, altb.
Meiſtergeſ. 135. (15, Anm. 4. 109 u.) Vgl. Wunberhorn III, 113 u.
Der angeführte Meiſtergeſang von bes Brembergers Enbe iſt „in
ſeinem thon" geſungen; es iſt berſelbe Ton, ber in ben Minneliebern
Reinmanns von Brennenberg vorherrſcht, nur iſt ber vorbere Theil bes
Abgeſangs etwas mehr in Reime geſpalten.
Fiſchart, Gargantua Cap. 26 (S. 308): „Ein gut Geſetlein Berg=
rein, Bremberger, Vilanellen unb winnenbergiſche Reuterliblin zu
ſingen" u. ſ. w. (Ebb., Pobagr. Troſtbüchlein B V.)
In ber Einlabung zu einer Singſchule ber Brüberſchaft ber Meiſter=
ſänger zu Freiburg vom Jahr 1630 (Mones Babiſches Archiv II, 206)
wirb geſagt: „Was auf einer geiſtlichen Singſchuel verbotten iſt, bas
weiſt ein jeber wohlgelernter Maiſterſinger vorhin wohl, als nemlich
Voſſenlieber, Bremberger, Bergriſch [ſo], auch ſoll keine Reizlied,
Schmützung, Schmehung ober Eingreifung in Religion=Sachen geſungen
werben." [Vgl. Schriften II, S. 304. H.]
Mſſ. Docen (auf ber Münchner Bibliothek) S. 26: Ein Minne=
lieb im Ton Reinmanns von Brennenberg, aus ber Hoheneicher Hanb=
ſchrift B, Bl. 11: „Ein Prenberger." Dieſelbe Hanbſchrift A, Bl. 37
hat ein Meiſterlieb: „Ein Brennenberger bonn wiſe." Es iſt ein Ge=
ſpräch eines ſterbenden reichen Geizhalſes mit ſeinem Sohne.
Muſeum f. altb. Lit. I, 107, Anm. 18. 115 bis 20. Grunbriß 504
ob. [Vgl. auch Schriften II, S. 325. 326. 344. VII, S. 410. Cento
novelle antiche Nr. 62, beutſch in: Italiäniſcher Novellenſchat, aus=
gewählt unb überſetzt von A. Keller. I. Leipzig 1851. 8⁰. S. 15. 16.

F. Wolf, Über die Prager Romanzensammlung S. 181. 182. F. Liebrecht in Pfeiffers Germania I. Stuttgart 1856. 8°. S. 260. An Uhlands Romanze „Der Castellan von Couch" braucht kaum erinnert zu werden. Denselben Stoff hat auch Conz behandelt in seinem Gedichte „Des Ritters Herz." Die Geschichte des Guillem von Cabestaing hat A. Böttger in Romanzen bearbeitet. H.]

Tagelieder.

(76) B. Fl. Bl. „Getruckt zů Bern, by Sigfrid Apiario. 1564." Noch zweierlei alte fliegende Blätter o. O. u. J. Fl. Bl. Basel, bei Johann Schröter, 1611.

Das eine der Flugblätter ohne Datum, doch wahrscheinlich ebenfalls von Johann Schröter in Basel, hat zum Schluß eine weitere Strophe:

Gott Vatter, Gott Sohn Jesu Christ
und Gott heiliger Geist,
laß dir die allerschönst befohlen sein,
laß dir sie befohlen sein!

Mehrfache Zusätze und Abweichungen gibt das Blatt von 1611. Hier beginnt das Lied:

Ein Knab auf dieser Erden
da ist gut wohnen bei,
tröst mir sie Gott im Herzen,
die außerwählte mein! :|:

Leucht uns der Morgensterne,
leucht uns mit hellem Schein,
erwedt mir mein Gesange
die außerwählte mein. :|:

Str. 2, Z. 2 fehlt: wol. Z. 3: wann im was. Z. 4: den Schaden müst er han. Str. 3, Z. 1: Wann mir was. Z. 2: schöns. Z. 3: ich bin. Z. 4: geritten. Str. 4 fehlt. Str. 5, Z. 1: Ade muß ich. Z. 3: mein Roßz wil nicht mehr bleiben. Str. 6, Z. 1. 2: Binde es oben ane, an einen Gilgen zweig. Z. 3: vnd l. d. Zwischen Str. 6 und 7 steht diese:

Sie nam ihn an ihr Arme,
an ihr schneeweiße Brust,
komm her, du edler Jüngling!
das war meines Herzen Lust. :|:

Str. 7, Z. 3: Ich bin verwundt so sehre. Str. 8, Z. 1: Biſtu verwundt ſo ſehre. Z. 4: wol auff den pfennig mein. Str. 9 fehlt; dagegen folgt ein Anhang:

Wer iſt, der uns das Liedlein ſang,
von newem geſungen hat?
das hat gethan ein Schreiber gut,
Gott geb ihm ein ſein gut Jahr! :|:

Er hats ſo frei geſungen
bei Mädt und külem Wein,
dabei da ſind geſeſſen
drei ſchöne Jungfrewelein. :|:

Die eine heißet Urſel,
die ander ſchöns Annelein,
die dritt will ich nicht nennen,
die muß mein eigen ſein. :|:

Das Lied ſei dir geſungen
zu tauſent guter Nacht!
zu dir kan ich nicht kommen,
der Engel Gottes dich bewahr! :|:

(Niederd. Liederbuch 97, Str. 7, Reim: ſcheidet — beydet.)

Geiſtliche Bearbeitung des Liedes auf einem fliegenden Blatt des 16ten Jahrhunderts, Magdeburg bei Wilhelm Roß o. J.:

O Chriſte, Morgenſterne [1],
leucht uns mit hellem Schein,
ſchein uns vons Himmels Throne
an dieſem dunkeln Ort,
mit deinem reinen Wort u. ſ. w.   (10 Str.)

Vgl. Rambach, Anthologie chriſtlicher Geſänge II, 163.

Str. 1 lautet in allen Texten, mit Ausnahme des verdorbenen von 1611, in der Hauptſache und abgeſehen von der ſchweizeriſchen Schreibweiſe gleich; einmal heißt es in Z. 2: erweckt mich (anderwärts Str. 2, Z. 1: Wer iſt der, der da ſ.). Zum Verſtändnis dieſer Strophe mögen nachfolgende Andeutungen beitragen.

[1] Mone, Schauſp. II, 60:

Walet, rittere! dat is ſchire bach,
ik vorneme der morghenſterne flach.

Suhm, Symb. 60:

Auch der klein lawrein
Muſt ir morgenſtern ſein(?)

Lied in schwäbischer Mundart auf einem fliegenden Blatt des
17ten Jahrhunderts, Str. 30 (Hänsle zum Pfarrer): „Und wenn ar as
laond da Moargastearn singa" u. s. w. Vgl. Hoffmann, Kirchenl. 102:
„Abe, morgensterne" u. s. w. Deutsche Rechtsalterth. 441, 2: und der
morgensterne schein u. s. w. Schmeller II, 616: „Der Morgenstern,
Ehrenmusik am Morgen der Brautnacht (Werdenfels)."
(Saem. Edda 30, 23.) Horant, Hiarrandi, Herrenda, oriens?
Fornald. S. III, 223: „Draumbút (acc.) ok Hjarrandahljód" (at búta
truncare, amputare, bútr, m. truncus). Hiarrande als Eigenname,
Olafs S. C. 95. Gudrun 1515 [= Str. 379 Bartsch. H.]:

> Dô sich diu naht verendet' und ez begunde tagen,
> Hôrant begunde singen u. s. w.

(auch Abends 1486. 1505, doch ist jenes die Hauptstelle). J. Grimm,
Andreas u. Elene XXX f. XXXVI, 2. J. Grimm, deutsche Mythol.
431 (au matin par son l'aube). 428. 413. (Im Rom. de Parise S. 182
und 213: par soz u. s. w. Ferabras 3493: Lo mati sus en l'alba u. s. w.)
Raynouard III, 342: vuelh far alb` ab son novelh. — dezir l'alba.
III, 251 u.: son d'alba. (Vgl. Diez, Poesie der Troubadours 115.
Raynouard II, 235.) Polnische Volkssagen 6, 2.

In schwedischen Volksliedern ist es stehende Form, daß der an
herrlichem Gesang Erwachende solchen anfänglich einer fremden Ursache
zuschreibt. Sv. Folkvis. III, 44:

> Och konungen vakna' i högan loft låg:
> „Hvad är för en fogel, så väl sjunga må?"

49 „Hvem är det, som blås i min förgyllda lur?"

53 „Hvem är det, som på min gullharpa slår?" III, 55. 58.

Arwidsson I, 388:

> „Hvem är det, som leker på gullharpa så väl?"

I, 392 Och konungen vaknar i högan loft,
> Så fick han höra hur den visan hon gick.

> „Anten är det Christus af himmelrik,
> Eller är det guds englar lik!"

394 f. Det går en getpiga i heden och sång,
> Hon väcker upp kungen i höga lofts sval.

Och lungen han sade till småsvenner så:
„Hvem är det som på guldharpan slår?"   I, 397. 401.
Nyerup IV, 101, Str. 4. 5. Die Königin erwacht am Gesange
des Ritters beim Tanze, sie fragt, welche ihrer Jungfraun die Harfe
schlage. IV, 43. Ritson, Anc. Engl. metric. Romanc. III, 171 fg.
aus dem altfranzöfischen Gedichte von Horn, von des Letztern Harfenspiele:

Lors print la harpe a sei, si commence a temprer.
Deu, ki dunc lesgardast, cum il la sot manier,
Cum ses cordes tuchot, cum les feseit trembler,
A quantes faire les chanz, a kuantes organer!
Del armonie del ciel lie pureit remembrer u. f. w.

Tristan 7646:

das fi af dort her vernämen
einen alfö füezen harpfen klank
unde mit der harpfen einen fauk,
got möht' in gerne hören
in finen himel kören.

Morolf 2513:

Er konde wol der engel griff.

Renner 10984:

Seit ein iglich stern hat
einen engel, der in an die stat
weifet, do er hin fol gen,
wie folten wir kranken denn beften
und leiten uns die engel niht?
Swelh menfch an dih geftirn fiht
und gotes wunder niht merket daran,
der ift guter witze wan.
Swenn ich niht mak gefehen di wunder,
die unfer herre hat befunder
oben behalten in finen taugen,
fo merke ich, daz die menfchen augen
alle zeit fehen ob in fweben,
fliegen, fingen, als ob fie leben,
nu rot, nu gel, nu praun, nu weiz.

Vgl. Deutfche Mythologie 414, 4. 5. 550.
D. (J. G. Jacobis) Iris, Bd. 5, Berlin 1776, S. 134 ff., mit
Melodie. Jacobi bemerkt dazu S. 132: „Das war ein Lieblingsftück

unfrer Vorfahren, und meine Freund und Freundinnen und ich haben
öfter, wenn wir uns in die vergangnen Jahre hineinträumen wollten,
die Sterne damit bewillkommt." (Vgl. Samml. b. Volkslieder durch
Büsching und v. d. Hagen 231. 412 f.) (Herders) Volkslieder Thl. 1,
Leipzig 1778, S. 38 ff. Herder sagt darüber S. 316 f.: „Die Melodie
hat das Helle und Feierliche eines Abendgesanges, wie unterm Licht
der Sterne, und der Elsaßer Dialekt schließt sich den Schwingungen
derselben trefflich an u. s. w. Der Anfang des Liedes ist mehrern
Volksliedern eine Lieblingsstelle."

Str. 1, Z. 1: Jac. leuchten, Sterne. Z. 2: H. ihren sch. Z. 3: H.
gr. euch. Z. 4: H. Rösselein. Str. 2, Z. 1: H. beim z., beim z. Z. 2: J.
bindt es. Z. 3: J. Und setz d. Str. 3, Z. 1: J. kann es n. m. es. Z. 3:
J. Mein Herzel i. m. es. Z. 4: J. Ach Schätzel! Str. 5, Z. 3: J. Er
stieß es s. Liebe; H. durchs H. Str. 5 fehlt bei Jac. Str. 6, Z. 2: H. ein
rothes G. Z. 3: J. warf es ins fl. W. Z. 4: J. gabs; H. seinen klaren Sch.
Str. 7, Z. 2: H. b. an den tiefen S. Z. 3: J. seines Lieb. Z. 4: H. jetzt h.
Str. 8, Z. 3: H. wir Beid'; J. diese beyde.

Das Lied schließt sich nach einer Seite an das vom Ulinger (Nr. 74),
nach der andern an diejenigen, in welchen der Heimkehrende an der
Geliebten, die einen Andern geheirathet, oder an der ungetreuen Frau
blutige Rache nimmt: Meinert 146 (vgl. 47. 104 ob.). Wunderhorn
II, 17. Münsterische Geschichten u. s. w. 203. Schwedisch: Arwidsson
II, 53, vgl. 448. Italiänisch: La bella Margherita, Altd. Wälder I.
160 (daraus auch in Egeria 44), Agrumi 230. Proben der Treue am
hellen oder trüben Ringgold, Edelstein u. s. w. in verschiedenen Sagen.
[Vilmar S. 119 bis 124. H.]

(77) Aus einem fliegenden Blatt „Getruckt zu Augspurg bey
Michael Manger" (um 1580), hinter dem Liede vom Eppele von Gay-
lingen, abschriftlich mitgetheilt von Hrn. M. Körner in München.

Str. 1, Z. 2: der tage ist. Str. 2, Z. 3. 4: last. Str. 4, Z. 4: scheid.

Der Trost, den der auffsteigende Tag der Frau zurückläßt, ist weg-
gefallen, dagegen folgt noch eine nicht hieher gehörende Strophe:

> Es ryt ein Ritter wolgethon,
> da begegnet jhm ein Jungkfraw schon.
> „Jungkfraw, mein Pferdt ist wol beschlagen,
> es kan die schönen Mägdlein tragen."

Vgl. „Das gelbkraufe Haar" Nr. 108, 5. Meinert 11. Ähnliche
Perfonificierung in dem Gespräche des Liebenden mit Mai, Sommer-
wonne u. f. w. Minnef. I, 3ᵇ. Lieberfaal II, 712:

> Her Tag, ir mügt wol fin gemeit,
> daz ir fi folt befchinen u. f. w.

(Vgl. Deutfche Grammatik III, 346.)

Zu Str. 1 Arwidsfon II, 214, 8:

> „Hade iagh nyckfar till thenna dagh,
> Jagh ftulle the[m] fafta vthj villande haaf,
> Thet ftulle nattafs och aldrig dagafs mehra!"
> The ftulle un äthfkilliafs, fom gerna villia famman vara.

Nyerup V, 17:

> Havde jeg Röglen til den Dag,
> Jeg vilde hannem fänke i vildene Hav,
> Saa det ftulde nattes og aldrig dages meer,
> De maatte väre fammen, fom havde hinanden i Hjertet kjär.

Vgl. Hartmanns Gregor 2922: „den flüzzel warf er in den fê.
.(Gesta Romanor. Bl. 64ᵇ.) Horæ belg. II, 83, Liebesanfang aus einer
Pergament-Handfchrift des 15ten Jahrhunderts:

> Had ic den flotel vanden dach,
> ic worpfe u. f. w.

. Antwerpener Lieberbuch 11ᵃ.

Isengrimus 368 (S. 13): ad presens nimis est ista ligata dies.
Reinardus III, 318 (ed. Mone S. 154):

> heu mihi, quo tardat fune ligata dies?

(Vgl. III, 205, S. 149: nocte profundâ.) J. Grimm, Reinhart
Fuchs LXIV. Sæm. Edda 135, 11 f. W. Grimm, Heldenfage 20. MS.
III, 377ᵇ, 6 (Brouwenlop):

> Kynd' ich den tag mit fefken in gevueren,
> vieng' ich den wint in ftrikken und in fnueren u. f. w.

[Mythologie 706. 1224.]

Zu Str. 2, Z. 3 f. vgl. Frankfurter Lieberbuch von 1584, Nr. 237
(Wiewol ich arm und elend bin u. f. w. Heidelberger Handfchrift 343,
Bl. 33ᵇ. [Volkslieder S. 137. H.]), Str. 5:

> Fehrft du dahin und leßt mich hie,
> was leffeft du mir zu der leßte hie u. f. w.

Zu Str. 4. In einem holländischen Volksliede: „Nagtegaaltje, kleyn vogeltje koen" u. f. w. (De nieuwe Overtoomsche Markt=Schipper u. f. w. Amsterdam 1831, S. 78) finden sich folgende Strophen:

> Myn liesje schryft my al uit Parys, [een brief?]
> Dat hy zal nemen een ander wyf.
> Neemt hy een wyf, ik zal nemen een man,
> Ic zal zien, wie't langst uit houden kan.

S. auch Anm. zu „Ich bin durch fräuleins willen" Str. 2. Heidel=berger Handschrift 343, Bl. 108 [Volkslieder S. 176. H.]: Geliebbt dir kein anders weybe, So geliebt mir kein annberer Man.

(79) A. Niederdeutsches Liederbuch Nr. 53.

Str. 2, Z. 3: wäck; ebenso Str. 3, Z. 3.

(80) Frankfurter Liederbuch von 1584, Nr. 60. Verändert und erweitert, doch nicht zu seinem Vortheil, steht das Lied ebb. Nr. 155: „Der Wechter der blies an den Tag" u. f. w.

Str. 1, Z. 1: verkündiget. Str. 2, Z. 1: seines. Z. 3: den w. Nr. 155 die. Z. 6: die halbe m., fehlt in Nr. 155. Str. 4, Z. 4: meines. Str. 5, Z. 5: scheinet.

[Vilmar S. 161. 162. H.]

(81) [Vgl. Uhlands Volkslieder II, S. 1007. H.]

Str. 1, Z. 2: g. manchen tag, Text aus der Hds. Z. 3: Hds. Nu sagt mir schone jungkfrawe. Z. 4: was. Z. 5: willens; Hds. ob ich mich wöllet nem=men. Z. 7: Hds. ich soll vnd mues von hinnen. Z. 8: Hds. Ja schöns. Z. 9: Hds. mir liebt kein. Str. 2, Z. 1 bis 3: Hds. Geliebbt dir kein anders weybe, So geliebet mir kein annberer Man, so kher dich her zue mir. Z. 6: meinen; Hds. Z. 6. 7: dem allerliebsten mein, vnd wils mit recht behallten. Z. 8: Hds. Ja schons. Z. 9: Hds. dein lauter aigen will i. s. Str. 3, Z. 1: Hds. (hier Str. 5) Ach freülin Ich hab mit eüch g. Z. 5: Das. Z. 3 bis 9: Hds. Ich hab durch Euch gelytten lieb vnd leid, So bin Ich durch Eurentwillen geritten, so manche zeit, des sollt Jr mich laßen genießen, Ja. Schones mein lieb, Albe Ich fahr dahin.

Im Frankfurter Liederbuch, wie auch im niederdeutschen, folgen zwei weitere Strophen:

> Er nam sie bei der Hende,
> bei ihr schneeweißen Hand,
> er führt sie an ein Ende,
> uber ein schmalen Gang,

wol in ein Kämmerlein finſter,
da lag der Held und ſchlief.
Der Wechter an der Zinnen,
o ſchönes mein Lieb,
den hellen Tag anblies.

Ligt jemand hie verborgen,
der heb ſich bei der Zeit,
daß in die Leut nit ſpüren
wol bei dem ſchönen Weib!
Ich ſeh die Morgenröt herdringen,
den Tag ſpür ich im Thal,
die kleinen Waldvögelein ſingen,
o ſchönes mein Lieb,
darzu Fraw Nachtigal.

In der Heidelberger Handſchrift noch eine dritte:

Wir zwei mir [ſo] müeßen ſcheiden
aus diſem grienen clee,
ſo geſchicht uns allen beiden
an unſerm herzen wee.
do fert er ir den ruden,
er ſprach nichts mer zue ir,
das frewlen thet ſich ſchmuden,
ja, ſchöns mein lieb,
ade, ich far dahin.

Dieſe Strophen gehören andern Wächter= und Abſchiedsliedern an.
Die drei echten, wenn auch im Einzelnen erneuert und am Schluſſe
unſicher, haben noch etwas vom Tone der Geſprächslieder des ältern
Minneſangs.

Zu Str. 1 vgl. MS. I, 96 b, Milon von Sevelingen:

Dô ich dich loben hôrte, dô hete ich dich gerne erkant;
durch dîne tugende manige vuor ich ie wallende, unz ich dich vant.

(83) A. Frankfurter Lieberbuch von 1584, Nr. 201. Die erſte
Strophe auch bei J. de Bento, „Newe Teutſche Lieblein,“ München
1569, Nr. 25:

Es flog ein klein waldvögelein
der lieben fürs fenſterlein,
es klopfet alſo leiſe

mit feinem gülden fchnebelein:
„ftand auf, herz lieb, unb laß mich ein!
ich bin fo lang gefiegen
wol burch ben willen bein."

Str. 1, 3. 1: kleines. 3. 2: zum Fenfter ein, richtiger bei F. de Vento.
Str. 2, 3. 3: zu halber vgl. Schmeller II, 176.

Im Frankfurter Lieberbuch folgen noch fünf Strophen, bie fich aber
nicht zu ben vorhergehenben fügen. Sie gehören ber Hauptfache nach
einem Wächterlieb an unb erfcheinen theilweife, in einfacherer Versart,
unter Nr. 41 berfelben Sammlung: „Es taget vor ben Often."

Tagelieb bes Vogels, MS. I, 101, XIII (Dietmar von Aift).
Nyerup I, 322, 25 f. Jamiefon I, 162 ff.

(86) G. Forfters frifche Lieblein III, 1549, Nr. 18. 1563, Nr. 19.
(Comp. G. Othmayr.) (Wunberh. III, 19: „Fliegenbes Blatt aus 1500.")

Str. 1, 3. 2: dfon. 3. 5: vnb w.; V. vnb in w. 3. 7: V. da. Str. 2,
3. 2: folt. 3. 4: V. weyß. 3. 5: V. mehr. 3. 6: bulen, rhümen. Str. 3,
3. 1: Manchr; V. Mancher; feinem. 3. 3: V. lohne. 3. 7: wehe. Str. 4,
3. 1: V. vber fch. 3. 3: hertzen; V. hertze. 3. 4: trawen; V. trawren.
3. 5: vngemacht; V. vngemach. 3. 7: V. abe.

Die Situation ift biefe: Der Gefell will in ftürmifcher, boch voll-
mondheller Nacht zum Feinslieb gehen, aber wie foll er bei folcher Helle
bahin gelangen? Sie hat ihm Vorficht empfohlen unb er felbft weiß,
baß man mit feiner Liebe nicht pralen foll; wer bei lichtem Mondfchein
zur Geliebten geht, bem wirb ein Rofenkränzlein, grüner benn Klee,
b. h. ein Neffelkranz, bas Sinnbild ber Abweifung (f. Anmerk. zu
„Neffelkranz" [Nr. 252. H.]); barum muß er verzichten, beklagt bie
herbe Trennung unb fingt ber Liebften nur von fern eine gute Nacht zu.
[Vgl. Vilmar S. 163. 164. H.]

In ber Heidelberger Handfchrift 343 kommt bas Lied zweifach vor,
Blatt 18 unb 136, beibemal vermifcht mit Strophen von: „Wie fchön
blüt uns ber meie" u. f. w. welches, mit Ausnahme ber um eine Hebung
längern fünften Zeile, ben gleichen Vers hat unb bei Forfter unmittelbar
auf jenes folgt, mit Ausgleichung ber kleinen Verfchiebenheit im Vers-
maße unb gleichfalls von Othmayr componiert. Die Hauptftellen ber
Handfchrift Blatt 136 (mit einigen Varianten ber fonft noch fchlech-
tern Recenfion Blatt 18 f.) lauten fo:

Str. 1 Die ſonn ſtet ſich am höchſten,
der mon iſt underthan,
mein feins lieb ſoll mich tröſten,
wie ſoll es im ergan?
im regen und im kalten wind,
ach gott, ſollt ich in ſuechen,
wo ich ine im ellend ſind.

Str. 3 Mancher thuet ſich ſeins buelen rüemen
des nachtes bei dem wein.
was ſie im gab [gab ſie im] zur letze?
von roſen ein krenzelein,
das gruenet ſich recht wie der wald.
wer ich bei meinem buelen,
ich jungt, ich (und) würd nit alt.

Hier ſchließt ſich dieſe Strophe an:

Herzlieb, ich will dich bitten,
wo du bei den gſellen (bei geſellen) biſt,
gedenk du mein in züchten!
die welt iſt voller liſt,
gedenk des meiner (meinen) in keinem wort!
ſo will ich an dir halten,
du biſt mein ho(ö)chſter hort.

Eine Faſſung des Liedes, die gleichmäßig hochdeutſch auf einem
fliegenden Blatt o. O. u. J. (Frankf. Bibl.) und niederdeutſch im Lieder-
buch Nr. 3 erſcheint, iſt hauptſächlich wieder in Str. 1 und 3 vom
Forſteriſchen Texte verſchieden und verwechſelt ebenfalls die Stellung der
Himmelslichter:

Str. 1 Die ſunn die ſteht am höchſten,
der mond hat ſich verkert,
ſo fürcht ich nichts (nd. nicht) ſo harte,
den reif und klieſen ſchnee
und auch darzu die ſcharpfen wind.
wo ſoll ich mich hin keren,
das (nd. dar) ich mein feins lieb find?

Str. 3 Der ſich ſeins buolen (nd. ſynes leues) thuot rümen
wol bei dem monde ſchein (nd. all by dem maneſchyn),
was gibt man im zu lone (nd. tho lohne)?
von roſen ein krenzelein,

wenn (nd. denn) das ist grüner, denn (nd. als) das gras.

leg ich dir, herzlieb, am arme,

wo (nd. so) wer mir bester (nd. beste) baß.

Wäre hier der Eingang von Str. 1 etwa so herzustellen:

Der mon der steht am höchsten,

thut meinem herzen weh u. s. w. (Vgl. Str. 3, Z. 7.)

(meim herzen dem gschicht wee? Schffh. 566, 2.)

so träte diese Strophe überhaupt erst recht in den Sinn des Ganzen ein: der helle Vollmond wäre dem Liebenden mehr zu fürchten, als Reif, Schnee und scharfe Winde.

Forster gibt zwar frühe Jahrzahl, aber bei ihm sind die Texte nicht unberührt geblieben, vgl. Vorrede zu Thl. 1.

(87) [Vgl. Volkslieder S. 1007. H.] Im Wunderhorn I, 314: „mündlich", bearbeitet.

Im Frankfurter Liederbuch lautet Str. 2:

Der wechter an der zinnen,

der uns den tag her blies,

er ließ sein horn erklingen

lieblich und daz(u) süß:

„jungfraw, weckt ewern gesellen,

hüt euch für ungefelle!

denn es ist an der zeit."

Im Frankfurter Liederbuch fehlt Str. 4 gänzlich, in der Heidelberger Handschrift ist sie sehr incorrect.

Der Schwan.

(88) Dem Texte liegt das Frankfurter Liederbuch zu Grunde, mit dem das niederdeutsche und das im Wunderhorn II, 212 abgedruckte fl. Bl., Nürnberg bei Valentin Neiber, 1500 (?), übereinstimmen. Die zwei andern Flugblätter weichen beträchtlich ab.

Str. 1: B. Ich weiß mir auch ein wunder schöne magt, wol an jhres Vatters zinnen lag, sie sach herauß, sahe daher reitten wol jres hertzen lust. Ich sach mir eins mals ein wunder schöne magd, vor jres Vatters fensterlin stan, sy sach darauß, was sach sy hört her reyten, jres hertzen einigen trost. Z. 4, niederd.: darher geryden. Nach Str. 1 hat das fl. Bl. o. O. u. J. folgende:

Es gieng ein junkfrauw küne
durch einen wald, der was grüne.
was fand sie alda?
sie fand ein schönen jungen knaben,
der ir gelobet was.

Str. 2, Z. 1 etwa: a. d. zinne? Wunderh. voll (?) d. w. (Graff, Sprach-
schatz I, 278: an biemuoti leben. N. 59, 2) etwa: ander wonne? vgl. Reinhart
Fuchs CCLVII*. Z. 2: salbet; niederd. Lieberb. salnet. Z. 3: hat euch e. a. viel
l. d. i. In dem Bl. v. 1573 lautet die Str.:

Ach meidlin unberwunden,
wie hat dich verblent die liebe sonnen,
das du bist worden bleich!
oder hastu ein andern lieber, dann mich,
und das gereüwet dich.

Im fl. Bl. o. O. u. J.:

Ei, wunder nimpt mich, wunder,
das uns so scheinet die liebe sonne,
das du bist worden bleich;
du hast ein andern vil lieber, als mich,
das wird gereüwen dich.

Str. 3, Z. 2: alle tage; niederd. all dag. Z. 3: liebe umb dich; niederd.
Leeff umme dy. Fl. Bl. v. 1573:

Und solt ich dann nicht werden bleich?
ich trag in meinem herzen groß leid,
herz lieb, umb dich,
das du mich übergeben hast,
mich armes meidlein jung.

Im Bl. o. O. und J. fehlt diese Str. Str. 4, Z. 1: B. übergeben. Z. 2:
niederd. doch. Z. 3: B. dann all die. Z. 4. 5: B. laß ab von allen dein sor-
gen, feins Meidlin volge mir. Bl. o. O. u. J.:

Warumb solt ich ein anderen lieben?
du bist mir nešunnal lieber,
dann alle meine freünd.
laß ab von all deim sorgen,
du wackers meidelein!

Str. 5, Z. 2: war wol genähet; niederd. Hembelin wol geneyet. Bl. v.
1573 als Str. 2:

Was schickt sy im entgegen?
von seiden ein hembedlin,

und das war weiß,

darinn gieng ſy geſchnüret,

das wacker meidlin jung.

Bl. o. O. u. J. als Str. 3:

Was truog ſie ihm entgegen?

von weißer ſeiden ein hemmetlein,

das war alſo weiß,

darein was ſie geſchnüret,

das wacker meidlein.

Str. 6, Z. 1: B. Da nam er ſie bey ihr. Z. 3 bis 5: B. da redt er ihr
die treulwe, die rechte ſtätigkeit. Bl. v. 1573:

Er ſchwang ſy hinderſich auf ſein roß,

er fürts auf ſeines vatters ſchloß,

ſy brach ein zweig,

ſy küßt ihn auf ſein roten munt,

daz wacker meidlin jung.

Str. 7, Z. 2: Magd; niederd. Maget. Wunderh. der gute Held nahm Ur-
laub von der Magd (?). Z. 3: Wunderh. Derſelbig gute Held. Bl. v. 1573:

Und da der guot geſell ſeinen willen hat gethan,

da wolt er urlaub han

und ließ das ſelbig meidlin in großen ſorgen ſton,

und was er ir gelobet hett,

das hielt er aber nit.

Das fl. Bl. o. O. u J. hat hier drei Strophen:

Da das wacker meidlein ſeinen willen hett gethon,

da wolt er wider urlob von ihr han,

das was ſie nit fro,

und alles, was er ihr zuoſaget,

das leüget er allda.

Sie want ihr hend und rauft ihr har:

„was ich armes meidlin gethon

mit einem jungen man!

ich hab alle meine freünd

erzürnet allzuo mal.

Ich hab erzürnet meine beſten freünd zuomal

und muos darzuo mein ſchönen buolen verlan,

das rewet ſehr mich,

so will ich keinem meidlin raten,
das es mehr thuo wie ich."

Str. 8 lautet im Frankfurter Liederbuch, wie auch im Wunderhorn:

Und wer ich weißer, denn ein schwan,
ich wolt mich schwingen uber berg und tiefen thal
und fahren uber den Rhein,
und wüßten das alle die freunde mein,
sie singen ein liedlein.

Niederdeutsch:

Unde weer ick witter, denn ein schwaen,
ick wolde my schwingen aver berg unde deepe dael
und varen aver den Ryn,
und wüstent all be fründe myn,
se woerden trurich syn.

Fl. Bl. v. 1573:

So wolt ich, das ich wäre schnee weißer, dann ein schwan,
ich wolt mich schwingen über berg und tiefe thal,
wol uber die wilde see, —
so wißt mein vatter und muoter nicht,
wo ich hin kommen wer.

Fl. Bl. o. O. u. J.:

So wolt gott, ich wer ein weißer schwan!
ich wolt mich schwingen uber berg und tiefe thal,
über ein breiten see,
so wüsten alle meine freunde nicht,
wo ich hin kummen wer.

Im Frankfurter Liederbuch steht hinten noch folgender Spruch:

Schöns lieb, halt feste,
wie der baum seine este!
ich laß von der liebe nicht abe,
man trag mich denn hin zum grabe.

[Zu diesem Liede, insbesondere der Str. 2. 3. 6, vgl. die weitere Ausführung Schriften III, S. 403 ff. und die dazu gehörigen Anmerkungen von 93 an, die hier im Manuscript wiederkehren. Pf.]

Kerenstein.

(89) Den Abdruck in Seckendorfs Musenalmanach, Regensburg 1808, S. 16, „aus der königl. Bibliothek zu München", hat Maßmann für mich mit dem Cod. germ. monac. 379, Bl. 140 verglichen. Das Lied ist hier überschrieben: „Ein tag weyß". In den Strophen, welche sechs Langzeilen haben, setzt die Handschrift je nach der vierten das Zeichen der Wiederholung, wodurch wohl das Gleichmaß des Tones ausgedrückt wird, indem bei vier Langzeilen die zwei letztern im Gesange zu wiederholen sind, bei sechsen aber die Weise der dritten und vierten mit andern Worten wiederkehrt.

Str. 1, Z. 5, etwa zur Herstellung der Strophe:

der enpeut euch, schöne fraue,
sein vil werden gruoß?

Str. 2, Z. 2: das maged rain. Z. 11: vö; vgl. Bouer. XIII, 20: vou froste was er wol behuot, doch Ebd. III, 53 f.: Der mit der zungen schaden tuot, vor dem ist kum ieman behuot. Str. 3, Z. 4: ein mägdlein die was w. Z. 6: warfft. Str. 4, Z. 1: dein will an mir zergangen. Z. 2: das maged rein. Z. 3: den geleicht. Z. 6: reist. Str. 5, Z. 4: kün. Z. 5: den wil; wil, m. ist: Schleier (velum) und könnte nur etwa auf ein Zauberroß (vgl. Grimm, d. Mythol. 613. LVIII. CXXXVIII) gedeutet werden, wozu jedoch: an der hefte haben (halten) nicht gut paßst; vgl. Wigal. 260 f.:

Dô sach si bi der mûre zetal
einen schönen riter haben.

Tristan 5363 ff.:

dâ fundens ouch Morgánen
und ûfe kastelánen
vil ritere Britûne haben.

Die Änderung in „voln" stellt zwar den Vers noch nicht richtig, (etwa: „den wilden voln?"), wird aber anderwärts bestätigt, Eigenot (Laßbergs Ausgabe) Str. 2:

Einen voln er sêre bant
ze eines boumes aste.

S. auch Ulinger Str. 26. 27. Ettmüllers Ortnid II, 27:

Ein ros daz hafte er vaste an ein lindenzwî.

Z. 6: heffte. Str. 6, Z. 8: verloren. Str. 7, Z. 6: Sy war an ein an der sieb.

Die Wechselrede in Str. 1, 2 klingt an die Botenlieder des Minnesanges an, z. B. Milon von Sevelingen (MS. I, 96[b]):

Dir enbiutet ſinen dieneſt, dem du biſt, frowe, als der lip.
er heizet dir ſagen zwâre, du habeſt im elliu andriu wip
benomen ûz ſinem muote, daz er gedanke niene hât.
nu tnoz dur dîne tugende nnd enbiute mir eteslichen rât!
du hâſt ime vil nâch bekêret beidin ſin unde leben,
er hât dur dinen willen eine ganze frôide umbe ein trûren gegeken.

Ebd. (MS. I, 97ᵇ):

Ich ſach boten des ſumeres, daz wâren bluomen alſô rôt.
weiſt du, ſchöne frowe, waz dir ein ritter entbôt?
verholne ſinen dieneſt, im wart liebers nie niet.
im trûret ſin herze, ſit er nu jungeſt von dir ſchiet.
nu höhe im ſin gemüete gegen dirre ſumerzit!
frô wirt er niemer, ê er an dînem arme ſô rehte güetliche lit.

Der Vers iſt im Grunde derſelbe; auch die Form „dinen ougen"
iſt bei Milon wiederkehrend, ebenſo bei Dietmar von Aiſt (vgl. Muſ. II,
305 oben).

Hartmann von Aue (MS. I, 182ᵃ [== Des Minneſangs Frü̈h-
ling, herausgegeben von K. Lachmann und M. Haupt. Leipzig 1857.
8⁰. S. 214. 215. H.]):

Dir hât enboten, frowe guot,
ſin dieneſt, der dir es wol gan;
ein ritter, der vil gerne tuot
daz beſte, daz ſin herze kan.
der wil dur dinen willen diſen ſumer ſin
vil höhes muotes verre ûf die genâde dîn.
daz ſolt du minneclîche enpfân,
daz ich mit guoten mären var,
ſô bin ich willekomen dar.

Dû ſolt im minen dieneſt ſagen:
ſwaz ime ze liebe müge geſchehen,
daz möhte niemen baz behagen,
der in ſô ſelten habe geſehen,
und bite in, daz er wende ſinen ſtolzen lîp
dâ man im lône! ich bin im ein vil vremedez wip
z'enpfâhen ſus getâne-rede.
ſwes er onch anders gert,
daz tuon ich, wan des iſt er wert.

Reinmar b. A. (MS. I, 78ᵇ):

> sin langez fremden muoz ich klagen.
> du solt im, lieber bote, sagen,
> wie gerne ich in sähe und sine fröide vernäme.

Ein Lied ähnlichen Eingangs im Frankfurter Liederbuch Nr. 84, Heidelberger Handschrift 343, Bl. 108, niederdeutsch im Liederbuch Nr. 36.

> 1 Ich bin durch fräuleins willen
> geritten so manche nacht,
> so bitt ich euch, edles fräulein,
> wes habt ihr euch bedacht?
> habt ihr mich willen zu nehmen,
> so verheißt mirs bei der zeit!
> ich sol von hinnen reiten,
>   o schöns mein lieb!
> mir geliebt ein anders weib.

> 2 „Gelieben dir andre weiber,
> so lehr dich weit von mir!
> nu sprechen sich die leute,
> daß ich die schönste sei;
> das lob wil ich behalten
> meim feinen bulen allein,
> aus frischem freiem gewalte,
>   ei schöns mein lieb!
> dein eigen sol ich sein."

> 3 Zart frau, ich hab gescherzet,
> ist mir von herzen leid,
> ich bin durch eurentwillen
> geritten so manche heid,
> des solt ihr mich, zart fraue,
> allzeit genießen lan.
> thut euer herz aufschließen,
>   schließt mich darein,
> herzallerliebste mein!

Abendgang.

(90) A. Fl. Bl. mit der Bezeichnung: T. B. S. (Thiebolt Berger, Straßburg, um 1570): „Ein schöne Tageweiß von eines Künigs

Tochter, wie es ihr mit einem Zwerglein ergienge. Im thon, Kundt ich von hertzen singen ein schöne tageweiß." Fl. Bl. Basel, bei Sam. Apiario, 1573: „Ein hüpsche Tageweiß, von eines Königs Tochter vnnd einem jungen Ritter, Es wonet lieb bey liebe." Am Schlusse: „Lieb ist Leibes anfang." Heidelberger Handschrift 343, Bl. 103. Dabei die Randbemerkung: „Ist gewesen ein hertzogin [sic] von Mechelburgs dochter. Die Burg heist Stergerdt." Dem gemäß ist auch im Texte nie von König oder Königin, sondern nur von „hertzog", „hertzoginne" die Rede. Frankfurter Liederbuch von 1584, Nr. 223. Fl. Bl. Basel, bei Johann Schröter, 1613. Fl. Bl. Straubing, bei Anna Sommerin, Wittib (um 1618). Wunderhorn II, 243: „Fl. Bl. Nürnberg, bei Valentin Neuber um 1506." Anhang zu Wolffs Proben altholländischer Volkslieder 197, aus einem fl. Bl. „gedruckt zu Nürnberg durch Kunegund Hergotin." Niederländisch: Horæ belg. II, 105. Dänisch: Udv. af d. Vis. I, 50. (Örtliche Anknüpfung der Sage, Nyerup V, 69.) Schwedisch: Arwidsson II, 289. 440. A. Asher u. Co., Catalogue de livres rares et curieux, Berlin 1847, seconde partie S. 27, Nr. 6579: Büchlein über die vier Evangelisten. In dē thō die tagwehß des frölins im holē steyn. En vers. 6 Fig. e. b. 8⁰. Speyer 1525.

Str. 1, Z. 2: B. hertzen l. Z. 3: B. künginne, königinne. Hdf. hertzogin. Z. 4: Hdf. Ein hertzog was h. Z. 5: B. hetten. Z. 6, 7: Hdf. vnd kundten. B. daß sie v. g. h. z. kamen n. Str. 2, Z. 2: Hdf. sie gieng wol einen a. Z. 3: Hdf. vor jres vatters Burge. Z. 5: Hdf. ach. B. Ach Wächter dörfft ich vertrauwen dir, trawen dir. Z. 6: Hdf. Ich wollt dich s. m. B. sehr reich wil ich d. m., reichlich wölt ich dich bgaben. Z. 7: B. das solt du glauben mir. Str. 3, Z. 1: Das thet ich also vil gern. B. Jr sollet; Jhr solt mir wol v. Z. 2: Hdf. zart aller liebste Jungkhfraw sein. B. z. e. j. rein, fin. Z. 3, 4: Hdf. so fürcht ich also seere, den liebsten herren mein. B. so förcht ich nichts als sere, als ewers vaters grim; Jch will euch gar nit fehlen, das sag ich euch gantz fürwar. Z. 5: dann ich förchten; Hdf. ich fürcht so seer eü̈rs vatters Zorns; B. ich förcht (förchte) e. v. z.; Wiewol ich förcht. Z. 6: Hdf. wann es euch mißelinge; B. wo es mir mißlinge; wo es mir misselinget; wo es vns misselunge. Z. 7: Hdf. das l. het i. v.; B. mein leib hett i. v. Str. 4 nur in den fl. Bl. von Basel und Straubing. Z. 3: B. ihm fehlt. Z. 4: B. dort n. wol in d. h. Z. 5: B. ligt. Z. 7: B. krentzelin. Str. 5, Z. 1: Hdf. Mir s. n. misselingen; B. nicht. Z. 2: Hdf. Jch will nur vor den hag; B. ergehn. Z. 3 Hdf. vnd schlaff dann zulange; B. wenn; wann; wurde. Z. 4: Hdf. so weckh mich mit deim gejange; B. gethön. Z. 5 bis 7: Hdj. Und laß mich wechter zue dir hinein, dieweil jo jchlejt mein Mueter, dartzue der Batter mein. Z. 5: B. wenn; jo. Z. 6: B. trut; trüw; trewer gejell. Z. 7: B. mit gejang. Str. 6, Z. 1: jm das g. zuo behalten; Hdj. Sy gab jm dem Mantel zu bewahren. Z. 2: Hdj. den roch ann jeinen a.; B. jeine. Z. 3: farendt; B. Fahrt; Jung-frauwe; Hdj. Nun fart hin Jungkhjraw edell. Z. 4: Hdj. fehlt und. Z. 7: ge-müt. In jämmtlichen Exemplaren, außer dem Straßb. Bl., dem Frankf. Lieder-buch und Wunderhorn, jind Str. 6, 7 zu einer verjchmolzen, die im Drucke von Apiarius jo lautet:

<blockquote>
Dem Wächter thet jie gnaden
vnnd jchied von jhm allein,
die nacht die was gar finjter,
der Mon gar[1] wenig jchein,
gar bald kam jie zuem[2] Holenjtein,
es jang Frauw Nachtegalle[3],
bey einem Brünnlein klein[4].
</blockquote>

Str. 7, Z. 1: war; B. jo j. Z. 2: B. wenig. Z. 3: B. war. Z. 6: B. Linden. Str. 8, Z. 1: B. jingejtu; w. jingjt Fr. N. Nachtegalle. Z. 2: kleines; B. Waldvögelein. Z. 4: B. ja des ich w. b.; deß ich jetzt w. b. Z. 5: B. vnnd jp.; jn mir. Z. 6: braune. Str. 9, Z. 1: erhort; Hdj. Und diß erhort der Zwerge; B. hört, erhört, zwerglein. Z. 2: Hdj. Inn der hölen do er was; B. der. Z. 3: Hdj. vjhueb er jein jüeße. Z. 4: Hdj. gar heimlich jchleicht er dar; B. da es die junckfraw jand. Z. 5: bett; die Hdj. hat dieß als 6te Zeile. Z. 6: die Hdj. hat als 5te Zeile: ach Junckfraw Ir jollt mit mir gan; B. mit mir jollé; m. m. jollet jr gehen; m. m. jo jolt ihr gane; m. m. jollend ihr gone. Z. 7: Hdj. Ir jolls nit fahrn lon. Hierauf jolgt allein in der Hdj.:

<blockquote>
Ab zog jie Iren jchleir,
jie warf jn vff eins Baumes ajt,
nrv jichjtu vil edler ritter,
das ich alhie was,
mich jüret ein wilder zwerg dahin,
ach reicher Crijt von himel,
wie joll es ergan?
</blockquote>

Str. 10, Z. 6: B. jpote, hinnacht jpate. Str. 11, Z. 1: B. Zwerglins, Zwergleins, Zwergen. Z. 3: B. gjchwinde, gej. j. j. w. gejchwinde. Z. 4: B.

---

[1] B. het w. j.
[2] Hdj. Sie kam vnder einen.
[3] Hdj. als vnder ein grüene lynde. B. Nachtigalle.
[4] Hdj. darunder ein prünlein was clein. B. brünnlin fl.

genom(m)en. Z. 5: B. grosse. Z. 6: B. ehe morgen der tag hergat, eh morgen
d. t. hergehet; eh Morgens der Tag herbrichte. Z. 7: B. sein; so seind (sind)
drey menschen todt. Die Hds. hat für Str. 10 und 11:

> Er füret sie zue seiner mueter
> wol jn die höll hinein.
> Nun füer sie balde,
> du schaffest vns gros Jamer vnd pein,
> du schaffest vns gros Jame [sic] vnd hertzenleid,
> ehe sie die nach noch vollendet,
> drey mordt werden vor großem leid.

Str. 12, Z. 3: B. füret, Er führet sie gar balde. Z. 4: da er sie; Hds.
do er sie funden hett; B. da er sie vormals fand; da er sie genommen (gnom-
men) hatt. Z. 5: B. d. l. d. e. R. vnd was todt, d. l. der Ritter verwundt
biß off den todt, d. l. t. R. wundt biß in tedt. Z. 6: B. Jungfrawe. Z. 6,
7: B. da kam die schöne Jungfrauwe, in jamer vnd grosse not (vnd in neth)
Jn der Hds. lauten Z. 5 bis 7:

> da hueb sich groß Jamer, rnd hertzen leid,
> do lag des edlen hertzegen kind
> Jnn seinem schwerdt was todt.

Str. 13, Z. 1: Hds. Außzucket er das schwert; B. zog. Z. 2: Hds. vnd
stach es selbs durch sich; B. selbs. Z. 3: hastu; Hds. vnd hastu dich ermordet.
Z. 4: Hds. ertödten will ich mich. Z. 5: Hds. Es soll sich nymer mer eines
ritters kind; B. kein Königes k. Z. 6 fehlt in der Hds. Z. 7: Hds. ermorden
wie d. m. B. ermorden, ermurden. Statt Str. 13 sind auf den beiden Basler
Bl. und dem von Straubing drei Gesätze des Liedes: „Kondt ich von hertzen
singen" hier eingeschoben. Str. 14, Z. 1: morgen; B. als es Morndest; Hds.
Der Wechter an der Zynnen. Z. 2: Hds. hub vf ein lied gesanng. Z. 3: Hds.
mich daucht in tausent Jaren; B. So ward mir all mein tage, in keim J.,
doch mein Tage. Z. 4: Hds. noch nie kein u. s. l.; B. k. n. doch nie. Z. 5:
Hds. als mich die hinacht h. g.; B. gethou; B. dann mir hat dise nacht ge-
thon, dann mir diese n. h. gethone, denn. Z. 6: Hds. B. ach. Z. 7: B. w.
wirt es m. ergohn, ergen. Str. 15, Z. 1: Hds. Vnd diß erhört die muetter;
B. erhört, künigin, Königin. Z. 2: Hds. amm beth, vnd do sie lag. Z. 3:
Hds. nun hört vil edler herre; B. v hören e. h., Nun höret, O höret, nun
hörend. Z. 4: Hds. vernembt d. w.; B. was ist vnsers w. Z. 5: Hds. vnd die
er hinacht hat gethan; B. Wie jm diß Nacht doch hett gethan (het gethon), diß
Nacht auch hat (hab) gethon (gethan). Z. 6: Hds. Jr fürchtenn vnser dochter;
B. fürcht. Z. 7: Hds. sey nit wolgethan; B. die hab nit wol gethon, d. h. nicht

wol gethan, an jhr hab vbels gethan. Str. 16: könig in, künig in; V. Der
König sprach gar balde. Z. 2: V. zünd, zünt. Z. 3: V. lnog, seht. Z. 4: V.
ob wir s. f. hie, ob jr sie findet nicht. Z. 5: V. Findet, ob sie nit lig (nicht
ligt) am Bette jhr. Z. 6: wirbts, wirts; V. so muoß es vnseren (vnsern) w.
Z. 7: V. koften s leben (das leben) darsshr. Str. 17, Z. 1: V. Künigin, Köni-
gin, war. Z. 2 V. zünt an, Sie zünd an, sie zundt (zündt) bald an ein liecht.
Z. 3: V. vñ l., Sie sahe. Z. 4: V. nicht. Z. 5: V. am Bette dran. Für Str.
16 und 17 hat die Hdf.:

> Nw stanndt auf·hanßfraw balde,
> vnd zindt ein kertzen lieb, [sic]
> sie kam vor der dochter betthe,
> die dochter fand sie nit,
> do gehueb sich gros Jamer vnd hertzelaid,
> do lagen die edlen hertzogin kinde,
> Jn einem schwert verfert.

Str. 18, Z. 1: Hdf. Man thet den Wachter suechen; V. fangen. Z. 2:
Hdf. mag [sic] legt jn vff ein tisch; V. lagtend, sie leiten jn vff den t. Z. 3:
Hdf. man thet jn clein zerschn.; V. zuostucken, zuo riemen, hawen. Z. 4: Hdf.
recht sam wer er ein visch; V. gleich wie man einen Visch. Z. 5: Hdf. das
thet man als darumb; V. so warumb thetend. Z. 6: Hdf. das anndere darann
gedächten; V. andrer, anderer. Z. 7: Hdf. sich hilleten fürbas bas; V. wurd,
würd, sol.

Zu Str. 14 vgl. das in den Anmerkungen zu 83 A angeführte
Wächterlied: „Es taget vor den Osten" (Frankfurter Liederbuch v. 1584,
Nr. 41), Str. 4: Und das erhört der Wechter, hub an ein Liedlein
und sang: Ist mir in keinem Jare kein Nacht nie worden so lang.
[Liedersaal III, 311, V. 237 bis 245.]

Dieses Lied entstammt unzweifelhaft der Fabel von Pyramus und
Thisbe, welche Ovid (Metamorph. IV, 55 ff) beim Spinnrocken er=
zählen läßt. Namen und Örtlichkeit, sowie die frembländische Löwin,
sind weggefallen, mit letzterer aber auch der genügende Grund für die
Selbstentleibung des Liebenden; die Handschrift hat davon noch eine
Spur in dem zurückgelassenen Schleier, in den übrigen Exemplaren ist
nicht einmal die Selbsttödtung ausdrücklich aufgeführt. Dagegen sind
heimische Fabelwesen, der Zwerg und seine Mutter, eingetreten, wozu
der Anlaß gleichwohl in der lateinischen Quelle zu finden ist:

(Thisbe) obscurum timido pede fugit in antrum.

An der Stelle des Maulbeerbaums steht die deutsche Linde und durch die Randbemerkung der Handschrift wird die Geschichte in Mecklenburg verörtlicht.

Ein anderes Lied in derselben Weise hält sich näher an die alte Sage; hier wird Frau Venus nicht minder angerufen, als Maria, die reine Maid; auf dem zurückgelassenen Mantel bringt die Löwin Junge, woburch derselbe mit Blut besprengt wird. Das Lied ist gelehrter, durch- gereimter, darum wohl auch später, als das im Texte gegebene, in welches, nach einigen Exemplaren, Gesätze aus jenem eingemischt sind. Doch fehlt es auch ihm nicht an volksmäßigern Stellen. Es beginnt: „Könnt ich von herzen singen ein hübsche tageweis" und ist auf den fl. Bl., Basel, bei Sam. Apiario 1573 und bei Joh. Schröter 1610, mit dem verwandten zusammengedruckt; es steht auch im Frankfurter Liederbuch Nr. 253, in der Heidelberger Handschrift 343, Bl. 46 b, im Wunderhorn I, 265 u. s. w., niederdeutsch im Liederbuch Nr. 19.

Stellen der vorbemerkten Art sind (Basler Flugbl. von 1573):

Str. 6 Die jungfrauw thet sich zieren
in einen mantel weiß,
ir brüst thet sie ein schnüren,
vermachts mit ganzem fleiß,
auch sprach die edel jungfraw schon:
kein mann soll mich aufpreisen,
dann eines grafen son.

Str. 13 Gott gesägen dich, mon und sonne,
deßgleichen laub und gras!
gott gesägen dich, freud und wunne,
und was der himmel beschloß!
sein schwert das stach er durch sein herz:
es soll kein weiblichs bilde
durch mich mehr leiden schmerz.

Str. 19 (die letzte) Damit wil ich beschließen
die schöne tageweis.
herr, durch dein bluotvergießen
gib uns das parabeis!
diß lied schenk ich einr jungfrauw fein,
durch sie wolt ich auch sterben
auf erd, möcht es gesein.

Triſtan:

3612 richliche huob er [Triſtan] aber an
einen ſeneſichen leich als ê,
de la curtoise Tisbé
von ter alten Babilône;
ten harpft' er alſô ſchône
unb gie ben noten ſô rehte mite
nâch rehte meiſterlichem ſite,
daz es den harpfâr' wunder nam.

Altfranzöſiſche Erzählung „de Piramus et de Tisbé" bei Méon IV,
326 ff. Anfang:

En Babiloine la cité
Furent dui home renomé,
Dui citéain de grant hautece,
De parenté et de richece.
Li riche home orent dui enfanz
D'ingal biauté et de sanblanz.
L'uns fu vallés, l'autre meschine,
Si biaus n'orent rois ne roïne,
Comme avoient ci dui riche home,
10 Qu' Ovides en son livre nome,
Et dist qu'il furent apelé
L'uns Pyrramus, l'autre Tysbé.

Weitere Stellen:

203 Va-s'en au temple Veneris,
Couche soi sus un marbre bis;
Si fet proiere après la messe
Et sacrefice à la déesse,
Qu'ele li doinst avoir aïe
De parler à Tysbé, s'amie.

583 Li jor s'en va, la nuis repere
Et li termes de lor afere.
Montent les gaites sor les murs u. ſ. w.

609 Quant fu issue de la sale,
Contre un grant tertre s'adevale,
Si mist avant le pié senestre,
Déust torner de desus destre;
S'oï tout le palais fremir
Et vit la lune paléir,

615 Vit la chancre[1] et la fressaie,
    Més nis uns signes ne l'esmaie,
    A quele fin cele doit trere,
    Que ne parface son afere.
    Jà estoit dusq' au mur venue.
620 Quant une gaite[2] l'a véue;
    Por ce qu'estroite la véoit,
    Cuide c' une déesse soit.
    Tret soi arriere, ne l'apele,
    Lessa aler la damoisele.
    Devant les iex de l'eschargaite
    Devaloit soi par une fraite
    Et vait au lieu sanz demorance,
    Où est prise la convenance u. f. w.
649 Va s'en isnelement mucier
    Sonz l'ombre d'un alemendier[3].
Schluß, 879 Il est feniz, cele est fenie,
    Iluec morust, en tel senblant
    S'assanblerent li dui amant.
    Dites amen chascuns par non,
    Que diex lor face voir pardon
    Et nos face redemption
    Et nos otroit benéiçon! Amen.

Von den Vorzeichen besagt Ovid gar nichts, die Wache ist kaum angebeutet:

IV, 84   statuunt, in nocte silenti
Fallere custodes, foribusque excedere tentent,
Cumque domo exierint, urbis quoque tecta relinquant.

93 Callida per tenebras versato cardine Thisbe
Egreditur fallitque suos, adopertaque vultum
Pervenit ad tumulum dictaque sub arbore sedit.
Audacem faciebat amor u. f. w.

Eine mittelhochdeutsche Erzählung „Pyramus und Thisbe" ist verzeichnet in v. d. Hagens Grundriß 322, 10 [und nun gedruckt in dessen

[1] Statt chancre l. cheveche, chevesque, chouette.
[2] Zu gaite. f. vgl. das altfranzösische Wächterlied bei Paris, Romancero franç. 66: Gaite de la tor! Hieher überhaupt: Aucas. et Nicol., Méon I, 395 bis 397, auch 398 u., f.: Vos estes fée u. f. w. 402. Sept sag. 3156: Quant la gaite corna le jour.
[3] Amandier, Mandelbaum, statt der Höhle, antrum, antre.

Gesammtabent. Pf.]. Auch bei (spätern) Minnesängern werden Pyramus und Thisbe genannt, Muf. I, 430 (von Gliers); MS. II, 62ᵃ (Tanhufer); II, 155ᵇ, 3 (der junge Misner).
[Vilmar S. 107 bis 111. H.]

Zwei Königskinder.

(91) Wunderhorn II, 252: „mitgetheilt von Schlofser." Berliner Converfat.=Bl. 1829, Nr. 255. Büschings und v. d. Hagens Sammlung deutscher Volkslieder 180, aus Bothes Frühlingsalmanach. Meinert 137. Hermes 1824, St. 1, S. 96, durch W. Alexis.

In einem musikalischen Liederbuche, Nürnberg 1553, stehen unter Nr. 49 zwei Eingangsstrophen:

Es warb ein schöner jüngling
uber ein braiten see
umb eines königs tochter,
nach leib geschach im wee,
umb eines königes tochter,
nach leib geschach im wee.

Ach Elslein, holder bule,
wie gern wer ich bei dir!
so fließen zwei tiefe waffer
wol zwischen mir und dir [dir und mir?],
so fließen zwei tiefe waffer
wol zwischen mir und dir.

An diese zwei alte Strophen sind im Wunderhorn I, 236 sechs neue zugedichtet.

Niederdeutsch: Anzeiger VI (1837), Sp. 164 ff. Niederländisch: Horæ belg. II, 112. Dänisch: Udvalg af d. Vis. I, 47 (nach Drucken von 1689, 1698, Nyerup V, 67ᶜ). Schwedisch: Arwidsson II, 198 (aus einem handschriftlichen Liederbuch vom Ende des 16ten Jahrhunderts). Sv. Folkv. I, 103. 106. II, 210.

In den Horæ belg. II, 113 folgt auf Str. 6 des Textes:

Sy plnct maer al de roosjes
en bie bladertjes laet sy staen,
dan feggheu maer alle be lieben,
dat hebben conincs kindren ghebaen.

In der Udv. af d. Vif. I, 48 lautet die Strophe:

At kjäre Moder, Syster min
Kan ikke med mig gaae,
For liden hun er, veed ej Forskjel
Paa Gräs og paa Liljer smaa.

Sv. Folkv. II, 211:

Hon plåckar upp örter och liljor,
Och gräset det låter hon stå.

Zu Str. 1 vgl. Abendgang, Str. 1: sie hatten einander von herzen lieb. Str. 3, Z. 1: nönnechen (mömeken?); in Hor. belg. II, 112: besje (altes Weib). In den schwed. Liedern: en onde menniskia, en falsker menniska (auch: den leda trollkäring), etwa aus dem holländischen meisje?

Mittelhochdeutsches Gedicht von Hero und Leander, doch ohne poetischen Reiz, in Laßbergs Liedersaal I, 333.

Im handschriftlichen Liederbuche der Fenchlerin, angef. 1592, Bl. 3ᵇ (hinter: Es steet ein lind u. s. w.) stehen folgende 2 Strophen:

Da schreib er ihr hierüber
einen freündlichen gruoß;
da bott sie im her wider,
sie wolt es gerne thuon.

Nun gesegne eüch, vatter und muoter,
ich spring auch in den see,
es sol umb meinet willen
ertrinken keiner meh.

Die Nonne.

(96) A. (Herders) Volkslieder I (1778), 15 ff. 315: „Aus dem Munde des Volks im Elsaß." (Vgl. Elwert 51.) Bragur, I (1791), 264 ff. mit Melodie: „Aus dem Munde des Landvolks um Schwäbischhalle." Wunderhorn I, 70. 257 (bearbeitet; hiernach in den deutschen Liedern für Jung und Alt, S. 11). Meinert 35 (vgl. 434). Münsterische Geschichten, Sagen u. s. w. Münster 1825. S. 209. Schmeller, die Mundarten Bayerns, München 1821. S. 444 (vom Unter=Mayn um Alzenau). Allgemeines Schweizer=Liederbuch u. s. w. 3te Aufl. Aarau

1833. S. 452. Berliner Converſ.-Blatt, 1829, Nr. 253, S. 991 f. Auf=
zeichnungen nach mündlicher Überlieferung aus Schwaben und Franken.
Niederländiſch: Horæ belg. II, 128 ff. Der Anfang ſchon in den
Handſchriften geiſtlicher Lieder aus dem 15ten Jahrhundert:

>Ic ſtont op hohe berghen,
>ic ſcencten den coelen wijn. (Ebd. 85.)

Däniſch: die erſte Str. mit Melodie, Udv. danſke Viſer, T. V, S.
LXXXVI. Schwediſch: 5 Str. als Eingang eines andern Liedes, Sv.
Folkviſ. II, 212.

Wolfg. Schmeltzels Quodlibet, Nürnberg 1544, Nr. 7:

>Ich ſtund auf einem berge,
>ich ſah in tiefe tal.

Zu Str. 3 bis 6 f. Wolfdietrich, Cod. Argentor. Joh. chart. B. 81,
Bl. 32 [Holtzmann S. 105. 106, Str. 683 bis 685. H.]:

>Do zoch er ab der hende ein gulbin fingerlin:
>„daʒ trag durch minen willen, ſchönes megetin,
>und ſage diner frowen, junkfrowe lobſam,
>ob ein ellender pilgerin ein naht müge bi ir beſtan!“
>
>„Wie gerne ich von nch neme daʒ gulbin fingerlin,
>daʒ ich mich verſehe, daʒ eʒ mit eren möhte geſin!
>ob aber ich min ere geb umb daʒ kleine golt,
>war bete ich mine ſinne? ich wurde mir ſelber nummer holt.“
>
>Do ſprach von wilden Kriechen der ellende pilgerin:
>„ich gere nit diner eren, ſchönes megetin!“
>„wiſſeſt, maget edel,“ ſprach der unverzeit,
>„daʒ ouch min herze großen kummer treit!“

Vgl. Elwert 21 f. Franzöſiſcher Volksroman: Les Conquestes du
grand Charlemagne, à Troyes 1736, S. 4. 5. Reigenlieder, A, 9.
Heidelberger Handſchrift 109, Bl. 105ᵇ in dem Lied: „Es wolt gut
jäger jagen“ u. ſ. w. Str. 11 ff.:

>Da zoch er ab der hande
>von gold ein vingerlein:
>„ſee hin, du mein feines megetlein!
>dar bei gedenkſt dus mein.“
>
>„Was ſoll mir das rot goltvingerlein,
>ſo ichs doch nit tragen ſoll

vor ritter und vor knechte
das silber und auch das golt?"

Da zoch si ab ir krenzelein
und warf es in das grüne gras:
„ich kann dich geren tragen,
die weil ich junkfraw was."

Auf hueb si wol ir krenzelein,
warfs in den grünen klee:
„gesegen dich gott, mein krenzelein!
ich gesich dich nimmer mee."

Der Ritter und die Maid.

(97) A. Feiner Almanach I, 39. Wunderhorn I, 50, „Fl. Bl."
Meinert 218. (Kerners) Reiseschatten 236.

Dieses Lied, von dem keine ältere Aufzeichnung vorliegt, hat be=
sonders im vordern Theile die ursprüngliche Gestalt und damit auch
den Reimverband eingebüßt. Es scheint dort Nachhülfe aus dem Liede:
„Es hatt ein Schwab ein töchterlein" u. s. w. u. a. eingetreten zu
sein. Der andre, besser erhaltene Theil, von den Todeslauten, welche
dem Ankommenden entgegentönen, vom Aufdecken des Leichentuchs und
von der Selbsttödtung aus Trauer und Reue, fällt einer größeren Sipp=
schaft von Volksgesängen anheim, in welchen der Anlaß zur Trennung
und zum Tode der Geliebten mehrfach wechselt, dagegen der bezeichnete
letztere Theil, der Verschiedenheit im Einzelnen unerachtet, dieselbe Grund=
form aufweist, auch öfters für sich allein dasteht und eben damit sich
als Hauptbestand geltend macht.

Dahin gehört das gleichfalls zerrüttete deutsche Lied: „Es hatt ein
herr ein töchterlein" u. s. w. Seckendorfs Musenalmanach 1808, S. 23,
„mündlich aus Schwaben", Wunderhorn II, 250, „mündlich", Büsching
und v. d. Hagen, Sammlung deutscher Volkslieder, S. 30 (aus Bothes
Frühlingsalmanach 1806, nach dem Gesange). Die in zartem Alter
Verheirathete stirbt in Kindesnöthen, der Gemahl, der weggeritten, um
ihre Mutter zu holen, hört auf dem Rückweg das Glöcklein und befragt
den Hirten, was es bedeute; Lichter brennen und Schüler singen, Frau

und Kind sind gestorben, er küßt die Todte und ersticht sich, die Mutter setzt sich auf einen Stein und das Herz springt ihr entzwei. Nach einer eigenthümlichen Auffassung bei Meinert 246 legt die Mutter auf die allzu frühe Heirath ihren Fluch und als dieser seine klägliche Wirkung hat, schlägt ihr der Eidam das Haupt ab: do lieg, du häple! blutte u. s. w. (Vgl. Anm. zu Ulinger).

S. hiezu die in der Anmerkung zu „Elselein" angeführten Lieder aus dem Frankfurter Liederbuch und den 115 Lieblein, wo das Thema scherzhaft behandelt ist.

Dänisch: Nyerup III, 208: „Esben og Malfred." Malfred geht mit dem zwölften Kinde, ihr Mann Esben will die Verwandten einladen; sie bittet ihn, erst abzuwarten, wie es ergehe, da ihr in früher Jugend geweissagt worden, daß sie am zwölften Kinde sterben werde. Er will die Weissagerinnen in Bande legen lassen und das Glück von Gottes Hand nehmen; unter Händeringen Malfreds reist er ab, jede Nacht hat er bedenkliche Träume. Als er sein Schiff wieder ans Land steuert, gehen seine Söhne, die er in rothen Kleidern zurückließ, schwarzgekleidet auf dem weißen Sande. Seine Mutter, außen stehend, sagt ihm erst, daß Malfred krank, und dann, daß sie gestorben sei. Er schlägt das Leintuch von der Todten und gibt sich die Schuld. Einen Goldring legt er an ihren Arm, einen andern gibt er dem, der die Glocken läuten soll, einen dritten dem, welcher das Grab breit und weit machen soll; er selbst will hinein, er zieht sein vergoldetes Messer und tödtet sich, Beide kommen in Ein Grab. Kehrzeile: „aber die See ruht niemals."

Schwedisch: Svenst. Folkvis. III, 104: „Herr Malmstens dröm." Malmsten träumt, seiner Liebsten Herz sei zersprungen. Er ruft seine zwei kleinen Diener an:

> „Statt upp och sadla min gångare grå!
> Jag stall rida och höra hur' käraflen mår."

Er begegnet zwei Dienstmädchen, die eine mit blauem Rocke spricht: „Gott gnad' euch, Herr Malmsten, welches Leid euch wird!" Die andre mit rothem Rocke fragt er, wer krank, wer todt sei. „Niemand ist krank, Niemand todt, außer Herrn Malmstens Braut." Bald begegnet ihm die Leiche, er springt vom Pferd und hebt die Bahrstange ab; fünf Goldringe gibt er denen, die begraben und läuten sollen, sie sollen das Grab breit und lang graben; dann ersticht er sich.

Arwidsson II, 21: „Hertig Nils." Ihm träumt von seiner kleinen
Braut; ein Vogel setzt sich auf sein Dach und sang schöner, als der
Kuckuck ruft; Nils setzt sich an den Tisch und hat nicht Ruhe, bis der
Vogel singt; als der Herzog nach ihm schießen will, sagt der Vogel,
daß er von der schönen Jungfrau gesandt sei. (Die Kehrzeile: „deine
Jungfrau bat, du sollest nicht trauern", mag das besagen, was der
Vogel singt.) Nils sattelt seinen Renner, er kommt nicht fürder, als
der kleine Vogel fliegt. Ihm begegnet eine Hoffrau („stats madam").
„Wer ist nun krank oder todt? Dalabys Glocken gehen so laut." „Nie-
mand weiß ich krank oder todt, als allein des Königs kleinen Diener."
Eben dieser begegnet dem Herzog, vorige Frage. „Niemand ist krank
oder todt, als allein Herzog Nils liebe Braut." Er begegnet den sieben
Todtengräbern, theilt fünf Goldringe unter sie und heißt sie das Grab
tief, breit und lang graben: „darin sollen wir beide unsern Spaziergang
haben." Dann heißt er die Bahre niedersetzen, er will die Braut be-
gaben; einen Goldschmuck legt er ihr in den Busen, schneeweiße Hand-
schuhe zieht er ihr an. Das Schwertheft setzt er gegen einen Stein, die
Spitze dringt ihm ins Herz. Eine Linde wächst auf Beider Grab, die
bis zum jüngsten Tage steht; sie wächst über den Kirchengiebel („kyr-
kokam"), ein Blatt nimmt das andre in den Arm. Ebd. II, 18
(Var. fragm. II, 437): „Peder Palleson." Die kranke Jungfrau fragt
um einen Boten nach ihrem Bräutigam, der um eine Andre wirbt. Der
kleine Diener springt auf ein Pferd, das nie Gebiß noch Sattel trug,
und reitet denselben Tag 15 Meilen Wegs. Peder Palleson erschrickt
über die Botschaft und rennt schneller dahin, als der Vogel fliegt. Als
sie in den grünen Wald kommen, hören sie die Glocken läuten, sein Herz
will ihm zerspringen, er heißt anhalten und gibt den Geist auf. Zu
stark war ihnen die Liebe, die Jungfrau blieb todt in der Kammer,
der Jüngling auf wilder Heide.

Eine heitre Geschichte mit derselben Grundlage Arwidsson I, 380.

Englisch: Ritson II, 92 (Percy III, 105; vgl. Chambers 277):
„Fair Margaret and sweet William." Zwei Liebende sitzen auf dem
Hügel einen langen Sommertag und sprechen sich nicht satt. Sie sehen
einander kein Leides an, als William sagt, sie werde am nächsten Morgen
eine reiche Hochzeit sehen. Margaret sitzt am Fenster, ihr Haar kämmend,
und sieht William mit seiner Braut heranreiten. Sie legt den Elfenbein-

lamm nieder, bindet ihr Haar auf, geht hinweg und kommt niemals wieder. In der Nacht steht ihr Geist vor Williams Füßen. „Gott geb euch Freude, die ihr im Brautbett schlaft! Ich geh in mein grasgrünes Grab und bin in meinem Todtenhemd." William hat geträumt, sein Gemach sei voll von rothem Wein und sein Brautbett voll von Blut. Er ruft seine Leute auf und sagt, er wolle hinweg zu Margarets Wohnung. Dort klopft er am Ring und ihre sieben Brüder lassen ihn ein. Er deckt das Tuch auf: „laßt mich die Todte sehn! mir scheint, sie sehe blaß aus und hab' ihr Kirschroth verloren; ich will mehr für dich thun, Margaret, als Einer von deiner Verwandtschaft, ich will deine bleichen Lippen küssen, kann ich auch kein Lächeln gewinnen." Die Brüder heißen ihn gehn und seine hübsche braune Dame küssen. Er versichert, ihrer Schwester kein Gelöbnis gethan zu haben; soviel weiß Brot und Wein an ihrem Begräbnistag ausgetheilt werde, soll morgen an dem seinigen aufgehn. Margaret starb heute, William morgen, sie vor lauter treuer Liebe, er vor Trauer. Margaret wird in den untern Chor begraben, William in den obern, aus ihrer Brust entspringt eine Rose, aus der seinigen ein Wildrosenstrauch, sie wachsen so hoch als die Kirchspitze und dort wachsen sie in einen Liebesknoten zusammen; dann kam der Geistliche des Kirchspiels und schnitt sie leider ab, sonst wären sie noch dort.

In der schottischen Version dieser Ballade, Jamieson I, 24 (Gilchrist I, 160; vgl. Chambers 269): „Sweet Willie and fair Annie" beräth sich Willie noch mit seiner Mutter, ob er die arme schöne Annie oder die reiche nußbraune Maid heimführen soll; die Mutter verlangt bei ihrem Segen das Letztere. Willie läßt Annie zur Hochzeit laden und diese kommt im reichsten Schmucke zur Kirche; sie verdunkelt durch den Glanz ihrer Schönheit die nußbraune Braut; gleich hierauf folgt die Erscheinung ihres Geistes und das Weitere den Hauptzügen nach. Willie hebt die Decke auf, er will ihr Wange, Kinn und erkalte Lippe küssen, aber nie sonst mehr ein Weib. In dieser Aufzeichnung sind die vielfachsten Motive verbunden.

Hier schließen sich nun weitere Lieder an, in denen die Todesboten, die Geisteserscheinung, das Aufdecken des Leichentuchs gar nicht vorkommen, dagegen die Ladung zur Hochzeit, die Berathung mit der Verwandtschaft, der Aufzug der verlassenen Geliebten und ihr Zusammentreffen mit der Braut als Hauptmomente hervorgehoben und ausgeführt sind, überall auch mit tragischem Ausgang, so daß entweder die Geliebte von der erbitterten Braut mit einer Nadel oder einem Messerlein ins Herz gestochen wird und dann der Bräutigam die Braut ersticht oder enthauptet und zuletzt sich selbst durchbohrt, oder Jene, nachdem sie beim Hochzeitmahle die Schenkin gemacht und in die Brautkammer vorgeleuchtet (vgl. Saxo VII, 126), sich erhängt, hierauf auch der Hochzeiter sich tödtet und die Neuvermählte vor Kummer stirbt: Percy II, 255: „Lord Thomas and fair Annet", schottisch; Ritson II, 89 (Percy III, 71): „Lord Thomas and fair Eleanor" („three lovers"); Nyerup III, 365: „Herr Peder og liden Kirstin" (Str. 35: „da var der tre Lig i Hr. Peders Hus"); dasselbe schwedisch in Sv. Folkvis. I, 49: „Herr Peder och liten Kerstin". Der Zug, daß die Verschmähte mehr Gold an den Fingern hat, als Braut oder Bräutigam aufweisen können, läuft durch mehrfache Darstellungen hindurch.

Der Typus, von welchem ausgegangen worden, zeigt sich ziemlich einfach noch in einer, übrigens fragmentarischen und wenig belebten schottischen Ballade bei Kinloch 31: „Lord Lovel." Lord Lovel steigt zu Pferde, Lady Nanciebel fragt, wohin ihr Liebster wolle. Er will auf eine weite Reise, aber in sieben Jahren wird er zu ihr rückkehren. Sieben Jahre dünken ihr allzu lang. Kaum ist ein Jahr vorüber, als ihm die Einbildung kommt, daß schön Nanciebel gestorben sei. Er reitet und reitet, bis er zu der Stadt kommt; dort hört er unseliges Getös, denn alle Kirchglocken klingen. Er fragt, warum die Glocken läuten, und man sagt ihm, daß Nanciebel um den unhöfischen Lord Lovel gestorben. Den Sargdeckel öffnet er, die Leinen schlägt er zurück und küßt ihre bleichen Lippen; er gelobt, nie mehr eine Andre zu küssen. Lady Nancie starb am Dienstag, Lord Lovel am nächsten Tage, sie vor lauter Liebe, er vor tiefer Trauer.

Spanisch: Floresta I, 244, Nr. 123: „En los tiempos u. s. w." Der Erzählende geht in seiner fröhlichen Zeit von Burgos nach Valladolid, da begegnet ihm ein Pilger, der ihm den Tod seiner Geliebten verkündigt. Derselbe hat gesehen, wie man die Bahre schwarz bedeckt, und er hat die Responsorien mitsprechen helfen; sieben Grafen beweinten sie, Ritter mehr als tausend, ihre Fräulein weinten und bemitleideten den Ritter, der diesen Verlust erlitten. Der Unglückliche fällt leblos zur Erde; nachdem er sich wieder aufgerafft, geht er zu der Grabstätte;

weinend ruft er: „Nimm mich, nimm mich an beine Seite!" Zu Häup=
ten des Grabes hört er eine traurige Stimme: „Lebe, lebe, nun ich
gestorben! Gott gebe dir Glück in den Waffen und auch in der Liebe!
Den Leib verzehrt die Erde und die Seele leidet für dich."

Neugriechisch: Fauriel II, 112: „'Ο Χάρος καὶ ἡ κόρη." Ein
Mädchen rühmt sich, den Charos nicht zu fürchten, weil sie neun Brü=
der hat und zum Bräutigam den Konstantinos, der viele Häuser besitzt,
vier Paläste. Charos verwandelt sich in einen Vogel, eine schwarze
Schwalbe, fliegt heran und schießt das Mädchen ins Herz; die Mutter
jammert um die einzige Tochter. Konstantin kommt vom hohen Thale
mit vierhundert Begleitern, mit zweiundsechzig Instrumenten. „Laßt
jetzt die Hochzeitluft, lasset das Spiel! Ein Kreuz erschien an der Thür
meiner Schwieger: sie ist gestorben, oder mein Schwäher, oder von
meinen Schwägern einer mag verwundet sein." Er schlägt mit dem
Fuße seinen Rappen und reitet nach der Kirche, wo er den Maurer=
meister findet, der ein Grab macht. Er fragt, wes das Grab sei. „Des
blonden, schwarzäugigen Mädchens, das neun Brüder hatte und zum
Bräutigam den Konstantinos, der viele Häuser besitzt, vier Paläste."
„Ich bitte dich, Maurer, mach das Grab etwas lang, etwas breit, groß
genug für Zwei!" Er zieht den goldnen Dolch und sticht sich ins Herz;
man begräbt die Zwei zusammen, die Beiden in Ein Grab."

Noch erscheint die Grundform so umgewandt, daß der Geliebte
stirbt und die liebende Frau die Mahnungen vernimmt und zur Leiche
herbeieilt. Nyerup II, 253: „Folker Lovmandsön." Folker ist der Günst=
ling der Frauen an König Waldemars Hofe und zumeist der Königin
Helvig. Aus Argwohn läßt ihn der König zu Nyborg in Bande legen
und nöthigt ihn dann, in ein mit scharfen Messern beschlagenes Faß
zu springen. Die Königin steht auf dem Altan und lauscht; sie hört
die Glocken in Nyborg, die um Folkers Leiche gehen. Sie heißt zween
Diener ihr Pferd herausführen und den Goldsattel auflegen; nach Ny=
borg will sie reiten und hören, was Folker macht. Als sie in die Stadt
kommt, begegnet ihr Folkers Leiche, die hoch dahergetragen wird. Nie=
mals widerfuhr einem Rittersohn größere Ehre, die Königin von Däne=
mark geht selbst vor der Bahre. Sie setzt sich auf sein Grab, tausend
Mark rothen Goldes gibt sie aus für seine Seele. Nachdem sie dem
König ihre Unschuld betheuert, stirbt sie in der Nacht an seiner Seite.

Dasselbe Lied ist auch schwedisch vorhanden, Arwidsson II, 62: „Falk-varb Lagermanson." Hier träumt der Königin, daß ihres Herrn Falken sie umspannen, ihr das Herz aus der Brust nehmen und sich davon ein Nest machen; des Glockenklangs ist nicht gedacht. Dagegen läßt eine andre dänische Version die Königin sich in „Helsingborgh" befinden und die Glocken in „Helsingöer" um „Falquors" Leiche läuten; der König, der im schwedischen Liede nicht genannt ist, heißt hier Magnus. (Ar-widsson II, 67.) Sonst wird das Ereignis auf Waldemar IV bezogen (Nyerup II, 376).

Der mahnende Glockenklang ist statt des älteren Harfenschlags ein-getreten. Nach dem Eddaliede „Oddrúnargrátr" rührt Gunnar im Schlangenhofe die Harfe, damit die Geliebte ihm zu Hülfe herbeikommen möge. Oddrun beim Gastmahl hört von Hlésey herüber den starken Saitenklang, heißt die Dienerinnen sich bereiten und fährt mit ihnen über den Sund, kommt aber schon zu spät (Saem. Edda 243).

Über das Aufdecken und Küssen des Todten vgl. auch Saem. Edda 213, 13: „Svipti hon blæju af Sigurdi" u. s. w. „legðu munn við grön, sem þú hálsaðir heilan stilli." Nibelunge Str. 1008 f.:

> „Lât mir nâch minte leide   ein kleine liep geschehen,
> daz ich sin schöne houbet   noch einst müeze sehen!"
> dô bat sis alsô lange   mit jâmers sinnen starc,
> daz man zebrechen muose   den vil hêrlichen sarc.

> Dô brâhte man die vrouwen   dâ si in ligen vant.
> si huop sin schönez houbet   mit ir vil wizen hant
> und kuste in alsô tôten,   den edelen riter guot.
> ir vil liehten ougen   von leide weinden dô bluot.

Arwidsson I, 215, 24. II, 306, 17. Sv. Folkvis. I, 180 f.:

> Och Jungfrun till hans hufvud gick;
> Hon såg på hans krusade hår:
> „Ack! medan du här lefde,
> Du höll mig ganska kär."

> Och Jungfrun hon till fötterna gick;
> Hon lyfter på hvitan linn:
> „Ack! medan du här lefde,
> Du var allrakärasten min."

[Ich darf hier wohl auch an „Der Wirthin Töchterlein" von Uhland selbst erinnern. H.]

Jamieson I, 43 u. Buchan II, 219 u., f. Wunderhorn II, 272. Percy III, 111 oben, 115 unten. Gilchrist I, 242. Altd. Wälder I, 108. Teutoburg, Heft II, S. 149. Der Glockenklang kommt sonst noch vor: Arwidsson II, 172, 15 bis 17. 358 oben. Wie er in obigen Liedern durchklingt, berührt er sich, außer mit dem Harfenschlag, auch mit dem Nothruf, dem Klange des Horns, des Schwertes.

Zu Str. 7, Z. 3: „macht mir ein bettlein" u. f. w. f. Percy III, 111, 4. 116, 1. Jamieson I, 115, 4. II, 386 ob. Buchan I, 66 u. 221 ob. 284 u. II, 179 u., f. Wunderhorn I, 51, 4 v. u.

Über „drei Leichen" Arwidsson I, 354, 22 f. II, 49. 274, 13 f. 307, 20 f. 309, 19 f. 444, 23. Nyerup III, 333, 62 f. I, 239, 24 f. Percy III, 43, 4: „three lives", 74 u. „three lovers".

Noch gibt es ein englisches Volkslied, welches besonders dem vorbemerkten deutschen Aste: „Es hatt ein herr ein töchterlein" nahe steht, in Ritsons Northern Garlands, London 1810 (The Northumberland Garland, S. 38): „Fair Mabel of Wallington": Es waren ihrer sieben Schwestern, fünfe wurden Ritterfrauen und starben im Kindbett; darum will schön Mabel nicht heirathen, sie müßte sonst denselben Weg gehn. Doch ist die Mutter der Werbung des Ritters von Wallington günstig: in drei Vierteljahren, sagt schön Mabel, möge die Mutter kommen, sie zu begraben. Als die Zeit des Kindbetts herankommt, fragt sie nach einem Knaben, der ihre Mutter hole; sie heißt ihm Brot und Wein bringen:

„Give my respects to my mother, as [she] „sits" in her chair of stone,
And ask her, how she likes the news of seven to have but one!"

Auch läßt sie ihren drei Brüdern und ihrer Schwester Betty Abschied sagen, diese soll Jungfrau bleiben, sonst müßte sie denselben Weg gehn. Der Bote läuft, so sehr er kann; kommt er an eine gebrochene Brücke, so schwimmt er über. Er richtet seine Botschaft aus:

„Your daughter „Mabel" orders me, as you sit in a chair of stone,
To ask you, how you like the news of seven to have but one;
Your daughter gives commands, as you sit in a chair of „state,"
And bids you come to her sickening, her „weary" lakewake u. f. w.

Die Mutter stößt den Tisch hinweg und wirft die Silberplatte ins Feuer.

Then she call'd her waiting-maid to bring her riding-hood,
So did she on her stable-groom to bring her „steed so good:“
„Go saddle to me the black, go saddle to me the brown!
Go saddle to me the swiftest steed, that e'er rid Wallington!“

Als sie nach Wallington kommt, sieht sie ihren Sohn Fenwick um die Mauer gehn und fragt nach ihrer schönen Tochter, die mit ihm zu gehen pflegte. Er wendet das Haupt, Thränen füllen sein Auge. In der Halle findet sie 24 weinende Frauen.

Her daughter had a scope into her chest and into her chin,
All to keep her life till her dear mother came. [?]

„Come take the rings off my finger, the skin it is [so] white,
And give them to my mother dear! for she was all the „weight.“
Come take the rings off my fingers! the veins are so red.
Give them to sir William Fenwick! I'm sure, his heart will bleed.“

She took out a razor, that was both sharp and fine,
And out of her left side has taken the heir of Wallington.
There is a race in Wallington, and that I rue full sare,
Tho' the cradle it be full spread up, the bride-bed is lett bare.

Die Glocke schlägt in diesem Liede nicht an, aber der Stuhl von Stein mahnt an eine Stelle deutscher Versionen, v. d. Hagens Sammlung deutscher Volkslieder 31:

> Die Mutter setzt sich auf einen breiten Stein,
> Vor groß Leid sprang ihr Herz entzwei.

Wunderhorn II, 261:

> Die Mutter die war ganz allein,
> Die setzt sich an ein harten Stein,
> Vor Leid brach ihr das Herz entzwei.

In G. Forsters fr. Liedlein Thl. V, Ten. 1556, Nr. 3 (J. V. B.), steht der Liebesanfang:

> Ach muter, gib mir keinen man!
> ich leb nit lenger, denn ein jar, :|:
> so muß ich sterben, das ist war.

Damit stimmt das Lied in Seckendorfs Musenalm. für 1808, S. 24:

Ach vater, ich nehm noch keinen mann,
ich bin nicht älter, denn elf jahr,
ich bin ein kind und stirb fürwahr.

Büsching und v. d. Hagen, Sammlung deutscher Volkslieder S. 30:

Ach mutter, geb sie mir keinen mann!
ein jahr, nicht länger, ichs tragen kann.

Im northumberländischen Liede:

Within three-quarters of a year you may come bury me.

Poésies de Marie de France, publ. par B. de Roquefort, Paris 1832, Th. 1, S. 304 (Lai d'Ywenec V. 447 ff.) [Marie de France. Poetische Erzählungen nach altbretonischen Liebessagen, übersetzt von W. Hertz, Stuttgart 1862. 8. S. 154. H.]:

A l'isséue de la cité
Si n'eut pas demie liue alé,
Quant ele oï les sains soner
E le doel el castel lever
Pur lur segnur qui dévioit;
Cele set bien que mors estoit.
De la dolur que ele en a
Quatre foués si se pasma.

Légendes et traditions populaires de la France, par le Comte Amédée de Beaufort, Paris 1840, S. 270: „Le retour. Imité d'un chant languedocien." Einen Ritter, der aus dem Kriege zu seiner Verlobten rastlos heimkehrt, reden nacheinander die Wiese, der Weg, der Wind, das Roß, die Nachtigall, die Glocke mit ahnungsvollen Stimmen an, zuletzt vernimmt er den Trauergesang der Dorfmädchen, sein abgejagtes Roß erliegt und er selbst verathmet an dessen Seite. Schade, daß nicht, statt einer Nachbildung, das Lied selbst gegeben ist.

Der hübsche Schreiber.

(98) Frankfurter Liederbuch von 1582 und 1584, Nr. 78. Niederdeutsch im Liederbuch Nr. 139.

Str. 1, Z. 2, niederd.: tho leues finster in. Z. 3, niederd.: synt. Z. 4, niederd.: de maten sick bald van hin. Str. 2, Z. 4, niederd. fehlt: jm.

Str. 3, Z. 1: komme. Z. 2, niederd.: gudt. Z. 4: jungen Frauwen, niederd.: Junckfrouwen. Str. 4, Z. 1: B. zu lang. Z. 2: b. s. jungen frawen, B. bey einer j. Fr., niederd.: By syner Junckfrouwen stoldt. Z. 4, niederd.: ein Galg. Str. 5, Z. 3, niederd.: Dat Hert in mynem yungen Lyue. Z. 4, niederd.: Dat hebben de Fröuwlin so leeff. Str. 6, Z. 4: B. ein Galge. Str. 6 und 7 fehlen im Niederd. Str. 8, Z. 4: B. gebet. Str. 9, Z. 1: B. ob daß, niederd.: Efft dar. Z. 3, niederd.: wolde gy helfen. Z. 4: wolde gy. Str. 10, Z. 1, niederd.: ein older Gryse. .Z. 2, niederd.: Ein Olde Gryse grouw. Z. 4: vnde schluten an mynen blancken Arm. Str. 11, Z. 2: Sprosse. Z. 4: B. die s., niederd.: Wo se vor den Schryuer deyth. Str. 12, Z. 2: friste. Str. 13, Z. 2: B. sein Weib. Z. 4: friste.

Andre deutsche Auffassungen: Feiner Almanach I, 34: hier ist der Liebhaber ein Schuhmachergesell. Wunderhorn II, 235: der Zimmermann ist hier, wie in einem der niederländischen Lieder, zum Liebhaber geworden. (Vgl. Meinert 16.)

Niederländisch: Horæ belg. II, 150: Van den Timmerman, aus dem Antwerpener Liedekens-Boeck, 1544. II, 153: Van't Srijvertje, Dubt. Amsterdamer Liederbuch.

Noch ist zu vergleichen: Der Spielmannssohn, Wünschelr. 1818, S. 181 (Erlach III, 64), von der Insel Rügen; Artwidsson I, 400. Eginhart und Emma, Grimm, deutsche Sagen II, 125 nach Chronicon laurisham. in cod. lauresh. Manhem. 1768, I, S. 40 bis 46. (Vincent. bellov. unter Heinrich III.)

Ähnlicher Anfang der spanischen Romanze, Floresta I, 250 (Grimm, Silva 227. [Wolf und Hofmann, Primavera y flor de romances II, S. 220. Diez, Altspanische Romanzen, S. 173. 174. Geibel und Schack, Romanzero, S. 95. 96. H.]):

> Á tan alta va la luna
> como el sol á mediodia,
> cuando el buen conde aleman
> ya con la reina dormia u. s. w.

Zu Str. 7, B. 2 vgl. Eckhart, Francia orientalis I, 675: „sosa biu Rabanesbuohha stuont" — „auur in Rabanesbrunnon"? Eingangs: „In Rabanesbrunnon." Scheint der Eigenname Raban zu sein.

Muscatbaum.

(99) A. Frankfurter Lieberbuch von 1584, Nr. 159. Wunder-
horn III, 48: „Blum und Ausbund allerhand auserlesener züchtiger
Lieder. Deventer 1602. 12. Der Sammler ist Paul von der Aelst.
Mitgetheilt von H. H. Eschenburg." (Gänzlich aufgestutzt auch im Wunder-
horn I, 356.)

Str. 6, Z. 3: wenn andere knecht. Str. 10, Z. 2: deß. Z. 3: Ritter.
Str. 11, Z. 3: trincket.

B. Niederdeutsches Lieberbuch Nr. 83.

Str. 6, Z. 3: vaken, oft, etwa für waken, wachen? Str. 9, Z. 2:
mynem. Str. 12, Z. 3: Landßknecht.

Vor Str. 12 steht offenbar ungehörig diese:

Den ersten, den se nehmen scholdt,
dem was se all tho kleine,
den andern, den se hebben woldt,
de meinde se nicht mit trüwen.

Und nach Str. 12 folgt noch in andrer Versweise:

Se singen uns dyth und noch veel mehr.
Godt behödt allen framen Junckfrouwen er Ehre
vor allen valschen Klesser Tungen!
Henselin blyfft wol unvordrungen.

Str. 11 und 12 waren, unter A und B, überhaupt nur darum
aufzunehmen, weil sie anzeigen, durch wen das Lied so zugerichtet
worden sein mag.

Vgl. J. Grimm, Silva de romances viejos 248. (Floresta 253,
Nr. 144, ohne die Schlußwendung.)

Der Pilgrim.

(100) B. „Ein schön new Lied, Vormals inn Truck nie außgangen:
Es hett ein Edelmann ein Weyb, ein wunder schöne Frawe, u. s. w.
Inn seiner eygenen Melodey zu singen" u. s. w. Fl. Bl. 8°., zwei Lieder
enthaltend, „Getruckt zu Basel, bey Johann Schröter. 1610." (Zürcher
Bibliothek.)

Str. 2, 3. 3: klopffet. 3. 4: darinnen. Str. 3, 3. 2: daraussen. Str. 9,
3. 2: auge? 3. 4: stillschweigen. Str. 10, 3. 3: neune. Str. 14, 3. 2:
beyde Geyle. Str. 18, 3. 3: Pilgeram.

Zu Str. 10. 3. 3. 4 vgl. Kellers Rombart, S. 349:

Ou vus le comparreis ens la none sonnee
Si que de vus sera mespee ausanglantee.

Vgl. 352, 7. 363, 15.

Zu Str. 5 vgl. Anm. zu: „Der schwarze Knab," Str. 3 und
das Reuterlieblein: „Ich weiß mir ein meidlein" u. s. w. [Nr. 152.
H.] Str. 5.

Alterthums-Zeitung 1812, Anz. Nr. 7: „Es war einmal ein
alter Herr, der hatte ein schöne Frawen." Vgl. „Der Bettler" [Nr.
285. H.] und die Anmerkung dazu.

Jäger.

(101) Frankfurter Lieberbuch von 1584, Nr. 113. G. Forsters
fr. Lieblein III, 1549 und 1563, Nr. 72 (comp. von G. Othmayr), mit
einem entstellenden Zusatz von 2 Strophen, wozu in der Ausgabe von
1563 noch eine weitere mit Schlußformel kommt. Im Alt von 1549
nur Str. 1. (Wunderhorn I, 303.)

Str. 1, 3. 3: F. vnter einr grüner (B. einer grünen) linden. 3. 5:
Wiederh. ja winden. Str. 2, 3. 2: vnder eim Stauden vnnd vberall, F.
vnter den st. v. 3. 4: F. vnter einr. Str. 3, 3. 2: F. bat sie das sie zu
(B. das zu) niber saß. 3. 3: F. arm (B. armen). 3. 4: So gehab, F. nur
gehab. Str. 4, 3. 1: F. hat vns der reyff, hat vns der schne. 3. 2: erfröret,
F. erfrort (B. erfrört). 3. 4: hertze liebe bey einander, F. wo zwey hertzlieb
bey einander (B. beynander) sein. 3. 5: F. B. sol man nit.

Die vorerwähnte Schlußstrophe der Ausgabe von 1563:

Der uns das liedlein news gesang,
ein freier jäger ist er genant,
er hats gar wol gesungen;
zue N. geht er auß und ein,
es hat im wol gelungen, ja glungen.

(104) Niederdeutsches Lieberbuch Nr. 59.

Zu Str. 14, 3. 3: Schmeller IV, 286: „Der Zart" u. s. w. (ält. und alte
Sp.) Liebkosung, Schmeichelei, Zärtlichleit, deliciæ, voluptas u. s. w. „Mit zart,"

zärtlich, sorgfältig. „Ane zart," ohne Schonung u. s. w. Parcifal 242 15."
Hoffmann, Fundgruben I, 399 b.

Meinert 203. Vgl. Feiner Almanach 1777, S. 77. Wunderhorn.
Niederländisch, auch der Versweise nach verschieden, in: „De Amster=
damsche Kermisvreugd", S. 38: „Daar zou'er een Jager uit jagen
gaan" u. s. w.

Theatrum diabolorum, Frankfurt 1569, Bl. 267 a.

Str. 13. 14 sollten offenbar auf den Jäger, nicht auf das Mäd=
chen, bezogen sein; er will sein Glück besser versuchen, kann aber die
Stelle nicht mehr finden, womit in der spanischen Romanze die Lesart:
„no hallara la montiña" stimmen würde. In Str. 14, Z. 1 wäre
hiernach statt se zu lesen: he.

Böhl de Faber, Floresta I, 254, Nr. 146 (J. Grimm, Silva
259: „romance de la infantina [Wolf und Hofmann, Primavera II,
S. 74 bis 76. Geibel und Schack, Romanzero, S. 391. 392. H.]):
Auf die Jagd geht der Ritter, die Hunde führt er müde, den Falken
hat er verloren (vgl. Silva 252 oben); er lehnt sich an eine wunder=
hohe Steineiche, auf einem der höchsten Äste sieht er ein Fräulein
(infantina), dessen Haare die ganze Eiche bedecken. Sie heißt ihn sich
nicht so sehr entsetzen, sie sei Tochter des guten Königs und der Königin
von Castilien, sieben Feen (sadas) haben sie verwünscht (sadaron) in
den Armen einer Amme, daß sie sieben Jahre einsam auf diesem Wipfel
(montiña) sein sollte; eben heute erfüllen sich die sieben Jahre. Sie
bittet den Ritter um Gottes willen, sie mitzunehmen, als Gattin oder
doch als Liebste. Er antwortet, sie soll ihn bis zum nächsten Morgen
erwarten; er wolle von seiner Mutter Rath einholen. Sie verwünscht
den Ritter, der die Kleine allein lasse. Die Mutter räth, sie zur
Liebsten zu nehmen; als er aber zurückkehrt, findet er sie nicht im
Wipfel („no la hallara en la montiña," Grimm und Depping 298:
„no hallara la montiña," hiernach Diez 178: „War der Wipfel nicht
mehr da" [Primavera II, S. 76: no la hallara en la montiña.
H.]; er sieht, wie sie mit großer Ritterschaft hingeführt wird. Da
fällt er zu Boden und als er wieder zu sich gekommen, spricht er,
ein Ritter, der Solches verliere, verdiene sehr große Strafe, er
wolle selbst der Richter sein und sich das Urtheil sprechen, daß man
ihm Füße und Hände abhaue und ihn durch die Stadt schleife.

(Vgl. Grimm, Mährchen I, 53. III, 84: Jungfrau auf dem Baume; vgl. III, 347.)

Grimm, Silva 250 [Wolf und Hofmann, Primavera II, S. 82. 83. Diez, Altspanische Romanzen S. 175. 176. Geibel und Schack, Romanzero S. 388. 389. H.]: „romance de la hija del rey de Francia": Vom Wege nach Paris, wo sie Vater und Mutter hat, abgeirrt, lehnt die Kleine sich an eine Eiche, um Gesellschaft zu erwarten. Sie sieht einen Ritter kommen, der auch dahin will, und bittet ihn, sie mitzunehmen, wozu er sehr gerne einwilligt. Er steigt ab, ihr Höflichkeit zu erweisen, setzt sie auf die Croupe und sich in den Sattel. Unterwegs bittet er sie um ihre Gunst, aber sie wehrt ab; sie sei die Tochter kranker Eltern, wer sie berührte, würde krank werden. Der erschrockene Ritter erwidert kein Wort. Beim Eingang von Paris lächelt sie und sagt auf sein Befragen, daß sie über den Ritter lache und über seine große Feigheit, die Kleine auf dem Felde zu haben und ihr Höflichkeit zu erweisen. Beschämt bittet er sie umzukehren, weil er etwas vergessen. Sie verweigert es, und wenn sie auch umkehrte, so sollte Niemand sie antasten; sie sei Tochter des Königs von Frankreich und der Königin von Frankreich, wer sie berührte, den käm' es theuer zu stehen.

Wolf, Rosa de Romances S. 71.

Ritson, Ancient Songs and Ballads, London 1829, II, 54 ff.: „The too courteous knight." Ein höflicher Ritter trabt lustig über das Feld und gewahrt ein hübsches Mädchen, das singend daherwandert (Refrain: „Then she sang: Downe a downe, hey downe derry"). „Gott grüß euch, Schöne, unter den Blättern so grün! Wär' ich ein König und trüg' eine Krone, gleich solltest du eine Königin sein. Gott grüß euch, Schöne, unter den Rosen so roth! Wird mir nicht von euch mein Wille, gleich werd' ich todt sein." Er schaut nach Ost und West, nach Nord und Süd, kann keine heimliche Stelle finden. Sie verspricht ihm, wenn er sie unberührt in ihres Vaters Halle führe, dann soll ihm sein Wille werden unter Purpur und Seide. Er setzt sie auf ein Pferd und sich auf ein andres und reitet den ganzen Tag neben ihr, als wären sie Schwester und Bruder. Als sie zu ihres Vaters wohlummauerter Halle kommt, geht sie zum Pförtchen ein, sperrt den Narren hinaus und verspottet ihn; er hatte sie im Felde draußen unter Korn und Heu und Binsen so braun, und sie hätte nicht nein gesagt. Er zieht sein nußbraunes

Schwert aus und wischt den Rost mit dem Ärmel ab: „Gottes Fluch komm' über dessen Herz, der einem Weibe glauben wollte!" Sie aber singt ihr Liedchen wie vor.

Percy, Reliques of ancient English Poetry III, 222: „The baffled knight," „with some corrections": Ein Ritter, weintrunken des Wegs reitend, begegnet zwischen den Heuschobern einem hübschen Mädchen, das er zu sich ins Gras einladet. Sie entgegnet, auf dem Grase sei ein Thau, der ihr neues Damastkleid verderben würde, worauf er sich erbietet, seinen Mantel von rothem Scharlach auf den Boden zu werfen (vgl. „Das Mäntelein" [Nr. 106. H.] und Anm. dazu). Gleichwohl der weitere Verlauf wie in der vorigen Ballade. Das Schwertschleifen des ausgesperrten Ritters verspottet sie, indem sie eine Nadel aus dem Haare zieht und auf ihrem Kleide streicht. Es folgen, in späterem Stil, noch drei Begegnungen des Ritters mit der Schönen, wobei sie ihn einmal in den Fluß stößt, nachher mit halb ausgezogenen Stiefeln liegen und zum drittenmal von einer durchsägten Planke in den Burggraben fallen läßt.

(Utterson) Select Pieces of early popular Poetry, London 1817, I, 145 f., Syr Degore B. 750 ff.:

> The lady that was so fayre and bright,
> Upon her bed she sate downe ryght.

S. 146
> She harped notes swete and fine
> And Syr Degore sate him downe,
> For to heare the harpes sowne,
> That thorowe the notes of the harpe shyll,
> He layd hym downe and slept his fyll.
> This fayre lady that ylke nyghte
> She bad go couer that gentyll knyght.
> And the ladye went to another bed at the laste.
> So on the morowe, when it was daye,
> The lady rose, the sothe to say,
> And into the chambre the waye gan take;
> She sayde: „Syr knyght, aryse and wake!"
> The lady sayde, all in game:
> „Ye be well worthy to haue blame,
> For as a beest all nyght thou dyd slepe
> And of my maydens thou tokest no kepe."

And then aunswered the knyght so fre:
„Mercy, madame, and forgyue it me!
The notes of thine harpe it made,
Or els the good wyne that I had."

MS. I, 38 ^{b} (von Kürenberg) [= K. Lachmann und M. Haupt, des Minnesangs Frühling. Leipzig 1857. 8. S. 8. H.]:

> Jô stuont ich nehtint spâte
> vor dinem bette,
> do getorst ich dich, frouwe,
> niwet wecken.
> „· · · · · des gehazze
> got den dinen lip!
> jô entwas ich niht ein ber
> wilde." jô sprach daz wip.

Ebd. I, 42 ^{a}, 4 f. (Dietmar von Aist.) Mein Walther von der Vogelweide S. 101 u.

Raynouard, Choix des Poésies originales des Troubadours IV, 22, X. V, 437 f. Rofin u. s. w.

Das Mäntelein.

(106) Frankfurter Liederbuch von 1584, Nr. 150.

Str. 3, Z. 1: fürther. Str. 5, Z. 3: Thüren. Str. 6, Z. 3: Engeln. Str. 8, Z. 2: sit?

Noch eine neunte Strophe:

> Hett ich mein käpplein nit gespart,
> das mägdlein darauf gelegt
> und helt ichs schon gethane,
> wie mirs darüber solt gane,
> den schaden müst ich han.

Vermuthlich, wie in gleicher Versart, so auch von demselben Verfasser mit: „Ich reit mir aus kurzweilen" u. s. w. [Nr. 24. H.]

Zu Str. 7, Z. 4 f. vgl. deutsche Gramm. IV, 671, 12.

(S. Salblinger) Selectissimæ u. s. w. cantiones, Aug. Vind. 1540, Nr. 48:

> La rousee du mois de may
> ma gaste ma verde cotte;

par vng matin my leuay
au iardin mon pere,
en vng iardin men entray,
dittes vous que ie suis sotte?
la rousee du mois de may
ma gaste ma verde cotte.

Percy III, 223.

Das gelbkraufe Haar.

(108) Niederdeutfches Liederbuch Nr. 117. Die zweite Zeile wird
wiederholt und es kann ſtatt deſſen auch eine dritte hinzukommen. We-
niger alterthümlich bei Meinert 11. Vgl. Fornald. S. I, 18. J. Grimm,
deutfche Rechtsalterth. 283 bis 285. Lied von den Bauren von Witters-
haufen Str. 12:

und wunſch iedem ein krauſes har,
daz dunket mich daz beſte.

Lämmerweide.

(109) „Aus einer Sammlung von einzelnen in Kleinfolio gedruck-
ten, mit Holzfchnitten verzierten und zum Theil auch mit Muſik be-
gleiteten Liedern und Gedichten, die nach der Jahrszahl, welche bei
einigen am Rande angemerkt iſt, ſämmtlich theils im 15ten, theils im
16ten Jahrhunderte erfchienen ſind,‟ mitgetheilt von G. Leon im Bra-
gur, 6 Bd, Abth. 2 (Leipzig 1800), S. 77. Diefe Sammlung der
k. Bibliothek zu Wien konnte neuerlich nicht wieder aufgefunden wer-
den. [Vgl. L. Uhland. Eine Gabe für Freunde. 1865. S. 264. H.]
Voran ſteht: „Im thon. Dort nyden auff yener heyde da iſt gut
ſcheffer weyde.‟

Str. 3, Z. 1: feyt. Z. 2. 3: forcht. Str. 4, Z. 2: den. Str. 7, Z. 2: nat.

Je die dritte Zeile der Strophe wiederholt ſich im Gefange, wo-
durch auch die Überzahl in der zweiten Strophe ausgeglichen wird; auch
klingt der Schlußreim jeder Strophe nach: ja ende, ja haime u. ſ. w.

Liedekensboeck, Antwerpen 1544, Nr. 60, Bl. 36ᵃ.

Die Wäscherin.

(110) Heidelberger Handschrift 343, Bl. 102.

Die Handschrift hat: medlen, hemdlen, eüglin, rößlen, muetterlen und mileterlein, heybe, haid, heide. Str. 1, Z. 4: wincket jr mit, hande. Z. 5: hülfe. Str. 2, Z. 2: schone. Z. 3: drauſet. Z. 4: weiß du der rotten nit zuuil. Z. 5: würd? Str. 3, Z. 2: pirn. Str. 5, Z. 4: khome. Z. 5: geschehe, weibern.

Auch hier iſt der Schlußreim mehrerer Strophen wiederholt: ja wynden, ja taigen u. ſ. w.

Zu Str. 2. 4 vgl. Antwerpener Lieberbuch Nr. 60 (Lämmerweide), Str. 4 f.

Die Graferin.

(111) Frankfurter Lieberbuch von 1584, Nr. 242.

Str. 1, Z. 2 etwa: ſie graſt mir ab mein graß? Z. 4: was? Str. 3, Z. 1: daß. Z. 2: nicht. Str. 5, Z. 3: ſie? Vgl. Hildebrands-Lied Str. 12, aber auch MS. I, 40ᵇ, 3:

Er ſol tougen von bluomen ſwingen,
ich wil umb ein niuwez krenzel mit im ringen.

Vgl. Wunderhorn II, 29. Meinert 199. 454. Hermann von Sachſenheim: von der Grasmetzen (Lieberbuch der Cl. Hätzlerin, Bl. 451, auch in einer Handſchrift der öffentlichen Bibliothek zu Stuttgart, Graffs Diutiška II, 77, ſ. auch v. d. Hagen, Grundriß 341 [Schriften II, S. 245. H. Vgl. Keller, altdeutſche Gedichte I, 4. K.]).

Winterroſen.

(113) A. Frankfurter Lieberbuch von 1584, Nr. 100. Vgl. Wunderhorn III, 68. Meinert 95. Die erſte Strophe auch in Docens Miscellaneen 1, 262.

Str. 4, Z. 2 bis 4, das Frankfurter Lieberbuch hat: ich bin ein Mägd-lein reyne, ihr bringet mir denn drey Röſelein rot, die diß Jar ſeind gebrochen. Str. 5, Z. 1: tieffen. Str. 6, Z. 3. 4, Frankf. Lieberb: malet mir ſie hübſch vnnd dazu fein, wie ſie diß Jar gewachſen ſeyn. Str. 7, Z. 3: Freuw du

dich. Str. 8, Z. 3: in eim ſchimpff. Das Frankf. Lieberb. läßt noch eine
Strophe folgen:

> Der uns zwei ſcheid, das iſt der Tod,
> er ſcheidet gar manches mündlein rot,
> er ſcheidet den knaben und die diren,
> er ſcheidt das kind auß der wiegen.

Zu Str. 1, Z. 2. 3 vgl. Gudrun 4879 [= Str. 1219, Bartſch. H.]:

> in ſchein durch diu hemede wiz alſam der ſne
> ir lip, der minnicliche u. ſ. w.

Lieberſaal I, 248, 61 ſ. Erec V. 328 bis 337.

Parodieen des Liedes: „Es ſolt ein meidlin holen wein" u. ſ. w.
(Bicinia etc. Viteb. 1545, T. I, Nr. 88.) „Ein meidlin zu dem
brunnen gieng" u. ſ. w. (Orlando di Laſſo, Teutſche Lieder, Thl. 2,
München 1573, Nr. 11. Wunderhorn I, 156.)

Schwediſch: Arwidsſons Fornſ. II, 242, aus einem handſchrift=
lichen Liederbuche vom Ende des 16ten Jahrhunderts; ſtrophengleiche,
meiſt wörtliche Überſetzung des deutſchen Liedes.`

Str. 9, Z. 4: i alle våre lifsdagar.

V. Feiner Almanach, 1777, S. 126: Im Ton: Es reit ein Herr
und auch ſein Knecht.

Str. 1, Z. 1: ſeym. Z. 2: an dem Morgen. Str. 3, Z. 2: drey Roſen=
blüt. Z. 4: Vnnd ſteen in voller Blüte. Str. 4, Z. 4 ſcheint auch unecht.
Str. 7, Z. 4: linden. Nach Str. 7 noch zwei entbehrliche.

Je der zweiten Zeile folgt der Refrain: abe, abe! und der vierten
klingt der Schlußreim nach: ja frawe! ja ſchlafen u. ſ. w.

Litthauiſches Räthſellied, Dainos 325:

> Mich ſandte, ſandte die liebe Schwieger
> nach Wintermai, nach Sommerſchnee.
> Da gieng ich arme hin traurig weinend
> und traf den Knaben, den lieben Hirten.
> „Wo wandelſt hin, du holdes Mägdlein?
> was weinſt du traurig, o zarte Jungfrau?"
> „Mich ſandte, ſandte die liebe Schwieger
> nach Wintermai, nach Sommerſchnee."
> „Geh hin, o Mägdlein, du zarte Jungfrau,
> zum grünen Walde, zum Meeresſtrande!
> da wirſt du finden eine grüne Fichte,

brich ab ein Zweiglein, schöpf eine Hand voll Schaum!
dann wirst du bringen der lieben Schwieger
den Wintermai, den Sommerschnee."
Fischarts Geschichtsklitterung Cap. 25 (S. 297), Spiel: „Drei wünsch
auf ein stiel." (Vgl. S. 296: „Räters.") Simrock, Walther von
der Vogelweide II, 161, Z. 1.

Der Rosenkranz.

(114) Frankfurter Lieberbuch von 1582 und 1584, Nr. 103.
Meinert 172 f. Minstrelsy, 5 ed. II, 191 (Gilchrist I, 228): Tamlane.
Vgl. auch in den Anm. zu „Nonne" die Stelle aus der Heidelberger
Handschrift 109.
Zu Str. 7, Z. 4 vgl.: MS. II, 61^b (Tanhuser):

> Heie, nû hei!
> Des videläres seite der ist enzwei.

II, 63^a (Ebb.):

> Nû singe ich aber hei!
> Heiä, nû hei!
> Nû ist dem videläre sin videlboge enzwei. 64^a, 1.

Benecke 159. 169. 184. 191. Donaueschinger Parcival Bl. 320,
C. 1. 2. Nyerup I, 95 (Svend Vonved):

> Saa flog han Guldharpen saa länge,
> At sönder ginge alle de Strenge.

[Vgl. Schriften III, S. 393. H.]

Zwo Gespielen.

(115) A. Frankfurter Lieberbuch von 1582 und 1584, Nr. 53.
Str. 1, Z. 1, Druck von 1582: Es giengen sich aus zwo Gespiele. Str. 5,
Z. 1: einer linden.
Noch sind folgende Strophen angehängt:

> Er nam sie bei den henden,
> bei iren schneeweißen henden,
> er führt sie durch den grünen wald,
> des grünen waldes ein ende.

Er führt sie an das ende,
da er sein mutter fand:
„ach mutter, liebste mutter (mein),
das megdlein ist mein allein."

Er gab ihr von gold ein ringelein
an ihr schneeweiße hand (hende):
„sihe da, du seines brauns megdelein!
von dir wil ich nicht wenden."

Sie gab 'im wider ein krenzlein von gold,
dabei er ir gedenken solt:
„ich hab euch lieb im herzen mein,
von euch wil ich nicht scheiden."

In andrer Gestalt: Wunderhorn III, 18. Meinert 124 (vgl.
Altdeutsche Wälder I, 110). Der Anfang auf einem fl. Bl. von 1589:
„Ein schön nüw geistlich lied, gezogen vß dem XXIIII Cap. Luc.
Von den zweyen Jüngeren die gan Emaus giengend. In dem Thon,
Es giengend zwo gespilen guot, wol vber ein gruene Heyde."

Bei Minnesängern: von Scharpfenberg, Man. I, 195: Zwo ge-
spilen märe u. s. w. Alram von Gresten, ebb. II, 109: Zwo gespiln
märe u. s. w. Dasselbe etwas anders unter Nitharts Liedern, Beneckes
Beiträge II, 446. (Vgl. MS. III, 231ᵃ. 331. Burkart v. Hohenvels,
Man. I, 88ᵇ, 3 bis 5. 85ᵇ, 4 bis 86ᵃ, 3.) Wackernagel, Wesso-
brunner Gebet S. 56. Hugdietrich (herausg. von Ochsle, S. 19),
Str. 128 [= Str. 134, Holzmann. H.]:

Do sazen bi einander die zwo gespilen do,
die ein die was trurig, die ander die was fro.
Hilteburg, die schöne, weinte kleglich,
do frowet sich in dem herzen der kunig Hugdieterich.

Zuvor, Str. 123 [= Str. 129, Holzmann. H.]:

An dem andern morgen brahte man die junkfrowen herabe.
es geschiht niemen so leide, der füret hin zu grabe
vatter und muter, also Hilteburg geschach,
do sie sich muste scheiden, also uns diz buch verjach.

(Vgl. Altdeutsche Zeit und Kunst, Frankfurt 1822, S. 291 f.)

Niederländisch: Horæ belg. II, 110 aus dem Antwerpener Lieder-
buch von 1544, mit Melodie aus den Souter Liedekens, Antwerpen 1540.

Verſchieden lautende Anfänge, ebb. II, 83 (vgl. I, 112), nach Hand=
ſchriften (geiſtlicher Lieder) des 15ten Jahrhunderts:

> Het ghinghen twee gheſpelen goet
> an gheenre wilder heiden. (Papier=Handſchrift.)
> Het reden twee gheſpelen goet
> ter heiden plocken bloemen,
> die een die reet al lachende uut,
> die ander die was droevich. (Pergament=Handſchrift.)

Zu Str. 7 vgl. Schaffh. 397, 3.

Lai du Trot. (Lai d'Ignaurès u. ſ. w., suivi des Lais de Melion
et du Trot, en vers, du XIIIe siècle, publiés u. ſ. w. par L. J.
N. Monmerqué u. ſ. w. et Francisque Michel. Paris, Silveſtre, 1832,
S. 71 bis 83.) Vgl. F. Diez, Beiträge zur Kenntnis der romantiſchen
Poeſie I, 69 f. Parcival der Donaueſchinger Pergament=Handſchrift
Bl. 151 vers. (Vgl. Grimm, deutſche Sagen II, 144: der Roſenſtrauch
zu Hildesheim.) Chansons 1538, Bl. 54: Laultre iour u. ſ. w.

[Vgl. Schriften III, S. 407 bis 412. H.]

Unter der Linde.

(116) Handſchriftliches Lieberbuch der Ottilia Fenchlerin von Straß=
burg, 1592, im Beſiße des Frhrn v. Laßberg [jeßt in Donaueſchingen. K.].
Andre Darſtellungen: Wunderhorn I, 61. Büſching und v. d.
Hagen, Sammlung deutſcher Volkslieder, Berlin 1807, S. 193. Mei=
nert 243, vgl. 239. 227, 4. Münſteriſche Geſchichten, Sagen u. ſ. w. 206.
Niederländiſch: Horæ belg. II, 174. Spaniſch: Floresta de rimas
antiguas castellanas, por Böhl de Faber, Hamburg 1821, I, 245
[= F. J. Wolf und C. Hofmann, Primavera y flor de romances, II,
Berlin 1856. 8. S. 88. 89. C. Geibel und A. F. v. Schack, Romanzero
der Spanier und Portugieſen, Stuttgart 1860. 8. S. 375. 376. H.].

Str. 4, Z. 3: Wann andere blüemlin. Str. 7, Z. 4 fehlt: heimlich.
Str. 11, Z. 1: Da hatt man. Str. 13, Z. 2: noch graß. Str. 14, Z. 1: hande.

Der Schluß, die Wiebererkennung, fehlt in der Handſchrift offen=
bar, dagegen folgt noch die Strophe:

> Wer iſt, der uns das liedlin ſang?
> ein holdſeligs bild iſt es genant,

es hatt gar wol gesungen,
umb ihren bulen ist sie kommen.

Zu Str. 5: Lieberbuch der Clara Häßlerin (Wie eine iren puolen
hieß leben), S. 54:

Versprich mir bei der trüwe dein,
Du wöllest mein er besorgen!
Setz mir sant Jörigen ze porgen,
Das wir kurzlich einander sehen!

Häßlerin 191[b]:

„Setz sant Johannes ze pürgen mir,
Das du chomest gesunt her wider schier!"
Ich globt der liebsten an der statt,
Was sy mich da von herzen batt,
Und schied in jammer mich (da)hindan.

Tschudi, Chron. helvet. II, 254, Jahr 1437: „also antwurt
der Bogt uff der Besti (Ulrich Spieß, österreichischer Bogt der von den
Zürchern belagerten Burg Freudenberg), er getruwti das Huß wol ze
beheben mit Gottes Hilf und siner Gesellen biß zu Sant Martins-Tag;
welte Im ban der Hertzog in dem Zit nit ze Hülff kommen, so ent-
schütte In doch der lieb Heilig Sant Martin mit einem Schnee."

Georg von Ehingen 12: „Nam ich urlob von mim vatter seligen,
der mir dan under anderm sagt, ich solt in sant Johansen, den hei-
ligen apostel und evangelisten, zuo aim pfand und ghsel geben, das ich
wider kumen würd. Das war allweg sein gewonhait, wan ich von
im zoch." [Elblin von Eselberg, herausg. von A. v. Keller, Tübingen
1856. 4. S. 26 u., f. ob. S. 29 u., f. ob. Niederländische Volks-
lieder, 2te Ausgabe, 202, 7.]

Zu Str. 7. 8 f. Pfaffe Amis (in Benedes Beiträgen II) V. 390:
„die bá tougen heten man" (vgl. 406. 445).

Zu Str. 3, Z. 2 vgl. Anm. zu: „Er ist der morgensterne":

Binde es oben ane
an einen gilgen zweig!

Vgl. Kind, Neugriechische Poesie 4 f. (übersetzt in den Blättern zur
Kunde der Litteratur des Auslandes 1840, 7 October, Nr. 114 und
115). Der Schluß davon bei Fauriel II, 422.

Prutz, deutsches Museum Nr. 19, 7 Mai 1857, S. 699 ff.: Volks-
lieder aus der Altmark und dem Herzogthum Magdeburg, mitgetheilt

von Ludolf Parisius u. s. w. S. 700: 1. Unter der Linde. 1. Es stand ein Linde in jenem Thal u. s. w. 24 zweizeilige Strophen. Diese Überlieferung aus Volksmund nähert sich dem Text in meiner Sammlung (Nr. 116) besonders in ihren Strophen:

> 21 Da nahm er ab seinen breiten Hut,
> Daran sie ihn erkennen thut.
> 22 Feinsliebchen, was verierest du mich
> Und machest mir mein Herz so schwer?

[Vilmar S. 204 bis 207. H.]

Fünf Söhne.

(118) Mones Anzeiger 1838, Sp. 84 aus einer Handschrift des 16ten Jahrhunderts, durch Mittheilung des Frhrn W. v. Haxthausen. Dieser bemerkt dazu, Sp. 73: „Das schönste Lied scheint mir die Romanze, welche noch als Volkslied lebt und in Westfalen häufig gesungen wird." Vgl. Kretzschmer, deutsche Volkslieder 83: „Der böse Vormund"? Str. 1, Z. 3: gaedt nycht spellen. Kretzschmer hat nach Z. 3 diese: Id hev nich einmaol över se gelacht. Str. 2, Z. 5: Kretzschmer slot, Nieders. Wörterb. I, 411: „slugten, flüchten, fliehen. Graff I, 187: „after [per] lante farent nuallonte. O. IV, 2, 25."

Die verlorene erste Zeile in Str. 1 mochte etwa lauten:

> Id hebbe vyf leve sönelen hat u. s. w.

Gudrúnarkviđa I (Saem. Edda 211 f.; [Ausgabe von Th. Möbius S. 159. H.]):

> Str. 4 þá kvađ þat Gjaflaug,
> Gjúka systir:
> „mik veit ek á moldu
> munarlausasta;
> hefi ek fimm vera
> forspell bedit,
> tveggja dœtra,
> þriggja systra,
> átta brœdra,
> þó ek ein lifi."
>
> 6 þá kvađ þat Herborg,
> Húnalands dróttning:

„hefi ek harðara
harm at segja;
mínir sjau synir
sunnanlands,
verr inn átti,
í val féllu.

7 Faðir ok módir,
fjórir brœðr,
þau á vági
vindr of lék,
barði bára
við borðþili.

8 Sjálf skyldu ek göfga,
sjálf skylda ek götva,
sjálf skylda ek höndla
herför þeirra;
þat ek alt um beið
ein misseri,
svá at mér maðr engi
munar leitaði.

Nyerup III, 238 f. (Grevens Datter af Vendel) Str. 20 bis 26:

Paany da ginge mine Venner i Raad,
Gave mig mit tredie Gift,
Kongens Sön af Engelland,
Han hedte Herr Engelbret.

Saa vare vi sammen udi Vintre,
Ja vel i Vintre ni;
Det vil jeg for Sanden sige,
Jeg födte de Sönner ti.

Saa kom der Orlog paa det Land
Mig til stor Sorg og Qvide;
De sloge ihjel Herr Engelbret
Og saa mine Sönner ni.

De sloge ihjel baade Sönner og Mand,
Det maa jeg höjligen klare;
Den tiende Sön de af Landet tog,
Jeg seer hannem aldrig mere.

Nu er min Sorg saa mangefold,
  Som Jomfruer de spinde Guld;
Herre Gud gläde Herr Engelbret,
  Han var saa dydesuld.

Nu vil jeg mig i Kloster give,
  I Kloster under Ö;
Jeg vil mig ret aldrig Mand give,
  Jeg vil i Sorgen döe.

Al min sönlige Sörrig
  Den vil jeg träde under Fod;
Deslängere det jeg sörget,
  Desvärre da er min Bod.

Travestie von sieben Brüdern in „The North-Country Chorister"
(Ritsons Northern Garlands) S. 5.

Das hungernde Kind.

(119) Seckendorfs Musenalmanach für 1808, S. 32: „Mitgetheilt
von Herrn Hofmedicus Dr Hohnbaum in Hildburghausen." Wunder-
horn II, 10: „Mündlich." Im Wunderhorn immer: „Mutter, ach
m."; nach säen u. s. w. geschwind; Und als das Korn u. s. w.; rief
das K.; statt „schneiden" ärnten; Schluß: Und als das Brot gebacken
war, Lag das Kind schon auf der Bahr. (Erk u. Irmer III, Nr. 57.
Kretzschmer II, Nr. 352.)

Flieg. Blatt: „Ein erbermlich neuw Lied von einer armen Witt-
fraw vnd fünff kleiner Kindern, welche von hungers wegen entschlaffen
seind, aus Gottes krafft ohn leibliche speiß eine zeitlang wunderbarlich
erhalten worden. [Holzschnitt.] In der Melodey, O reicher Gott im
Throne. Oder wie man das Lied von Olmitz singt. Gestellet durch
Gregorium Meyer, Organisten zu Basel, den 4ten Julii in 1571 Jar."
Anfang: „Von wunder muß ich sagē" u. s. w. Im gedachten Jahre
1571 am 25 Jenner geschah zu „Weydenstett" bei „Geyßlingen" in
Schwaben ein Wunder, das Alt und Jung gesehen. Eine Wittfrau
wird von ihren fünf kleinen Kindern um Brot geplagt. Sie sagt, sie
wolle den Gevatter Jäcklin ansprechen, der werde sie nicht verlassen.
Es wird ihr abgeschlagen und weinend kehrt sie zurück. Noch einmal

vertröstet sie die Kinder, sie gehe wieder hin, und löst' es all das Ihre, gerne wolle sie es dran wenden. Die Kinder empfangen eine Kraft von Gott und sprechen zur Mutter:

> Wir wölln auf unsern acker,
> biß unser korn wirt reif.

Sie ziehen auch wirklich alle fünf hinaus. Die Mutter streicht rings im Dorf herum, niemand will ihr etwas leihen. Als sie weinend wieder nach Hause kommt, sind die Kinder nicht da; sie besinnt sich auf die Rede derselben, läuft zum Acker und findet sie alle so fest schlafend, daß sie nicht zu erwecken sind, so laut sie ihre Namen ruft. Die Nachbarn kommen herbei und sehen das Zeichen:

> Sie schliefen also leise,
> als hettens halber gwacht;
> man braucht mancherlei weise,
> man schrei laut oder leise,
> des hattens ganz kein acht.

Schluß des Liedes:

> Ich hab nicht mögen schweigen,
> und machen ein gedicht,
> zuo singen, pfeifen, geigen,
> weils ist ein ware gschicht.
> das will ich gleich verschenken
> dem Apiario,
> das wirt er wol gedenken,
> er kans noch weiter renken,
> ich glaub, er werd sein fro.
>
> Wirts under dreffen legen,
> das es sol weiter gahn,
> wirt manchen noch bewegen,
> das er gott ruefet an,
> wirt seine fei(n)nd erkennen,
> von denen gar stehn ab,
> den nammen Sherren nennen.
> tilg uns als ubels dennen,
> ehe wir kommen zuom grab!

Nicht viel weniger bänkelsängerisch ist ein niederländisches Lied, das noch als fliegendes Blatt verkauft wird: „Schoon Liedeken Geschied in het land van Lupk, in het ſtedeken Stokum, aen eene arme Vrouwe, welke haer kinderen den koſt niet konde bezorgen door den dieren tyd, en hoe de kinderen zyn ſlaepen gegaen tot den Dugſt daer was. Stemme: Maeſtricht, gy ſchoone ſtede. — Te Gend, by L. van Paemel, Boekdrukker op den Brabandbam. Nr. 25." Anfang: „Wat wonderlyke dingen hoort men in 't Lupker land" u. ſ. w. Dieſelbe Geſchichte mit andrer Örtlichkeit; die Kinder der armen Wittwe, deren hier drei ſind, ſchlafen bis zur Ernte; die verzweifelnde Mutter glaubte ſchon, ſie tödten zu müſſen:

> Ziet des onnoozel ſchaepen,
> een kind, noch geen tween jaer,
> ſprakt: „moeder, wy gaen ſlaepen,
> tot dat den Dugſt is daer,
> dan zullen wy gaen ougſten
> voor onzen hongers-nood
> en u, moeder, vertrooſten,
> dan zyn wy uyt den nood."

Der anſchauliche Zug, daß die Kinder auf den Acker hinausziehn und dort einſchlafen, iſt hier weggefallen.

Münſteriſche Geſchichten 249. 169. Lied und Sage von zwei Schweſtern; die arme, die ſechs vaterloſe hungernde Kinder hat, geht zu der reichen um Brot; dieſe läugnet, das Brot, das ſie im Hauſe habe, ſoll zu Stein werden; das geſchieht dann wirklich und das verſteinerte Brot wird noch in der Kirche gezeigt; auch hier tröſtet das jüngſte Kind die Mutter. Grimm, deutſche Sagen I, 326 f. Auch im handſchriftlichen Liederbuch der v. Mülinen, Bibliothek zu Bern, S. 189: „Ein wundergſchicht von zway ſchwöſteren in Holand." Anfang: „Wöllen ir hören ſingen" u. ſ. w. 15 vierzeilige Strophen.

Das hungernde Kind erſcheint auch in den Formeln des alten frieſiſchen Rechts über die drei Hauptnöthe, in welchen die Mutter das Erbe des unmündigen Kindes verkaufen darf, um ſein Leben zu friſten, deutſche Rechtsalterth. 49 f.: „dio other néd is, jef da jére biore werdat ende bi hêta honger ur dat land fart ende dat kind honger ſterva wil, ſo môt bio möder her kindes erve ſetta ende ſella ende câpia her bern kû ende ey ende corn, dér ma da kinde des lives mede helpe. bio tredde néd is, als dat kind is al ſtocknaken jeſtha húslâs ende dan die tiueſtra nevil enbe colba winter on comt, ſo fart allermonnik on hof enbe on hús enbe on warane gaten enbe bat wilba bier ſéket bin holla bâm enbe ber birga hly, albér hit ſin lif on bihalba mei; ſo weinet enbe ſerit bat onjériga kinb enbe wiſt ban ſin nakena lia enbe ſin húsláſe; enbe ſin faber, be him reba ſchulbe tojenſt bin honger enbe winter nevilcalb, bat hi ſo biepe enbe bimme mitta fiower neilen is onber éke enbe onber ba erba biſloten ente bitacht; ſo mòt bio mòber her kinbes erve ſetta enbe ſella."

Das Südeli.

(121) Aus einem Banbe einzelner Lieberbrucke in Meiringen von mir abgeſchrieben unb mit einigen Correcturen in Seckenborfs Muſen= almanach für 1808 gegeben, wo es S. 29 ſſ. unb baraus im Wunber= horn II, 274 ſſ. gebruckt iſt.

Str. 3, Z. 1: ein, Würthenen (über bie Enbungen in =ene ſ. Stalber, Schweizer. Dialektolog. 65 u., ſ. Der Zweck ber Anhängſilbe =e wirb burch bas ter Bücherſprache zu Gefallen an ben Schluß wieber aufgenommene =n vereitelt). Z. 3: Würth., ſo auch weiterhin. Str. 6, Z. 1: ein. Str. 7, Z. 3, vgl. Stalber, Schw. Jbiot. II, 418: Sübbele f., ſubelige Weibs= perſon. Z. 4: Stalber, Jbiot. II, 268: "reiſen, raiſen v. act., orbnen"; vgl. Schmeller III, 128. Str. 8, Z. 3: euern. Str. 10, Z. 2: wars. Z. 4: bey mir. Str. 11, Z. 2: herz für hert, Schultern (J. Grimm, beutſche Rechts= alterthümer 170). Str. 13, Z. 5: er heißt. Z. 6: weißt. Str. 15, Z. 1: zu mornbrigs vgl. Stalber, Schw. Jbiot. II, 214. Tobler, Appenz. Sprach= ſchatz 323 b. Z. 2: Würthenen. Z. 3: ſchläbe; Stalber, Jbiot. II, 33: "ſchlöb, Abj. u. ſ. w., nieberträchtig, ſchlecht"; ſchnöb. Str. 19, Z. 2: eüſſer, unſer; Stalbers Dial. 104. Z. 3: hey gehan, haben gehabt; ebb. 123. 129.

Dieſe Ballabe vertritt einen weitverzweigten Stamm von Liebern, in welchen bas Kinb eines anſehnlichen Hauſes auf verſchiebene Weiſe weggebracht, geſtohlen, ausgeſetzt, entführt, bann in Dienſtbarkeit ver= kauft, verpfänbet, verbingt, enblich wieber entbeckt wirb, inbem es balb burch wunberbare Schickung unb in bebenklicher Lage mit einem ber Seinigen zuſammentrifft, balb einer ſolchen ober auch einer fremben Perſon, nachbem es lange unerkannt bei ihr verweilt, ſich zu erkennen gibt unb ſofort entweber in Glück unb Ehre hergeſtellt wirb, ober an gebrochenem Herzen hinſtirbt.

Von der vorliegenden Ballade aus, in der eine kleine Königs-
tochter weggeführt, einer Wirthin verdingt, ihrem Bruder verkuppelt,
von diesem aber unberührt der Mutter zurückgebracht wird, läßt sich
jener Faden durch die hiernach verzeichneten Darstellungen verfolgen,
welche zum Theil wieder in besondre Gruppen zusammentreten.

Wunderhorn II, 277: „Der Staar und das Badwännelein, in
der Spinnstube eines hessischen Dorfes aufgeschrieben": Das Kind wird
in der Badwanne aus dem Garten gestohlen, der Staar entdeckt dieß;
sonst die Begegnung mit dem Bruder bei der Wirthin wie im Texte;
einige Nachhülfe scheint durch. (Vgl. auch Wunderhorn II, 200.)

Ein italiänisches Lied: „La Canzon della Lissandrina", fl. Bl.
in Venedig 1610, auch in Macerata 1611, handelt von einem Mädchen,
das ein Kaufmann dem Wirthe zu Pfand gelassen:

O messer hosto, havè una bella fia,
    una bella fia, la la la li li la.
La saria bella, se la fosse mia,
    se la fosse mia, la la la li li la.

Che l' è d'un mercadante, ch' è andato via,
    ch' è andato via u. s. w.
No l'havea soldi e'l m'ha impegnà la fia,
    impegnà la fia u. s. w.

O messer hosto, no ghe se vergogna,
    no ghe se vergogna u. s. w.
Deghe da bever, se 'l ghe ne bisogna,
    se 'l ghe ne bisogna u. s. w.

O messer hosto, se havè malvasia,
    se havè malvasia u. s. w.
Portè da bever a questa compagnia,
    a questa compagnia, la la la li li la.

Nyerup IV, 222: „Jeg stod mig ved en Bäk at toe" u. s. w.
Ein Ritter, der des Wegs reitet, verspricht dem waschenden Mädchen,
wenn es ihn liebe, ein Goldband. Sie soll sagen, sie hab' es gefunden.
Die Schöne erzählt ihr Schicksal: Abends war sie geboren; bevor der
Hahn krähte, starb die Mutter; als man diese begrub, läutete man
um den Vater; als der begraben ward, um ihre Geschwister, außer
dem jüngsten Bruder, der sie einer Pflegmutter übergab; fremde Jung-

fraun lehrten sie nähen, sie selbst sich Tugend und Ehre. Er erkennt die Schwester und verspricht, sie einem Ritter zu vermählen. (Vgl. Gudrun 4889 bis 904; auch das Lied: „Es sollt ein meblen waschen gan" u. s. w. [Nr. 110. H.] und Anmerkung zu: „Ich stund auf einem berge" u. s. w. [Nr. 96. H.] Str. 3 bis 6.) Dasselbe Lied schwedisch bei Arwidsson II, 234, etwas variiert (die Begegnung im grünen Haine, nicht beim Waschen u. s. w.) und vor der Erkennung abgebrochen.

Nyerup III, 353 (438): „Hellelil sidder i Bure" u. s. w. Hellelil näht irre und erzählt, von der Königin zur Rede gestellt, ihr trauriges Geschick und wie man sie zuletzt um eine neue Glocke verkauft, bei deren erstem Schlag ihrer Mutter das Herz brach; eh sie ihr Leid aus= gesagt, ist sie tobt in der Königin Arm. [Vgl. Schriften VII, S. 439 bis 441. H.] Schwedisch: Sv. Folkv. II, 7. Auch bei Arwidsson II, 170: Der erzählenden Königstochter selbst will das Herz zerspringen, wenn sie die Glocke hört; von ihrem Tod ist nichts gesagt. (Vgl. noch Rosegartens Blumen, Berlin 1801, IX und 129: Die Glocken klingen und Hilla stirbt.) Eine andre dänische Aufzeichnung bei Syv (Part. IV, Nr. 32), übersetzt von W. Grimm S. 119 (518), kürzt Hellelills Ge= schichte (über diese vgl. Sv. Folkv. I, 5) ab, läßt vom ersten Glocken= schlage die Mutter, beim zweiten den Vater sterben, und zuletzt ergibt sich, daß der Ritter, der sie verlockt, wodurch eben die zürnenden Eltern zum Verkaufe bewogen wurden, ein Sohn der Königin ist, der sich nun mit Hellelill verloben soll.

Horæ belg. II, 164: „Mooi Aaltje en koning Alewijn." Ein Krämer verhandelt eine Königstochter am Hof eines jungen Königs, wo sie mit Silberschalen aufgewogen wird. Nachdem sie vom Könige sieben Söhne hat, will er sich anderwärts vermählen, da es mit einem Findlinge nicht standesmäßig geschehen kann. Bei der Ankunft der Braut wird aber offenbar, daß sie die Schwester der Verhandelten ist, und so behält Letztere den Bräutigam. Dänisch: Nyerup IV, 59: „Skjön Anna," wo Räuber das Kind stehlen und verkaufen. Er ist hier ein Herr von „Mecklenborg=Land," sie des Königs von England Tochter. Schwedisch: Sv. Folkv. I, 24: „Skön Anna"; der junge König selbst hat sie als Jungfrau vom Seestrand, „af Österrike," ge= raubt. Arwidsson I, 291: „Skön Anna"; sieben Räuber haben die

Königstochter weggeführt und verkauft. Schottisch: Minstrelsy, 5 ed.,
III, 36 (daraus auch bei Gilchrist I, 199): „Lord Thomas and fair
Annie"; ein Ritter, der über die See kam, hatte Annie weggestohlen,
die Braut hört ihren nächtlichen Klaggesang und fragt:

> O wha was't was your father, Annie,
> or wha was't was your mother?
> and had ye ony sister, Annie,
> or had ye ony brother?

> „The earl of Wemyss was my father,
> the countess of Wemyss my mother
> and a' the folk about the house
> to me were sister and brother."

Vgl. Str. 13 im Texte.

Jamieson II, 371: „Lady Jane"; die Tochter des Grafen von
Richmond ist weggestohlen, sie will die Brautleute in den Schlaf harfnen
und singt ihr Leid dazu. Ebb. II, 376: „Burd Helen"; König Hein=
richs Tochter, als Kind gestohlen. (S. ebb. II, 73.) Motherwell 327:
„Fair Annie"; König Heinrichs Tochter, von einem schottischen Lord
hinweggestohlen; eigenthümlich ist ihre Klage:

> „Will I go to the salt salt seas
> and see the fishes swim,
> or will I go to the gay green wood
> and hear the small birds sing?"

> Out and spoke an aged man,
> that stood behind the door:
> „ye will not go to the salt salt seas
> to see the fishes swim,
> nor will ye go to the gay green wood
> to hear the small birds sing.

> But ye'll take a harp into your hand,
> go to their chamber door,
> and aye ye'll harp and aye ye'll murn
> with the salt tears falling o'er."

Die Frage:

> „Wha was your father, my girl," she says,
> „or wha was your mother,

or had you ever a sister dear,
or had you ever a brother?"

„King Henry was my father dear,
queen Esther was my mother,
prince Henry was my brother dear
and Fanny Flower my sister."

Chambers 186. Altfranzöſiſch: Poésies de Marie de France, poète anglo-normande du 13tème siècle, publiées par B. de Roquefort. Paris 1832. I, 138: „Lai del Freisne" (altengliſch: Weber, Metrical Romances I, 355); das Zwillingskind iſt von der Mutter ausgeſetzt, die ſieben Söhne ſind noch nicht vorhanden, aber die unbekannte Abkunft iſt auch hier das Ehehinderniß. [Vgl. Marie de France, Poetiſche Erzählungen nach altbretoniſchen Liebesſagen, überſetzt von Wilhelm Hertz. Stuttgart 1862. 8. S. 55 bis 77. H.]

Nyerup IV, 55: „Hittebarnet"; die Tochter des Königs von England ſetzt ein Kind, das ſie von dem jungen Herrn Styge geboren, in vergoldetem Schrein, mit geweihtem Salz und Licht, in das Meer; der König, am Strande jagend, findet es und läßt es aufziehn. Der Findling Karl wird in der Folge ſein Bannerträger, wird von ihm belehnt und ſoll mit der Königstochter vermählt werden. In der Brautkammer gibt ſie ſich als ſeine Mutter zu erkennen und er räth, ſie nun Herrn Styge zu geben. Schwediſch mit andrem Schluſſe bei Arwidsſon I, 370; vgl. Sv. Folkv. II, 182. Nyerup IV, 3. „Sir Degore" bei Utterſon I, 113.

Berliner Converſations-Blatt 1829, Nr. 252 (vom Niederrhein): „Es wohnt ein marggraf über Rhein" u. ſ. w. Die Tochter des Markgrafen iſt ſieben Jahre lang dem Spielmann nachgezogen; da verlangt ſie, daß er ſie wieder in ihres Vaters Land hineinſpiele. Sie iſt dann ſieben Jahre Dienſtmagd im Vaterhauſe, wird gefährlich krank und gibt ſich auf die Frage der Mutter zu erkennen; ſie will nicht Weck noch Wein, nur ein Kränzlein von Rosmarin. Um ein weißes Kleid bittet ſie und um ein hölzernes Haus, drei Lilien ſollen auf ihr Grab gepflanzt werden (die ihr Liebſter pflücke). Wunderhorn I, 83 (mündlich durch A. B. Grimm aus Schlüchtern bei Heilbronn): „Es war ein markgraf über dem Rhein" u. ſ. w. Nichts von der Entführung durch den Spielmann; die Markgrafstochter dient unerkannt bei der Schweſter;

fie bittet um ein kleines Läblein, darin fie begraben fein will. Ähnlich ift die Legende des heiligen Alexius, der 17 Jahre unerkannt im Haufe feines Vaters zu Rom dient und erft nach feinem Tode kundbar wird; aus feinem Grabe geht ein lieblicher Duft (Jac. de Voragine, Histor. lombard. Cap. LXXXIX). Kaum geben noch Bezug hieher: Arwidsfon II, 205 (vgl. I, 310); Nyerup III, 342; Udvalg af danfke Vifer II, 10; Minstrelsy, 5 ed., II, 250; Motherwell LXXX, 77, fämmtlich beachtet in der Anmerkung zu dem Liede: „Von eiteln Dingen."

Arwidsfon II, 195: „De två konungadöttrarne." Zwei edle Königskinder werden geftohlen; nachdem fie ihre Abkunft erkundet, kehren fie nach dem väterlichen Haufe zurück und treten als Dienft= mädchen ein. Sie weben herrliche Gebilde, auch ihren Namen und die Stelle, wo der Räuber fie fand. Die Königin will ihnen lohnen, die ältere foll ihre Schlüffel tragen, die jüngere ihren Sohn erhalten. „Wohl kann ich eure Schlüffel tragen, aber niemals kann eine Schwefter ihren Bruder nehmen." Da wird große Freude, Eltern und Kinder kommen zufammen. Dasfelbe in Sv. Folkv. III, 40, mit Varianten: Die ältere webt Schwefter und Bruder u. f. w. In einem bänifchen Liede von Marfk Stigs Töchtern, Nyerup II, 146, dienen diefe ebenfo, als umherirrende aufgenommen, mit ihrer Webkunft im nor= wegifchen Königshaufe, das ihnen jedoch nicht verwandt ift; die ältere ftirbt vor Trauer. [Schriften VII, 456. K.]

Poésies de Marie de France, publiées par B. de Roquefort, B. I, S. 332 (Lai de Milun V. 53 ff. [deutfch von W. Hertz a. a. O. S. 161 bis 184. H.]):

> Tant i vint Milun, tant l'ama,
> Que la dameisele enceinta.
> Quant aparceit qu'ele est enceinte.
> Milun manda, si fist sa pleinte;
> Dist li cum cil est avenu,
> Sun père è sun bien ad perdu,
> Quant de tel fet s'est entremise,
> De li iert fait grant justise,
> A glaive serat turmentée,
> Vendue en autre cuntrée;
> Ceo fu custume as anciens,
> Issi teneïent en cel tens.

Roquefort gibt hiezu eine Anmerkung, S. 333: „Cela tient sans doute à l'ancienne jurisprudence du pays de Galles. Voy. Houard, Anciennes Lois des François, conservées dans les coutumes angloises, tome I, p. 416." Die Geschichte spielt in „Suhtwales."

Graf Friedrich.

(122) Fl. Blatt aus der Schweiz, gedruckt 1647, mit einem viel ältern Holzschnitt. Fl. Bl., von mir zu Meiringen abgeschrieben (f. Anm. zu Nr. 121), darnach in Seckendorfs Musenalmanach für 1808, S. 19 ff. und im Wunderhorn II, 289. Andre Versionen: Wunderhorn II, 294. Meinert 23. Vgl. Alterthums-Zeitung 1816, Nr. 16. Str. 1, 3. 1: B. that. 3. 4: ward, hier und weiterhin für war, das, wie die Imperf. überhaupt, in späterer Zeit nicht mehr geläufig; das Imperf. von werden ist wurd. Str. 3, 3. 2: B. scharffes. Str. 5, 3. 1: B. Also z. 3. 2: B. druckts ihr. Str. 6, 3. 2: erhört. 3. 3: Mannsbilde, B. Die von eim Manns bild kame schon. 3. 4: B. wohl gethon. Str. 8, 3. 3: grossen schm. Str. 9, 3. 4: B. mach sie mir. Str. 11, 3. 2: Wunderh. gesäugt. 3. 3: ebd. höniglich. 3. 4: B. Kindlein. Str. 12, 3. 2: Wille. Str. 13, 3. 1: wz, B. war. 3. 2: Wirthschaft, Würtschafft, B. war. Str. 14, 3. 1: B. zum. 3. 3: B. ihrs. Str. 15, 3. 1: B. möcht. 3. 2: B. köndt. 3. 4: wurd, schweiz. für würde; Stalder, Dial. 139. Str. 16, 3. 4: ein Br., B. ein Jungfraw. Str. 19, 3. 3: B. Ritteren, Reuteren. Str. 21, 3. 3: gahn, schweiz. gäh, geben, ebd. 149, oder etwa: wo mir gotts will das leben gan, gönnt? Str. 23, 3. 1: auserwehlte, außerwöhlte. 3. 2: müss? 3. 4: müs? müsste. Str. 25, 3. 2: doch fehlt. Str. 28, 3. 2: genommen. Str. 29, 3. 2: veröhrt, B. verderbet, verreren, sundere. 3. 4: mein Hand, B. meine Händ. Str. 30, 3. 3: B. grossen; seinen. Str. 32, 3. 1: B. Es stuhnd an bis den. 3. 2: B. Lilien. Str. 33, 3. 3: B. war. 3. 4: muß. Str. 34, 3. 4: B. lieblich. Str. 35, 3. 1: B. bei dreyen Tagen sch. t.

Mehrere Züge dieser Ballade kommen in schwedischen Volksliedern vor. Arwidsson I, 366 („Herr Peder och Liten Kerstin"):

> Och när som han kom till sin fru moders gård,
> Ute för honom hans kära moder står.

> „Och varen välkommen, Herr Peder, till mig,
> Hvarföre för du så blek brud hem med dig?"

„Hon må väl vara blef, hon må väl vara hvit,
Hon har nu väl haft en så långan väg hit."

Herr Peder han gick sig åt brudehus,
Och herrar och furstar de buro för honom ljus.

Herr Peder han gick sig åt brudebänk,
Och herrar och furstar de buro för honom skänk.

Liten Kerstin hon talte till tärnan så:
„Och kom låtom oss i stenstugan gå!"

„Och intet kunna vi i stenstugan gå,
Det är väl så mången som undrar deruppå."

„Undra det hvem som det undra vill,
Den går åt stenstugan som henne tränger till!

Ebd. II, 246 („Fru Margaretha"):

The löffte Frw Margrete på högenn hest,
Sielffuer Her Påder hann ridher henne nest.

När som the komme i grönen lundh,
Ther bedhes Frw Margreta hwila en stundh.

„Och hwartt görs tigh thenn sadell så trongh,
Eller görs tigh thenn wägen så long?"

„Änn icke görs migh thenn sadell så trong,
Fast mere görs migh thenn wägenn så longh" u. s. w.

Sa ridher hann på sinn moders gårdh,
Och vthe hans moder honn för honom står.

„Och hörer tw, Her Påder, kär sonnen minn,
Hwi förer tw så bleke brudenn tinn?"

„Ty förer iagh bleke bruden min,
Hon förier fast effter moderenn sinn."

Ju diesen Liedern ist aber die argwöhnische Frage der Schwieger
nicht unbegründet und der Ausgang kein tragischer. Das Vortragen
der Fackeln und Lichter nach Hochzeithaus und Brautkammer durch
Ritter und Hofgesinde findet sich auch sonst öfters in den schwedischen
Liedern: Arwidsson I, 255, 86. 265, 145. 272, 174. II, 26, 19.
27, 24. 143.

Zu Str. 26, Z. 1, Arwidsson II, 405, 65:

Thet var Stålthen Elin,
Hon vender sig åt väggen så brått;
Thet må iag för sanning säga,
Hon dödde then samma natt.

Percy III, 115:

He turn'd his face unto the wa'
And death was with him dealan.

(Ebb. III, 110 u.)

Minstrelsy, 5 ed., III, 63:

She's turned her back unto the wa'
And her face unto a rock u. s. w.

Buchan II, 180:

He turn'd his face to the wa',
He is dead now.

Das Lied hat Anklänge an den tragischen Ausgang des Gedichts
vom Ritter von Stoufenberg, Ausgabe von Engelhardt S. 133 ff.

Fridr. 1, 4 die im zur ehe ward vertraut.

Stouf. 1135 die im was geben zu der e.

Fr. 15, 3 f. sie sprach: ich wolt, es wär die zeit,
daß mir das bettlein wurd bereit.

Stouf. 1121 ff. und hieß do nit me beiten,
man solte im bereiten
ein bett, daz er do leite sich.

Fr. 18, 1 man leuchtet der braut zu bette.

19, 1 man leuchtet der gräfin schlafen.

St. 720 da wart dem jungen ritter gach,
daz er schlafen keme;
er hieß vil gezeme
im sinen knaben zünden nider.

Fr. 22, 3 mein schatz, mein trost, mein schönes lieb.

23, 2 nu muß gott ewig klaget sein.

21, 1 du herzigs lieb, mein höchster hort.

St. 1098 f. min trut, min liep, min frowelin,
nun muß es got erbarmen.

Fr. 26, 2 und nam ein säligs ende.

St. 1177 alsus nam er sin ende.

Fr. 29, 3 f. so mustu auch darumb aufgeben
durch meine hand dein junges leben.

St. 1155 f. du haſt verlorn umb mich bin leben,
so wil ouch ich durch dich begeben u. ſ. w.

Gemeinſam die traurige Hochzeit, der Vers derſelbe, nur im Liede ſtrophiſch behandelt. Weſſenberg fand das Lied auch noch im Volks= mund auf dem Hauenſteiner Schwarzwalde. Sonſt gemahnt der An= fang der Erzählung vom Stoufenberger an den des Gedichts vom armen Heinrich, deſſen freilich viel älterer Verfaſſer von Stälin (Wirtembergiſche Geſchichte II, 762) ins Breisgau geſetzt wird. Ein Ritter von Owe war im 14ten Jahrhundert Mitbeſitzer der Burg Stoufenberg, Engelhardt 9.

Die Frau zur Weißenburg.

(123) A. Brotuff, Chronica der Stadt Marsburg (Merſeburg). 2te Ausgabe, Leipzig 1557, Bl. 71 f. Das Lied iſt aus genannter Chronik auch in Meißners Quartalſchrift für ältere Litteratur u. ſ. w. 2tes Stück, Leipzig 1783, S. 102 ff. abgedruckt mit einigen Berich= tigungen des Reims. Oder ſollte dabei ein andrer Text der Chronik zu Grunde liegen? Vgl. Büſching 140, 54. 398, 54. Erck und Irmer VI, Nr. 34.

Str. 1, Z. 2: Quartalſchr. was wollt ir für ein Lied. Z. 4 etwa: wie ſie verriet iren man? Str. 2, Z. 3: z. j. Ludewig Bulen. Str. 3, Z. 3: wollen. Z. 4: Qu. r. wert. Str. 5, Z. 4: Qu. m. h. nach dem Ried. Str. 12, Z. 1: Ludewig. Z. 4: zu todt, Qu. zurhandt. Str. 13, Z. 2: Qu. reiten wir. Str. 15, Z. 4: Gemahel. Str. 16, Z. 1: Qu. Iſt dem. Z. 3: gleitben, Qu. glauben, niederd. löven, glöven. Z. 4: ſehe, Qu. ſeh dann. Str. 17, Z. 3: ſie, Qu. ſieh. Str. 18, Z. 2: Haer. Str. 19, Z. 2: Ringelein, Qu. ein Ringelin von golbt. Z. 3: du Ludowig Bule. Z. 4: Qu. gedenck da meiner Huld. Str. 20, Z. 2: Qu. veracht. Z. 4: Qu. n. bold. Str. 21, Z. 2: Qu. einen. Z. 3: Qu. verlaſt; helder, Qu. helden.

Brotuff ſetzt das Ereignis, deſſen Hergang er übrigens etwas ber= ſchieden vom Lied erzählt, in das Jahr 1065 und ſchickt dem Liede die Bemerkung voran: „Von dieſer Hiſtoria ſinget man noch heute im Ampte Friburg und an andern viel Enden des Orts ein offentlich Lied, in dem: Thon der proporcion Triple, mit einem Suspirio anzufahen, des Liedes von der Frawen zur Weiſſenburg, wie volget." Zur Sage ſ. ſonſt noch: Meißners Quartalſchrift a. a. O. S. 107 ff. Grimm, deutſche Sagen II,

326 ff. Nach Wedekinds Noten, Heft VI, fällt die Ermordung des Pfalzgrafen Friedrich auf den 5 Februar 1083, Heidelberger Jahrbücher 1835, Heft IV, S. 333 f.

Auf die gleichnamige Weißenburg im schweizerischen Siebenthal ist dieselbe Sage übergegangen. Die Schweiz in ihren Ritterburgen u. f. w., herausgegeben von G. Schwab I, 248.

Ausführlich ist das Historische vom Sagenhaften geschieden in: Reinhardi Commentatio, in qua fabula de Ludovici II, Thuringiæ comitis, ex urce Gibichensteinensi saltu u. f. w. refellitur. Halæ Magdeb. 1737. Schon hier ist das Jahr 1083 als die Zeit der Ermordung des Pfalzgrafen angenommen.

Der altenglische Roman „Sir Bevis of Hamptoun" läßt den Vater dieses Helden, Sir Guy, auf ähnliche Weise, indem sein treuloses Weib ihn auf die Jagd schickt, von dem Liebhaber derselben, einem Bruder des deutschen Kaisers, ermordet werden (Ellis, Specimens of early english metrical Romances II, 98 ff.); die Sage hat hier besonders alterthümliche Züge: die Frau stellt sich krank und wünscht zur Genesung vom Fleisch eines Wildebers zu essen; das Haupt ihres Mannes, das sie von dem Liebhaber verlangt hat, schickt ihr dieser auf einem Speere.

Vgl. Wunderhorn II, 173 f.: Hans Steutlinger. Im Ittinger Sammelband ist einem Liede von der heiligen Ita (Rorschach 1614) vorgesetzt: „Im Thon: Wie der Junker Stubinger." Die Weise ist jedoch diese:

> Vor Zeit zu Dockenburge saß
> ein Herr, deß Nam Graff Heinrich was,
> der hett ein Frawen tugentreich,
> auf Erd so was kaum ihrs geleich.

Falkenstein.

(124) A. Mitgetheilt durch Clostermeyer in Detmold im deutschen Museum 1785, S. 379 ff., mit historischer Einleitung und mit der Überschrift: „Das Lied von Falkenberg." „Es fand sich unter den Papieren des seligen Amtmanns Küster, der zu seiner Zeit der eifrigste Liebhaber und vielleicht auch der gründlichste Kenner der vaterländischen

(lippischen) Geschichte war, in drei Handschriften, unter welchen eine von seiner eigenen Hand die beigefügte Jahrzahl 1737 hat, in welchem Jahr das Lied also muthmaßlich aus dem Munde der in der Nähe des Falkenbergs wohnenden Landleute zu Papier gebracht worden ist. Ich gebe es hier ganz unverändert. Nur habe ich manches Wort, das nach der provinziellen Aussprache des gemeinen Mannes niedergeschrieben worden war, in der plattdeutschen Schriftsprache ausgedrückt und zur Wiederherstellung des Metrums, das durch die mehr als dreihundertjährige mündliche Fortpflanzung leicht etwas verunstaltet werden konnte, hie und da eine Sylbe weggeworfen oder zugesetzt."

Derselbe Aufsatz mit dem gleichen Liedestexte steht anonym in Weddigens Westphälischem Magazin, Band II, Heft V bis VIII, Bielefeld 1786, S. 45 ff., und hieraus wieder das historisch commentierte Lied durch Kretzschmer in den Baltischen Studien, 2ter Jahrgang, Stettin 1833, S. 173 ff. Erck und Irmer VI, Nr. 36.

Str. 10, Z. 3: komme. Str. 12, Z. 1: hene. Z. 2: schriven; vgl. Minnes. II, 101a: bring ir den brief und sing ir ûf gedöne! Wolfdietrich (W. Grimm, deutsche Heldensage 228 [Str. 5. 6, Holtzmann. H.]:

Sie satzte für sich zwen meister, die lertenz durch ir hüpscheit;
Daz sie daran funden geschriben, daz brachten sie in die cristenheit.

Nahen und ferre furen sie in die lant,
Sie sungen und seiten, davon ward ez bekant.

Über „tuon" im Sinne von „lassen" s. deutsche Gramm. IV, 94. (Minnes. I, 21ª, Heinrich von Veldecke: „Diu schone, diu mich singen tuot, si sol mich sprechen leren." Docens Miscellaneen II, 206: „Diu mich singen tuot" u. s. w.)

B. In einer Papier=Handschrift zu St.=Gallen, Tschudi Nr. 604, kl. Fol. (Klosterstiftung zu Schaffhausen und andre Legenden enthaltend), hinten beigeschrieben. Dieser Liedestext zeigt eine seltsame Mischung fränkischer und schweizerischer Mundart, er ist ohne Zweifel aus ersterer in letztere übergeschrieben, auch folgt unmittelbar darauf fragmentarisch ein historisches Volkslied: „Es lit ein schloß in Franken land" u. s. w., wie die von Rotenburg den Junker Wilhelm von Helm „ze Ingelstat by Wirtzburg" überfallen.

Str. 1, Z. 3: Falkenstein, nachher aber meist stain. Str. 2, Z. 2: unsicher, ob uff oder uss, das Wort steht doppelt, etwa: uf Falkenstain ? ritten.

Z. 3: schab, ältere Form: schoub. Z. 4: sittē. Str. 3, Z. 2: ffürt, ältere
Form: vuort; gevägenē. Z. 3: begenet; frwölh. Z. 4: roesellechtē. Str. 4,
Z. 1: dz frwolh sprach sins ir u. s. w. Z. 2: lanh. Z. 4: frcwlich (so auch
Str. 11, Z. 1: frwölich), fränkische Pluralform des Diminutivs, d. Gramm.
III, 674. Str. 5, Z. 2: trure. Z. 3: tune. Str. 6, Z. 1: tun. Z. 2:
vnd bar in e. Str. 8, Z. 2: trvöstend; wessen (auch Str. 10, Z. 1). Z. 3
(auch Str. 9, Z. 1): and'. Str. 9, Z. 4: lawssen. Str. 10, Z. 3: zorn?
Z. 4: miss gr. laidez. Str. 11, Z. 1: trüogend. Z. 4: scones. Str. 12,
Z. 2: wa'; grovssh schand. Str. 13, Z. 2. 3: trüest. Die mangelhafte Strophe
mochte ungefähr so lauten:

> Will mir der jung von Falkenstein
> mein schöns lieb wider geben,
> gott tröst den jungen von Falkenstein,
> gott frist ihm auch (lange) sein leben!

Noch folgt in der Handschrift eine verdorbene Schlußformel:

> der vns das liedly nüs gesang ain srüelv dz ist jung
> sy wist den srüelv hail vn ouch den jügen Et zeter.

Zu A, Str. 8, B, Str. 11: Nibelunge 136, 4:

> ob ich ein riter wäre, ich käme in ettewenne bi.

Gudrun 4133 [= Str. 1033, Bartsch. H.]:

> ob ich ein ritter wäre, er dörfte áne wáfen
> zuo mir komen selben u. s. w.

[Zu A, Str. 12 vgl. Ecken Ausfahrt, herausgegeben von Laßberg,
Str. 138, 10.]

Eine Version des Liedes, ohne Anführung der Quelle, in Herders
Volksliedern I, 232. Dieselbe im Wunderhorn I, 255: „Fliegendes
Blatt."

In den 115 guter newer Lieblein, Nürnberg 1544, unter Nr. 8
(componiert von Oswalt Reytter) der Liedesanfang:

> Es ligt ein haus im Oberland,
> das ist gar wol erbawet,
> da reit der herr von Falkenstein
> auf seinem braunen ganle, ja gaule.

Auf einem sl. Blatt, „gedruckt zu Nurmberg durch Kunegund
Hergotin," abgedruckt im Anhang zu Wolffs Proben altholländischer
Volkslieder, Greiz 1832, S. 204 ff., ist ein Stück des Liedes, mit
widerstrebendem Versmaß, auf einen Herzog von Wirtemberg gewendet:

Im Wirtenberger laub da leit ein schloß,
das ist so wol erbauwen,
darauß reit herzog von Wirtenberg
mit seiner braunen schauben u. s. w.

Doch können einige Verbesserungen des Textes B daraus ent=
nommen werden. [Vgl. den gedruckten Text unter C, S. 298. Pf.]
Joh. Berckmanns stralsundische Chronik u. s. w., herausgegeben
von Mohnike und Zober, Stralsund 1833, S. 78 f: „Inn demsuluen
jare [1543] vp der hilligen bre koninge auent tusschen 8 vnnd 9 brande
Er Peter Kulenn, deß organistenn, sine waninge aff. (He waß frolick
vnd gudes mudes tho Marcus Tidemans huß, einn lesterer gabes wordes;
wenn he scholde spelenn: „Christus vnser heielant,“ so spelde he: „Ick
sach den herun van Valckenstenn vth siner borch woll ribenn“ u. s. w.
Dat horde mennig vorstenbiger mann vnnd borger). — De em hebbe
suluest jnt vur gesmetenn, de hebbe ehm recht gedann, beme bouenn:
he bleff organiste na alß vor.“

Clostermeyer a. a. O. deutet das Lied auf den Herzog Heinrich
von Braunschweig, der am 19 November 1404 in einer Fehde mit den
Herrn zur Lippe gefangen genommen und dreiviertel Jahr lang in
dem festen Bergschlosse Falkenberg im lippischen Walde verwahrt wurde.
Einfacher beläßt man es bei dem Namen der Burg, wie er im Liede
gegeben ist, und bezieht denselben, nach der Weisung des Textes B, auf
die hessische Burg Falkenstein, unweit Fritzlar, die nach den Chroniken
(Limburgische Chronik 24. Dilich I, 167) im Jahr 1351 erbaut wurde.

(Kinloch) Ancient scottish Ballads 192: „Geordie.“ Geordie ist
als Aufrührer in der Schlacht gefangen und soll gehangen werden. Die
liebende Frau eilt herbei und theilt den Krüppeln an der Treppe rothes
Gold aus, damit sie für ihn beten; es wird ihr bewilligt, ihn um
500 Kronen auszulösen; großes und kleines Geld wird ihr bargeliehen
und sie erlangt ihren Geordie:

> When she was mounted on her hie steed
> and on ahint her Geordie,
> na bird on the brier e'er sang sae clear,
> as the young knight and his ladie u. s. w.

(Vgl. auch 191, 4.)

Der Herausgeber unterstellt dieser Ballade ein Ereignis des 16ten

Jahrhunderts. Entferntere Ähnlichkeit haben dänische und schwedische Lieder, in welchen eine Jungfrau ihren Bräutigam oder Bruder wirklich mit gewaffneter Hand befreit. Nyerup IV, 119. Arwidsson I, 188. — Nyerup IV, 37. Sv. Folkv. II, 168. 171. Vgl. noch Horæ belg. II, 135: „Van Hanselijn." [Vilmar S. 102 bis 107. H.]

Schloß in Österreich.

(125) „Eins von drey Newen weltlichen Liedern, die im Jahr 1647 auf einem halben Bogen gedruckt sind," durch Eschenburg im deutschen Museum 1776, S. 399 ff. (mit neuerer Schreibung wiederholt in dessen Denkmälern 447). Bragur B. VI, Abth. I, S. 205, in einem Schreiben von K. H. vom 30 November 1796: „Einstweilen will ich Ihnen ein Volkslied abschreiben, das ich sehr oft von dem Landvolke in der Niederlausitz habe singen hören. Die Melodie aber ist mir entfallen" u. s. w. Wunderhorn I, 220: „Fliegendes Blatt." Meinert 53, beträchtlich erweitert, vgl. 437 f. Niederdeutsch im Liederbuch Nr. 72. Alterthums-Zeitung 1822, Nr. 22. Melodie. Dänisch: Udv. af d. Vis. I, 57, vgl. Udvalgte d. Vis. V, 68. (Der älteste dänische Druck ist von 1697; auch in der Gegend von Trondheim ist das Lied sehr gangbar.) Schwedisch: Sv. Folkv. II, 62 (mündlich aus Westgotland und Druck von 1688), vgl. Arwidsson II, V u., f. ob. (Abschrift aus dem 17ten und 18ten Jahrhundert, vgl. ebb. I, VII u. f.). Der dänische und schwedische Druck sind verschiedene Übersetzungen des deutschen Textes mit wenigen eigenen Zügen.

Zu Grunde gelegt ist der Text im deutschen Museum und die Abweichungen sind einfach angezeigt; B. bezeichnet Varianten im Bragur und Wunderhorn.

Str. 1, Z. 4: Mit Marmorsteinen vermawert, B. M. Marmorstein gemauert, niederd. mit Marmelsteen wol gemuoret. Str. 2, Z. 1: niederd. Darinne so licht. Z. 3: B. fehlt tieff; Erden, B. Erd, niederd. wol veertich Baden deep vnder der Erdt. Z. 4: B. Ottern, niederd. Addern. Str. 3, Z. 3: lieber, B. liebster, niederd. leueste. Str. 4, Z. 2: gar h., B. so hart, niederd. so hardt. Str. 5, Z. 1: niederd. tho den Heren. Z. 2: B. Sprach: g. m. l. d. Gefangnen, niederd. geuet vns loß den Gefangen. Z. 3: B. geb ich euch, geben wir, niederd. wille wy huw geuen. Z. 4: B. niederd. fehlt sein. Str. 6, Z. 1: B. die fehlt; B. h. euch (niederd. huw) n. Z. 2: der fehlt,

B. D. K. der, niederd. de Knab de. 3. 3: Golde, B. ein Kett, eine Kett, niederd. eine Gülden Kede. 3. 4: B. niederd. bringt. Str. 7, 3. 1: B. ein (eine) Kett, niederd. ein Gülden Kede. 3. 2: niederd. hefft he se doch n. g. 3. 3: Es hat sie ihm ein zartes Jungfräwlein verehrt, B. Hat ihm ein zart Jungfrau v., niederd. hefft em ein zarte Junckfrouwe vorehrt. 3. 4: Darzu, B. Dabey sie ihn e., niederd. darby hefft se en ertagen (an sich gezogen? oder: ins Verderben gebracht, Schmeller IV, 246 u. ?). Dän.: Som han haver sig trolovet, schwed.: Honom til sin trolofuen. Str. 8, 3. 1: B. wol sehlt, niederd. all vth. 3. 2: Vnd gab, B. Gab ihm die, niederd. men gaff em dar dat Sacrament. 3. 3: niederd. van Hemmelryck. 3. 4: B. E. g. mit mir am E., niederd. ybt geyth my an myn Ende. Str. 9, 3. 1: M. br. den Knaben z. G. h., B. M. br. ihn z. G. h., niederd. Men bröchte den Knaben thom Gericht hennth. 3. 2: muste, B. muß, niederd. de Leddern möst he stygen. 3. 4: Laß mir doch eine, B. Laßt m. eine, niederd. lath my ein kleine wyle. St. 10, 3. 1: Eine kl. W. die, B. Eine, niederd. Ein klene wyle lath; B. sonst sehlt, niederd. sunst. 3. 3: niederd. lange my; B. Daß ich seine (deine), niederd. dat ick em syne. Str. 11, 3. 1: verbinde m. n., B. verbinde n., niederd. Ach myn Ogen verbinde my nicht. 3. 3: B. seh. 3. 4: B. schwarzbraunen, niederd. schwart brun. Str. 12, 3. 3: lieber, B. liebster, niederd. leueste. 3. 4: wil ich rächen, B. schon r., niederd. wil ich wreken. Str. 13, 3. 2: B. mein'n. 3. 3: B. ein sehlt, niederd. eine. Str. 14, 3. 1. 2: Es ist nicht vmb das Leben mein, Noch vmb mein stolzen Leib (B. Leibe), niederd. Ybt ys nicht vmm myn yunge Leeuendt, noch vmm myn stolten Lyff; Meinert: Mir ies ni eim mai jounges Blut, Mir ies ni eim mai Lawe. 3. 3: B. meine, niederd. ybt ys men. 3. 4 Meinert: Onn di vir Laed wied staeve. Str. 15, 3. 3: M. s. ihn vom Gericht n. a., B. Sprach: nehmt ihn vom Gerichte ab, niederd. men scholde den Knaben vam Gerichte nemen aff; Meinert: Su grovt dam Knavle dech a Grab. 3. 4: würde, B. wird, niederd. süß wörde. Str. 16, 3. 1: B. Es währet kaum, niederd. Ybt stundt kuem. 3. 2: Des Knaben Todt, B. Der Tod der ward, niederd. de Dodt wart gewraken; Meinert: Su woer di Stot gebrouche. 3. 3: dann, B. auf dr. h. M., niederd. mehr denn. 3. 4: B. niederd. Des Knaben wegen. Str. 17, 3. 1: B. das, niederd. dyth. 3. 2: niederd. so fry gesungen hat. 3. 3: D: h. drey J. gethan, B. d. h. gethan drey J., niederd. dat hebben gedahn dre Junckfröuwlin. 3. 4: B. im, niederd. tho Ween iu Osterryck. Meinert:

> War höt denn ao dos Lid erdöcht,
> Gesounge ao desglaichen?
> Drai schiene Jounfrailain zu Dem,
> Ae'm Schlos ai Esterraichen.

Meinert bemerkt hiezu S. 437: „es gab nie ein Schloß Dem in
Österreich." Hierauf erwidert Hpt. (Haupt?) im Anzeiger 1833, Sp. 16:
„Ich weiß nicht, ob man dagegen schon bemerkt hat, daß Dem wohl
nichts ist, als Deben (an der ungarischen Gränze, Dovina in den
Annal. Fuldens.), nach bekannten Lautgesetzen contrahiert."
Zu Str. 17 vgl. Anmerkung zu „Drei Fräulein" (Nr. 21).
Ein Lied ähnlichen Inhalts auf einem fl. Blatt o. O. u. J.
(18tes Jahrhundert, ohne Zweifel in der Schweiz gedruckt), das mir
Rochholz mitgetheilt hat; obgleich „in seiner selbst eigenen Melodey", ist
dieses Lied doch sichtlich dem vom Schloß in Österreich nachgebildet.
Dasselbe hebt an:

1 Es staht eins Schlößlein ehnet dem Rhein
und es ist schön erbauen,
darinnen liegt ein alter Mann,
er hat viel Geld gestohlen.

Er gab das Geld einem Schulerknaben zu tragen, dieser trug es
gen Augsburg und ward als Dieb in einen Thurm voll Würme und
Schlangen gelegt.

6 Nun hätt ich nummen ein Blättlein klein,
geb [gott], wie klein es wäre,
wollt schicken meinem Vater heim,
daß er frei eilends käme.

7 Es vergieng doch nicht ein halbe Stund,
der Vater kam gegangen:
„ach Sohne, lieber Sohne mein,
was hast du angefangen?"

Der Vater macht ihm noch Hoffnung, doch vergeblich.

10 Und wenn der dritt Tag ummen wär,
sie führten den Schuler aussen,
sie führten ihn über die grüne Heid,
wohl über die spitzen Steinen,
der Vater hinden nahen gieng,
sein Herz that nichts dann weinen.

Schluß:

13 Ihr sollt mir die Augen unverbunden lahn,
so kann ich die Welt noch itey schauen,
ich sehe sie noch heut und nimmermehr
mit meinen schwarzbraunen Augen.

14 Es kommen drei Düblein in Engelsweis,
    sie zünden dem Schuler ins Himmelreich,
    der Schuler ist selig worden.

Handschriftliche Chronik von Schwäbisch Hall, Stuttgarter Bibliothek, Histor. Nr. 8, Bl. 36 b:

Hohenstein, das Schloß an der Biller, so noch ein Thurn und hohe Gemeür hat, ist von Baiern, die daraus beschedigt, verbrent worden. Man sagt von einem ganz alten Baursman, der alt Berchtold Gretter genant, des jetzigen alten Berchtold Gretters Vatter, welche, sie und ihre Eltern, bei zweihundert Jaren uff dem Hofe Jaz Rod genant, der nit weit von disem Schloß Hohenstein gelegen, gewohnt, das er gehört het von seinem Vatter, als derselb ein junger Knab gewesen und het mehnen müssen, da wer zu Hohenstein ein groß Uffreiten gewesen, also wann sein Vatter het Habern wöllen seen, den Haber ins Veld gefürt, denselben auß dem Sack in Acker uff cleine Heüflin geschüttt, den Sack verstoßen; dann wo die zu Hohenstein auß und ein ritten, den Habern im Veld in Säcken sahen stehn, so zwungens den Baurn, das er den Sack mit Habern ihnen uf ihr Pferd heben, fürten in das Schloß und frätzten.

Zum andern sagt diser Grätter, wie auch etlich vom Adel gesehen haben (Sentiat tamen quisque fide quod velit!): Nach dem vil Gefangner uff Schatzung in disem Schloß lagen, darauß die Herzogen auß Baiern angriffen wurden, demnach het ein Wittfraw im Beierland oder Rieß einen Sohn, der auf der Straßen fuhr, sein Mutter darmit nähret, welcher zweimal in diß Schloß gefangen wurd und durch seine Mutter alle mal gelöst. Als aber er in solch Schloß zum dritten mal gefangen und die Mutter, durch die zwo vorigen Schatzung erarmbt, das sie iren Sohn zum dritten mal nit lösen kont, und kein Bitt bei dem Edelmann wolt helfen, sagt sie: „Ir habt mich zu einer Betlerin gemacht und wöllet mir nun meinen Sohn im Thurn darzu erfeilen. So solt ihr wissen, das ich eüch ein Atzman will in ein Hafen setzen, das ihr müsset außdorren, ehe und dann mein Sohn erfaulet." Solches der von Hohenstein für ein töricht Rede geachtet, der Frawen darzu gespott, sie hin laßen ziehen. Am andern Tag, als er nach dem Morgenessen am Schloß Hohenstein uff der Brücken mit andern Edelleuten gestanden, mit inen geschwätzt, hab er geheling angehebt zu schreien und gesagt: „O die alte Hex wil mich verbrennen." Darauf sein Knecht Pferd laßen satteln, eilends gen Comberg geritten, sich mit dem Sacrament versehen laßen, am andern Tag gestorben. Leit zu Comberg im Gang vor dem alten Capitelhaus begraben, der soll der letzst von Hohenstein gewesen sein.

Das Lieb von Gefangenen des Schloſſes in Öſterreich ſelbſt, wahr
ſcheinlich aus der Neige des 16ten Jahrhunderts, iſt Nachklang eines
älteren von gleichem Anfang: „Frau Nachtigall," auf welches auch die
Anführungen der Weiſe in Liederbüchern des 16ten Jahrhunderts zu
beziehen ſind. [Vilmar S. 101. H.]

Peter Unverdorben.

(126) Soltau, hiſtoriſche Volkslieder 83, nach Mones Mittheilung
(Einleitung LXIV u.) „aus einer PapierHandſchrift des Kloſters St.
Georgen zu Villingen, jetzt in Karlsruhe, 4°, ohne Nr., 15tes Jahrhundert, Bl. 311 b".

Str. 1, Z. 1: zu mitter faſten ſ. Schmeller II, 651. Str. 2, Z. 1:
Schütt den helm, in Verbindung mit Z. 2, Helmerſchüttrer durch Steinwurf
oder Geſchoß? Thurmnamen mit Imperativform, d. Gramm. II, 962 ob.
(Gargantua Cap. 55. 56, S. 502. 513): Luginsland, Schreckdenfeind, Schreckdengaſt. (In Menſebachs Recenſion nichts hiefür.) Str. 2, Z. 5: iſne huß,
contr. aus iſenine? (mhd. Adj. iſenin und iſerin, d. Gramm. II, 178; über die
Flexionsform vgl. Wörterbuch z. Iw. 92, d. Gramm. IV, 573) oder: iſin, contr.
aus iſnin? (Triſt. 16874: umbe ein gleſin vingerlin, 3736: min guldin horn,
Acc.) oder: iſenhus? Str. 3, Z. 2: Ach; wenn, im Sinne des mittelhochdeutſchen wan, niuwan (d. Gramm. III, 725), nur, nicht außer? nach Rom,
nach Achen oder ſonſt wohin, nur jedenfalls auf die Fahrt nach einer Marienkirche? oder ſtatt des alten wän (ich wäne), ſollte ich meinen (Wörterbuch zu
Wigal. 745)? Str. 5, Z. 5: geſegne, vgl. jedoch Str. 6, Z. 4 u. 5. Str. 7,
Z. 5: junges, d. i. ſäuge des.

Ein „Cunz Unverdorben zu Gelmersbach 1477", Anzeiger 1836,
Sp. 388. Ein „Mattheis Unverdorben" zu St. Veit in Kärnthen 1460,
ebb. 1834, Sp. 84. (Dabei ein „Haincz Ganczverdorben.") [Ein
Soldat „Unverdorben", Pfeiffers Germania III, S. 273.]

Die in Str. 2 und 3 genannten Heiligen haben alle beſondern Bezug
auf die Noth des Gefangenen. Sanct Leonhard iſt vorzugsweiſe Patron
und Befreier der Eingekerkerten; Cunrats von Dankrotzheim Namenbuch
(in Strobels Beiträgen zur deutſchen Litteratur S. 120): „der bantlöſer
ſante Lienhart." Die Legende (Jacobus a Voragine 150) meldet, daß er

von seinem Kloster zu Noblac aus viele Wunder dieser Art verrichtet habe: „Ibi tantis miraculis coruscavit, quod quicunque ejus nomen in carcere invocasset, mox ruptis vinculis nullo contradicente liber abiret et suas eidem catenas vel compedes praesentaret." Auch von seiner Grabstätte aus setzten die Wunder sich fort: „Ibi itaque translatus quanta miracula praecipue circa incarceratos dominus per eum faciat, immensi ferri varietas ante ejus tumulum dependentis testis existit." Ein solches Weihegeschenk aus Eisen, im größten Maßstab, ist das eiserne Haus, das Peter Unverdorben für seine Rettung gelobt, ebenso dichterisch zu nehmen, wie in der folgenden Strophe die Tageweise der heiligen Catharina. [Vgl. auch Zarncke zu Sebastian Brants Narrenschiff S. 307. 308. H.] Die Anrufung des Apostels Petrus durch einen Gefangenen war nahe gegeben, da Petrus selbst wiederholt im Gefängnisse lag und einst durch die Erscheinung eines Engels, vor der die Ketten von seinen Händen fielen, befreit ward (Apost.-Gesch. Cap. 12). Die Ketten des Apostels wurden als Heiligthum zu Rom verwahrt, eine Kirche daselbst und eine besondre Jahresfeier (ad vincula sancti Petri) waren darnach benannt (Jacobus a Voragine 105). Vgl. Théâtre français au moyen âge S. 74, Note b. Auch die Glaubenszeugin Catharina war in einen finstern Kerker geworfen und zwölf Tage lang ohne Nahrung gelassen, aber eine weiße Taube trug ihr himmlische Speise zu und der Herr selbst mit seinen Engeln erschien ihr zum Troste, so daß sie nur glänzender aus dem Kerker hervorgieng (ebb. 167). Daß diese Heilige ein Tagelied singt, mag sich auf irgend einen „Hymnus ad matutinas de s. Catharina" beziehen (oder etwa darauf, daß sie Patronin der Zunge ist (Christliche Ikonographie S. 203), wahrscheinlich in Folge des Wunders, wodurch sie ihre der Zungen beraubten Verehrer wiederherstellte, Jacobus a Voragine 209?). Vielleicht ist auch die Stelle verdorben und lautete ursprünglich: „Sant Cathrin, dir sing ich ein tagewis" u. s. w.

Zu Str. 1, Z. 5 vgl. Münchs Aletheia 146, 3. Zu Str. 5 und 6 vgl. das Lied vom Pienzenauer [Nr. 174, Str. 18, S. 463. H.]:

> Pienzenauer was der erste,
> man fürt in vor in allen hinein,
> sein wammas was im gschnieret,
> man pracht im sant Johanns wein:

„hab urlaub, liebe welte!
got gesegen dich, laub und gras!
nun hilft mich heint kein gelte
und wirt mir nimmer baß."

Aus dem Liede: „Könnt ich von herzen singen" u. s. w., nach dem
Drucke von Basel bei Sam. Apiario, 1573:

er fiel auf beide knie.
„Gott gesägen dich, mon und sonne,
deßgleichen laub und gras!
gott gesägen dich, freud und wunne,
und was der himmel beschloß!"
sein schwert das stach er durch sein herz:
„es soll kein weiblichs bilde
durch mich mehr leiden schmerz."

(Vorher hat er auch Maria, die reine Maid, zu seinem Ende an-
gerufen.) Vgl. Niederdeutsches Lied vom Danhüser (Jahresbericht der
deutschen Gesellschaft zu Leipzig auf 1837, S. 39 [Volkslieder Nr.
297 B, S. 769. H.]), Str. 24:

Do he quam all vor den berch,
he sach sic wide umme:
„got gesegen di, sunne unde maen,
darto mine leven frunde!"

Solch heidnisch-christliches Beten kommt aber nicht bloß bei Ster-
benden, sondern auch als Morgen- und Reisesegen vor. Aus einer
Münchner Handschrift des 13ten Jahrhunderts (Deutsche Mythologie,
Anhang CXXXIII s. Hoffmanns Fundgruben I, 343):

Ich slief mir hiute suoze
daz' mines trehtins fuozen.
daz heilige himelchint
daz si hiute min frideschilt!
das heilige himelchint hat mich hiut uf stan,
in des namen und gnade wil ich hiut us gan
und wil mich hiute gurten
mit des heiligen gotes worten,
daz mir allez daz holt si,
daz in dem himel si,
diu sunne und der mane
und der tagesterne schone u. s. w.

Die Natur läßt sich ihrerseits theilnehmend herbei. Niederdeutsches Lied von Egmonts Tode [Volkslieder Nr. 355, Str. 25, S. 937. H.]:

Des van Egmunden schön gemal
van tranen nettede eren sal,
mit klag dat leit ded enden,
of hörde up de nachtegal,
to singen in dem grönen dal,
de maen und sünn ded blenden.

Klägliche newe Zeitung. Wie zů Thewren (Stadt im Niderland) zween Euangelische Prediger, Vatter vnd Sohn, vmb bekanntnuß Christlicher lehre, sind erbärmlich enthaupt worden, Im Thon: Kompt her zu mir, spricht Gottes Sohn, u. s. w. Getruckt zu Eyßleben bey Peter Enders. [Kl. 8°. o. J. Wit. Samml. zum Jahr 1583. Anfang: „Kläglich so will ichs heben an," u. s. w.] Schluß:

21 Den Bschluß wil ich jetzt fangen an,
ich bitt, laßt euchs zu Herzen gan!
mit Klag diß Lied thun enden,
auch höret auf die Nachtigal,
zu singen in dem grünen Thal,
der Mon, die Sonn thut blenden.

Schwören bei Gras, Korn, Bäumen u. s. w. Deutsche Rechtsalterthümer 118 ob., 896 u. Buchan I, 122, 4 f. II, 82 u. bis 83, 4 (vgl. II, 209, 2). Walther 124, 30: „die wilden vogel betrüebet unser klage." Liederbuch der Hätzlerin 282 b u.: „Das sei den wilden Gemsen klagt!" Vilmar, Rudolf von Ems 32.

Handschriftliche Chronik von Schwäbisch Hall, Stuttgarter Bibliothek, Histor. Nr. 8, S. 70, um 1488:

„Reitter Hans hat sie [die von Comburg] auch kriegt, den haben sie am Rhein niedergeworfen, denn haben sie herauf bis gehn Deißling am Kochen gebracht, alda er das kaiserliche Recht angeschrieen. Da die Bauren solches vernomen, haben sie ine den Combergischen genomen und nach Hall geführt; da haben in die von Comberg nit vollkommen wöllen anklagen, also ist er zu Hall auß der Gefangnus kommen, trug seine Ketten, daran er geschmit war, gab für, Sanct Leonhard het im außgeholfen. Man sagt aber, Spreissel Hans, der Büttel, wer Sanct Leonhard gewesen, dem man als bald Urlaub gab."

[Vilmar S. 101. 102. H.]

Raumenfattel.

(127) Fl. Bl., deſſen Titel fehlt, am Schluſſe: „Getruckt zů Augſpurg, Durch Hans Zimmerman." o. J. Der Eigenname lautet Str. 1 bis 4: „Ramenfattel," von da an: „Rumenfattel", zweimal auch: „Rummenfattel."

Str. 1, Z. 6: darinn. Str. 3, Z. 6: würdt, ſchwär. Z. 8: ſy, ſo auch weiterhin. Str. 9, Z. 5: Darſtr. Str. 10, Z. 4: Zweyenächten (vgl. Schmeller IV, 50). Str. 11, Z. 5: thůnd. Str. 12, Z. 3: wardenbt. Z. 4: voll. Z. 8 etwa: zwen wurden gereborot? (vgl. d. Gramm. I, 957). Z. 13 am Schluß: Amen.

Fiſcharts Gargantua Cap. 8 (von der trunken Litanei), S. 160: Hui, ſtürz den Becher, Göbecke Michel, da hat der Teufel ein gleiches geworfen. Gelt, Raumſattel, mein Schitbenſam, laßt uns eins boppeln! der minſt iſt Knecht.

Str. 4. 6: ein ſchädlich mann, Bezeichnung des Miſſethäters in der alten Rechtsſprache, Grimm, deutſche Rechtsalterthümer 874 ff.

Hinrich.

(128) P. Mohr, Zur Verfaſſung Dithmarſens u. ſ. w. Altona, 1820, S. 192 f., aus der handſchriftlichen Chronik von Hans Dethlefs. A. Viethens Beſchreibung und Geſchichte des Landes Dith-marſchen, Hamburg 1733, S. 108: „Ein Trümmecken-Tantz." Joh. Adolfis, genannt Neocorus, Chronik des Landes Dithmarſchen, herausgegeben von Dahlmann, Kiel 1827, II, 569: „Ein Trümken Dantz."

Zu „voll Grone" bemerkt Mohr S. 192: „voll gewaltſamen Muthes". Vgl. Schmeller II, 112: „gronen, verb. n., murren, brummen, knurren, grunzen; ohne eben in ein Greinen auszubrechen, ſeinen Unmuth durch andauernd verdrießliche Mienen und Worte zu erkennen geben." Engl. groan, Geſtöhn.

Str. 10, Z. 1: Vieth. ein truſe Kroll; Dahlm. ein Kruſekrol. Mohr: du Kruſekroll. Brem. niederſ. Wörterbuch. II, 886: Krulle, Haarlecke. Schmeller

II, 384: Die Haar kroßen und kraußen fie u. f. w. (Anreden des abgeschla-
genen Hauptes f. in den Anmerkungen zu Ulinger.) Bei Mohr fehlt Str. 11.
In Z. 1 hat Viethen: werden; Dahlmann: wereden.

Zu Str. 8. 9 vgl. Minstrelsy of the scottish border, 5th ed., I,
316 (The Lads of Wamphray, Ereignis von 1593):

> Now, sirs, we have done a noble deed,
> We have revenged the Galliard's bleid;
> For every finger of the Galliard's hand
> I vow this day I've killed a man.

Zu: „trümken dantz" vgl. Schmeller I, 491: „Trümmertanz".

Drittes Buch.

Eber.

(131) War es bei festlichen Mahlzeiten gebräuchlich, der Thiere, die verzehrt wurden, in Trinksprüchen und Liedern zu gedenken, und sind auch die uralten Verse vom starken, riesenhaften Eber (W. Wacker= nagels altdeutsches Lesebuch, 2te Ausgabe, III f. [Vierte Ausgabe, Basel 1861, Sp. 135. 136. H.]) so zu nehmen? Auch der Juleber der Hervör= saga war von ungewöhnlicher Größe (Hervörsaga C. 14 in Fornald. S. 1, 463: „hann var svá mikill, sem hinu stærsti öldúngr [Ochs], en svá fagr, at hvört har þótti úr gulli vera." Vgl. I, 531 u., f.). Weihnachtlieder vom Eber f. bei Ritson, Ancient Songs and Ballads II, 14 bis 16. Sandys, Christmas Carols 16. 37. Karajans Frühlings= gabe 1839, S. 50 bis 52. Gargantua, Vorrede Bl. 2 a? (Riesige Eber, Ellis III, 275 f. Percy III, 95, 3 f.)

Die Lieder von der Martinsgans kommen ebenfalls hier in Be= tracht, f. „Martinslied" und Anmerkung dazu.

Ein Gegenstück bilden dann die Bohnenlieder, die Gesänge von der Fastenspeise. Walther von der Vogelweide, Lachmanns Ausgabe S. 17 (vgl. S. 140. Simrock I, 196 u.):

> Waz éren hât fró Bône,
> daz man só von ir singen sol,
> fi rehtiu vastenkiuwe? u. f. w.

MS. II, 68 b, 3, Tanhufer:

> „Zifern und bônen gênt mir niht hôhen muot."

Grüneifen, Nicl. Manuel 211 ff. Die vom Verfasser S. 212 angeführte, von mir mitgetheilte Strophe des Niclaus Wherman ist ent= nommen aus: „Zwey hüpfche nüwe Geyftliche Lieder, Das erft, Es ist nun bald ein lange zyt, das Gott die Welt hat gfchaffen, In der wyß, Ich bin ein armes bilgerly u. f. w. oder Wenn der boum fyn loub

verlürt u. s. w. Das ander Jn der wyß, wie der alt Gryß." Fl.
Bl., ½ Bogen, „Getruckt zů Bern, by Sigfrid Apiario. 1562." Das
zweite Lied beginnt: „Der Winter gsicht mich übel an" u. s. w. und
Strophe 7 beßselben ist biese:

> So ich die warheit reden sol,
> myn koch der bůt mirs also wol,
> singt mir ein lied von bonen,
> das hat so gar ein schlechte wyß,
> darzuo ist es ein ruche spyß,
> kischbrunnen muoß ich gwonen.

Wenn gleich hier bildlich gesprochen wird, so ist doch zu bemerken,
daß auch nach der Fassung der englischen Carols die Aufträger des
Eberhauptes das Lied angestimmt haben, in welches dann die Gesell-
schaft einfiel. [Vgl. auch Deutsche Mythologie S. 632. Deutsche Rechts-
alterthümer S. 900. 901. H.]

[Zu Strophe 2 vgl. Lanzelet 3382.]

Hildebrand.

(132) Fl. Bl. „Ein hüpsch Lied, von dem Edlen Hiltebrandt.
Getruckt zů Basel, bey Samuel Apiario" (um 1570). Fl. Bl. „Das
lied von dem alten Hiltebrant. Gedruckt zu Nürnberg durch Christoff
Gutknecht." o. J. (um 1533, Körners historische Volkslieder 152). Fl. Bl.
„Gedruckt zu Nürnberg, durch Valentin Newber." Das Exemplar vorn
defect bis Str. 4, Z. 5. Frankfurter Lieberbuch von 1584, Nr. 207.
Deutsches Museum 1776, S. 392 ff. aus einem fl. Bl. des 16ten Jahr-
hunderts v. O. u. J. durch Eschenburg (s. auch Deutsches Museum 1787, I,
268. 269). Bruchstücke in v. d. Hagens und Primissers Heldenbuch I, 234.
Noch andre Quellen aus dem 15ten und 16ten Jahrhundert sind benützt
zu der Ausgabe der Brüder Grimm, Die beiden ältesten deutschen Ge-
dichte u. s. w. Cassel 1812, S. 53 ff. vgl. S. 49. Bicinia u. s. w.
Viteb. 1545, Th. I, Nr. 94 geben Str. 1, componiert von Joannes Stahl.

In der Verarbeitung des Liedes durch Caspar von der Röhn aus
dem 15ten Jahrhundert (abgedruckt bei den Brüdern Grimm a. a. D.
S. 49 ff. und in „der Helden Buch" durch v. d. Hagen und Primisser,
Th. I) sind die Einschnitte der alten Langzeile mit Reimen ausgestattet
und dadurch (öfters widersinnige) Flickworte und Entstellungen in Menge.

herbeigeführt; aus den reinerhaltenen Stellen ergeben sich mitunter gute Lesarten. Bei der Ankunft vor der Burg folgt hier noch ein Scheingefecht zwischen Vater und Sohn.

Str. 1, 3. 1: B. in r. 3. 2: bei Casp. v. d. R. u. Veesenm. fehlt sich, ebenso Str. 2, 3. 2. 3. 3: B. mir; B. thut, wolt. 3. 5: seind mir vnfannt; B. sie sind mir, die s. m., sie seindt mir fundt, sie s. m. vnfund geworden. 3. 6: so m., gar m. 3. 7: Bicin. Ey ja (ha) jnn zw. 3. 8: B. vtten. Str. 2, 3. 2: B. Abelung, Abelon. 3. 3: B. es begegend; B. heyde. 3. 4: B. stolzer. 3. 6: B. Allebrandt, dein Sohn Herr A., der junge Hildebrandt. 3. 7: B. selbs. 3. 8: B. wurdest; B. würdst du, würdestu, wirstu angrant. Str. 3, 3. 1: B. Rytter, nun, Ja rennet er mich are. 3. 2: B. in solchem. 3. 4: B. das th. 3. 5: brinne; B. bende, bande. 3. 6: B. schirme s. in e. 3. 7. 8: vnd das er seiner mutter, ein gantzes jar zu klagen hat; B. daß er ein gantzes jare, Frauw Bten zuo klagen hat (seiner Mutter zu klagen hat), Vnd daß e. e. g. J. seiner m. z. ll. hab. Str. 4, 3. 1: B. Das soltu nichte thun, Vnd das solt du nicht thune. 3. 2: Herr Dietrich; B. Herr Dieterich. 3. 3: B. dein Sohn H. A., denn der junge Hildebrandt. 3. 4: B. i. m. in trewen l. 3. 7: B. wöl (wöll) lassen r. 3. 8: B. sol, mag sein. Str. 5, 3. 1: B. Da. 3. 2: B. zu, die Bäerner Marck, der B. M. 3. 3: B. da, grosse. 3. 6: B. da ward er. 3. 7: B. Nun sag du an, nun sag du mir. 3. 8: nach Casp. v. d. R. und der veesenm. Handschr.; B. was suchst (suchstu) in meines Vatters Land, wie stadt es in deinem Landt. Str. 6, 3. 1: B. dein h., u. flar. 3. 2: B. recht werist e. l. l., ein, recht wie du seyst, als ob du seist. 3. 4 nach dem Frankf. Lob., vgl. d. Gramm. III, 129 f. (Jwein 1277: „Wir sin mit gesehuden ougen blint." 7058: „Unt [machet si] mit gesehnden ongen blint;" etwa: „unt machet si sehnder ougen blint?"); B. mit (ge=) sehenden augen m. bl. 3. 5: B. solt, solt, daheimen, daheim. 3. 6: B. gut gemach (so auch Str. 7, 3. 2). 3. 7: B. auff e., bey. 3. 8: B. der alt, der Alte lacht, der alt lacht vnde sprach. Str. 7, 3. 1: B. daheimen. 3. 3: B. all meinen, allen meinen. 3. 6: B. biß an; zu hinefart s. d. Gramm. II, 757. 3. 7: B. junger. 3. 8: B. drumb, darumb, darumb grawt mir mein bart, der b. Str. 8, 3. 2: alter; B. das s. i. b. vil alten (alter, dir du alter) m. 3. 3: dz Rosenfarb bluote. 3. 4: B. dein w., sol a., sol gan. 3. 6: B. den m. d. m. a. 3. 7: B. d. auch mein, Darzuo biß mein gefangner. 3. 8: fristen d. l. Str. 9, 3. 2: B. offt; erneren; B. die thuon mich so dick erneren, (die) haben mich offt ernehrt. 3. 3: B. trew, ich traw(e) Ch. v. (vom) h. wol. 3. 4: B. wöl, wil, deiner, erweren. 3. 7: B. (ohne vnd) z. zwey sch., zogen zwey, vnd zugen (zogen) zwey, scharpffe. 3. 7: B. vnd w. Str. 10, 3. 1: B. nit. 3. 2: B. einen. 3. 3: B. Hiltebrandt der alte. 3. 5: nach Andeutung von

Str. 12, Z. 3, vgl. d. Gramm. III, 152; Graff IV, 1148 u.; Schmeller III, 73; Es sprang hinderstch zuorucke (zu rücke). Z. 6: B. w. etlich. Z. 7: B. n. s. du mir v. j. Z. 8: B. den schlag, lernete. Str. 11, Z. 1: B. leren. Z. 2: B. ein schand. Z. 3: B. u. Graffen. Z. 5: B. Reuter, vnd Knechte. Z. 6: B. nit. Str. 12, Z. 1: B. Er erwischt(e), in d., mitten. Z. 3: B. Er (Vnd) schwang jn hinder sich zurücke, Schwang jn hinder sich zuo rucken. Z. 5: B. du mir. Z. 6: B. Casp. v. d. R. prister w. i. seyn. Z. 7: Wölffinger; B. Wolfinger; Casp. v. d. R. Wulfing. Z. 8: B. Grimm: vor m., v. m. magst wol g., v. m. soltu genesen seyn. Str. 13, Z. 1: B. Der s. Z. 2: B. den R., der e gern den raum, der empfehet gern Raum, der selb empfahet gern den ram (zu empfahet s. Gramm. I, 942 b). Z. 3: d. vil s., geschiehet. Z. 4: B. fehlt wol. Z. 5: B. solt du hie a., solt hie a., dein Geist must du mir a., Deinen Geist mußt du hie a. Z. 7: B. gar e. Str. 14, Z. 1: B. Wölffen, vgl. d. Gramm. I, 667. Z. 2: B. sie l., i. das h. Z. 4: B. Griechen landen, Kriechen landen. Z. 6: Casp. v. d. R. ein edle h. Z. 7: vnnd H. Str. 15, Z. 5: B. guldin, e. schl. auff sein güldinen Helme, e. schl. auff seinen gülden h. Z. 6: B. seinen, auff seinen, lüßt jn auff seinen m. Z. 7: B. Nun sey es Gott gelobet. Z. 8: B. beyde. Str. 16, Z. 1. 2 nach Casp. v. d. R.; B. Ach Batter liebster Vatter, die wunden die ich dir (euch) hab geschlagen. Z. 3: B. wölt. Z. 4: haubte. Z. 5: B. Nun schweige l. s., n. schweig mein l. s. Z. 6: B. gut r., ist wol r. Z. 7: B. Got beyde. seidt v. G. alle beyde. Z. 7. 8: B. nun sey es Gott gelobet (Nun muß es Gott gelobet seyn), der vns zusammen gefuget hat. Z. 8: B. zusam g. h., ält. Form: zesamne. Str. 17, Z. 3: B. d. junge A., allda der junge Hildebrandt. Z. 4: Bern; B. zu Bernen einher r., zu Bernen innen r., gen Bern jne r. Z. 5: B. seinem, an seinem. Z. 6: B. Kräntzelin, nur bei Eschenburg: Kreutzelein. Z. 7: B. an der s., auff seiner s. Str. 18, Z. 1: B. seinen, e. s. jhn inn seiner Muotter hauß. Z. 2: vn satzt jn an den Tisch überstch; B. vnd satzt jn oben an den Tisch, setzt jhn oben an den Tisch. Z. 3: Fraw Ble; B. Er (Vnd) bot jm essen vnd trincken. Z. 4: gar sehre sein vnbillich; B. das daucht sein (die) mutter vnbillich, daucht sein Mutter vnbillich seyn. Z. 5: B. sune, lieber, s. mein. Z. 6: B. ist der ehren nit z. v., ist dir das nit zuo vil. Z. 7: B. gefangen, daß du einen, daß du ein gfangnen manne. Z. 8: B. setzst setzest, oben ansetzest ohn mein will. Str. 19, Z. 1: Nun schweige liebe Muotter; B. Nun schweiget l. M., Nun schweyget meine liebste Mutter. Z. 2: newe mär; B. newe mer, vnd hört was ich euch (thu) sagen, laß dir die rechte warheit sagen. Z. 3: B. Er het (hett) mich auff der heyden. Z. 4: B. nahet (über nahent vgl. d. Gramm. III, 215), gar noch (schier gar) zuo todt geschlagen. Z. 5: vnd höre liebe mutter; B. Nun höre (höret) liebe Muotter, Nun höret mich meine liebe Mutter. 3. 7: B. es i. Str. 20, 3. 1: B. liebste m., l. m. mein. 3. 2: B. biet, bietet. 3. 3: B. d. h. f. a. schencket ein, da hub sie an zu schencken. 3. 4: B. jm, trugs jhm. 3. 5: B. hett, hatte. 3. 6: B. Ringelein. 3. 7: B. inn b., in ben. 3. 8: B. lieben. Auf dem sl. Bl. Basel bei Sam. Apiario steht für Str. 20 folgende unechte Endstrophe:

> Da bott dieselb Frauw Bten,
>
> des Hilbebrand zucht vnd ehr,
>
> Bnd lebt Hilbebrand der alte,
>
> mit ir fürbaß hin mehr,
>
> inn seinem Hauß zuo Berne,
>
> jhm auch vil guots beschach,
>
> Damit Hiltebrandt der alte,
>
> lebt fürbaß in gemach.

Dänisch: Ubvalg af danske Viser II, 181, auch in Nyerups Alminb. Morskabsläsning S. 60 ff. unb bei den Brüdern Grimm a. a. O. 56, eine theils wörtliche, theils freiere Übertragung aus dem Deutschen.

Zu Str. 8. 9 vgl. Waltharius (ed. J. Grimm):

B. 798 „Audi consilium, parmam deponito pictam!"
806 „clipeum defendere curo.
Pro meritis, mihi crede, bonis sum debitor illi.
Hostibus iste meis se obponere sæpe solebat
Et pro vulneribus suscepit vulnera nostris."

Zu Str. 9, 3. 5, 6: Horæ belg. II, 147 (Ban ben maijer enbe vrieseman), 4:

> Sy lieten baer haer lijven staen
>
> en ghinghen malcander met swaerben slaen
>
> en sy sloeghen met blanke swaerden.
>
> ben maijer sloech ben vrieseman boot,
>
> so bat hy neber viel ter aerben.

Otfrib I, 1, 83 [Otfrids Evangelienbuch von Kelle S. 21. H.]: mit suuerton, nalas mit then worton (Rechtsalterthümer. 30).

Zu Str. 11, 3. 7. 8: St Dswald B. 994:

> swas ich hinte niht ne kan, baz lerne ich morgeu.

(nach meiner Abschrift 998:

> Waß ich hüt nit kan, daß lern ich morgen.)

Wolframs von Eschenbach Willehalm (Lachmanns Ausg.) 439, 10 ff.:

> Rennewart kom bnrch ben pfasch
>
> ze suoz geheistiert her nách,

bâ er mit mauger rotte sach
sînen vater, den alten,
der jugent gelîche halten
mit unverzagetem muote.
meister Hildebrands vrou Uote
mit triwen nie gebeite baz,
denn er tet maneger storje naz
mit bluote begozzen.

W. Grimm, deutsche Heldensage 63. Von dem Verhältnis der Ballade zum alten Hildebrandsliede, sowie von der mythischen Bedeutung und den weitgreifenden Beziehungen dieser Rhapsodie ist im Zusammenhange der deutschen Heldensage zu handeln; vgl. Mythus von Thôr 211 ff. [Schriften VI, S. 121. 122. I, S. 164 bis 172. 405 bis 407. H.] „Ptolomæus quidam ex senatoribus etc. Canisii Lect. antiq. Th. II, S. 188 ff. Reiffenberg, Chronique rimée de Phil. Mouskes B. II, Brüssel 1838, introd. S. XXIX f. (Gormont) S. 81. Raoul de Cambrai S. 339.

Ritter und Bauer.

(133) Handschriftlich zu München, Cod. germ. 266, auf dem vordern Deckel (vgl. Schmeller I, 570), hiernach der Abdruck in Docens Miscellaneen II, 242, welchen Maßmann für mich mit der Handschrift verglichen hat. Andrer Text ebd. in einer Papierhandschrift des 15ten Jahrhunderts, Cod. germ. Monac. 811, Bl. 18.

Beide Texte sind verdorben; der erste, welcher dem neuen Abdruck zu Grunde liegt, ist hiernach mit A, die aus dem zweiten aufgenom= menen Varianten sind mit B bezeichnet.

Str. 1, Z. 2: âventiure heißt in ä. Spr. namentlich auch: ritterlicher Zweikampf, Benecks Wörterbuch z. Zwein, S. 23. Z. 3: A czu paiden chempfen d. v. B ir bayder tempfer dar zu sprach. Z. 4: A czu chrieg s. n. st. B czuo krig sol man n. st. Der Sinn dieser zwei Zeilen scheint der zu sein: Jeder von Beiden (über ieweder, ietweder s. Grimm, d. Gramm. III, 52. Schmeller IV, 31) verwarf es (über versprechen in dieser Bedeutung s. Wörter= buch z. Zwein, S. 491. Schmeller III, 587), einen Kampfvertreter (kempfen, Wörterbuch z. Zwein, S. 215. J. Grimm, d. Rechtsalterth. 929) für sich aufzu= stellen, Niemand soll ihren Rechtshandel (chrieg, Schmeller II, 383) ausfechten

helfen, fie darin unterstützen (steuren, Wörterb. z. Jwein, S. 415. Schmeller III,
653); das Kampfgespräch der beiden Stände ist als ein Gerichtskampf aufgefaßt,
welchen jeder Theil in eigener Person zu bestehen sich gewachsen fühlt. Z. 4:
nu dar steht nicht im Texte und ist zu Ergänzung der Zeile aus Str. 5, Z. 1,
beigezogen; B weniger lebendig: man sol fechen wer der sey. Str. 2, Z. 2:
A ayr edel chunde, B ain edel kunig. Z. 4: Zu wunne vgl. Schmeller IV,
94. Z. 5: edel n. ist alte Substantivform: Geburt, edle Geburt, Graff I, 142.
Hoffmanns Fundgrub. I, 364. Zeitschr. f. d. Alt. II, 13. Schmeller I, 28.
macht (mhd. maht, b. Gramm. I, 963), magst, kannst. verhngen, alth. hukian,
cogitare (d. Gramm. I, 870), fir-hukau, aspernari, contemnere (ebd. II, 852),
mhd. gehügen, recordari (ebd. I, 946, vgl. Schmeller II, 164); die Zeile ist
verdorben und es legt sich keine Verbesserung nahe; B: was möchstu ritterschafft
vertreiben. Z. 8: B di weil mir got des lebens gan, der Sinn von A ist:
sofern mir kein besondres Unheil widerfährt. Str. 3, Z. 1: B (Der ritter
sprach) hoff zucht vnd ritterliche tat. Z. 3: A mir, B mich. Z. 4: A in
gelicher hendlein weize, B in söllches handels weisse. Z. 6: B des wellen si
haben recht. Str. 4, Z. 2: vgl. Schmeller I, 570. Z. 5: A w. h. d. dantz
und dein hofirn, B was hilfft dein stechen vnd dein tanczen. Z. 6: A spur.
Z. 8: A paz fur. Str. 5, Z. 6: B die paurn. Z. 7: B vnd auch behüt
die criftenhait. Str. 6 fehlt in B. Z. 2: A leib, der Sinn ist wohl: mag deine
Tapferkeit, dein Schwert, auch noch so viele von Drangfal retten u. f. w. Z. 4: A
ach 6. Z. 8: ift sold hier Fem. oder Gen. Plur. statt: solde? oder ist Z. 7 zu lesen:
„haben einteil"? d. Gramm. III, 75, oder Z. 8: „an deiner e. f."? Statt der
fehlenden Str. 6 läßt B sechs weitere folgen. Decen scheint b anlautend für
p, ö für e, um für umb gesetzt zu haben.

Der Text B ist ohne Zweifel eine Überarbeitung und Erweiterung
des nicht mehr ganz verstandenen ursprünglichen; da jedoch dieser auch
hier zu Grunde liegt, so kann die Bearbeitung zur Herstellung desselben
benützt werden. Während in A die Schlußwendung zu Gunsten des
Bauers ausfällt, so läßt B diese Strophe 6 weg und läßt das Lied,
wenn gleich auch dem Bauer ein Zugeständnis gemacht wird, doch mehr
zum Vortheil des Ritters schließen:

> Nun dar, nun dar, mein petirlein!
> wer will sich dar nach prechen?
> leb ieder man nach seiner art!
> wer will da wider sprechen?
> hab dir dein guet, las mir mein er!
> got frist unser beder leben,

und far gen acker . . . .

das du mir habſt zu geben.

Helmprecht 555 bis 562:

lieber ſun, nu bouwe!

jâ wirt vil manic frouwe

von dem bouwe geſchönet,

manic künic wirt gekröuet

von des bouwes ſiure,

wan nieman wart ſô tiure,

ſîn hôchvart wäre kleine

wan durch daz bouw alleine.

Regenbog, Man. II, 197 b, 2 v. u. Frauenlob, MS. III, 145 b,
9: bûman, ritter, pfaffe.

Edelmannslehre.

(134) Aus einer Papierhandſchrift von der Mitte des 15ten Jahr-
hunderts in v. Fichards Frankfurt. Archiv III, 280.

Str. 2, Z. 4: Sieh; ban, Bannwald. Z. 7: frießlich, freislich, gefähr-
lich, oder friſchlich? wie Z. 4: ſieh, Str. 3, Z. 5: frieſch. Str. 3, Z. 1:
Herwüſche, über die Part. der- für er- ſ. d. Gramm. II, 819. Schmeller I,
389 f., zu wüſchen Stalder II, 461. Tobler 190: vertwüſcha. Z. 5: Byß
frieſch, unverzagt. Z. 6: nummen, nicht mehr, Schmeller II, 694: „nume,
nome (ſchwäb.), nicht mehr.“ Schmid 410: „nümme, nicht mehr,‘ Schwb.“
Stalder II, 245: „numme, nümme adv. ſ. niemer.“ Tobler 337: „nomma
(numme), nôma, nicht mehr, nimmer.“ Stald. II, 245: „nume adv. nur.“
(nummen, nur einen?) Z. 7: ſo ryß ym gurgel ab. Str. 4, Z. 1: Hebe.
Z. 3: ſchannen, vgl. Schmeller, Mundarten 447. Z. 7: bünck. Str. 5, Z. 1:
ut ympt. Z. 4: ferer ſwanß. Z. 5: Die dörppel dörppel h. n. Str. 6, Z. 1:
buwern.

Zu Str. 5, Z. 4: ferer ſwanz, vgl. Schmeller I, 562 unter: Fark.
Graff III, 681: färh. Deutſche Gramm. II, 539. Schmeller III, 544.
IV, 229: Säu [Plur.] Zagel.

Zeitſchrift für deutſches Alterthum III, 25 oben: Des lachet noch
eyn rober munt u. ſ. w.

[Zu Str. 6 vgl. Helbl. III, 125. Ritſon I, 101, 4.]

Epple von Geilingen.

(135) Handschriftliches Lieberbuch aus dem 16ten Jahrhundert in
der von Mülinen Bibliothek zu Bern, S. 31: „Ein lied vom Eppelin
von geilingen." (A.) „Das schön New Lied von dem Eppele von Gey-
lingen u. s. w. Es ist nebst noch einem andern kurzen Lied zu Augs-
burg bei Matthäus Frank zu Anfang (?) des 16ten Jahrhunderts in
8. gedruckt", mitgetheilt in Waldaus Vermischten Beiträgen zur Ge-
schichte der Stadt Nürnberg, Bd. I, Nürnberg 1786, S. 221. (B.)
Fl. Bl. o. O. u. J. vom Anfang des 17ten Jahrhunderts. 8. (Zürcher
Bibliothek): „Ein schön Liebe von dem Eppele von Gahlingen. In
seiner ehgenen Melodey." (C.)

Nach einer Notiz des Herrn M. Körner in München ist auf dor-
tiger Bibliothek ein fl. Bl. in kl. 8., enthaltend: „ein Lied von dem
Eppele von Gahlingen." „Getruckt zu Augspurg, bey Michael Manger"
(um 1580). Seitdem gedruckt in Körners historischen Volksliedern
S. 195. Auf demselben Blatt steht noch das fragmentarische Tagelied:
„Es ist nit tag, es taget schier" u. s. w. Sind etwa diese beiden Lie-
der schon auf dem ältern Drucke von Matthäus Frank (B) verbunden?

Meinem Abbrucke liegt hauptsächlich der handschriftliche Text A
zu Grunde. Ein früherer Abbruck desselben, nicht völlig genau, durch
Rochholz in Kapps Hertha, Almanach für 1836, Kempten 1836, S. 49 ff.
Er hält im Ganzen den Rhythmus des Liedes ein, welcher in den
beiden, meist unter sich zusammenstimmenden Drucken durch überzählige
Silben (z. B. durch häufige Einschiebung des Geschlechtsnamens „von
Gahlingen") vielfach gestört ist; auch gibt er im Einzelnen gute Les-
arten. Dagegen konnte die schweizerische Schreibung dieses Textes und
was damit zusammenhängt, in einem aus Franken stammenden Liebe
nicht beibehalten werden. B und C bilden die Strophe je nur mit
zwei Reimzeilen, dabei ist aber in C jede einzelne Zeile wiederholt.
A hat schon den Worten nach vierzeilige Strophen und dem gemäß
auch mehr vermittelnde Übergänge, während in den Drucken die Reim-
paare sich schärfer absondern. Vielleicht ist Letzteres doch die ursprüng-
liche Form. Z. 5 und 6 der Str. 19 fehlen in der Handschrift gänzlich
und erscheinen auch bei vierzeiliger Strophenbildung entweder als Bruch-
stück oder als Überzahl, wenn nicht etwa der wiederholende Gesang

ausglich. Übrigens ift auch ihr Inhalt dunkel, wo nicht aus einem
ähnlichen Sagenliede herübergenommen. Den von Dietrich verfolgten
Wittich nimmt feine Ahnfrau Wachild, eine Meerminne, in den Grund
des Meeres auf (Rabenschlacht 964 ff. vgl. Morolf 3911 ff.); in der
Wilkina Saga C. 313 flieht Vibga längs der Mofel (Musulâ) hinab und
finkt an der Mündung des Stromes in die See. [Vgl. Schriften I,
S. 55. 307. 414. H.]

Den Namen des Helden schreibt A bald Epple, Eppele, Eppel,
einmal auch Apple, bald Eppelin, Epelin, Epeli. Letzteres ift ent=
schieden schweizerisch, dagegen =le auch im nördlichen Franken heimisch
(deutsche Gramm. III, 674; vgl. 691). B und C haben Eppele, erfteres
auch Eppelein. Es find fämmtlich Diminutive von Apollonius.

C hat immer Gatzlingen, B Getzlingen und einmal Gatzlingen,
A Geilingen und Geiling.

Str. 1, Z. 1: A im Regift. fehlt frisch. B war, freier fehlt, C frischer.
Z. 3: A Norenberg, im folg. Nornberg, in, B, C abgef., A find. Str. 2,
Z. 1: B, C schmides. Z. 2: B, C Höre, B rauß. Z. 3: A, C nun, B
loß. Z. 4: A du fehlt, B, C Du folt mir mein (B mein) r. Str. 3, Z. 1:
A Beschach, bschlach, B, C Beschlag mir fie (beidemal). Z. 2: B, C darumb.
Z. 3: B Da grief er, C Da griff er wol, B, C taschen. Z. 4: A vnd gab
im nün, B Gab (C er gab) jm vil der roten gülben (C gulden) fein.
Str. 4, Z. 1: B, C Lieber schm., C nicht v. darvon, B fagn. Z. 2:
A din herrn, B, C Deine Herren (C Herrn) die, B bezahln. Z. 3:
B, C Er retzt wol. Z. 4: B, C Er nam (C namb) den von Nürnberg ihr
fylbernes (C jr Silbers) B. Str. 5, Z. 1: A Er rit bald hinvff. Z. 2:
B, C Er macht den von Nürnberg, B lähr, C lehr. Z. 3: A Sy schic-
tent, B hinab. Z. 4: B, C Wo der E. v. G. Str. 6, Z. 2: A vom Epelin
f., B von Eppele v. G. Z. 3: B, C D. magft du. Z. 4: C haft, B, C
m. deinen a. gesehen. Str. 7, Z. 1: B, C Da, A Fromenth. Z. 2: B, C
darvor. Z. 3: A Thorwachter (beidemal, nachher ä). Z. 4: B, C weß mögen.
Str. 8, Z. 1: B, C feind(t), A, B eines, A ritterman. Z. 2: B, C Der
Eppele von Ge(a)tzlingen, B er. Z. 3: A vff finen, C feinen. Str. 9, Z. 1:
B, C Sehin th. fo haftu (haft du) deinen l. Z. 2: A din herü, C deinen.
Z. 3: B, C war e. behender. Z. 4: A herrñ, gemeind, B, C Und, (C Er)
fagts f. Herren und einer ganzen Gemein. Str. 10, Z. 1: A fibentzg, C, B
zwen vnd fibentzig, C vngesehr. Z. 2: A Eppele, B Eppelein v. G., C
Eppele v. G. Z. 3: B, C Jr f. euer (ewer, A ftvr), C gef. Z. 4: A ftvr,
B, C find (C feind) euer zwen und f. bin i. u. a. Str. 11, Z. 1: B, C

Sie tryben (B treiben) jn hint(d)er ſich a. e. (C einen). Z. 2: B, C Der
E. v. G. ſprengt, A Mein. Z. 3: B, C Ihr Nürnberger S. ſeid nit (C
ſeindt nicht). Z. 4: B, C Euer t. h. tein gutes. Str. 12, Z. 2: B, C Und
zog ſein (C das) neu p. Z. 3: A rit, ow, B, C Da reyt er über ein Auen
war (C was) grühn. Z. 4: B Begegnet jm, C Da begegnet jm, B, C der
daucht ſich t. Str. 13, Z. 1: B, C Höre l. t. nun l. Z. 2: B Wir wollen,
C wöllen, A vm̄ deſch ſchlahen, B, C umb die Taſchen. Z. 3: B war,
C warb. Z. 4: A Apple, deſchen, B, C Er girt dem Eppele v. G. ſ.
Taſchen an. Str. 14, Z. 1: A tauffmannes. Z. 2: B, C ſtraſſen. Z. 3:
C an t. ſt. Z. 4: A Eppelin, B, C vom (B von) Eppele v. G. Str. 15,
Z. 1: A antworte. Z. 2: A Eppeli, B, C E. v. G.; naſſer tnab, unter
dieſem Namen, der bei den Schriftſtellern des 16ten Jahrhunderts häufig vor-
tommt und dem Wortlaute nach einen durſtigen Bruder bezeichnet, ſind in einem
beſondern Artitel von Murners Schelmenzunft (Ausg. Halle 1788, S. 60 f.;
vgl. Hall. Lit.-Z. 1829, Nr. 55, Sp. 439, Rec. d. glüdh. Schiffs) verſchiedene
Arten von Schälten und Betrügern gemeint:

„Das ſind mir freilich naße tnaben,
die vil verzern und wenig haben u. ſ. w.
tynnten ſich in dem ſtegreif nären u. ſ. w.

[Vgl. Schriften II, S. 549. H.] Z. 3: B, C So ſag mir liebe. Z. 4: A
Eppelin, B W. h. d. der Eppele v. G. gethon. Str. 16, Z. 1: B, C Der
Eppele v. Gingen. Z. 2: A hat bald daſelbſt ein thür vff gemacht. Z. 3:
A Er name ſchm. Z. 4: A drin, B, C und ſt. i. d. h. (B Hand) hinein.
Str. 17, Z. 1: B, C S. h. ſo haſt du deinen l. Z. 2: A v. ſ. Eppelin,
B, C E. v. G. Z. 3: C ſeinen, A, B Franbach. Z. 4: A ſöll, C ſolt,
B, C gutes. Str. 18, Z. 1: A Darnach do tam Eppelin dahin, B, C Da
t. der Eppelein (C Eppele) v. G. e. Z. 2: A do gab, B, C da gab (C bott)
man jm den t. w. Z. 3: A Eppelin, B, C E. v. G., B ſah, A, B hin(a)uß.
Z. 4: B, C Da, B, C ſ. das h. Str. 19, Z. 1: A thun. Z. 2: A laſſe,
B, C ſpringen. Z. 3: B, C Da ſprengt (C ſprang) er ü. die. Z. 4: B
übern n., C ber den n.; gibel? etwa: gämel, Spaß, Muthwille? (Schmeller
II, 46). Z. 5. 6 fehlen in A. Str. 20, Z. 1: A von, B, C Da zog er
aus ſ. gutes (guts Reütter) ſchw. Z. 2: A vnd e., C darmit, B, C ſ. guts
Reuterpferdt. Z. 3: A Eppeli, B, C E. v. G., B heiſt dieß nicht, C
nicht gethan. Z. 4: A bim lebn wölten wir dich glaſſen han, B, C Bei
dem, C lahn. Str. 21, Z. 1: A Eppelin namentz, B, C Den E. v. G.
namen ſie an. Z. 2: A brachtent, B, C und brachten den von N. Z. 3:
B, C Darnach führten ſie jn, A Napenſtein. Z. 4: A vnd legt im̄ d. t.
zwiſchet bein.

Fischarts Gargantua Cap. 26 (S. 310): „uber Eppelins Häw=
wagen" u. s. w. ebend. (S. 311): „in den Meyn sprengen, bie Stiefel
zu Nörnberg holen."

Die ausführlichsten Nachrichten über den Helden des Liedes, in
geschichtlicher und sagenhafter Beziehung, gibt ein Ungenannter, nur
mit W. unterzeichnet, in den schon angeführten Beiträgen von Waldau
I, 209 ff.: „Vom Eppelein von Gailingen" u. s. w. nebst einem Nach=
trag I, 290 f. (das silberne Vogelhaus betreffend). Eppelein war ein
fränkischer Ritter aus dem alten ausgestorbenen Geschlechte der Gai=
lingen von Jllesheim, einem eine Stunde von Windsheim gelegenen
Rittergut. Sein Stammhaus, von dem die Familie den Namen hatte,
war Gailing, ein festes Schloß, eine Meile von Rothenburg an der
Tauber. In einer Urkunde von 1375 (Falkenstein, Cod. dipl. antiquitt.
Nordgaviens. S. 210) steht, daß die Veste Wald (unweit Gunzenhausen)
zerbrochen worden um des Raubs willen, den „die Elkelein, Geylinge
genannt," von derselben aus gethan, und sie also dem Reiche ledig ge=
worden, weswegen der Kaiser seinen Schwäher, den Burggrafen Friedrich
zu Nürnberg, mit diesem Antheil der Gailinger belehnen wolle. Im
Jahre 1381 griff Eppelein mit seinen Helfern gar sehr um sich, so bei
Dachau, wo er nürnbergischen Fuhrleuten von 37 Wagen die Pferde aus=
spannte, zu Walrobe, wo er nürnbergischen Kaufleuten ihre Waaren
raubte, dergleichen er auch gegen andrer Städte Bürger verübte und da=
durch verursachte, daß man ihm immer stärker nachtrachtete. Wirklich ward
er im besagten Jahre sammt Dietrich und Hermann, den Bernheimern,
und vier Knechten zu Postbauer niedergeworfen, gefangen genommen
und nach Thann oder Burgthann, damals pfälzisch, gebracht, von da
aber nach Neumark in der Oberpfalz abgeführt. Hier machte man ihm
auf Anklagen der vier Städte Nürnberg, Rothenburg, Weißenburg
und Windsheim sehr kurzen Prozeß und er ward als ein vermährter
Straßenräuber, nebst den beiden Bernheimern, mit dem Rade, die vier
Knechte mit dem Schwert hingerichtet. (Hauptsächlich nach Müllners
Nürnberger Annalen.) Hermann von Bernheim war sein Schwiegersohn.
Wolf von „Wurmstein" (Wunnenstein), den man insgemein den gleißen=
den Wolf genannt, hatte dem Gailinger Unterschleif gegeben, ward aber
mit dem Rathe von Nürnberg ausgesöhnt.

In dem angeführten Aufsatze, S. 218 f., wird, außer dem deut=

ſchen Volkslied, auch ein lateiniſches Gedicht auf Eppelins Mainſprung in der Gegend von Carlſtadt und Würzburg mitgetheilt. Dieſes Wag- ſtück iſt nemlich von dem nicht unberühmten lateiniſchen Dichter Joh. Lorich von Hadamar, in einem ſo betitelten „Hodœporicon, hoc est itinerarium, quo Ratisbonam profectus est illustrissimus Hassorum Princeps Philippus“ (Marburg 1541. 4. ½ Bogen), ſo erzählt:

Gailingus celebri quidam narratur Apollo
  Nomine, præ cunctis commemorandus eques,
Hostibus ex omni septus cum parte venisset
  Et circum juvenem plurima fusa cohors,
Hanc ut susciperet magno discrimine pugnam,
  Imo nec posset conseruisse manus,
Tum fuga, quæ forsan potuisset honesta videri,
  Undique præclusis est data nulla viis.
Illinc Wirzburgi prohibet densata caterva,
  Hinc atque hinc pubes Norica terga premit.
Ante oculos steterat sublimi vertice rupes,
  Desuper intuitus pene tremendus erat.
Despicit huc dubitans, non est audacia tuta,
  Tristius at duplici sit mihi morte capi.
Hanc animam, triplices quam poscunt forte sorores,
  Concedo fatis, perdier hoste queror.
In me quam perdant inimici tela ruentis,
  Me vitamque meam do tibi, Mœne pater!
Quod potes, incolumem placidis me defer in undis,
  Concidet ad ripas hostia digna tuas!
Dixit et intrepido se misit in æquora saltu
  Fortior infestas effugiendo manus.
Turbati cernunt hostes tam fortia facta;
  Mirari licuit, non potuere sequi.
Nobilis evadit salvo vectore caballus,
  Cespite mox gaudens ulteriore salit.
Irridet mœstos equites et provocat ultro,
  Ausus erat talem nemo subire viam.
Incola, quo factum hoc aliqua ratione notaret,
  In saxo pinxit signa videnda crucis.
Nunc honor accedit, quædam et reverentia rupi,
  Hocque loco fluvii creditur esse deus.

Hunc obiter placuit numeris describere paucis
Atque ornare meis Bellerophonta modis.

Weiter über die Sage f. Grimm, deutſche Sagen I, 198 f. J. Heller,
Muggendorf und ſeine Umgebungen u. ſ. w. Bamberg 1829, S. 45,
178. Wilder, Nürnberg u. ſ. w. Nürnberg 1827, S. 35. Dritter
Jahresbericht des hiſtoriſchen Vereins im Rezatkreiſe, für das Jahr 1832,
Nürnberg 1833, S. 11 ff. Hormayrs Taſchenbuch für die vaterländiſche
Geſchichte, neue Folge, 6ter Jahrgang, Braunſchweig 1835, S. 444 ff.
Zeitung für die elegante Welt 1839, Nr. 44, S. 176. Ausführliche
Beſchreibung des Fichtel-Berges, Leipzig 1716, S. 149 f. Ähnliche
Sagen von Thalmann von Lunderſtedt und Hermann von Treffurt bei
Grimm, deutſche Sagen II, 370 f. Tristan par Fr. Michel I, 48:
„le Saut Tristran.“ (Gottfrieds von Straßburg Werke II, 256 a.)

[Vgl. auch Göbeke, Grundriß I, S. 253. Die hiſtoriſchen Volks-
lieder der Deutſchen vom 13ten bis 16ten Jahrhundert, geſammelt und
erläutert von R. von Liliencron, I, Leipzig 1865. 8. S. 92 bis 96.
Vilmar S. 11 bis 16. H.]

Schüttenſamen.

(136) Fl. Bl. „Ain Neüw Lied, von dem Schittenſamen vnd
ſeinem falſchen knecht. Vnd iſt in dem thon, wie man ſingt vonn dem
Künig Paris, der ſein Tochter beſchlieff, vnd ſchwanger ward. Getruckt
zů Augſpurg, Durch Hans Zimmerman.“ 4 Bl. Il. 8. o. J. Wunder-
horn II, 180: „Von dem Schittenſamen und ſeinem falſchen Knechte,
im Ton vom König Paris. (Altes fliegendes Blat.)“

Str. 1, Z. 1: Wbh. Was wollen w. a. ſ.; vgl. d. Gramm. I, 932, y).
Z. 2: Wbh. der fehlt. Z. 4: Schmeller III, 104: „Die a. Sp. ſagt: mir
zerinnet eines binges.“ Beiſpiele. Str. 2, Z. 2: Wbh. bekriegt. Z. 3: Whd.
dachten; ehs. Z. 7: wurdt. Str. 4, Z. 4: Wbh. Hätt mit ihm heimlich Red.
Z. 5: Er ſprach Herr (Wbh. ganz weggelaſſen). Z. 6: Wbh So ihr dazu nun
helfen wollt. Z. 7: erlauren. Str. 6, Z. 7: laub, f. Erlaubnis, Schmeller
II, 410. Str. 7, Z. 3: Wbh. reit. Z. 4: Schmeller II, 503: „Das Löß,
das Loſungswort“ u. ſ. w. Str. 8, Z. 2: vnd ſprach i. w. Wbh. Er ſprach,
ich weiß ein Rath. Z. 5. 6: vgl. Gramm. I, 337. Str. 9, Z. 2: vber.
Z. 4: ehs. Str. 10, Z. 2: Wbh. ſahen. Z. 3: ruoeten. Z. 4: höreten.

Z. 5: ehs. Z. 6: Wdh. Der Pfundstein zum. Str. 11, Z. 1: Gehe. Z. 3: wurdenn. Z. 4: zexen. Z. 6: Wdh. Ist dir d. Fr. Z 7: Wdh. ein Mal= vasier. Str. 13, Z. 3: Wdh. war doch gescheidt. Str. 14, Z. 2: Wdh. ee denn sehlt. Vgl. d. Gramm. IV, 788. Z. 3: d. m. wohl. Z. 4: Wdh. Frendig v. Str. 15, Z. 3: vgl. Schmeller II, 498: „laußen u. s. w., lauschen (auf Hasen)." Str. 16, Z. 3: Schmeller I, 567: „sert u. s. w., adv. voriges Jahr" u. s. w. Str. 18, Z. 3: vil trang? zu trang vgl. Stalder I, 296. Tobler 150. Z. 4: Wdh. s. H. in Eil. Z. 7: wurd. Str. 19, Z. 1: Wdh. D. Sch. nit a. dacht. Z. 3: Er meint, sie hätten den bauren gebracht. Z. 7: Schmeller II, 187: „Der Halt, der Hinterhalt, die Lauer u. s. w. „Hielten oft tag und nacht im halt," H. Sachs." Str. 20, Z. 3: Wdh. ich sehlt; hie h. b. Z. 7: Wdh. Der sprach: Willkomm ins Teufelsnahm. Str. 21, Z. 5: dennet. Str. 22, Z. 3: Schmeller III, 219: „die Zueversicht, die Erwartung." Z. 5: Wdh. urtheilt in das. Z. 6: Wdh. sollt m. köpfen. Str. 24, Z. 5: vnd geb Gott d. s. Wdh. Gott geb d. S. Z. 8: Wdh. D. n. Unrecht thu. Str. 25, Z 2: vonn newen u. s. w.

Manche Varianten im Wunderhorn mögen nur Correcturen sein.

Mone, Anzeiger (III) 1834, Sp. 235: „Anno domini 1499 zu mitterfasten saget Cunz Schott, der elter, zu den zeiten burggraf zu Rottenperg, den von Nurmberg ab und greif sie an und thet in an iren leib und guteren großen schaden, wo er sie ankam. Dar nach Simon und Judä sagt in auch ab junkher Cristoff von Eich und thet in mit brennen großen schaden. Dem selben hieng an · des Schutter= samen sun, dem sie etwan bei 20 jaren dar vor seinen vatter verbrent hetten. Eo tempore non fuit vera pax in tota christianitate." Sp. 236: „Diese Notizen sind in dem „Confessionale Antonini archi= episcopi" zu Karlsruhe eingeschrieben."

Vgl. Hormayrs Taschenbuch für die vaterländische Geschichte 1833, S. 133 f.

Ein Quodlibet, componiert von L. Heidenhamer: „Der winter kalt ist vor dem haus" u. s. w. in Forsters frischen Liedlein II, Baß, 1553 (Tenor 1565), Nr. 60 enthält den Anfang von Str. 3 des Liedes: „Der Schittensam (Tenor: Der Schüttensam) der het ein knecht, dem theten die gülden not." Fischarts Gargantua Cap. 8 (S. 160): „mein Schitdensam, laßt uns eins doppeln! der minst ist Knecht." Der Name bedeutet wol: Schüt den soum! rüttle, wirf ab die Saumlast! Bezeich= nung eines Wegelagerers, der die beladenen Saumrosse plündert: vgl. Schmeller III, 246 u. (schüten, Gramm. I, 946, 2.)

|R. von Liliencron a. a. O. II, Leipzig 1866. 8. S. 9 bis 13.
K. Göbeke, Grundriß I, S. 89. 253. H.]

Hammen von Reiſtett.

(137) Bragur VIII, 190: „Auf einem halben Bogen in 8. ohne
Jahrzahl und Druckort, mit dem Titel: Ein hübſch Lied: Von dem
Hammen von Reyſtett, wie in der Peter von Zehtenen gefangen hat,
und einem Holzſchnitte, welcher die Gefangennehmung des Hammen
von Reyſtett vorſtellt." Dabei bemerkt Gräter, das Lied ſei im Wunder-
horn II, 175 nach eben dieſem, von ihm mitgetheilten Drucke bekannt
gemacht.

Str. 1, Z. 1: zu mentag ſ. Schmeller II, 583. Z. 4: begeget. Str. 3,
Z. 3: rucken. Str. 5, Z. 1 etwa: dir nit? Z. 2: nimm. Str. 9, Z. 3:
genebigen, ſ. Gramm. IV, 568. Z. 4: zu ſollen ſ. d. Gramm. 1, 932. Str. 10,
Z. 1: zu verzigen ſ. Schmeller IV, 242. Wörterb. z. Jw. 494. Z. 2: blyb,
beleip? Z. 4: zu weger ſ. Schmeller IV, 40; todt. Str. 11, Z. 3: vgl.
Str. 2, Z. 3, wo einen ſteht. Str. 13, Z. 3. 4: getretten — gebetten.
Str. 13, Z. 1: zu genaben (genabet, vgl. zu Str. 9, Z. 4) ſ. Schmeller II,
680: erlaubet, verzeihet! Str. 14, Z. 3: zu bitten vgl. zu Str. 9, Z. 4,
etwa: bitten für mich alſo fleißiglich? Z. 4: ſchleyſſen, hinbringen, ſ. Schmeller
III, 458 u. Str. 15, Z. 2: jnnen. Str. 16, Z. 1: fürt, b. Gramm.
1, 951: „vueren, vuorte." Str. 17, Z. 1: zu marterbild vgl. Schmeller II,
621. Z. 3: fül. Str. 18, Z. 1: zu berweil ſ. Schmeller IV, 55 u. Z. 4:
zu lilachen ſ. Schmeller II, 420. Str. 20, Z. 2: ſeiñ. Str. 21, Z. 2: zu jrer
ſ. Schmeller I, 97. Ebd., Mundart. S. 200 ob. Z. 4: zu geſchwunden ſ.
Ebd. III, 539 u. Str. 23, Z. 4: ſeiñ, müſs.

(Reiſtett, Reinſtetten, Oberamts Biberach? Zeitenen, Seitingen,
Oberamts Tuttlingen?)

In Etterlins eidgenöſſiſcher Chronik, Baſel 1507, Bl. LXI b, LXII a,
zu den Jahren 1410 und 1411, iſt „die frouw von Öſterich" ſo viel als
„die fürſtin von Öſterich."

Zu Str. 23 vgl. Gudrun, Str. 1501 bis 1503:

> Zu der bürge niemen   beheiner freude zam.
> daz volc von dem laude   grözen ſchaden nam.
> bô ſluoc man dar inne   man unde wip;
> der findet in den wiegen   verlôs dâ maniges ſinen lip.

Frolt, der ſtarke,   ruoſte Waten an:

„jâ habent in den tinvel   bin jungen kint getân,

ſie habent an unſern mâgen   beheiner ſlahte ſchulde.

durch die gotes êre   ſô lât die armen weiſen haben hulde!"

Dô ſprach Wate, der alde: „du hâſt kindes mnot.

die in den wiegen weinent,   dinhte dich daz guot,

daz ich ſie leben lieze?   ſolden die erwahſen,

ſô wolde ich in niht mêre   getrouwen, danne einem wilden Sahſen. [1]

Nyerup, Udvalgte banſke ·Viſer III, 174, 13 bis 15. 182 ſ.,
63 bis 66. II, 97, 14. Buchan I, 122, 3.

Marchthalers Chronik, Ulmensia Nr. 6, S. 95: Anno 1462 hat
man Haman von Reiſchach in der Stadt das Haubt abgeſchlagen. Es
wurde auch der Walther zu Königseck enthauptet und · biß war der
Metzgererkrieg.

Chronik von Ulm, Ulmensia Nr. 6261, S. 1218: Anno 1466, alias
1460, brachte Peter von Zittern, ein Edelmann und in der Stadt Ulm
Dienſten, Herrn Haman von Reiſchach, ſo damahl der Stadt Ulm Feind
war, gefänglich ein, für welches Erledigung Frau Amalia, Erzherzogin
von Öſterreich zweimahl gebetten, aber vergebens, daher ſie ohne zuvor
gehaltene Mahlzeit hinweggezogen. Als nun der von Reiſchach zum Tob
ausgeführt wurde, hat er einen grauen Capuzinermantel an. Er wurde
mit dem Schwert gericht, ſeinen Leichnam that man auf einen Wagen
und überſchickte ſelbigen ſeinen brei Schweſtern; da ſprach die jüngſte:

Ihr Herren, wißet ihr, was das bedeutet?

Das Kind in der Wiegen leit,

So kein Wort kan ſprechen,

Sein Vatter muß es rächen.

Joh. Georg Rorers Chronik von Ulm, geſammelt aus ältern
Chroniken, verfaßt von 1790 bis 1807, Ulmensia Nr. 3, S. 146:
Anno 1466, alias 1460, brachte Peter von Zittern, ein Edelmann, welcher
in der Stadt Ulm Dienſten geſtanden, den Herrn Hamann oder Her-
mann von Reiſchach, ſo damahlen ein Feind der Stadt Ulm war, ge-
fänglich ein. Es kam aber auch ſogleich herein Frau Amalia, Erz-
herzogin zu Öſterreich, und wollte für ihn um die Erledigung bitten,
aber die Bitte wurde ihr abgeſchlagen; doch erlaubte man ihr, daß ſie

---

[1] [Vgl. Helmbrecht 424 ſ.]

noch eines mit ihm im Gefängnis reden dürfte, und erzählte ihm, wie daß sie um sein Leben gebetten, aber nichts habe ausrichten können, folglichen solle er sich nur zum Tode bereiten und gefaßt halten. Hierauf ersuchte er die Erzherzogin, sie möchte nochmahl für ihn bitten, daß man ihn vermauren sollte. Aber es wurde ihr auch dieses abgeschlagen. Da zog die Herzogin ungehaltener Mahlzeit von hier weg. Als nun der von Reischach zum Schwert verurtheilt worden, so hat er sich darüber entsetzet, daß er vor großem Leid weder essen noch trinken wollte. Im Hinausführen aber hatte er eine graue Kapuzinerkutte an und wurde auch in solcher hingerichtet. Seinen Leichnam u. s. w. wie oben.

[Schriften II, S. 249. 250. Ch. F. v. Stälin, Wirtembergische Geschichte III, Stuttgart 1856. 8. S. 561. R. von Liliencron I, S. 543 bis 545. H.]

Lindenschmid.

(139) A. Fl. Bl. „getruckt zu Basel, bey Johann Schröter" (Anfang des 17ten Jahrhunderts): „von dem Edlen Edlen Lindenschmidt." Wunderhorn I, 125, aus Meißners Apollo, Juni 1794, S. 173. Eschenburgs Denkmäler 450, fl. Bl. von 1646.

Str. 1, Z. 4, widerholend: ja genossen. So auch am Schlusse der folgenden Strophen. Str. 3, Z. 1: Eschenb. Markgraf. Str. 5, Z. 1: Wunderh. über den; Eschenb. wol übern. Z. 3: Eschenb. habt Ihr. Str. 6, Z. 4: sein; Eschenb., Wunderh. Lindenschmidts. Str. 7, Z. 2: Eschenb. Mein Sach die. Str. 8, Z. 3: zu: habern s. Schmeller II, 136. Str. 9, Z. 1: hinder dem; Wunderh., Eschenb. hinterm. Z. 2: Eschenb. s. S. thät ihm. Str. 10, Z. 4: Eschenb. dem. Z. 5: Wunderh. b. sollst du bald; Eschenb. b. sollt du mir. Str. 11, Z. 1: Wunderh. Eschenb. D. L. war. Z. 3: mir wollen. Str. 13, Z. 3: Wunderh. es (Eschenb. hat statt Str. 13 die Str. 12 des Liedes B). Str. 14, Z. 3: Wunderhorn derselben; Eschenburg denselben Stunden.

B. Frankfurter Liederbuch von 1584, Nr. 116. Niederdeutsch im Liederbuch Nr. 57.

Str. 2, Z. 1: hatte, niederd. hadd. Z. 4: niederd. schwinde. Str. 3, Z. 2: niederd. ock. Str. 5, Z. 2: niederd. de Schüne. Z. 4: niederd. all wat. Str. 6, Z. 1: denn steht nur im niederd. Texte; niederd. gefangen, ebenso Str. 6,

Z. 1. Str. 7, Z. 1: dar nur im niederd. Str. 8, Z. 1: niederd. uu l. w.
Z. 4: niederd. L. ynnck. Z. 5: fyn Herte nicht vorſincke. Str. 9, Z. 2: niederd.
ydt geylh uņ. Z. 5: niederd. uŋne Wunde. Str. 10, Z. 1: auch niederd.
wolgemodt; wol gemeit? Boner. XCVI, 7 f.: „die was ſtolz und wol gemeit,
ir was alzit vil ſpis bereit." LXXV, 11: „Dar kam der ritter wol gemeit."
Z. 3: d. ſolt du d. w. w., niederd. dat du dyn Wunde ſchalt waſchen. Z. 4:
niederd. am Frydage. Z. 5: beſchen? vgl. Reiterlied Nr. 147, Str. 4, Z. 6: „ich
will dich bezalen auß der ſcheide." Str. 11, Z. 3: niederd. de Ridder. Z. 4:
niederd. wat tho leide. Z. 5: niederd. gedwungen. Str. 12, Z. 2: dat kalff
dat (Eſchenb. A, 13, 2: Das Kalb muß ſ. d. K.). Z. 3: niederd. dat werd
nicht anders geſpraken (Eſchenb. ebd. 3: Es wird anders u. g.). Z. 5: ſeines
Vatters Tod würd er rechen; niederd. ſyns Vaders Dodt den wörde he wreken
(Eſchenb. ebd. 5: Seines Vaters Tod würde gerochen). Str. 13, Z. 3: ferrn;
niederd. vern an. Z. 4: Da ſahe man den L.; niederd. dar ſach men den
Edlen L.

Wie die Lieder in einander gearbeitet ſind, zeigt in B die Str. 3,
welche aus A, Str. 8, Z. 1. 2, und, in den Z. 3 bis 5, anderwärts
her zuſammengefügt iſt; dann die in Eſchenburgs Text A, Str. 13
aus B, Str. 12 herübergenommenen drei Zeilen.

Zu A, Str. 13, B, Str. 12, aus Leyſers handſchriftlicher Samm-
lung, Wolfenbüttel 1835, Lied auf einem fl. Bl.: „Von der Belä-
gerung und Blutvergießung der Statt Neuß" u. ſ. w. (1586) Anfang:

„Wer will horen ein new lied fur war,
Was geſchehen iſt zu Neuß im jahr" u. ſ. w.

17 Strophen. Die 5te:

Da ſprach Herman Clot nein darzu,
Das kelblein muß folgen der ku.
Wir wollen die ſtatt nicht auf geben
Bei tag und nacht zu aller ſtund,
Es koſt uns leib und leben.

(Wie es ſcheint, Ausdruck der treuen Anhänglichkeit.)

Ain ſpruch von dem wirtenbergiſchen krieg [1504]. Wie hertzog
ulrich von wirtenberg mit ſeinem her bekriegt hat Hertzog philippen pfaltz-
graffen bey rein. vnd ym abgewunnen ſtet. ſchlöſſer vnd dörffer. nämlich.
Maulbrunnen u. ſ. w. (8. Bl. kl. 8. o. O. u. J. Der Verfaſſer, der
ſelbſt beim Geſchütze mitgeweſen, nennt ſich am Schluſſe: Alſo ſpricht
hanns glaſer von brach):

Merkend hie ein neüws gedicht!
Des bin ich gänzlich underricht.
Als man von Chrift geburt fürwar
Zalt taufent fünf hundert und vier jar,
Under ftoud man ein großen ftreit,
Jn difer obgemelten zeit
Eim großen leowen widerftan,
Dem pfalzgraff, ungehorfamen man,
Der lang gefürt hat großen bracht,
Den künig, furften, herren all veracht,
Dem bapft wolt er widerftan,
Er kort fich nit an ach(t) noch ban.
Nun ift im worden ab gefeit,
Wirtenberg hat er thon groß leit,
Das hat er triben frü und fpat.
Sein veind er auf enthalten hat,
Daß man vor inen hett keinn frid,
Den Talacker und den Lindenfchmid,
Die hond fich braucht zuo rofs und pferd,
Und darzuo den Heßlin Schwert.
Die hat man auf ghalten überal,
Sunderlich in dem Weinfperger tal;
Da hond fy manche beut erreut,
Darumb man vil dörfer hat verbrennt
Und ettliche fchloß gewunnen;
Man hats auch auf gehalten zuo Maulbrunnen,
Das zymet keinem gottes haus.
Herzog von Wirtenberg zoch auß
Mit feiner landfchaft weit und breit,
Jederman was willig und bereit.
Wirtenberg ließ fliegen fein fan,
Dem großen leowen widerftan;
Da gefach man nie hübfchers her,
Gerift mit harnafch und mit wer;
Dreißig taufent meld ich fürwar
Jn diefem obgemelten jar u. f. w.

Steht auch in Steinhofers wirtenbergifcher Chronik Thl. III, Stutt=
gart 1752, S. 881 ff., ferner in der Handfchrift Valentin Holls Bl. 109 f.

Ricardi Bartolini Austriad. L. VI (Reuber, Scriptores rerum Germanicarum, Frankfurt 1584, S. 577):

> Antiqui memor ille [dux Wirtemb.] odii bellique vetusti,
> Quod secum multos Talacherus gesserat annos,
> Nec Lyndesmitis fervens injuria mente
> Exciderat u. f. w.
> Quis Lyndesmitem prædatoremque nefandum
> Et nostris temere regem Talacheron in arvis
> Prætereat? u. f. w.

(Die Randgloſſe verweiſt auf Naucleri Chronographia.) Pfiſter, Geſchichte von Schwaben B. 2, Abth. 2, S. 307 bis 309. Lindenſchmid ſtatt des Robenſteiners: Der Burggeiſt auf Robenſtein, Frankfurt 1816, S. 44. Grimm, deutſche Sagen I, 245 (vgl. Caerl enbe Elegaſt B. 272 bis 305, Horæ belg. IV, 9 f. Renner 6855 bis 6861. Rechenberger u. f. w.).

[Stälin III, S. 632. 633. R. von Liliencron II, S. 289 bis 291. Vilmar S. 16 bis 22. H.]

Kunz Schott.

(140) Papierhandſchrift des 16ten Jahrhunderts, Herrn Kuppitſch in Wien gehörig, Bl. 17 b f. (Daraus ſchon gedruckt in Mones Anzeiger 1839, Sp. 77.)

Str. 2, 3. 2: hatt. 3. 5: fort. Str. 4, 3. 2: Schalckait waiß. Str. 5, 3. 1: fur; erwerg, Schmeller I, 93: „erberg, erwerg, (ä. Sp.) 1) ehrbar u. f. w. 2) angemeſſen, ordentlich u. f. w. 3) verehrlich, vornehm." vgl. IV, 140. Str. 5, 3. 4: peſwicht. Str. 6, 3. 1: mordnn. 3. 3: der armen ſell. Str. 7, 3. 2: in fehlt. 3. 3: verkündnn. 3. 4: fürt. 3. 5: funden.

Von Auffeß und Mones Anzeiger (III) 1834, Sp. 235 (in dem „Confessionale Antonini archiepiscopi" zu Karlsruhe eingeſchrieben):

„Anno domini 1499 zu mitterfaſten ſaget Cunz Schott, der elter, zu den zeiten burggraf zu Rottenperg, den von Nurmberg ab und greif ſie an und thet in an iren leib und guteren großen ſchaden, wo er ſie ankam."

Handſchriftliche Chronik von Schwäbiſch Hall, in der Stuttgarter Bibliothek, Histor. Nr. 8, Bl. 71 b:

„Anno domini 1469 ward Herr Görg von Rosenberg der von Hall Feind, die fiengen im ein Knecht, groß Heinz genant, ließen im das Haupt abschlagen. Darauf an Sanct Michels Abend verbrant er Orlach, kam bei Nacht gehn Wolpertzhausen, het ein Liecht in eines Baurn Haus gesehen und ritte darfür, der Baur aber het ein gespannet Armbrust und schrie: her, her! Da erschrack er und ritte darvon. Diser Rosenberger ist uff ein Zeit in eines Hirten Kleidung mit einer Tragend Besam gehn Hall uff den Mark kommen, die selben alda feil gehabt, sich vil seltzamer Künheit vermessen. Da hat in aber ein Schmidknecht ersehen, ine angeredt, was er feils da hab; da hat im der Rosenberger gewunken und gesagt, soll mit ime hinauß gehn und schweigen, er wöll im sein lebenlang gnug geben; sein also beid auß der Statt gangen und die Besam ligen laßen. Nach etlich Jaren, als diser Krieg vertragen, hat Herr Conrad Schott von Meienfels ine Rosenberger Rhats gefragt, er sei willens, die von Hall zu kriegen wegen seines Schloß. Darauf im der Rosenberger geantwort, er rhats im nit, wann er habs auch lange Zeit kriegt, aber inen nichts angwinnen mögen, das der Eisin werth, so er in ihren Steigen abgeritten het; so wölt er auch nochmaln lieber die von Nürnberg kriegen, als die von Hall. Darauf der Schott gesagt, weil dann die Sach also beschaffen, wöll ers mit Hall pleiben laßen, und hat darauf Nürnberg hergenommen, wurd im aber übel gelohnt, wie wir bei Zerstorung der 23 Schlößer, so der schwäbisch Bund zerbrochen, horn werden."

Bl. 198 b: „Dieweil nun die Schlösser in Teütschland sehr zugenommen, dargegen der Turnier abgangen, niemand mehr Raubens sich geschämbt, sondern gar von Schloßer uberhaub genommen, dargegen und dem zu wehren, hat Kaiser Maximilian den schwäbischen Bund gemacht, darinen vil Reichstätt, Fürsten, Herrn in Schwaben, Baiern und andern Orten verbunden gewesen, solchem Mutwillen vor zu sein und zu straffen. Demnach hat sich begeben, daß ein Edelmann, genant Hans Thoma von Absperg, der eine von Belberg gehabt, ein Zuspruch zu Graff Joachim von Öttingen gewonnen, welcher sich nit wolt mit ime seines Gefallens vertragen, derhalb genanter Edelmann sich umb Hilf beworben, und als der Graff vom Reichstag zu Augspurg wolt heim reiten, auf in gestoßen, im Anrennen erstochen, darauf der schwäbisch Bund anno u. s. w. 1523 in Franken, Ottenwald und ander Orten gezogen, vil Schlößer mit Heerskraft zerbrochen, welche theils disem Absperger anhängig, theils aber der Rauberei verdächtig, und welche sich nit konten purgieren, die mußten her halten. Und sein dazumal vom schwäbischen Bund zerbrochen worden 23 Schlößer, wie hie nach verzeichnet, auf welchen Tag dieselben eingenommen und zerbrochen worden, wie volgt" u. s. w.

Bl. 204 b: „Nun hat aber Conrad Schott zu Streitberg hausgehalten, der die Bundsverwandten auch täglich hat beraubt und angriffen, sich deshalb gegen dem, als er für solch Schloß gezogen in willens, dasselbig auch herumb zu stürzen, mit einem falschen Eid purgiert, also ist der Bund ohne geschafft abzogen. Nit lang hernach, als er Schott des Fischens uf der Brach nit wolt oberstehn, hat der schwäbisch Bund dem Marggraven deswegen zu geschriben, wo er disen Schotten (der die Bündischen täglichs beraube) nit werde abschaffen, werde man ine Marggraven deswegen auch angreifen. Darauf berufft der Marggraff ine Schotten, zu ime gehn Kadellsburg zu kommen, das er dan thät, besorgt sich keiner Ungnad. Da war aber der Nachrichter heimlich bestelt (wie man sagt); da soll der Marggraff zu ime gesagt haben, es sei vil besser, er sterb, dann daß er im Land und Leüt verderb; darauf er müssen nider knien und also auf einem schönen Döppich entschlösst worden."

Vgl. noch Facetiæ Bebelianæ S. 70: „De Conrado Schott, equite aurato." [R. von Liliencron II, S. 351 bis 353. H.]

Rosenburg.

(144) Frankfurter Liederbuch von 1582, Nr. 61 (A). Dasselbe von 1584, Nr. 61 (B). Überschrieben: „Ein Reuter lied, Albrecht von (A der) Rosenburg."

Str. 1, Z. 2: A und sungen v. e. Frencl. Z. 4: B der vor Rosenburg fehlt, so auch weiterhin; A A. v. d. R. der was ein freyer Reuters man, scheint aus Str. 2, Z. 1 heraufgekommen zu sein. Z. 5: A helffe. Str. 2, Z. 1: A, B war. Z. 2: A jhn. Z. 4: B Gott, ehr und fehlt. Z. 5: A zerschossen. Str. 3, Z. 1: B war. Z. 5: B Baumgärtner. Str. 4, Z. 5: B eine. Str. 5, Z. 1: A Marggraffe beidental; B hast du. Z. 2: B Gefangnen. Z. 4: B hast du. Str. 6, Z. 1: A, B zeltern, vgl. Schmeller IV, 256.

Fischarts Gargantua Cap. 26 (S. 310): „Albrecht von Rosenberg hat ein Rößlein, das kan wol reuten und traben u. s. w." (vgl. Str. 6, Z. 1.) Bragur VII, 2, S. 97:

Auf, landsknecht guet
Und reuters muet,
Laßt Hutten nit verderben!

Vgl. ebd. S. 102:

Franz Sickinger, das edel bluet,
der hat gar vil der landsknecht guet.

[Wilmar S. 22 bis 24. H.]

Hierher gehört ein Lied über Frankfurts Vertheidiger gegen die mit dem Franzosen verbündeten Reichsfürsten aus einem im Besitze des Drs Böhmer befindlichen Sammelbande (aus der uffenbachischen Handschrift Nr. 27, 4°, auf Papier vom Jahr 1714, Seite 294):

Jn der melodei: Mit haufen sind wir gezogen wol in das Niberland.

1

Frölich so will ich singen
allhie zu dieser frist
von neu geschehnen dingen,
wie es ergangen ist;
da man zahlt tausend fünfhundert jahr,
im zwei und fünfzigsten ists geschehen,
sagt uns der sänger fürwahr.

2

Frankfurt that man belagern
uff ein sonntag zu nacht,
wie die glock hat geschlagen
drei schläg wohl nach mittag;
des freut sich mancher kriegsmann frumm,
der auf sie hat gewartet
so manche lange stund.

3

Uff den montag zu morgen,
gar früh wohl an dem tag,
da sah man daher ziehen
den markgrafen mit seiner macht
gen Sachsenhausen in das feld;
erstlich waren sie empfangen,
wies kriegsleuten zusteht.

4

Ein oberster ist hierinnen,
vom adel gut geboren;
herzog Moriz thut ihn wohl kennen,
dem markgrafen thut er zorn,
bei ihm hat er der kriegsleut viel,
der Franzosen thun sie warten,
zu machen ihm gut spiel.

5

Herr Conrad von Hanstein ist sein nam
bei manchem ehrlichen mann,
des darf er sich nicht schämen,
er ist allzeit vornen dran
und spricht dann an die kriegsleut gut,
daß sie wollen bewahren
ihr wehr in guter hut.

6

Gut ordnung thut er stellen
wohl auf den wall so weit:
„liebe kriegsleut, thut euch zusammen gesellen,
schickt euch wohl zu dem streit!
der feind zieht her mit macht,
ritterlich wollen wir uns wehren
bei tag und auch bei nacht.

7

Der feind der thut uns dränen
mit stürmen oft und dick;
gott im himmel han wirs geklaget,
der verlieh uns gnad und glück;
daß wir behalten die stadt zu ehrn,
zu lob dem römischen kaiser,
wollen wir uns tapfer wehren."

8

In die stadt Frankfurt thet sich sügen
vom adel gut geborn,
die feind die thun ihn kennen
den Franzosen hat er oft geschorn,
den römischen kaiser will er nicht verlan,
bei seinem alten leben
will er ihm beistand thun.

9

Mit ihm so thut er bringen
manchen ehrlichen mann,
die auf ihn thun warten,
Asmus von der Nauben ist sein nam;
den Franzosen wird er mit gott ein abbruch thun,

bei ihm so will ich halten,
weil ich ein aber im leben han.

10

Ein rittmeister ist hierinnen
zu Frankfurt in der stadt,
man thut seines gleichen nicht viel finden,
des sich der feind beklagt,
mit seinen reutern lobesan,
sie habens auch bewiesen,
was Albrecht von Rosenburg kann.

11

Zu ross so thut er sitzen
all morgens an dem tag,
die Franzosen macht er schwitzen
und führet harte klag,
sein' reiter hält er in guter hut;
gott woll auch thun bewahren
dies tapfer edle blut!

12

Die obersten thäten beschließen,
die ich genennet hab,
daß niemand soll verdrießen,
was sie mit einander hetten zu thun,
wann sich der feind woll eilen zum sturm,
daß sich ein jeder ließ finden
bei den kriegsleuten fromm.

Reiterlieder.

(146) Heidelberger Handschrift 343, Bl. 109 b.
Str. 1, Z. 1: Abentheur. Z. 2: einem grēnen. Str. 3, Z. 3: Schillten.
Ulrich von Lichtenstein, MS. II, 35 a
    Unde schilden sper verswendet
    wirt dur si von miner hant u. s. w.
  II, 37 b: Ich wil si mit dieneſt bringen inne,
    daz ich si baz, danne mich selben, minne.

úf mir muoz fper erfrachen.
nu tuot her mir daz fper!
des twinget mich ir fachen.

Hartman von Starkenberg, MS. II, 54 a:

Es muoz in ir dienſt erfrachen
beide ſchilt und ouch daz fper.

Zu Str. 2, 3. 5, 6 vgl. Reinmar von Zweter, MS. II, 138 a, 2.

(147) Heidelberger Handſchrift 343, Bl. 115 b.

Str. 1, 3. 4 etwa: g. rat? 3. 6: wirdt. Str. 2, 3. 2: lohn. 3. 4:
frewer. Str. 3, 3. 5: tan. 3. 6: mein Reittterlein. Str. 4, 3. 2:
Schmeller III, 165: „Der Ritt, des, dem, den Ritten, (ä. Sp.) das Fieber.“
3. 3: teuts, bots? vgl. b. Gramm. I, 932 u. Str. 5, 3. 2: feere. 3. 4:
hüelin. 3. 5: Wan, tan. Str. 6, 3. 2: b. ſich. 3. 5 etwa: „aus aller
feiner noth?“ fo daß die fehlende Zeile aus der überfüllten abgelöſt würde. Str. 7,
3. 3: ja ſprung fehlt. 3. 4: thert.

Ein älteres und beſſeres Lied ähnlichen Inhalts iſt das „Heiaho“
(Nr. 212). Zu Str. 7, 3. 3: Horæ belg. II, 89 oben:

hy bede een ſpronc al van eenen haes,
of hy graef Floris ſeude ontlijven.

[Vilmar S. 61. H.]

(149) Frankfurter Liederbuch von 1584, Nr. 122.

Str. 1, 3. 2: wehe. 3. 4: reuten. Str. 3, 3. 2: fahe.

Der Schlußreim jeder Strophe widerholt ſich: zu verzehren; ja
ſingen u. ſ. w.

Zu Str. 3, 3. 4. 5. Eine herkömmliche Formel des Minneſangs
iſt hier zu Gunſten der armen Reuter gewandt, vgl. z. B. Hiltbolt
von Swanegou, MS. I, 143 a:

Sus diene ich in allen gerne durch die eine.

Von Singenberg, MS. I, 155 b:

Ich bin der guoten undertân
und allen guoten wîben dur ir êre.

Ulrich von Lichtenſtein, MS. II, 40 b:

dur ſi êre ich elliu wîb.
daz hât ſi verſchuldet wol,
daz ich dur ir êre
allen frouwen dienen ſol.

Der tugenthafte Schreiber, MS. II, 104 a:

> eine vor in allen ich dá meine,
> ich diene allen frowen dur si eine.

In mehrere Drucke des Liedes: „Ich reit einsmals zů Braun=schweig aus" u. f. w. (namentlich in den von Straßburg bei Thiebolt Berger o. J.) ist folgende Strophe, als vorletzte, eingeschoben:

> Und wann die kleine waldvögelein singen
> und die blümlein auß der erden springen,
> so fröwen sich alle die leüte,
> so muoß ich armes reüterlein
> wol über die heiden reiten.

Ein armer Reuter singt auch das Lied bei Görres S. 65:

> Ein neues Lied hab ich erdacht u. f. w.

(150) Heidelberger Handschrift 343, Bl. 107. Zu Str. 3: Man. II, 208 a, 4:

> Lebt min herzeliep oder ist ez tôt.

MS. I, 220 b, 12. Dainos 307. Blumenorakel f. Frankfurter Archiv III, 272, 3. Feiner Almanach 1777, S. 124, 1. S. 128. Vgl. Meinert 239. Altfranzösischer Tristan (Tristan u. f. w. par Fr. Michel I, 64 u. bis 66. V. b. Hagens Gottfried von Straßburg II, 261) V. 1321 bis 1335. Deutsche Mythologie 677 *), 359. Morolf 1438: „ich wil dem rore myn synde clagen." (Hartshorne, Ancient metrical tales 46, 2: „Wode has erys felde has sight.")

Str. 5, Z. 2: Jörg Langs Lied von den Reichstädten, fl. Bl.:

> der kaiser wirt euch allen
> schenken dapfer ein.

J. Grimm, Reinhart Fuchs XCV, 2.

Schon im Ludwigsliede, 53 (Hoffmann, Elnonensia S. 8):

> Her stancta cehanton sinan sianton
> bitteres libes u. f. w.

Zu Str. 6 vgl. Rheinischer Antiquarius 596. Eitle Dinge, Nr. 4, B, 6. Zu Str. 7: Renner 16426 f.:

> Je hoher perk, ie tiefer tal,
> Je hoher gestigen, ie swinder val.

Liederbuch der Hätzlerin 202, V. 48 f.:

> Je höcher perg, ie tiefer tal,
> Hör ich die weisen sprechen.

Salomon und Morolf 312:

> So hoher berge, so diefer dall.

Zu Str. 8 f. deutsches Museum 1776, S. 408. Bragur I, 280. Antwerpener Lieberbuch von 1544, Nr. 59, Str. 3:

> Och sterve ick nu, so ben ic doot,
> So graest mi onder di rooskens root
> So verre aen gheen groen heyde!

(152) Heidelberger Handschrift 343, Bl. 32.

Str. 1, Z. 4: woltte. Str. 2, Z. 2: meht. Z. 3: gedenckhe. Str. 3, Z. 1: geb. Z. 2: vngerischen gulden. Z. 3: mecht. Str. 4, Z. 3: hibsch. Str. 5, Z. 1: letzen. Z. 3: vergultten.

Schlußwiderholung Str. 2: ja springen, sonst nur angezeigt. Zu Str. 3, Z. 2 vgl. Schmeller II, 35: „Im 14ten Jahrhundert ist der ungarische, oder der gleichviel geltende böhmische Gulden vorzüglich be= liebt." Zwischen Str. 4 und 5 stehen drei Gesätze andern Gepräges, mit gehäuftem Reime, s. Görres 34 f. Zu Str. 5 vgl. „Pilgrim" (100, B) Str. 5.

(153) Heidelberger Handschrift 343, Bl. 95.

Str. 3, Z. 4: guet verzigen f. Schmeller IV, 243. Str. 4, Z. 3: Apffer= growes Pferdt Roß. Str. 5, Z. 1: heiden. Str. 5, Z. 4: noch vill.

Str. 5, Z. 3: in einem Quodlibet bei W. Schmeltzel (1544) Nr. 8:

> „Laß faren, laß faren al was nit bleiben wil" u. s. w.

Eine Variation des Liedes im Frankfurter Liederbuch von 1578, Nr. 196: „Mein feins Lieb ist mir hinweg geflogen" u. s. w. Auch auf einem fl. Bl., gedruckt zu Nürnberg durch Valentin Newber (Frank= furter Bibliothek).

[Vilmar S. 186. 187. H.]

(155) Frankfurter Liederbuch von 1584, Nr. 115.

Str. 1, Z. 5: bescheidt, ebenso Str. 6, Z. 5. Str. 5, Z. 2: dein. Z. 3: Lindisch. Widerholung des Strophenschlusses: nicht lassen; darinnen; kan werden; ja seiden u. s. w. Schmeller II, 480: lünisch, lindisch Tuech oder Scheptuech, feines Tuch, das von London (Lunden) in Schiffen u. s. w. kam. „ij rotte ganze lindische tuech" u. s. w. Münch. Hofrechn. v. 1468 u. s. w. Helmprecht Z. 131 ff.:

> noch gab diu swester mère,
> durch ir bruoder ère,

vil kleine wize sin wât,
daz lützel ie man bezzer hât;
diu was sô klein gespunnen,
ab dem tuoch entrunnen
wâren wol siben webâre,
ê ez vol webet wâre.

Henneke.

(171) A. Bragur II, 311 ff. „Een old Leed vam Henneke Knecht
Gebrückt im Jahr 1645." 8., mitgetheilt durch C. J. Koch, mit den
Varianten des frühern Abbrucks in D. E. Baringii descriptio Salæ
principatus Calenbergici u. s. w. Lemgo 1744, II, 153 bis 157. (vgl.
Wunderhorn II, 151. Soltau XXXVII.*) Niederdeutsches Lieberbuch
Nr. 79.

Der Text im Lieberbuch hält sich an die allgemeine niederdeutsche
Schreibweise, während die beiden andern mehr der mundartlichen Aus=
sprache, besonders in Verschleifung der Mitlauter folgen. Jener ist,
wenn er auch einzelne Berichtigungen darbietet, doch vielfach verdorben;
die Verwandlung der Armbrust und des Köchers in Hakenbüchse und
Pulverflasche, die angehängte Strophe u. s. w. sind offenbar spätere
Einschiebsel, obgleich der Druck der älteste ist. Im Lieberbuch wider=
holt sich je der Schlußreim der Strophe: ha drhuen u. s w.

Str. 1, Z. 1: Lbb. Hennicke, sonst Henneke, B. Och H. Lbb. wiltu. Z. 2:
Lbb. wilt du vordenen, olde. Z. 3: Lbb. by my den S. bl. Z. 4: Lbb. by ein,
Schoe. Z. 5: Lbb. Ploech. Str. 2, Z. 1: B. Hennecke, sick fehlt, Lbb. Henneke
be spr. e. trotzich, B. een trötzig. Z. 2: B. neinen, Lbb. J. w. den B. nicht
denen v. Z. 3: B. Arweit, ick, Lbb. Jck wil tho nenem Buren mehr kamen.
Z. 4: B. bey, Lbb. wil mit lopen auer de See. Z. 5: B. hebb, Lbb. des hebbe
ick groten främen. Str. 3, Z. 1: B. Wieff, Lbb. De Frouw sprack vth hastigem
modt. Z. 2: B. bist du kerll jou b., Lbb. kerl also vorbruedt. Z. 3: B. Wilt
du, Lbb. wiltu. Z. 4: Lbb. vnde raten ys dyne. Z. 5: Lbb. vnd, B. plöngen.
Str. 4, Z. 1: B. wort, sick, thou, Lbb. H. wart in sick tho raedt. Z. 2: B.
hey, voer, saed, Lbb. he köfft v. s. Hauersadt. Z. 3: B. gut, Lbb. ein Schwert
van stael vnde yser. Z. 4: Lbb. korte kleider seth he sick schnyden an. Z. 5: B.
Wiese, Lbb. all na der Rüter seden. Str. 5, Z. 1: Lbb. Ein haluen Haken vp
synen Nack. Z. 2: B. hey fehlt, Lbb. de Puluerflasch ant Görbel st. Z. 3: od
an syn. Z. 4: B. hey, Lbb. darmit hen vnde here wacht (Koch: „wricken, hin

und her rücken; holländisch: wrikken, wackeln u. s. w.). 3. 5: B. hey, Lbb. us Br. stundt syn Reyse (glien, gliden, gleiten, Brem. niedersächs. Wörterb. II, 517). Str. 6, 3. 1: Lbb. Als Henneke, B. binquam. 3. 2: Lbb. dar g. h. v. den Sch. staen. 3. 3: Lbb. secht Sch., B. leive. 3. 4, 5: Lbb. wold gy my vor ein Schipkn. haen, vnd vor ein Rüter mere. Str. 7, 3. 1, 2: Lbb. Ick wolde dy wol gerne haen, so du kondest vor ein Boeßman stahn. 3. 3: Lbb. wol an des. 3. 4: Lbb. ach i. h., wol, B. hört. 3. 5: Lbb. ein Bur van arden. Str. 8, 3. 1: Lbb. schwoer einen. 3. 2: B. Kerll, Lbb. ein sterker Kerlß ick my erwehr. (Brem. niedersächs. Wörterb. II, 749: Kasl, munter, wohl bei Kräften.) 3. 3: B. vnde saken, Lbb. he dede geweldich puchen. 3. 4: Lbb. ick. 3. 5: Lbb. gelyck wo ein wilder. Str. 9, 3. 1: Lbb. Als H. 3. 2: Lbb. stundt he als ein. 3. 3: B. Neen, Lbb. ein Wordt konde he nicht. 3. 5: Lbb. Herte wolde em, B. thou brecken. Str. 10 fehlt ganz im Lbb. 3. 1: B. Hör[v]et. 3. 4: B. vorherre sacht. 3. 5: B. Deß kom ick nu thou sunde. Str. 11. 3. 1: weyd, kreyt, B. de Han de kreyd, Lbb. De Windt de weyet, de Haen de kreyet. 3. 2: vnstede, Lbb. d. W. was gantz sehr vnsted. 3. 3: B. gar, Lbb. ydt was g. v. 3. 4: B. Plaug, Lbb. hedde ick de Ploech. 3. 5: dem, B. balle, Lbb. ich wolde se noch wol stüren. Str. 12, 3. 1: Lbb. Ys nu hyr den. 3. 2: Lbb. de my bröcht. 3. 3: Lbb. edder Döringen groth vnde kleine. 3. 4: B. syn Hutz, Lbb. all tho des Edlen Böstenhutz. 3. 5: Lbb. recht tho dem Louwensteene. Str. 13, 3. 1: Lbb. Ys denn nu hyr. 3. 2: Lbb. de my br. i. Brunschwyker Landt. 3. 3: Lbb. ick wolds em wol belohnen. 3. 4: B. Haversatt, Lbb. ich wolde em geuen ein Hauersaedt. 3. 5: Lbb. ein, mit fehlt. Str. 14, 3. 1: B. leyd, hasst, bedacht, Lbb. De vns dyth Leedtlin hesst gemacht. 3. 2: Lbb. hesst Henneken Knecht tho Lande br. 3. 3: B. ähre? Lbb. en, nicht. 3. 4: B. gude, Lbb. he warnt dar- mit a. gude g. 3. 5: Lbb. d. se nicht. B. Lbb. vormeten. Im Lbb. folgt noch eine Strophe:

He singt vns dyth, he singt vns mehr,
hesst süluest neen lust mehr vp de See,
wil leuer tho Huse blyuen
vnd ethen sick der Bonen genoech,
de Henninck mit ploegen kan bedryuen, ya bedryuen.

Zu Str. 13, 3. 4, vgl. die Antwort der Dithmarschen auf die Botschaft des Königs von Dänemark, der sie unter seine Botmäßigkeit bringen wollte:

Den Baden hebben se sehre vorschmaet,
Wat se antwordeden, dat waß quaet,
Unde boden dem genedigen Forsten siner Kronen,
Effte he sick wolde nögen laten mit einem Schepel Bonen.

(Wolff 343. Neocorus I, 498.) [Schriften II, S. 395. 396. H.]
Joh. Berckmanns ftralſunbiſche Chronik, herausgegeben von Moh=
nike und Zober, Stralſund 1833, Anh. S. 233 über einem Spottliede
gegen bie Kirchenverbeſſerung: „Up be wyſe ſunte Jacobs: Catht Hen=
neke knecht wa(l)t u. ſ. w." Soltau XXVII. *

Das Fräulein aus Britannia.

(173) Fl. Bl. Baſel bei Joh. Schröter, 1613.

Str. 1, Z. 6: dz. Z. 7: Schmeller III, 505: verſchreiben (ä. Sp.), nieder=
ſchreiben, ſchriftlich aufſetzen. „Alles bas an dem Brief verſchriben iſt." Urk. v.
1360 u. ſ. w. Str. 2, Z. 1: dz. Str. 3, Z. 2: in dz Teuſche I. Str. 4, Z. 3:
ir die ä. Str. 7, Z. 1: Bapſt. Z. 6: trehern, ſtatt trehen ober z her.

Es folgt noch eine unpaſſende Strophe:

Der uns bas lieblein new geſang,
von neuwen geſungen hat,
bas hat gethan ein junger knab;
gott geb ihm ein ſein gut jahr!
er hat bas lied ganz wol betracht,
er hats auch wol geſungen,
ſeiner liebe zu guter nacht.

Zu Str. 1: Das Ereignis fällt in bas Jahr 1491; Maximilian I
wurde römiſcher König 1486, ben Titel als römiſcher Kaiſer nahm er
1508 an (Gerard. be Roo, Annal. 369. 436).

Zu Str. 8: Das große geſchrei ſcheint ben Nothruf über erlittene
Gewaltthat (Grimm, beutſche Rechtsalterth. 633 f.) zu bebeuten. Die
Erfüllung des hier verkündeten Unheils wurde noch in ber großen Nieber=
lage ber Franzoſen vor Pavia (1525) gefunden. „Ein hüpſcher Spruch"
von bieſer Schlacht beſagt (Bartholds Georg von Frundsberg S. 514):

Mich dunkt, es ſei ietzund gerochen
das freuwlin aus Britania.

Daß ber grüne Wald, bie Stätte des Raubes, manchen Mann
koſten ſoll, iſt ein alterthümlicher Zug.

Die Weiſe des Liebes wird öfters angeführt:

Ein kläglich lied von dem erſchrocklichen vnd grauſamen Morbt, ſo geſchehen
iſt in ber loblichen Statt Baſel, den fünfften tag Hornungs, in dem M.D.LXV.

Zare. In der Weiß, könbt ich von hertzen singen u. ſ. w. Oder ich ſtuond
an einem Morgen u. ſ. w. Oder wie das Fröwlin auß Brytanien. M.D.LXIX.
Baſel bey Sam. Apiario.

Näſelſer Schlacht, beſchehen im 1388 Jahr u. ſ. w. In der Weis wie die
Naverrer Schlacht oder das Lied vom Fräulein aus Britannien. Gedruckt zu
Zürich bei Rud. Wyſſenbach. Anno 1601. (Abſchriftlich in der wyſſ. Sammlung,
das Lied wohl auch nicht älter.) Vgl. Rochholz 56.

Ein hüpſch Lied, von dem Zug, ſo beſchehen von einer loblichen Eydgno-
ſchafft zu künigl. Mayeſtat in Frankreich und Picardy, des 1543 Jahres u. ſ. w.
In der Weiſe wie das Fräulein aus Britania. Gedr. zu Zürich, bey Rudolph
Weyßenbach. 1598. (Abſchriftlich ebendaſ., auch nicht alt. Auch auf die Schlacht
vor Mirabion, 1569, ein Lied auf dieſelbe Weiſe, gedruckt 1621, in derſelben
Sammlung.)

Über die Geſchichte, wie Anna, die Erbin des Herzogthums Bre-
tagne, dem römiſchen König Maximilian durch Karl VIII von Frank-
reich, dem Maximilians kleine Tochter verlobt war, weggefiſcht wurde,
ſ. Anſhelms Berner-Chronik II, 71 f.: „Vermählung des Fröuwleins
von Britannien dem Römiſchen Küng.“ 78 bis 80: „Daß der Küng
von Franckrych dem Römſchen Küng das Fröwlin von Britannien nahm
und ihm ſin Tochter wieder heimſchickt.“

[Gödeke, Grundriß I, S. 253. R. von Liliencron II, S. 292 bis
302. H.]

Pavia.

(187) Fl. Bl. „Von der Schlacht vor Bavia.“ „Gedruckt zu Nürn-
berg, bey Johann Lantzenberger, 1609.“ Fl. Bl. „Von der Schlacht
vor Bavia.“ „Gedruckt im Jar 1611.“ o. O.

Z. 4, 10: deiner. Z. 11, 12: V. Georg. Z. 20: neunthalber. Z. 22, 25:
V. ebenſo. Zu Z. 26, 27 vgl. Landsknechtorden Str. 10, Z. 5. Z. 32, 33:
über lermen, lerman, ſ. Schmeller II, 490. Z. 35: über den Angriffsruf: her,
her! (Landsknechtorden Str. 9, Z. 2) ſ. Barthold 61. Z. 38: vgl. Landsknecht-
orden Str. 8, Z. 5. Z. 40: V. zaumb. Z. 41: V. verhanden. Z. 43: Das.
Z. 46: zu Poſtparten ſ. Schmeller I, 295: Parte geben, Part geben, Nachricht
geben, oder I, 300: Poſtpaſt, impomenta, Prompt. v. 1618, Nachtiſch?

Zu Z. 42. 43 vgl. Niederdeutſches Liederbuch Nr. 106:

      Im Winter ys eine kolde Tydt,
      dat men nicht veel im Velde lydt u. ſ. w.

In W. Schmeltzels teutschen Gesängen 1544 ist Nr. 2 ein ähnliches Quodlibet: „Die Schlacht vor Pauia" in drei Theilen, mit der Überschrift: „Matthias Herman Verecoiensis, qui et ipse in acie quæque miserrima vidit, me obiter composuit." Anfang:

Signori e Caualieri de ingenio forza
O dicela uictoria,
O dicela uictoria
del Duca de Milon, ij
Del Duca de Milon Francesco Forza.
Alerm alerm alerm alerme lerman lerman ij ij lerm.
O Tamburini le inimici uicini,
Tara ta ra butesella butesella ij
A caual a caual montes a caual a caual u. s. w.
Tout alattandart ij Farilarirum fan fan
auant auant auant
auant tous gentils compagions auant
auant auant tous gentils compagions.
tout allattandart u. s. w.

Der dritte Theil hebt an: —

O Marchese de peschara
O signor gregorio allemano u. s. w.

und enthält auch eine deutsche Stelle, zur Verhöhnung der Schweizer:

wol her her, kue schwauz!
wir wöllen euch abkribeln u. s. w.

(Auch spanische Stellen kommen vor.)

Vgl. C. F. Becker, die Hausmusik in Deutschland in dem 16ten, 17ten und 18ten Jahrhundert, Leipzig 1840, S. 41 f.

Ein ähnliches französisches Lied schon auf die Schlacht von Marignan, 1515, von Jennequin, in: Recueil de chants historiques français par Le Roux de Liney, deuxième série, Paris 1842, S. 65 ff. vgl. S. 11 f.

Zwei französische Lieder auf die Schlacht vor Pavia in den Chansons von 1538, Bl. 54 b, 55 b.

Andre deutsche Lieder auf diese Schlacht sind:

Was wölln wir aber heben an,
ein newes lied zu singen u. s. w.

als zweites Lied („Ein andere Schlacht") derselben Druckblätter von 1609 und 1611, aus welchen das Quodlibet aufgenommen worden.

Ein andrer Druck im Würzburger Liederbande, Nr. 83, fl. Bl., ½ Bogen kl. 8⁰, o. J.: „Ein hüpsch New | Lied, von der Schlacht vor Pauia geschehen: Gedicht vn erst- | lich gesungen, durch Hansen von | Würtzburg, In aym newen Thon. [Holzschn. Landsknecht mit Parti- sane.] Gedruckt zů Augspurg, bey Mattheo Franck."

(Nach einem andern fl. Bl. abgedruckt bei Soltau 287, der auch in der Vorrede LX* von der Litteratur dieser Lieder handelt. Das- selbe nach einem fl. Bl. o. D., von dem bei Soltau nur in der Recht- schreibung abweichend, nach des Herausgebers Dafürhalten ein Straß- burger Druck, in L. Bechsteins deutschem Museum u. s. w. Bd. I, Jena 1842, S. 135 ff.)

„Mit gottes hylff so heben wir an" u. s. w. fl. Druckbl. in Fol. o. D. u. J. in der Heidelberger Handschrift 793, Bl. 124, 16 Strophen (bei Wolff 657: „fl. Bl. aus der Kunigund Hergotschen Officin", und darnach bei Barthold 507, vgl. 350, fehlen 2 Strophen).

„Eyn schafffstal vnnd eyn gutter hyrt" u. s. w. fl. Druckbl. o. D. u. J., Fol., nur vorn bedruckt, auf der Gothaer Bibliothek, 25 Stro- phen, am Schlusse: „J. B."

„Gar ein hüpscher Spruch" von der Belagerung Pavias und der Schlacht im Thiergarten, ohne Bezeichnung der Quelle, in Hormayrs Taschenbuch für die vaterländische Geschichte, 1833, S. 186 ff. (Dar- aus bei Barthold 509.)

Wolfenbüttler Bibliothek 2. 6. 7. Mus. 4⁰, unter andern Musi- kaliendrucken:

Die Schlacht für Siuerßhausen. Zu Ehren Dem Hochwirdigen, Durch- leuchtigen, Hochgebornen Fürsten vnd Herrn, Herrn HENRICO JBLIO, Po- stulirtem Bischoff zu Halberstadt, vnd Hertzogen zu Braunschweig vnd Lüneburg u. s. w. nach Art der Schlacht für Pauia, mit vier Stimmen Musicè compo- niret. Durch Thomam Mancinum, Jhrer F. G. vnterthenigen Diener vnd alten Capellmeister. ALLES. Helmstadt, Gedruckt durch Jacobum Lucium, Jm Jahr 1608. (8 Bl. 4⁰.)

In der Zueignung an den Bischof sagt Mancinus:

Als vbersende E. F. G. ich hiemit iu aller vntertheuigkeit auff dißmal die Schlacht für Siuerßhausen, welche auff E. F. G. gnedigs Befehlch ich für et- lichen Jahren mit vier Stimmen auff die Art wie sie E. F. G. haben gerne hören wollen, nach meinem geringen vermuigen Musicè componiret, vnd neben der alten Schlacht für Pavia, auch andern von allerley arth diuersorum Musicorum herrlichen Cantionibus an Lateinischer, Teutscher, Italianischer, vnd Frantzösischer Sprache für E. F. G. Fürstlichen Tafel optimis Cantoribus et Instrumentistis vielmalen musicirt u. s. w.

Es sind drei Theile, der erste fängt an: „Ihr lieben Herren wolgemut," der zweite: „DAs Erste Treffen ist gelungen," der dritte: „O Fortuna mit deim Glantz". Das Ganze eine unbedeutende Nachahmung der Pavierschlacht mit „Alerm, Alerm, Puff, Puff" u. s. w., auch der Text schwerlich aus der Zeit der Sivershausener Schlacht, 1553.

[Göbeke, Grundriß I, S. 256. Vilmar S. 45 bis 47. H.]

Landsknechtorden.

(188) Frankfurter Liederbuch von 1584, Nr. 222.

Str. 1, Z. 4: Trummen. Str. 2, Z. 1: betten. Z. 3: zu stift vgl. Schmeller III, 621. Z. 4: deß. Z. 5: über garten, Gart und damit zusammengesetzte Wörter ebd. II, 68 f., vgl. Wilkina S. C. 229: gardsveinn. Str. 6, Z. 3: benn? Str. 7, Z. 2: zu warten mit Dat. s. Schmeller IV, 159. Str. 10, Z. 1: über lerman Schmeller II, 490. Z. 4: ebb. I, 441: urtail s. Str. 11, Z. 2: Stett. Z. 5: läre; zu Hofstätt s. Schmeller III, 667. Str. 12, Z. 1: kündtens. Str. 13, Z. 4: schand für Scham, Schmeller III, 370. Str. 14, Z. 5: zu Regiment vgl. Bartholds Georg von Frundsberg S. 19.

Zu Str. 2, 3: Von einem wunderlichen Gartsegel erzählt Montanus im „Wegkürzer" (1557) Evj [b]:

„Auf ein zeit ritt ein edelman über feld, den auß der maßen (wiewol er wol gekleidet was) frore, dann es heftig schnye. Dem begegnet ein armer verrißner lantzknecht, welcher nichts umb oder an hett, dann ein alts sischernetz, das er villeicht kürzlich von einem sischer gariet hat, und ine dannocht nicht frore" u. s. w. (vgl. Fornald. S. I, 246.)

G. Forsters frische Lieblein 1556, V, 37:

Unser liebe frawe vom kalten brunnen,
bescher uns armen landsknecht ein warme sonnen,
daß wir nit erfriren!
wol in des wirtes haus
trag wir ein vollen seckel und ein leren wider auß.

Vgl. Reuterlieblein [Nr. 149. H.]:

Wer uns den winter auß nöten hilft,
den sommer scheint uns die sonne, ja sonne.

Str. 5, Z. 2: „darzu ein hund", s. Barthold 64. Str. 10, Z. 1: Die Trommel spricht wie anderswo die Mühle singt u. s. w. Schlacht vor Pavia Z. 33 f.:

lermen lermen lermen!
tet uns die trommel und die pfeifen sprechen.

„Von der scharpffen Rewtter orden", satirisches Spruchgedicht im Liederbuch der Hätzlerin S. 435.

[Vilmar S. 74. H.]

(196) A. Forsters frische Lieblein III, 29, Ausgabe von 1549 (a) und 1563 (b), componiert von G. Othmayr. Frankfurter Liederbuch von 1578, Nr. 238.

Str. 1, Z. 1: b gieng, einer. Z. 2: b fraget. Z. 3: a schwarter, b swarter knab. Z. 4: b vnd trincke g. Str. 2, Z. 1: b führt, hinein. Z. 3: Fr. Mein Euglein, b gon. Str. 3, Z. 1: Fr. satzt. Z. 2: a kauff her, Fr. als ob i. e. Kauffmann. Z. 3: b da (immer so). Z. 4: Fr. m. S. der war leere. Str. 4, Z. 1: b des u., Fr. Vnd da man nun solt schl. g. Z. 2: wiß, a, b schewren, Fr. m. wiß mich wol i. r. Schewre. Z. 3: b wardt, Fr. da stund ich armer schwarzer Knab. Z. 4: Fr. m. l. ward mir thewre. Str. 5, Z. 1: a schewren. Z. 2: nisten (nd. nestlen). Z. 3: a hagendorn, b Hageldorn (nd. hagedorn). Z. 4: a distel. Str. 6, Z. 1: a zu morgen, Fr. deß morgens. Z. 2: Fr. Tache. Z. 3: schwarzer Knab. Z. 4: b vnglück. Str. 7, Z. 2: Fr. ich gürts wol. Z. 3: Fr. Da ich kein Gelt im Seckel hett. Z. 4: a zurepten, b zepten, Fr. zu Fussen mußt ich reiten. Str. 8, Z. 1: Fr. Ich macht mich auff, ich macht mich darvon. Z. 2: Fr. ich macht. Z. 3: Fr. da begegnet mir ein Kauffmann gut. Z. 4: b tasch, Fr. seine Täsch mußt e. m. l.

[Vilmar S. 78. 79. H.]

B. Niederdeutsches Liederbuch Nr. 40.

Zu Str. 2, Z. 1: Bremisch = niedersächsisches Wörterbuch I, 185: „Dörnse u. s. w. gemeiniglich ausgesprochen Donse, eine Winterstube u. s. w. hypocaustum." Schütze, Holsteinisches Idiotikon I, 240; vgl. Schmeller I, 398 f.: Dürniz.

Die Varianten bei A zeigen, daß die niederdeutsche Version mehr mit dem Frankfurter Liederbuch, als mit Forster, stimmt.

Schwartenhals (Speckhals?) ist mir sonst nirgends vorgekommen, dagegen würde schwarzer Knab, gleichbedeutend mit schwarzer Knecht, einen Landsknecht der „bande noire" bezeichnen; über die schwarzen Knechte f. Barthold, Georg von Frundsberg 43. 239. 319. Da diese Schaar sich besonders auch am Niederrhein umtrieb, so könnte die nieder= deutsche Form swart, schwarz, zu der Wortbildung Schwartenhals Anlaß gegeben haben. Übrigens ist das Lied nicht ursprünglich nieder= deutsch, wie in B die widerstrebenden Reime schüne: fuhre, baken: lachen, zu erkennen geben.

Aus einem Briefe Laßbergs vom 21 Februar 1838:

„Ich habe 6 quer folioblätter mspt aus dem XVI iarhundert erhalten. Sie enthalten: Der Benzenauer in Tantz Weis. Der Schwartz Knab, Tantz weis gesloriert. Sankt Jacobis Danz. Der Morisigen Dannh. Der Hoppen Dantz. Die weisen sind blos für die laute gesezt; oder zither. aber der text felet überall, es stehen immer nur ein par verse, der anfang, unter den noten. die noten selbst bestehen nur aus buchstaben und ziffern. wer kann diese alte musil lesen?"

Fischarts Geschichtklitterung Cap. 7 (S. 132): „Hie gilts den Scharrer, den Kotzendanz, den Moriscen, den schwarzen Knaben, der gern das braun Meiblin wolt haben, Ja haben, wann mans ihm geb."

Zu Str. 3 vgl. „Elslein" (257) Str. 4; „Pilgrim" (100 B) Str. 5. (197) Niederdeutsches Liederbuch Nr. 82.

Zu Str. 8, Z. 2: über „schock" vgl. Schmeller III, 320. Zu Str. 9, Z. 4: Bremisch=niedersächsisches Wörterbuch IV, 806: „Slagting, eine Schlacht, ein Treffen, proelium. Es ist veraltet."

Oberdeutsch findet sich das Lied, fragmentarisch und verstört, hinter einer Incunabel der Tübinger Universitätsbibliothek (G. a. XXXVI. 21. 4⁰.) von übler Hand des 16ten Jahrhunderts eingeschrieben:

> Es saßen drej Landsknecht bey dem tßelln wein
> si zalten von groß wunder vnd abenthür
> der erst huob an zuo sagen
> ich wais mir dreij Rossi in ainem stalle stan
> die thinden ganz hoffelich traben
> mir wellends haben.

Es können daraus noch einige benützbare Varianten angemerkt werden:

Zu Str. 3, 3. 4 f.: Ich wais mir ain reichen buren [mablin im] hus
Da ligend drey schne wiffen hinde.

Str. 4, 3. 6: gar wunderschnelle.

Str. 5, 3. 2 f.: fie ritten berg vnd thal vnd thieffe mos
wol iber ain witte haide.

Str. 7, 3. 1 f.: Es schney es weh oder gang der wind
der die schuech mit widen bindt
der mus das loch bezallen.

Str. 8, 3. 1: Sie ritten-gen Niernberg fir das thor.

(198) „Ein hübsch Lied von syben Stalbrüdern auß Sachsen", nach einem fl. Bl. des 16ten Jahrhunderts in Wolffs Halle der Völker, Frankfurt 1837, II, 239 ff. ist eine erweiternde Bearbeitung desselben Stoffes in einem etwas künstlichern Versmaß und mehr meisterfängeri-schem Tone. Einzelnes stimmt fast wörtlich, z. B. (S. 240):

Und der die schüh mit weyden bind,
Muß uns das gloch vergelte u. f. w.

(199) Ein andres Lied von räuberischen Landsknechten im nieder-deutschen Lieberbuch Nr. 119: „Jbt weren negen Soldaten" u. f. w. (nachher: „de negen Landsknechte.") Fl. Bl. o. D. u. J. (Zürcher Lieberbuch 596): „Es waren drey Soldaten güt" u. f. w. (vgl. Elwert 19, daraus im Wunderhorn I, 19, Büsching und v. d. Hagen, Volks-lieber 81. 343.) Vgl. Horæ belg. II, 139: „Van brie ghesellen uit Rosenbael." Hier ist der zweite Theil, der tragische Ausgang des Frei-beuterlebens, dargestellt.

Magdeburg.

(202) A. Wilken, Geschichte der Heidelberger Büchersammlung, Heidelberg 1817, S. 342 aus der dortigen Handschrift Nr. 100, 16tes Jahrhundert, Bl. 124 b f. (vgl. Soltau 398): „Ein Lied von Magden-burg." Morgenblatt 1818, Nr. 176.

Str. 1, 3. 8: daß wir sy mach Recht. wirs empfangen recht? Str. 2, 3. 2: liegen drey Hindelein. 3. 4: l. fie fein. Str. 4, 3. 1. 5: inn. Str. 5, 3. 8: hat das böß g.

B. Niederdeutsches Lieberbuch Nr. 27.

Str. 4, 3. 3: Mönckelnecht. Str. 8, 3. 3: röpt. Str. 12, 3. 3: röpt. Str. 13, 3. 2: Krygeßlilbe. Str. 22, 3. 4: holde?

Das hochdeutsche Lied im Wunderhorn II, 103, „Flugblatt aus der Reformationszeit", stimmt theils mit dem niederdeutschen, theils mit einem anderweiten Drucke:

„Zwey Schöne lieder, Das Erste Der Christlichen vnnd Löblichen Stadt Magdeburgk zuo ehren gestellt, durch P. L. Im thon: Es wolt eyn Jeger jagen, u. s. w. Das Ander der Durchleuchtigen Hochgebornen Furstin, Frawen Sybillen, geborne Hertzogin zuo Cleue vñ Gülich, Hertzogin zuo Sachsen, Chuorfürstin, u. s. w. Zu ehren gemacht, Durch Petrum Watzdorff, Im thon: Jßpruck ich muß dich lassen, u. s. w. 1551." 4 Bl. Il. 8⁰. Am Schlusse des ersten: „Zuo Magdeburg."

(Die Stücke, mit welchen dieses Flugblatt zusammengebunden ist, sind meist aus den 50 und 60ger Jahren des 16ten Jahrhunderts.) Diese Version hat einige eigenthümliche, der kirchlich polemischen Richtung angehörende Strophen. Sie zählt im Ganzen 17 vierzeilige Gesätze.

Die landsknechtische Fassung, unter A, erscheint, wie auch Soltau annimmt, als die ursprüngliche, sie hält sich einfach und gleichmäßig im Kreise des Anschaulichen. Die geistliche Wendung, auf welche sich die Autorschaft des P. L. beschränken wird, ist, wenn auch frühzeitig (1551), doch nicht zum poetischen Vortheil des Liedes hinzugekommen und konnte, einmal ergriffen, leicht variiert und erweitert werden. Der Text A ist übrigens verdorben und es wird Einiges aus den andern berichtigt werden können.

Unter B sprechen die niederdeutsch unpassenden Reime huß: uth, papen: straffen, seel: ungeil, sön: dohn, auch die Form megdelin für ein oberdeutsches Original, wogegen stolt: holdt, unvorsehrt, nach der andern Seite weisen.

In einem niederländischen geistlichen Liederbuche: „Veelderhande Liedekens" u. s. w. 1577, dessen erste Ausgabe zwischen 1560 bis 1570 zu fallen scheint, findet sich der Liebesanfang: „Meyborch, houdt u vaste." Mone, Übersicht der niederländischen Volkslitteratur S. 235. 163 f.

Der Fähnrich.

(203) Fl. Bl., gedruckt zu Str(aubing): „Wie Marggraff Albrecht für Franckfurt gezogen ist. Im Thon: Was wöllen wir aber heben an." Fl. Bl. Basel, bei Joh. Schröter, o. J., mit gleicher Titelbezeichnung.

Wiederholung des Schlußreims jeder Strophe: ja singen, ja schweben u. s. w. Über den Ton vgl. Aletheia 160.

Str. 2, Z. 1: B. obern. Z. 3: B. ober den. Str. 3, Z. 2: S. wie das. Str. 5, Z. 3: S. Er erschoß. Str. 6, Z. 3: B. ober einen. Z. 4: B. haben. Str. 7, Z. 2: B. gemeint. Str. 8, Z. 1: B. hat e. Z. 2: B. und g. Z. 3: S. Feyheln vnd grühne kl. Z. 4: nimmermehr. Str. 9, Z. 2: S. würd, B. wirdt; etwa: letz und n. g.? Schmeller II, 530: letz — krank. Z. 3, B. also, S. all ... (ausgerissen.) Str. 10, Z. 4: B. gewesen.

Das Ereignis fällt in das Jahr 1552.

Über den Fähnrich bei den Landsknechten s. Bartholds Georg von Frundsberg 30 u., s. 42 f.

Arwidssons Svenska Fornf. I, 135: „Riddar Stig", aus einer handschriftlichen Liedersammlung des 16ten bis 17ten Jahrhunderts. Der Inhalt dieses schwedischen Volkslieds ist folgender: Der König heißt den jungen Ritter seine Fahne führen; dieser wendet ein, sein Pferd sei zu klein und er selbst zu jung für die schwere Fahne. Als nachher die Feinde in Überzahl herankommen, heißt der König ihn die Fahne nieder= lassen und sich seines jungen Lebens wehren. Doch Jener kann sich nicht entschließen, die Fahne aus der Hand zu lassen, er wird erschla= gen, Frauen und Jungfraun beweinen ihn und opfern Gold bei seinem Begängnis.

[Vilmar S. 81. H.]

Viertes Buch.

Martinslieder.

(205) B. Niederdeutsches Lieberbuch Nr. 106.

Str. 3, Z. 1: sehre. Str. 4, Z. 1: röfft. Str. 5, Z. 2: setteds en? Str. 9, Z. 4: Sommer, wil.

An Strophe 10 reihen sich drei weitere, in welchen nicht mehr die Frische und Gewandtheit der vorhergehenden fühlbar ist:

De mi van di, wulf, halp ut not
und mi ok gaff den trüwen raet,
des hebbe ik nicht vorgeten;
de hillige sünt Marten hat
min lif ok helpen eten.

De ret, dat ik ein gescheft scholde don,
ik volgede na dem hilligen man
unde was em des gehorsam;
alltit wol an sant Martens dach
et men uns genselin gerne.

Wol to dem lustigen nien win,
den beschert got unde sünt Martin,
is de gans darto gegeven,
demsülven et men uns tor er,
gabe in dem ewigen leven.

Auctionscatalog von J. A. Börner zu Nürnberg auf den 12 September 1841, S. 101, Nr. 1236, in einem Lieberhefte 8⁰ von 6 Numern: „3) Veer schöne leder volgen, dat erste, van dem wulve und der gans u. s. w. 1613."

Zu Strophe 6, Z. 1: Udvalgte danske Viser 1, 235 (Elvehöj), 9:

De dandsed' ud, de dandsed' ind.

Zu Strophe 6, Z. 1: Bremisch-niedersächsisches Wörterbuch I, 359:
„Fastel-avend, Fastnacht." Zu Str. 9, Z. 5: gense(n?) bwagen, vgl.
Schmeller IV, 303 u., f. Zu Strophe 10, Z. 4, 5 vgl. Cäsarius von
Heisterbach, Hist. memorab. L. X, c. 56 (II, 339). Der h. Thomas
von Canterbury ist Nothhelfer eines Vogels.

Für oberdeutschen Ursprung dieses Liedes zeugen die nur durch
Zurückführung aus der niederdeutschen Mundart zu berichtigenden Reime
eine: nene, was: vorgath, na: sprach, beer (beert): mir.

Daß jedoch dasselbe schon im ersten Viertel des 16ten Jahrhunderts
auch weithin im Gebiete niederdeutscher Sprache bekannt war, ergeben
nachstehende Strophen eines in gleicher Weise verfaßten polemischen
Liedes von 1524 (Joh. Berckmanns stralsundische Chronik, herausgegeben
von Mohnike und Zober, Anh. S. 229 f.), worin Luther als ein zweiter
Hus, „een ander gans," tanzend und singend aufgeführt wird:

De gans heft eenen langen schwanz,
Se tüeht so mennigen in den danz
Mit eeren falschen vedderen;
Se meinet, se draget einen parleu-kranz;
Wil got, it kehret noch wol wedder.

De gans hevet an so söte to singen,
Dat de mönneken ut den kloster springen,
De kappen se verwerpen;
De klisheit is en alto schwar,
Er krankheit mag men merken.

Anzeiger 1835, Sp. 42, Liebesanfang:

Bei winterszeit, der kalten zeit,
selten ein here zu selbe leit u. s. w.

auch dieselbe Versweise.

„Versus de gallo", J. Grimm, Reinhart Fuchs 420 (dem Alcuin
zugeschrieben, ebb. CLXXXIII u. CXC):

V. 28 ante cibum voces dum spargere tentat inanes.

(Vgl. ebb. 30 f. 421.)

Méon III, 55: „Dou Lou et de l'Oue. Par Jean de Boves."
(? Vgl. ebb. 197.)

V. 12 Ha! fet l'Oue, lasse chetive,
Com fui née de plus mal eure
Que ma compaigne qui demeure!

Il n'en i a nule remese,
Ne soit rostie lez la brèse,
D'aigret confite et de vinaigre,
Il n'en i a nule si maigre,
Ne soit mise par escueles.
De sons, de notes, de vièles
Seront tuit li morsel conduit,
Et je morrai ci sanz deduit,
Jà n'i aura feste ne joie.
En non dieu, dist li Leus, dame Oie,
Nous chanterons, puisqu'il vous siet;
Sor lez piez derriere s'assiet,
En sa goule bouta sa poue,
A huller prist; et quant dame Oue
Se senti des denz alaschie,
Dont souffert ot si grant haschie,
Sagement trait à li son col,
Si a bien regardé son vol,
Sor un chesne a son cors gari.
Es-vos le Leu si esmarri,
Si esbahi et si plain d'ire,
Que par pou sa pel ne deschire,
Quant voit qu'il a l'Oue perdue;
De mautalent li cors li sue,
Quant ne se puet vengier aillors.
En reprovier a dit li Lous:
Mal chanter fet devant mengier,
Je l'ai ore comparé chier u. f. w.

Verschiedene Martinslieder bei Forster II, Baff. 1553 (Ten. 1565).
Nr. 2, 3 („der wolf möcht sie erhaschen"), 4, 5, 6, 7, 9, 39, 40 kom-
men meist nur als musikalische Scherze in Betracht. Fischart, Geschicht-
klitterung Cap. 149 (S. 149 u.). W. Wackernagels deutsches Lesebuch II,
2te Aufl., Sp. 232 ff. Jahresbericht der deutschen Gesellschaft zu Leipzig
auf 1837, S. 15 u., f., in einer Wolfenbüttler Handschrift des 15ten
Jahrhunderts „Der gens lob. Anfang: Man gicht vil von wiltpret, ohne
sonderlichen Werth." Altdeutsche Blätter II, 314 f. (Musiknoten dazu bei
S. 311.) Hoffmann, Geschichte des Kirchenliedes 167 f. Reimann,
Deutsche Volksfeste, Weimar 1839, S. 281: Das Martinsfest, S. 476, 26.

Venetianiſche Martinslieder, 4 Blätter kl. 8., Trevigi 1624 (Stadt-
bibliothek zu Ulm, 5735 bis 5874. h. l. k. 38. Nr. 5820.' Vgl. ebd.
Nr. 5864).

Klöſterlein.

(209) 115 guter newer Lieblein, Nürmberg 1544, Nr. 23 (com-
poniert von Lud. Senffl).

Str. 1, Z. 3: bawen; Schmeller I, 155: bauen, ä. Sp. batwen, bauwen,
bewohnen (a. Sp.) u. ſ. w. Str. 2, Z. 6: Brüder; Schmeller II, 22: Die
Gugel u. ſ. w., Kappe oder Kapuze an einem Rock oder Mantel, die über den
Kopf gezogen werden kann; Mantel mit ſolch einer Kappe. 23: munchsgugel,
cucula, Voc. v. 1429. Str. 3, Z. 5: Schmorotzen.

Heiaho.

(212) Papier-Handſchrift, 16tes Jahrhundert, im Beſitze des
Herrn Kuppitſch in Wien, Bl. 31 b f.

Str. 1, Z. 3: der h. h. Str. 2, Z. 5: ſat? Z. 9: hinter heya ho ſteht
undeutlich: ſo, etwa zur untern Zeile: die leng ſo tr.? Str. 3, Z. 8: vnnb
wen mir n. pf. habnn. Str. 4, Z. 2: audrs, auch weiterhin. Z. 6: Schmel-
ler IV, 194: Die Niderwát (ä. Sp.), das Beinkleid. Str. 7, Z. 4: güte.
Z. 5: hibſnn. Z. 8: ſolteſt, ſcheint hier und Z. 7 Abkürzung von: ſoldes ez.
Str. 8, Z. 2: hinein? vgl. Str. 9, Z. 2. Z. 4: tr. ſich. Z. 6: poge.
Z. 9: freu' lanczknecht. Str. 9, Z. 4: freue. Z. 10: leſett.

Die Handſchrift hat noch eine weitere Strophe:

> Der vnß dz lieblein neuß geſang
> vnnd newes geſungen hat
> dz heya ho
> dz hat gethaun ein ſchlemer
> wol an einem ſamcztag ſpatt
> die fraw die gieng inß pad
> ſy wuſch den vnſlatt herab
> dz heya ho
> wellnn mich mein geſt alſo pezalnn
> dz wer mir ein groſſer ſtatt [ſchad].

Daß Strophe 1, 3, 5 je eine Zeile weniger haben, als die übrigen,
kann durch Wiederholung der ſechsten Zeile ausgeglichen, oder mag auch

hinter derselben eine ausgefallen sein, doch ist der Zusammenhang nir=
gends gestört.

Über die alten Ausrufungen mit hei! s. deutsche Grammatik III, 299.
Zuweilen scheint auch „das heia ho!“ substantivisch in den Satz über=
zugehn, z. B. Str. 9, Z. 8. Lied von den Bauren von Witters=
hausen Str. 7:

Und schryen alle do das heia heia ho.

Ein geringeres Lied ähnlichen Inhalts unter den Reiterlieblein
(Nr. 147):

„Ich bins ein armer reutersknab“ u. s. w.

Auf Verwandtes weisen auch zwei Strophen in Forsters frischen
Lieblein II, Baß. 1553 (Ten. 1565), Nr. 47 (componiert von Arnoldus
de Bruck):

Es gieng ein lantzknecht uber seld,
In aller maß wie vor, :|:
Er het kein seckel (Ten. beutel) noch kein gelt,
Und dennoch noch vil weiter mehr in aller maß wie vor,
Heine, gut Heinrich, specian, encian, rubenkraut,
toröl, hippenbrem, ochsenkolben, tanzapfen,
docken breite bleter, die sein innen hol, hol, und die
sein innen hol.

Er kam für eines wirtes haus,
In aller u. s. w.
Die wirtin schawt zum fenster auß,
Und dennoch u. s. w.

Auch niederländische Lieder klingen an, Horæ belg. II, 147 ff.:
„Van den maijer ende vrieseman.“ Der Meier sieht den Buhlen seiner
Frau in seinen eigenen Kleidern, die sie demselben geschenkt, daherreiten.
Es erhebt sich ein Kampf, worin der Meier seinen Gegner erschlägt:

5 De maijer op sijn grauwe ros spranc
en hy hief op een liet en sanc,
hy sanc so luit, men mocht wel horen:
staet op, staet op, joncvrouken sijn!
den vrieseman die is hier voren.

Zu diesem Stücke bemerkt der Herausgeber S. 149:

Ein ganz ähnliches Lied, van een losen boerman, ebenfalls im Oudt
Amsterb. Liedboeck, nimmt kein so tragisches Ende:

Sy ghinc naer haer slaepcamer,
de landescnecht volghede haer naer,
sy trock hem van haer mans cleeren aen
en daer mede so liet sy hem gaen.

De lantscnecht over der heide ghinc,
hy hief op en sanc een liet
van een so losen boerman,
die sijn vroutjen in dolen liet.

De boer lach in de biesen,
hy hoorde de woorden oprecht:
wat hebje van mijn te singhen?
sprack den boer tot den landescnecht.

Ick heb van jou niet te singhen,
van jouw vroutje en weet ick niet;
een also leiden mare
is te nacht in mijn drome gheschiet.

Is also leiden mare
te nacht in jouw drome gheschiet,
so gaet en drinct coel isser de wijn
en melter dats niemant niet!

Über dem Brieseman steht als Melodie: Een boerman hab een domme sin,
ein Lied verwandten Inhalts, was sich ebenfalls im Oudt Amsterdam. Liedboeck
Bl. 66 vorfindet; es wurde früher viel gesungen. Abgedruckt in L. G. Visscher
Bloemlezing 1 D., Bl. 40. 41.

Aus einem meistersängerischen Liede vom Minner, Spieler und
Luderer in einer Papier-Handschrift vom Jahre 1454 (Cod. Monac.
germ. 379, nach Herrn Franz Pfeiffers abschriftlicher Mittheilung,
Nr. 55):

 2 Der Spiller sprach: wilt du hören, wie es mir dar nach ergieng?
  Do ich verspilt, dar man mich gesieng,
  Do künd ich weder entlassen noch enspringen;
  Sy fiengen mich, sy punden mich an ein seil,
  Mit gutten kneutelein erperten sy mir das mail [1].
  Sy wolten vil der pfenig von mir zwingen,
  Do het ich leider nindert kein;

[1] Vgl. Schmeller II, 564 u.

Si ſchlugen mich, es mecht recht got wol erparm[en],
Sy redten, ſy welten mich verſtein [1].
Do köm des wirtes magt mit iren weißen armen,
Sy ſprach, ſy ſälten mich ir laſſen gan,
Wann zechen ſchilling wölt ſy für mich geben.
Der ein der wolt ſein nicht enton,
Er ſprach, ich muoſt im hie laſſen mein junges leben
. . . . gelten (?)
Ee ſy mich [verſteinen] ließ,
Zechen pfund ſy für mich gehieß;
Die namen ſy williklichen von mir
Und lieſſen mich von dannen zelten.

Vorher (Str. 2) erzählt der verjagte Minner:

Ich huob mich auf und loſnet baß,
Ich hort ein panzer klingen;
Ich viel uber einen laden ab,
Ich armer knab,
Ich lief durch einen grünen wald,
Do hort ich ſöglin ſingen.

Das Singen über die Heide nach wohl vollbrachter Sache oder glücklichem Entkommen begegnet auch im Liede von Falkenſtein, A. 11:

As ſe wal in en grot hede kam,
wal lude ward ſe ſingen:
„nu kan ik den heren van Falkenſten
mit minen worden twingen."

Ebenſo in der dort angeführten ſchottiſchen Ballade „Geordie" (Kinloch 193):

When she was mounted on her hie steed
And on ahint her Geordie,
Na bird on the brier e'er sang sae clear,
As the young knight and his ladie.

Schluß des Liedes vom Pilgrim (100, B):

Wer iſt, der uns biß liedlein ſang?
friſch frei hat ers geſungen;
das hat getan ein pilgram gut,
dem mit der frauwen iſt glungen.

---

[1] Vgl. Bremiſch-niederſächſiſches Wörterbuch IV, 1026, 3.

Oswald 2571 ff.:

> do si nû ûf daz mer wären komen,
> als wir ez sît haben vernomen,
> in was vil wol gesungen,
> vrölich sie von herzen jungen.

Finkenritter S. 8:

„So bald begegnete mir einer, der trug Sensen feil, ich sagte zu ihm: Lands-
mann, wie giebst du mir eine? Er sagte: Ich gebe dir eine um einen Juhei,
Juho, mit lauter Stimme. Ich schreie den rechten Ju, Juhei, Juho, so laut,
als ichs erschreien möchte, daß Berg und Thal davon erschall, gleich als brüllten
die Ameisen."

Nicht immer tritt die Wirthin als Freundin des Schlemmers ins
Mittel, mit Schwert und Feuerrohr kommt sie heran, als eiserne
Nothwendigkeit des Zahlens, in einem holländischen Liede, Thirsis
Minnewit (Amsterdam 1752) I, 107:

> 't Waardinnetje in de Kamer qwam,
> Met eenen blank Zwaard al in haar Hand,
> Met eenen blank Zwaardetje en eenen Roer
> Zo sprong dat Waardinnetje over de Bloer.

> Zy zeyde za Gasten: 't en mag' er zo niet zijn,
> Voor u en is' er geen Biertje of geen Wijn,
> Voor u en is' er geen Biertje of geen Wijn,
> Of daar moest eerst een Goud-guldentje zijn.

Vgl. Chansons 1538, Bl. 25:

> Et quant ce vint a compter,
> Nauoient ne masse ne denier;
> Lhoste print sa grant rapiere:
> Sen deuant derriere,
> Vous me payerez tout a coup
> Sen dessus dessoubz.

Grüneisen, Niclaus Manuel 419:

> Als bald Egg kam zum Heioho u. s. w.

Das Land Tirol u. s. w., 3ter Bd., Innsbruck, 1838, S. 526:

„Das junge Männervolk [der Zillerthaler] liebt seit unfürdenklichen Zeiten
das sogenannte Gaßlgehen oder Anfenstern, anderwärts Fensterlen genannt, ein
stiller leiser Gang zur Nachtszeit ans Fenster der Erwählten, ihr in losen
Sprüchlein und Gaßlreimen eine Nachtvisite zu machen. Hat der junge Mann

ein solches Abenteuer glücklich überstanden, so stimmt er auf dem Heimwege sein lautes Gaßllied an und begleitet es mit jubelndem Jauchzen, daß es von Gebirge zu Gebirge schallt. Vor dem abgestatteten Besuche hütet er sich, seine Absicht zu verlauten, denn alle Schönen der Gemeinde werden vom eingebornen Jünglingsvolke eifersüchtig bewacht; beim ersten Wittern eines Nachtbesuches von außen her versammeln sich die Muthigen, und wird der Gaßlgeher entdeckt, so ist sein unvermeidliches Los, geästet, gescheitert oder gewafnet, d. h. mit Baumästen, Scheitern oder Rasenstücken (Wasen) geworfen zu werden. Oft kommt es auch noch auf dem Heimwege zu Thätlichkeiten; Eifersucht, Wagnis ‛der Überkräftigen, wechselseitige Neckerei treibt dazu an."

Wie das Losbitten und Loskaufen der Gefangenen und Verurtheilten, so erscheint auch, in mehr heiterer Weise, die Auslösung der Pfänder als ein Geschäft der Frauen, nicht immer unbedenklich für ihren Ruf.

Tristan u. s. w. par Fr. Michel I, 12 ff. (Scheingespräch zwischen Tristran und Iseut, um den horchenden König Marc zu täuschen):

Iseut s'en torne, il la rapele:

„Dame, por deu qui en pucele
Prist por le pueple umanité,
Conseillez moi, par charité!
Bien sai, n'i osez mais remaindre.
Fors à vos ne sai à qui plaindre;
Bien sai que molt me het li rois.
Engagiez est tot mon hernois;
S. 13   Car le me faites délivrer!
Si m'en fuirai, n'i os ester u. s. w.
Iseut, por deu, de moi pensez,
Envers mon oste m'aquitez!"

„Par deu, Tristran, molt me mervel
Que me donez itel consel.
Vos m'alez porchaçans mo[n mal],
Icest consel n'est pas loial.
Vos savez bien la mescréance
Où soit avoir ou set en France. [?]
Par deu, li sire glorios,
S. 14   Qui forma ciel et terre et nos, ‛
Se il en ot .I. mot parler
Que vos gages face aquiter,

Trop par seroit aperte chose.

Certes, se je sui pas si osse,

Que ce vos di por averté,

Ce saciés-vos de vérité!"

Atant s'en est Iseut tornée.

Tristran l'a plorant saluée.

Sor le perron de marbre bis

Tristran s'apuie, ce m'est vis;

Demente soi·à lui tot sol:

„Ha! Dex, bean sire, saint entol, [?]

Je ne pensai faire tel fainte

Ne foïr m'en à tel poverte,

A enmerre armes ne cheval

Ne compaignon fors Governal.

Ha! [Dex,] d'ome désatorné

Petit fait-om de lui chierté.

Quant je serai en autre terre,

S'oi chevalier parler de gerre,

S. 15 Ge n'en oserai mot soner,

Hom nu n'a nul leu de parler u. f. w.

(Gottfriebs von Straßburg Werke II, 245 b, u., f.)

Méon III, 283 (De Saint Pierre et du Jougleor):

Toz jors voloit-il estre en boule,

En la taverne ou en houle.

Un vert chapelet en sa teste,

Toz jors vousist que il fust feste.

Der Schlemmer.

(213) Frankfurter Lieberbuch von 1584, Nr. 97: „Der Weltlich
Schlemmer, Wo soll ich mich hin kehren, ich thummes Brüderlein,"
u. f. w. Fl. Bl. o. D. u. J., Kl. 8., unter dem Titel ein Holzschnitt,
einen Mann mit einem Stab in der Linken vorstellend, aus der Ber=
liner Bibliothek abschriftlich mitgetheilt durch Ph. Wackernagel. Heidel=
berger Handschrift 343, Bl. 133 b, 7 Strophen. Fischarts Geschichtklitte=
rung Cap. 8 (S. 146. 156 f.), 7 zum Theil unvollständige Strophen.
Feiner Almanach 1778, S. 60 ff. mit Musiknoten, 9 Strophen. (Im
Wunderhorn II, 425, 6 Strophen, überarbeitet.) Forsters frische Lieb=

lein II, Baff. 1553 (Ten. 1565), Nr. 57, nur Strophe 1 (componiert von G. Vogelhuber). Niederdeutsch im Lieberbuch Nr. 110.

Niederländisch im Antwerpener Lieberbuch von 1544, Nr. 165. Str. 1, Z. 2: B. armes. Z. 5: B. als wir; B. leben. Z. 7: B. das; B. heur sol. Z. 8: B. ferd, fernden, fern. Str. 2, Z. 1: B. fruo. Z. 2: B. vnd wo, wo ich nur h., hewt. Z. 3: B. M. gl. kombt erst am m. Z. 4: B. ein k. Z. 7: als; B. alles. Str. 3, Z. 1: B. ich. Z. 2: als; B. alles. Z. 5: B. w. h. mich d. i. spar; B. was hilfft. Z. 6: B. verlir, verlier. Z. 7: Fifch. außfcharren. Z. 8: B. m. noch e. F. das rewt m. noch. Str. 4, Z. 1: B. Mein guet will ich verbr. Z. 3: B. Ich will den l. f. Z. 5: B. nemm; B. i. u. mir. Z. 7: B. es fp. Z. 8: behilt; B. leent. Str. 5, Z. 1: B. pr. Z. 4: B. dann, fo auch weiterhin. Z. 8: B. weft nichts, wift nichts. Str. 6, Z. 1: B. beffer. Z. 3: B. wirt. Z. 5: B. guten. Z. 7: B. bürger. Str. 7, Z. 4: B. fo leytt. Z. 7: behilt. Z. 8: B. t. v. nicht komb. Str. 8, Z. 1: B. Die B. laß ich f. Z. 2: gegen; B. in. Z. 3: B. w. mir. Z. 4: B. geb; B. m. r. g. Im zu pfandt. Z. 5: B. die gippen. Z. 6: B. i. h. kein r. Niederd. neen, fo hab ich w. Z. 7: B. abent; B. vnd d. m. Z. 8: B. bis Ichs. Str. 9, Z. 1: B. Wirt ft. an d. fchweinen br.; B. praten. Z. 3: B. w. mir; B. mag vns. Z. 4: B. e. guoter frifcher, e. frifcher kieler. Z. 5: B. ach wirt nw lang her wein. Z. 6: B. vnd laß vuns frölich fein. Z. 8: B. fie m. Str. 10, Z. 1: B. karten. Z. 2: B. waffen. Z. 3: B. hübfche; B. frewlen, Iunggfraw. Z. 4: B. vff jetlicher, niederd. an yder. Z. 5: B. kumb h. komm h.; B. mein fch. w. Z. 6: B. du erfrewft (erfreuweft) mir mein h. i. l; niederd. erfröutweft myn Hert im Lyff. Z. 7. 8: B. folt (fol) ich heint (heut) bey dir fchlaffen, mein hertz das wurdt (dz wirt) mir frey. Str. 11, Z. 1: B. henckh; B. die Seiten. Z. 2: B. Ich m. Z. 3: B. h. i. nit. Z. 4: B. Fifch. z. küffen, zu fues fo m. Z. 5: B. Es ift nit allweg (allzeyt) gleich. Z. 6: B. Ich b. auch u. altzeit. Z. 7: B. der zeit will ich e., Parodie in der Heidelberger Handfchr. 343, Bl. 137: der zeit mues ich erbeiten. Z. 8: B. ein gl.

Die mangelhaften Recenfionen haben zum Theil auch andre Reihenfolge und Zufammenfetzung der Strophen, wogegen in den drei vollftändigen Exemplaren, den zwei zuerft verzeichneten oberdeutfchen und dem niederdeutfchen, die gleiche Anordnung ftatt findet, wie fie im Texte beibehalten ift.

Cod. Monac. germ. 811, sec. XV, Bl. 54:

Ein geiftlicher fchlemer in der weltlichen weis oder melodei.

Schlemer, was piftu fingen?
nu maß dich difer fach,
die dir fchand und lafter pringen,
dar zu groß wee und ach,

viell jämerlicher pein!

volg hie der lere mein!

dir mag nit wol gelingen,

wiltu alle zeit vol sein.

Du pist zu frü geporen,

glaub nur der warheit hie!

vill gnab ist an dir verloren,

groß dienst und angstlich mile,

die Cristus gelitten hatt u. f. w. (11 Strophen.)

Umdichtung zu einem Liebeslied (oder geistlichen Lied?) in der Heidelberger Handschrift 343, Bl. 137:

Wo soll ich mich hinkheren,

Ich armes Walbbrüederlein u. f. w. (4 Strophen.)

(Vgl. Görres 78, mit Abänderungen.)

Zu Str. 10 vgl. Garin le Loherain, Th. II, S. 99:

Iluec trouva Menuel Galopin

Lez le tonnel, en sa main trois dés tint

Et trois putains[1], tels estoient ses délis u. f. w.

Vgl. S. 100 ob. S. 101 u.

[Schriften II, S. 450. H.]

Zechlieder.

(214) A. J. de Vento, Teutsche Lieder, München 1573, Nr. 14. In Forsters frischen Lieblein, Baß. II, 1553, beginnt Nr. 4, ein Quoblibet von der Martinsgans:

Den liebsten bulen, den ich hab,

der ist mit reifen umb bunden u. f. w.

F. Weckherlins Beiträge, S. 88 (aus einer Papier-Handschrift der Stuttgarter Bibliothek, Cod. theolog. et philos. 4°. Nr. 190):

„Den liepsten bulen, den ich han, contrafactum.

Den liepsten herren, den ich han,

der ist mit lieb gebunden u. f. w. 7 Strophen.“

Weckherlin bemerkt dabei in Beziehung auf das bei Fischart stehende Trinklied, „daß im 15ten Jahrhundert die beiden ersten Zeilen so ge- sungen wurden:

---

[1] Variante: meschines.

Den liebsten Bulen, den ich han,
Der ist mit Reifen bunden."

3. 3: Ten. höltzes. 3. 4: Disc. u. Ov. B. vnd die gsunden. 3. 8: Brudern.

B. Scanbelli, deubsche Lieblein, Dresden 1578, Nr. 2. Fischarts Geschichtklitterung Cap. 8 (S. 137). Seckendorfs Musenalmanach für 1808, S. 41, aus: „Thomas Mancini erst Buch newer lustiger höflicher weltlicher Lieder, Helmstädt 1588."

Auf einem fl. Bl., Nürnberg bei Joh. Lantzenberger, 1610, „Fünf schöne newe Lieder" u. s. w. hat das fünfte, ein Schlemmerlied: „Was wöllen wir auf den abend thun", als Schlußstrophe:

Den liebsten Bulen, den ich hab,
der ligt ins Wirtes Keller,
er hat ein rotes Röcklein an,
er heißt der Muscateller,
er hat mich nechtn so voll gemacht,
ich wünsch im heint ein gute Nacht,
komm morgen, thu mirs mehr.

Str. 1, 3. 1: Fischart lieben; hab. 3. 2: F. ligt. 3. 3: F. höltzins. 3. 4: er h.; F. vnd h. 3. 5: gemacht. 3. 6: F. v. fr. diesen Tag vollbracht. 3. 7: F. drumb geb ich jhm g. N.; über heint s. Schmeller II, 217. Str. 2, 3. 5: vnd g.; Fisch. ohne vnd. 3. 7: F. Nun grüß ich dich u. R.

[Zürcher Lieberbuch 686.]
[Schriften II, S. 413. Über den Accusativ „Den liebsten bulen" vergleiche J. Grimm, Kleinere Schriften III, Berlin 1866. 8. S. 330. 331. H.]

(215) Fischarts Geschichtklitterung Cap. 8 (S. 135). Joh. Eccard, Newe deutzsche Lieder u. s. w. Mühlhausen 1578, Nr. 22, nur Strophe 1. Scanbelli, deutsche Lieblein, Dresden 1578, Nr. 3.

Str. 1, 3. 2: F. Sc. sind. Str. 2, 3. 1: F. Nun, Sc. mit Gott wil k. 3. 4: Sc. gute tr. 3. 7. 8: F. drumb wöllen wir dich trincken, vnd alle frölich sein.

Fischart hat die Strophen in umgekehrter Ordnung. Bei Scanbelli ist Strophe 1 so verwässert:

Man sagt wol: in dem meien
da sind die brünlein gsund,
ich kan es doch nicht gleuben,
ich glaub, es hat kein grund,

kan ihm nit glauben geben
und wil mir ja (Disc. gar) nicht ein,
ich lob die edlen reben,
die bringn uns guten wein.

(216) Forsters frische Lieblein II, Bass. 1553 (Ten. 1565), Nr. 36. Orlando di Lassus, Newe Teutsche Lieblein, München 1569, Nr. 4.

Str. 1, Z. 2: B. den br. Str. 2, Z. 2: B. sol uns der. Z. 4 fehlt bei Orl. d. L.

Fischarts Geschichtklitterung Cap. 8 (S. 152 u.): „ist keiner hie, der spricht zu mir: gut Gesell, der gilt dir, ja lieber Dölpel, ein Gläslein Wein, drei oder vier."

(217) Forsters frische Lieblein II, Bass. 1553 (Ten. 1565), Nr. 54. 58 (beidemal componiert von G. Vogelhuber). Jac. Meiland, Teutsche Gesäng, Frankfurt 1575, Nr. 17.

Z. 1: B. den henden, M. mein händen. Z. 5: M. dem Herren v. d. h. Z. 3. Z. 6: B. gar fehlt.

Zu Z. 4: Schmeller III, 627: „Der Stallbrueder (ä. Sp.), Kamerade, consors. Wohl von Stall im weitern Sinne, a. Sp. stal, status, statio u. f. w. Vgl. a. Sp. gistallo, nöt=gistallo." Zu Z. 8: hel ut, das niederdeutsche heel uut, ganz aus (sonst in oberdeutschen Liedern: „trink's gar aus!"), vermuthlich Nachahmung und Deutung der Vogelstimme. Geschichtklitterung Cap. 8 (S. 140):

„Sup hel ut, min Proer!"

Verwandte Zutrinklieder bei Meiland a. a. O., Nr. 15:

Wem wölln wir diesen bringen?
dem Mann von der hohen Zinnen.
lieber Bruder, kennst du mich?
der ich bin, der bleib ich,
was ich kan, das treib ich,
so bleib ich, der ich bin.
alde, ich fahr dahin,
alde, ich fahr dahin.

und bei Forster II, Ten. 1565, Nr. 72, componiert von S. Zirlerus (im Bass. 1553 nur Strophe 1):

Wem wöl wir disen reber bringen?
gut hopfen, bruder, wir ligen im luder [1],

----
[1] Bass. hoppen. lign.

wir wöllens eim freien schlemmer bringen,
er mag es wol[1],
wir wölns eim freien schlemmer bringen,
er mag fein wol.

Gut schlemmer, der gilt mir und dir,
der gilt mir und dir, der gilt mir und dir,
darumb nimb das gleslein mit wein bald zu dir!
du magst es wol, darumb nimm u. s. w.

Da nimm das gleslein in die hand,
in dein rechte hand, in dein rechte hand,
und für es mit dir in das Niderland!
du magst sein wol, und für.

Er setzt das gleslein an sein mund,
ja an seinen, ja an seinen mund,
er trank das alles auß biß auf den grund,
solches schmecket im wol.

Das gleslein hat ihm wol gethon,
leiden wol gethon, leiden wol gethon,
drumb sol das gleslein umbher gan,
dann es schmeckt im wol, darumb.

(218) Frankfurter Lieberbuch von 1578, Nr. 85: „Ein Lied von den Trinckern.“

Es folgt noch eine Strophe:

Ach du mein lieber stallbruder mein,
wisch ein mal herumb, rumb, rumb, widerumb!
ich bitt dich all mein tage drumb,
wisch ein mal herumb!

Die Formel dieser drei letzten Zeilen ist auch andern Liedern angehängt. „En rosen visa med elskogh“ bei Arwidsson II, 240, aus einer handschriftlichen Liedersammlung des 16ten bis 17ten Jahrhunderts, vermuthlich nach einem deutschen Liede, hat den Refrain:

Roser och salvier, liljer och persilier,
Krusade mynte och hjertans fröjd!

S. auch in den Anmerkungen zum „Heiaho“ das Bruchstück aus Forsters frischen Liedlein II, 47.

[1] Bass. sein w.

(219) Jac. Meiland, Teutsche Gesäng, Frankfurt 1575, Nr. 11.
Seckenborfs Musenalmanach für 1808, S. 41, aus: „Harnisch, Hortulus
lieblicher lustiger und höflicher teutscher Lieder, Nürnberg 1604."
Strophe 2 ist hier die erste, Strophe 3, Z. 3 lautet:

    Sein Nachbar soll ein volles han.

Fischarts Geschichtklitterung Cap. 8 (S. 144, auch S. 138 b u.):

    Er satzt das Gläslein an den Mund,
    er trunks wol auß biß auf den Grund.
    Er hat ihm leiden recht gethan,
    das Gläslein das soll umbher gahn.

(Variierend und fragmentarisch hinter Laßbergs Exemplar von
Forsters frischen Lieblein IV, Bass. 1556, mit Singnoten von alter
Hand eingeschrieben.)

    (220) Fl. Bl. o. O. u. J.

    Str. 13, Z. 1: über mein! (quæso) Schmeller II, 592.

Fischarts Geschichtklitterung Cap. 8 (S. 165): „Schenk ein auß aller
Heiligen Faß u. s. w. Das heißt das Schiff gelabsandet."

(222) A, B. Scandelli, deudsche Lieblein, Dresden 1578, Nr. 10.
Fischarts Geschichtklitterung Cap. 8 (S. 138). Nur Strophe 1, Z. 5
bis 11 bei Forster II, Bass. 1553 (Ten. 1565), Nr. 30. 41 und V,
Ten. 1556, Nr. 16. Orlando di Lasso, 3ter Theil schöner newer
teutscher Lieder, München 1576, Nr. 15.

    Str. 1, Z. 8: Fisch. den g. w. Z. 7: Sc. vor andern w. Fisch. vor alle
W. Z. 9: Orl. d. L. lieber Dietterlein, Forst. II, 30: m. lieber Dietherlein
(V, 16: m. lieber Dieterlin; die Überschrift ist hier: „Arnolds von Bruck,
Theodorico Schwartzen."), Forst. II, 41: du lieber N. nein. Z. 10: Forst. es
wirt, II, 40: es mag d. sehr wohl. Z. 12: Fisch. wöllen, Orl. d. L. und das
dich nimmer dürfte. Z. 15: wöllen. Str. 2, Z. 2: Fisch. nicht bey uns.
Z. 3. 5: Fisch. darumb. Z. 6: Sc. von w. Z. 7 bis 9 nur bei Fischart,
vielleicht auch von ihm eingelegt (Z. 8: denn e. w. Z. 9: lieff). Z. 10: Sc.
gleslin. Z. 11: Sc. er trinckt es aus bis an d. gr. Z. 12: Fisch. schmackt.
Z. 14: Fisch. vmmher. Z. 15: Fisch. num. Z. 19: Fisch. Victoriam. Z. 21:
Fisch. wöllen, Sc. fr. sein. Z. 22. 23 nur bei Fischart (Z. 22: den dr.,
den dr.).

In der Geschichtklitterung von 1582, Jr b, lautet B, Strophe 2,
Z. 8 f.: „dan er war alzeit ein bös kind, schlief nimmer ungesungen."

(223) Scandelli, deubsche Liedlein, Dresden 1578, Nr. 9. Fischarts Geschichtklitterung Cap. 8 (S. 137 f.).

Z. 1: Fisch. wöllen. Z. 3: Fisch. rechter Bawr; Sc. Pawer. Z. 4: Sc. d. v. wolt ernehren. Z. 6: Fisch. tr. flucks herumb. Z. 10: Sc. frölich br.

(224) Joh. Eccard, Newe deutzsche Lieder u. f. w. Mülhausen 1578, Nr. 6.

Z. 2: schafft, d. h. Urfach ift. Z. 3: Schmeller III, 329: „ungeschaffen, ungeftalt, häßlich." Z. 6: etwa „einzig schlafen" (Schmeller III, 66)? Z. 8. 9. 13: Schmeller I, 343: „Die Preim, Prim, (ä. Sp.) prima horarum canonicarum, 6 Uhr Morgens." Ebd. 458: „Die Terz, tertia h. c., 9 Uhr Morgens." Ebd. 636: „Die Befper, vesperæ, eine Art nachmittägigen Gottesdienftes, die Abfingung der Befper=Pfalmen." 637: „Die Befperzeit, das ist im Sommer umb drei und im Winter umb zwo Uhr nach Mittag," Amberg. Stdtb. von 1554." II, 697: „Die Nön, Nönzeit, (Kirchenfp. und ä. bürgerl. Sp.) wie hochd. die None (sc. hora nona diei, diefen vom Aufgang der Sonne, im Durchfchnitt 6 Uhr Morgens nach unfrer Rechnung, angenommen, alfo) 3 Uhr nach Mittag." II, 648: „Die Metten, Mettin, matutinæ (horæ, vigiliæ, excubiæ), zunächst in Bezug auf die gottesdienstlichen Verrichtungen oder Chorgefänge der Ordensgeistlichen" u. f. w. 649: „In einer Chriftenlehre, Mf. v. 1447, heißt es über „di fiben Zit": Metty, daz ist die Mittennacht, dann folgt die Primzit, daz ist die erft Stund des Tages, wenn die Nacht vergangen ist und der Tag anfacht, dann die Terzzit, die Sechfzit, die Nönzit, die Befperzit und endlich die Completzit." Z. 10. 11: In einem Liede, das die Kinder im Schaumburgischen fingen, wenn fie am Martinsabend vor die Häufer gehn (Reimann, deutfche Volksfeste S. 285 f.):

Ick höre de Schlötel klingen,
Sie wird us wohl wat bringen,
Sie gath up de Kaamer,
Suckt wat taufamen.

Schmeller II, 362 ob. (Tobler 306 a, Reim.) Feiner Almanach I, 162. Volkslieder der Polen S. 18. Zell, Ferienfchriften I, 71.

(226) Scandelli, deubfche Liedlein, Dresden 1578, Nr. 14. Fifcharts Geschichtklitterung Cap. 8 (S. 139 u., f.).

Str. 2, Z. 1: F. Bachen.

Zu Str. 2, Z. 2: Stalder, Schweizerisches Idiotikon II, 203: „Mäusli n., Blatt der Salbei fowohl, als ein Küchlein, das davon gemacht ist." Bei Fifchart steht voran: „Hoppaho Henecken: der Han ist noch nit tobt: Man hört ihn krähen nächten spat: Ist umb den Kamm noch rot. Hotehejahum, Nun singt herumb, biß es auch an mich kum: ein Hänlin weiß" u. s. w. und am Schlusse noch: „ke ka ke nei: das Ei das ist gelegt: ke ka ke nei, daß man frölich sei."

Hoffmann, Horæ belg. VI, 182: (Kinderspiele): „Hühnchen hat gelegt, in Holland: cop cop heeft ghelecht; in Brabant „stootballen" Knaben sitzen im Kreise; einer geht herum, und wenn er bei irgend einem des Kreises einen Ball, ein Tuch oder sonst etwas fallen läßt, so muß dieser für ihn herumgehen; ziemlich wie das holsteinische:

De Goos, de Goos de lecht dat Ei,
Un rennet fallt, so fallt et twei;

s. Schütze, Holsteinisches Idiotikon II, 52, und verwandt dem deutschen „Der Fuchs geht herum", Grimm, Kindermährchen II, XVIII."

Fischarts Geschichtklitterung Cap. 25 (S. 297 b) im Verzeichnis der Spiele: „Das Hänlin, Hänlin hat gelegt." (Vgl. 292 a: „Cock, ock ei will.")

(227) Forsters frische Lieblein II, Bass. 1553 (Ten. 1565), Nr. 43. V, Ten. 1556, Nr. 4. Meiland, Teutsche Gesäng, Frankfurt 1575, Nr. 16.

Z. 1: F. Var. M. Da. Z. 2: F. Var. liechte m. ane br.

(228) Forsters frische Lieblein II, Bass. 1553 (Ten. 1565), Nr. 63. Fischarts Geschichtklitterung Cap. 8 (S. 143).

Z. 2: Fisch. Figel. Z. 3: Forst. B. vnd Jorel; v. der Norel; Fisch. vnnd der Jörgel. Z. 4: Forst. B. auch fehlt; Fisch. Caspar kam. Z. 5: Fisch. Compan. Z. 6: Forst. B. trancken, vngfer; Fisch. nur: die truncken. Nach Z. 6 folgt bei Forster: vnd wurden selten leer. Z. 7: Forst. Lip. Z. 8: Fisch. war. Z. 9: Forst. vnd h. a. Auf Z. 9 folgt bei Fisch. noch: „hupff Lipp in den Klee" (vgl. ebb. S. 295 b ob. Spiel: „Hupff in Klee"). Z. 6: Über on gser s. Schmeller I, 550. Z. 9 scheint einem Tanzlied entnommen zu sein. Noch sind zu beachten: Geschichtklitt. 144 (vgl. Pract. 58): Sturmwind. Ebd. 142: Bodensee. Seckendorfs Musenalmanach für 1808 S. 37: Zu Klingenberg u. s. w.

Schlaftrunk.

(229) Frankfurter Liederbuch von 1584, Nr. 127: „Der Schlaff-trunck." Fischarts Geschichtklitterung Cap. 8 (S. 152): Str. 2. 5. 6. 8. 9.

Str. 1, Z. 3: gelingen. Z. 7: eine gr. kr. Str. 2, Z. 1: F. holla mein
St. Z. 3: Schmeller II, 442: „Das Lueder u. f. w. 3) a. Sp. Spiel, Possen,
ausgelassene Lustigkeit, Schlemmerei." Z. 5: F. nimm. Z. 7: F. den will
gewiß ich br. d. Z. 8: F. soll. Str. 3, Z. 4: über halt ich f. Schmeller II,
186 u. Str. 5, Z. 5: F. n. so schw. Z. 6: F. es st. Z. 8: hab gesehen;
F. hat gef. Str. 6, Z. 2: a. deiner; F. a. der. Z. 3: F. als erschlingen.
Z. 5: F. will. Z. 6: bescheid. Z. 7: F. wilt den Becher gar oberhalb. Str. 7,
Z. 4: vgl. Schmeller III, 430: „Ein schlechter Schaden, kein großer." Z. 8:
bescheidt. Str. 8, Z. 2: F. bring. Z. 6: F. e. i. gerad r. z. Z. 8: ankräyt;
F. ankrähet. Str. 9, Z. 1: F. Dos, will. Z. 2: F. heyme zu (vgl.
Schmeller II, 193: „haimzue, heimwärts"). Z. 3: F. gahn, wänden. Z. 4: F.
der Gluchsen hat, Schmeller II, 90: „gluchzen, gluchsen, schluchzen, singultire.
Onom. v. 1735." Z. 8: F. Abe z. g. N. R. S. M. Geb euch ein frölichen Morgen.

Vinum fœnum.

(232) Fl. Bl., II. 8.: „Drey hüpsche neüwe Lieder, Das erst,
Wo wachßt Höw auff der matte̅, dem frag ich gar nit nach, u. f. w.
Getruckt zü Basel, bey Samuel Apiario." o. J. Dem Liede voran
stehen die Noten der Singweise mit der Überschrift: „Componiert durch
Gregorium Meyer Organist, mit vier stimmen." In Fischarts Ge=
schichtklitterung Cap. 8 (S. 140) steht Strophe 1 nebst einigen
paraphrasierten Zeilen aus nachfolgenden Strophen (darnach Wunder=
horn II, 428 f.).

Str. 1, Z. 1: F. wächßt Häw. Z. 2: F. nichts. Z. 3: F. es hab Sonn.
Z. 5: F. gut Häw daß wechßt an Reben. Z. 6: F. daſselbig wöllen w. h.
Z. 7: F. d. t. vns Frewden g. Z. 8: weißt; F. weiß. Z. 9: deß; F. daß.
Z. 10: F. mich verlangt w. Schmeller I, 482: „Belangen, a) durch lange Dauer
belästigen u. f. w.; b) mit Sehnsucht, Verlangen erfüllen. Es belangt mich,
ich habe Verlangen, Lust; es verlangt mich." Z. 11: F. macht vns allzeit
viel Frewd v. M. Str. 2, Z. 2: kru̅ vn̅ la̅u̅. Z. 6: Schmeller II, 281:
„erlecken, derlicken, beleben." Str. 4, Z. 7: spißlin, Schmeller III, 579: „Der
Spiß, a) veru u. f. w. c) Spreißel, Splitter, Spänchen, Gerte. „Sechs Spiß
gebratener Feigen, an ainem Spiß zehen oder zwölf." heil. Geistspitalmanual v.
1519, fol. 16. Ein Spißli Vögel, Fische u. f. w., eine Anzahl kleinerer Stücke,
die, an einem Spreißel, Rüthchen und wie immer zusammengefügt, mit einander
hingegeben (oder allenfalls an Einem Spiß gebraten) werden." Z. 11: fröudt.

Str. 5, Z. 9: Man, d. h. mag. Z. 10: Schmeller I, 373: „Dempfen, im
Luder ligen, compotare, epulari," Prompt. v. 1618. „Sein Vermögen ver-
dämpffen, ibid." Str. 6, Z. 1 etwa: lesten, letzten (vgl. Schmeller II, 509).
Z. 5: wänen, errathen? Z. 6: meyets i. d. graß, mäht es; etwa: in dem
vaß? Z. 11: yedem w. b.

Auf Strophe 1 folgt bei Fischart a. a. O.:

„Das ist gut Häw, das macht gut Strew. O führeis sauber ein, und wer
es nit kan tewen, der gang auch nit zum Wein! Aber ich seh am Hewen, daß
sie gut Käwer und Täwer sein; sie rechens mit den Zänen und worbens mit
dem Glas, der Magen muß sich bänen, daß ers in die Schewren laß."

Andres fl. Bl., ein halber Bogen kl. 8.: „Zwey Hüpsche neuwe Lieder,
Das Erst, Ich sach mir eins mals ein wunder schöne Magdt u. s. w.
Das ander, Ein verantwortung. Das höw das thut dich stächen u. s. w.
Im Thon, Wo wachßt Höw vff der Matte u. s. w. 1573." Dieses
andre Lied hat 12 Strophen und noch einen Nachtrag von 3 Strophen
mit der Überschrift: „Respondi Stulto secundū Stultitiam suam ne
sibi sapiens esse uideatur." Am Schlusse: „Geben zů Basel den
XX Augusti, im 1572 Jar, durch Gregorium Meyer Organist." Aus
dieser Verantwortung ergibt sich, daß gegen das Heulied ein frommer
Eiferer mit einem Straflied aufgetreten war, dem nun der Verfasser
des erstern eine derbe Erwiderung entgegenstellt. Sie hebt so an:

Das höw das thuot dich stechen,
daz du kein ruow magst han,
mit dem in allen zechen
hoffiert dir iederman,
das mans nit kan verbieten,
und niemands darzuo thuot,
auch nicht ansicht dein wüten,
und gar nit hast verguot,
es bschicht dir zleid; ein oberkeit
möcht dich wol hie beschirmen sein
und dir helfen auß diser pein.

Ich wolt darüber weinen
und michs erbarmen hart
und werfen drein mit steinen,
ist aller narren ahrt;
ich wölt sie leren schweigen,

der teüfel wer dann drin,
nicht singen, pfiffen, geigen,
's höw müßt ihn auß dem sinn;
das süw lied macht dich gar veracht,
und woltest gern ein rathsherr sinn,
darnach betrachtest du fürhin.

Du hast die welt verlassen,
der grechtigkeit bist hold,
als ubels thuost du hassen,
achtest nicht gelt noch gold;
billich soltest regieren
zwei königreich so groß,
dein völklein herrlich füren,
mit gottes heiligen gnoß;
ein königlich kron stat dir wol an,
auf beiden seiten spitz soll sein,
mit zweien schellen ziert gar fein u. s. w.

Weiterhin:

Heist mich mein kilchen zieren,
das gaht dich gar nit an,
ich kan dich wol visieren,
wilt mich nit rüwig lan.
hast nie kein bildnuß gsehen,
die sicht Marcolfo gleich?
das muoß ich warlich jähen,
du ghörst ins selbig reich.'
sein bild schouw an! du bist der mann,
der vil der kunst gefressen hat,
gleich wie ein kuo ist muscat satt.

Du kanst wol narrekt molen
in einem wapen sein;
ists dir schon nicht entpfohlen,
so stell dich selber drein!
die kappen thuot dich zieren,
staht dir für auß wol an;
wil dir noch baß hoffieren,
wilt mich nicht rüwig lahn.
hab ietz verguot, biß mehr noht thuot!

ist dir das höw ein uber last,
so suff guot höw! es stübt nit fast.

Ende.

Daß G. Meyer nicht bloß Componist, sondern auch Dichter des Heuliedes war, besagen folgende Stellen:

mir ist nie nüt verwissen
von meiner kunst noch dicht,
biß daz eim thor ein esel ohr
an seinem kopf gewachsen ist,
will für auß sein ein weiser Christ.

Ferner:

was hast an mir zestraffen
und schelten mein gedicht u. s. w.

Auch das Lied von der Wittwe zu Weidenstett (s. Anmerkung zum Liede: „Das hungernde Kind," Nr. 119) ist „Gestellet durch Gregorium Meyer, Organisten zů Basel, den 4 Julii in 1571 Jar." Darin auch die Stelle:

Ich hab nicht mögen schweigen
und machen ein gedicht,
zuo singen, pfeifen, geigen,
weils ist ein ware gschicht.

Das lebendigere Heulied scheint übrigens seinen Ursprung einem gelehrten Wortspiele mit vinum und foenum zu verdanken.

Erzgrube.

(233) „Ein newes Weltlichs Lied von dem Wein, in dem thon das Lied von Toll." „Aus einer Sammlung von einzelnen in Kleinfolio gedruckten, mit Holzschnitten verzierten und zum Theil auch mit Musik begleiteten Liedern und Gedichten, die nach der Jahrszahl, welche bei einigen am Rande angemerkt ist, sämmtlich theils im 15ten, theils im 16ten Jahrhundert erschienen sind" (auf der k. Bibliothek zu Wien), mitgetheilt von G. Leon in Bragur VI, 2, S. 81 ff.

Str. 1, 3. 1: Freud. 3. 4: wöllen, öfters so. Str. 2, 3. 5, Schmeller II, 394: „Die Krausen, Krusen, Krusel, Art Krug." Str. 3, 3. 3: rüssen. 3. 4: Ton d. 3. 5 etwa: vor dir wöln wir nit zagen? 3. 8: gesellen, öfters so. Str. 4, 3. 2: Toz. 3. 7: geraten, Schmeller III, 152: „geräten eines

Dinges u. f. w., ohne es sein, es laffen, entbehren, hochd. entrathen." Z. 8: henen. Schmeller III, 202: „Versieden, ä. Sp. st. sieden. „Versottene huener." Münch. heil. Geistspital=Pfründregister, Mf. v. 1519, passim." Str. 5, Z. 2: sol. Z. 3: wunden; man findet die Formen: Wunne, Wünn, Wunde, Wund, Schmeller IV, 93 f. Z. 6: grüben. Z. 9: osterwein ist österreichischer Wein, ebd. I, 125 u. Str. 6, Z. 5. 7: sendt. Z. 8: im? Str. 7, Z. 4: michel-teil. Z. 7: sy erfreüd, magen. Z. 8: geb. Schmeller II, 10: „geben etwas um eine Person oder Sache, sich daran kehren." (Beispiele); nit ruben, vgl. b. Gramm. III, 728 ff. Str. 8, Z. 1, vgl. Schmeller II, 631: „vermeßen, ver-meßzen, partic. præt., a. Sp. abgeredet, bestimmt." Z. 7: sollen. Str. 10, Z. 1: In dem w. Z. 3 etwa: dann w. w. dar str. Z. 5: sey. Z. 7: zu richt f. Schmeller III, 35. Ebd. II, 691: „mit namen, (ä. Sp.) namentlich, nämlich." Z. 9 etwa als Eigennamen: Alvol und Seltenleer? Str. 11, Z. 5: zu wölten vgl. Str. 4, Z. 6; geren. Z. 6: saluen wein, Wein mit Salbei, wie oben Wermutwein. Z. 8: behüt.

Turnier.

(234) Fl. Bl., 1 Bogen fl. 8. „Schöner außerleßner Lieder Zehen." „Gedruckt zu Nürmberg durch Valentin Neuber." o. J. (im Besitze des Herrn Kuppitsch in Wien), Nr. 9.

Str. 1, Z. 4: den plan. Z. 7: beste. Z. 9: lege. Z. 12: zu der. Str. 2, Z. 1: Herren, gegeben. Z. 4: leynen. Z. 5: gesauffen. Z. 6: einen. Str. 3, Z. 3: und kan. Z. 9: füllenbauch. Z. 11: u. w. behalten wil das velt? Z. 12: erregen. Str. 4, Z. 5: ungefallen. Z. 9: jre. Str. 5, Z. 2, vgl. Alphart Str. 234: „Wer dann fällt, der leit." Lieders. III, 471: „Der da gevallen was, der lag." Str. 6, Z. 2, Schmeller II, 111: „greinen u. f. w., ä. Sp. murren, kurren." Z. 4: schlaffe. Str. 7, Z. 2: gehet. Z. 3: wöllen. Z. 9: Erst werssen sie die gl. Z. 12: jre; zechen? vgl. Schmeller IV, 219.

Vgl. Hans Sachs B. I, Th. V (Göz II, 100):

Wer erstlich hat erfunden Bier
Und der vollen Brüder Turnier.

[Zu Str. 1 vgl. Pabst, livl. Liebl. 30.]

Klingende Münze.

(237) Kirchhofs Wendunmuth u. f. w. Frankfurt 1563, Bl. 210, Nr. 192: „Von dem Gesang, so die Wirt gern hören."

Zu: „den schalk weiblich gefüllet" vgl. Schmeller III, 357: „Der
Schalk u. s. w., kurzes Kamisol, das von Mannspersonen unter dem
Rock getragen wird."

Im „Wegkürzer u. s. w. Durch Martinum Montanum von Straß=
burg" (die Zueignung ist datiert: „Dillingen am Tag Martini, Anno
u. s. w. [15]57") wird derselbe Schwank von einem gewissen Dosch erzählt,
der zu Dillingen sein Wesen trieb: „Ein seltzamer abentheürer, noch
bei menschen gedächtnuß gewesen, von dem vil züschreiben wäre," von
dem auch drei andre Geschichten dort aufgenommen sind. Die hieher
gehörende ist überschrieben: „Ein Lieblin singt Dosch der Wirtin umb
die Zech." Dieses Lieblein lautet:

> „kumm her, mein liebes seckelin
> und bezal der wirtin ihr zechelin!"

Lateinisch, mit dem nämlichen deutschen Reime in Nic. Frischlini Fa=
cetiæ etc., Lipsiæ 1600, S. 17. Montanus bemerkt über diesen Dosch:
„Wann aber ietzt zů den zeiten also ein schimpflicher man wäre, wurde
man es eim gleich im argen aufnemen."

Vgl. auch die Anmmerkung zum Möringer [Nr. 298. H.].

[Vgl. meine Ausgabe der Schauspiele des Herzogs Heinrich Julius
von Braunschweig S. 321. 322. 870 bis 873. H. Kurz, Jörg Wick=
rams Rollwagenbüchlein, Leipzig 1865. 8. S. 94 bis 98. 209. H.]

Grünenwald.

(238) Das Rollwagenbüchlin u. s. w. (widerum ernewrt vnd
gemehrt) durch Jörg Wickrammen, Stattschreiber zů Burckheim, Anno
1557. 8. Sign. Liiij b. „Ein gůtter Schlemmer dichtet ein Lieblin,
damit warb sein Wiert bezalt von den Juggern."

Nach der Ausgabe von 1555 in W. Wackernagels deutschem Lese=
buch II (1te Ausg.), 1585 ff. III, 451 ff. (Hier zuerst: „N. Gruenen=
waldt," dann immer: „Grienenwald.")

Str. 2, Z. 2: wöllest. Str. 8, Z. 1: Den, Wackern. Dem. Z. 3: W.
überalle.

Im Wunderhorn III, 146 f.: „Aus H. von Stromers Familien=
buche vom Jahr 1581" ein Lied von 6 Strophen: „Ich hab mir ein

Maiblein auserwählt" u. s. w., worin der Verfasser als angehender Ehemann erscheint und so beschließt:

> Beschehrt mir Gott ein werthen Sohn,
> Bin ich mehr erfreuet von;
> Also in solcher Gestalte,
> Sein Nahm christlich,
> Heissen wie ich,
> Mit Nahmen Jorg Grünenwalde[1].

Am Schlusse des Liedes „Mir liebt im grünen meien" u. s. w. (Nr. 59) nach einem fl. Bl. o. O. u. J. (doch wahrscheinlich: Basel bei Johann Schröter) steht gedruckt: „G. Grünew." Darin Strophe 9 der Reim geren (gerne): wehren. In einem der Jahresberichte des historischen Vereins für den Rezatkreis ist dem G. Grünewald ein Gedicht von der Buchenklinge zugeschrieben. Vgl. die Anmerkung zu „Buchenklinge" (Nr. 239). In dem Bücherverzeichnis XIV vom Antiquar Bäumler in Nürnberg, December 1840:

Grünewald, G. Der durchlauchtigsten u. s. w. Fürstin u. s. w. Dorothea, Pfalzgräfin bei Rhein u. s. w. ist nachgesetzter Text zu Ehren und Wolgefallen in teutsche Reimen verfaßt, nachmals aber 1580 componiert durch L. Lechnerum Athesinum, nürnbergischen Musicum. — Der Text besteht aus 8 Strophen. Die Noten enthalten die 4 Stimmen. Einzelnes Blatt (in folio).

[Schriften II, S. 592. III, S. 455. 456. H.]

Buchenklinge[2].

(239) Fl. Bl. o. O. u. J., kl. 8. „Ein schön new Lied, Von der Büchenklingen, im Nürnberger Wald. Im Thon: Gar lustig ist spazieren gahn." Schlechter Holzschnitt: Ein Mann und eine Frau, unter einem Baume sitzend, er gibt ihr die rechte Hand und hält in der linken eine Blume. (Frankfurter Bibliothek.)

---

[1] Vgl. Ben[s]en, Bauernkrieg 206 ob.: „Jörg Grunewald."

[2] [Über die Buchenklinge in der Nähe von Nürnberg vergleiche man: Der Schmauſſenbuck, seine Höhen und Klingen, seine Felsen und Brünnlein, seit einem halben Jahrtauſende die Lieblingsplätze der Bewohner Nürnbergs und der ganzen Umgegend. Ein historisch-topographischer Beitrag zur Geschichte Bayerns von Dr Moriz Maximilian Mayer. 1883. 8. Das Leben und Treiben an dem Waldbrunnen der Buchenklinge zeigt ein Kupferstich von 1615, welcher in Nachbildung dem Büchlein beigegeben ist. Ich habe dieſe kleine, wohl aus den unter Nr. 238 angeführten Jahresberichten ausgehobene Schrift bei dem Manuſcripte dieſer Anmerkungen gefunden. H.]

Str. 1, Z. 7: awen, vgl. Nib. (Lachm.) 1511, 4: „etlichez [ros] ouwet, als im biu miiede gezam." Var. „etlichez owete verre" u. f. w. Schmeller I, 2 u. (nach dieser Stelle): „ouwen (im Strome fortschwimmen)." Str. 2, Z. 4: S. Peter. Z. 5: wirdt. Str. 4, Z. 1: wiß. Z. 5: Schmeller I, 33: „off, adv. offen." Z. 6: deß Herrn im Hof. Str. 7, Z. 9: am. Str. 8, Z. 10: Schmeller II, 51: „gên Tal, abwärts (altfranz. aval)." Str. 9, Z. 5: von? Z. 7: vnd vnd reinen, Rändern (vgl. Schmeller III, 94)? oder zum nachfolgenden Wasser gehörend? Str. 10, Z. 7: Die Ecken. Str. 11, Z. 4: Büchen klingen.

Nachfolgende 2 Strophen, wenn auch von demselben Verfasser, mögen aus späterem Anlaß hinzugefügt worden sein:

> Es stund nicht an ein lange zeit,
> da kamen wie die [wilde?] schwein,
> spatzierten in den wald bereit
> zur Büchenklingen ein,
> verwüstens alles frei,
> recht wie die groben säw,
> zerbrechen, die frechen,
> als was sie kommen an;
> ich wolt und daß dieselben leut
> bekemen ihren lohn.

> Wann oft die herren in gemein
> im wald bawen ein lust
> und wann dann kommen solche schwein,
> so ist es alls verwust,
> sie kriegen ihren lohn.
> darmit gieng ich darvon,
> der klingen wil singen
> zu ehren dises lied,
> und welche wolten mit mir nauß,
> nemen wol flaschen mit.

Ein andres Lied von der Buchenklinge in: „Neue lustige Teutsche Lieder, nach art der Welschen Canzonen, mit vier stimmen Componirt. Durch Leonardum Lechnerum Athesinum u. f. w. Gedruckt zu Nürmberg, durch Katharinam Gerlachin. M. D. LXXXVIII." (Tertia Vox) Nr. V:

> 1 Welcher wird mir ein bringen?
> hie bei diser Büchen klingen

im grünen wald,   bruder, bald
laß dir ein wein eingieſſen,
kein waſſer nit!   es iſt mein bit,
das ſelb laß flieſſen!

2 Ei wie ſchön entſpringet doch
's waſſer in diſem ſteinen trog
auß einem fels   darzu ſelbs,
daß uns den wein thu friſchen!
drum trink nit drauß!   waſſer durchauß
gehört den fiſchen.

3 Lauter iſt das waſſer wol,
aber ſolchs für mich gar nit ſol;
es macht mich matt,   ſo ichs hatt
in meim durſtigen herzen.
wein ich beger,   machts gmüt nit ſchwer,
nimmt weck den ſchmerzen.

4 Dieweil dann zu einer freud
den wein hat gſchaffen die gotheit
und das waſſer   fleuſt daher,
leſt ſich nit geren zwingen,
ſo laß ichs ſein   und bleib beim wein,
macht luſtig zſingen.

In dem Liede Jörg Graffs: „Es jagt ein Jeger geſchwinde" u. ſ. w.
Str. 3. 4:

bei einem prunnen quall,
heißt zu der Büchen klingen,
von Megeldorf nit weit u. ſ. w.

Für den auf dem fl. Bl. angegebenen Ton findet ſich der voll-
ſtändige Text im Frankfurter Liederbuch von 1584, Nr. 108: „Gar
luſtig iſt ſpazieren gehn" u. ſ. w. 8 Strophen, die letzte:

Nun hab ich mein ſpazieren gahn
in groſſer freud vollendt.
was mein gott wil, das geſchech allzeit!
derſelb mein herz erkent,
derſelbig es erhalt,
auf daß dem grünen wald
das ſingen   und ſpringen

der klein waldvögelein
das liedlein sol dem mägdelein
zu lob gesungen sein.

In Z. 6 ist, des verdorbenen Textes unerachtet, eine Anspielung auf den Namen Grünenwald kaum zu verkennen. Auch bietet das Lied zu dem im Wunderhorn III, 146, sowie zu „Mir liebt im grünen meien" u. s. w. [Nr. 59. H.] mehrfache Beziehung dar; im letztern beginnt Str. 2:

O mei, du edler meie,
der du den grünen wald
so herrlich tust bekleiden u. s. w.

Vgl. die Anm. zu „Grünenwald" (Nr. 238) und das erste Lied von der Buchenklinge Str. 5, Z. 1:

Er füret mich in grünen wald u. s. w.
und Str. 7:

Wir hörten die waldvögelein
singen im grünen wald u. s. w.

Auch das andre, bei Lechner, Str. 1, Z. 3:

im grünen wald u. s. w.

Sollte der Sänger auf diese Art gleichsam sein Handzeichen in manche seiner Lieder eingezeichnet haben? obgleich in den letztern Fällen das herkömmliche Beiwort des Waldes auch ohne besondre Bedeutung nahe lag. S. auch niederdeutsches Liederbuch 138. Feinslieb von Flandern Str. 4: und wär ich denn der grüne wald u. s. w., grün ist der wald u. s. w. Str. 5: was sah ich in dem grünen wald? Niederdeutsches Liederbuch Nr. 51. 6.

Zu Str. 1, Z. 1 bis 3: A. Jubinal, Nouveau Recueil de Contes etc. I, 292 (La Desputoison du Vin et de l'Iaue):

Je fui l'autr'ier à une feste.
Au partir me dolut la teste,
Pour ce que je bus vins divers;
En mon chief montèrent li vers
Qui me firent ce dist dister,
Que vous m'orrez ci recorder u. s. w.

Fasnacht.

(242) [Bergkreyen Nr. 13. Vgl. Volkslieder S. 1025. H.] Bicinia etc.
Viteb. 1545, Theil II, Nr. 78, nur die vier erſten Strophen. Im Feinen
Almanach 1777, S. 92 ff. ſteht dieſes Spottlied auf den Faſnachtſpuk
in der Art, daß die beiden erſten Strophen mit Varianten vorhanden, die
dritte und vierte ausgelaſſen, dagegen fünf derbere hinzugegeben ſind.
Zu Str. 3, Z. 8: der zeuner, zeiner, eine Art Tanzes, Schmeller
IV, 268, I, 632 ob.: Drötter, Fperltanz.

(244) Papier-Handſchrift, 16tes Jahrhundert, im Beſitze des Herrn
Kuppitſch in Wien, Bl. 30. Daraus ſchon abgedruckt in Mones An-
zeiger 1839, Sp. 330 f. Der mehrfach verdorbene Text hat zu Con-
jecturen genöthigt, die hiernach angegeben ſind.
Str. 1, Z. 1: faſnacht. Z. 3: hatt. Z. 7: ſo koſte' wol me'. Z. 8: dann
vier halbe pfund. Str. 2, Z. 3: mynnlich. Z. 4: hatt gemacht. Z. 8: lytel.
Str. 3, Z. 1: zwillich, ſchue. Z. 2: m. vier faltnn. Z. 3: thue, me'. Z. 4:
Zwo newe' plab hoſnn machnn. Z. 6: laſſenn machnn; Schmeller III, 181:
„ſenen, ſeuwen, ſinwen, (ä. Sp.) nähen, lat. suere." Z. 7: rott. Z. 8: der
iſt pf. Str. 4, Z. 1: ſchüne. Z. 2: pindnn. Z. 5: der mit hohe' tryt. Z. 6:
vgl. Schmeller I, 246: „brechen ſich nach einem Ding, affectare et affectari.
Avent. Gramm." u. ſ. w. Z. 7: ſtett, m. fr. gar woll. Str. 5, Z. 1. 2 lauten:
So tryt ich deſte' frewe' dort he', dort her in meinē peſten; über die Conj.
„ſetzen" ſ. Schmeller I, 580: „Der Fetzen (Fetz'n), 1) ein ab- oder zugeſchnit-
tenes Stück, beſonders von Tuch, Leinwand u. dgl.; im Ries ſind Fetzen Kleider
überhaupt: Sunntings-Fetze, Alltags-Fetze (vgl. ſaßen, alt. vazzen, bekleiden)."
Z. 3: pl. ſtrich, Mone verbeſſert: „ger," vgl. Schmeller II, 62. Hoffmanns
Fundgr. I, 372 a: gēren? Z. 4: erbel, Ärmel; ſecznn laſſenn. Z. 5: eine rotnn
ſtr.; das Fehlende etwa: „gantz ſenberlich"? Z. 7: ſy den', ſtett. Str. 6,
Z. 1: trew, frew. Z. 2: thuet. Z. 3: czwen nyd' ſchuch; über Niderſchuh und
Stifel (Str. 7) ſ. Schmeller III, 341. 618. Z. 4: peſtend. Z. 6: peſtelen.
Z. 7: lindt. Z. 8: peſte, fur, geſellnn; Schmeller III, 597: (beſten) „gelten,
in Werth ſtehen." (Vgl. Z. 4.) Ebd. 228: „Im O.L. gilt Geſell für Burſche,
beſonders für den Liebhaber eines Mädchens." Str. 7, Z. 1: fur dingt. Z. 3:
vill. Z. 4: frycznn hanē ſeder; über die Hahnenfeder ſ. Schmeller II, 198.
III, 562. Z. 5: ſo weyß doch. Z. 6: alle pald ich mag gleichnn. Z. 7:
kann. Z. 8: nuez auff ſtr.; Schmeller II, 664: „Der Mutz, der Putz."
Zu Str. 3, Z. 2 vgl. das Lied: „Iſt doch in allen Landen" u. ſ. w.
(in meiner Samml. fl. Bl. S. 544):

Daffethofenbender bergleichen,
Rofen baran gemacht,
das zimpt Edlen und Reichen,
fo wil der Arm auch han fein Pracht.

Dagegen auch in dem Gedichte vom Fürwitz der Welt: „Was newes nun vor handen" u. f. w. (Anm. zum Hefelloher), Str. 8:

mit vil und hochen falten
reit reck zuo halben knü u. f. w.

Zu Str. 5, 3. 3 vgl. Casparfons Wilhelm von Orleans I, 49:

Mit ermeln ein gruone achmardi,
barundir phellil von Arabi,
mit flize wol gefornixet
und ouch mit borden wol geziret,
vil perlen uf den orten lag.

Hefelloher.

(249) Aus einer Münchner Handschrift von Hunds bairischem Stammbuch Thl. III, nach Schmellers Abschrift. Frankfurter Liederbuch von 1584, Nr. 129: „Ein Lied von den üppigen Bawren."

Das besagte Stammbuch gibt über den Dichter des Liedes und sein Geschlecht folgende Nachrichten, die ich gleichfalls Schmellers abschriftlicher Mittheilung verdanke: „Niclas H. [Hefeloher], Richter zu Wolfratshausen 1418. Er war auch der Herzoge Ernst und Wilhelm Zolner zu München 1423. Uxor: Margaretha. Söhne: Andre, Pfleger zu Päl, und Hans, Landrichter dafelbst 1471 [?]. Die Pflege war den beiden Brüdern von Herzog Johann und Sigmund famt dem Umgeld auf Lebenszeit verschrieben worden im J. 1460, der getreuen Dienste halb, die diese Hefeloher den Herzogen und dem Vater und Ahnherrn derfelben geleistet. Sie hatten einen gefreiten Sitz zu Päl.

Anno 1470 Hans Hefeloher, Pfleger zu Päl.
Anno 1470 Andre   „   auch Pfleger zu Päl.

Hans Hefeloer hat vil schoner teutscher lacherlicher und artlicher lieder gedicht, als unter andern von ainer pauren hochzeit und gesächt, facht an: Von uppiglichen dingen fo well wirs heben an. Item auch ain lied von ime felbs, anfahent: Hänfel Hefeloher, wie lang wilt leppifch fein."

Nach der Ausgabe jenes dritten Theils in von Freybergs Samm=

lung historischer Schriften und Urkunden III, 379 folgt noch: Item einer Jungfrau von Holnstein zu Ehren." (S. auch Museum für altdeutsche Litteratur I, 176. 571. Hormayr, Taschenbuch 1831.)

Der Text im Frankfurter Liederbuche von 1584, also 'ein Jahrhundert nach Abfassung des Liedes gedruckt, hat dieselbe Zahl und Anordnung der Strophen, zeigt aber so viele und bedeutende Abweichungen von dem in der bairischen Handschrift enthaltenen, daß er nicht mit dem letztern vermengt werden darf und nur an wenigen Stellen zu dessen Bereinigung dienen kann.

Str. 1, Z. 1: Schmeller I, 89: „üppig adj. In der ä. Sp. kommt es in der Bedeutung nichtig, leer, unnütz, müßig vor." Z. 7: Ebd. III, 542: „schwanzen, müßig oder stutzerhaft einhergehen, spazieren, stolzieren (eigentlich wol: den Leib auf nachläßige oder aber gezierte Weise schwanken lassen u. s. w.)." Z. 9: glat von stat, d. h. flink vorwärts, vgl. Ebd. III, 666 u. Z. 11: Ebd. III, 48: „gerad (ä. Sp.), hurtig, behende, gewandt, tüchtig." 49: „Margreth N. ein gar schöne gerade Junckfraw. Hund. St. B. II, 288." Z. 13: Ebd. I, 502: „treten, ä. Sp. tanzen." Str. 2, Z. 4: Ebd. I, 64: „ainer, e, ß, als für sich, ohne nachfolgendes Substantiv stehendes Wort, sowohl unus als ullus, aliquis, quidam." Z. 5: bekummen, begegnen, sonst mit dem Acc. Ebd. II, 298. Tristan 7117. Z. 8: vgl. Schmeller II, 98 ob.; die tummen, die Unbesonnenen, Vermessenen (Schmeller I, 372); Frankf. nach art und weiß der thummen. Z. 9. 10: scheinen zu besagen: ihn brachte die Unbequemlichkeit des Gedränges so weit. Z. 11: gach, subst. Eile, Hast, vgl. Ebd. II, 28. Z. 13: verschmach(t), „Tanzen het ich" u. s. w., Str. 1: versmacht im Reim auf macht (mochte); im Baurenkn. v. Straubing reimen: gleich, weicht, streicht. Ebd. III, 467: „verschmähen Einem oder Einen, ihn schlecht, geringfügig, geringschätzig dünken." Str. 3, Z. 2: Ebd. I, 566: „Die Fart, fig. (ä. Sp.) das Mal (vicis u. s. w.)". Z. 3: zwayen, entzweien (Ebd. IV, 298). Z. 6: gefar; mit gefär, gefär, mit Absicht, Ebd. I, 550. Z. 9: er wär mit laub; m. l., salva venia, vgl. Ebd. II, 410. Z. 10: Ebd. III, 493: „schnopfezen, schnupfezen, schluchzen, besonders wie Kinder nach dem Weinen" u. s. w. 494: snopficzer als Schimpfwort; Frkf. ein Doderer. Z. 11: soliche, solichs? Z. 12: Ebd. I, 489: „Der Troll (Nürnb. Hsl.), grober, starker Kerl." Z. 13: nach der schwer, nach dem Blei, senkrecht, schnurgerade nieder. Str. 4, Z. 3: ein freies scheffl, ein tüchtiges Maß, Ebd. III, 326 f., vgl. I, 606 u. Z. 4: das, Frkf. deß; Ebd. I, 414: „der Verdrieß, ä. Sp. Verdruß." Z. 6: Ebd. II, 469: „lainen, verb. act. u. neutr. wie hchd. lehnen." Str. 5, Z. 3: Ebd. III, 158: „retten, etwas, es abwehren, dagegen Hilfe verschaffen. Den Brand, das Feur u. f. w. retten, löschen" u. f. w. Bei Raufhändeln retten, abretten, abwehren. Cod. Crim. v. 1751 u. f. w. Z. 5: köppisch; Frlf. köppisch; Stalder II, 122: „köpfig, köpfisch, adj. u. adv., seinen eigenen Kopf habend, starrköpfig" u. f. w. Z. 8: Schmeller II, 659: „Mätz (ä. Sp.), weiblicher Taufname u. f. w. Um Straubing ist Matze-l ein Liebkosungswort gegen Mädchen." Z. 12: tratzen; Schmeller I, 504: „trätzen (tratzn, verb. act.), Einen, ihn necken, unwillig oder zornig machen u. f. w., tratzen, dretzen, lacesso, irrito, Avent. Gramm."; Frlf. eh er sich lang leßt zetzen. Ebd. IV, 297. Str. 6, Z. 4: Ebd. I, 485: „vertragen, Einem etwas, es ihm hingehen lassen, vergeben, verzeihen." Z. 13: dafur. Ebd. I, 256: „Der Breijen, gewöhnlich zusammengezogen Brein u. f. w., der Brei," besonders Hirsbrei. Str. 7, Z. 1: uppigen zorn, Fr. zoren. Z. 3: rumorn, Fr. rumoren. Z. 8: auf dein schnallen, Fr. auff die schnalle. Z. 9: Fr. nicht lind, etwa: „unlind"? Z. 10: Fr. daß du wirst blind. Z. 12: knallen, Fr. hör auff vnd nimmer kalle, Schmeller II, 288: „kallen, bellen, verächtlich: sprechen." Str. 8, Z. 1: scharmizeln, Fr. Scharmützeln, vgl. Ebd. III, 402. Z. 3: Ebd. II, 356: „Der Klamperer, Klampferer (salzb.), Blechschmid, Klempner." Z. 7: Ebd. III, 140: „rösch (resch), adj. und adv., rasch, lebhaft, heftig." Z. 10: Fr. was frutig sey. Z. 12: Ebd. I, 239: „blaschen, bleschen (O. Pf.), schlagen, fallen, daß es schallt u. f. w., ins Wasser schlagen, daß es bläscht." Z. 13: Fr. daß blotzet. Ebd. I, 460: „tuschen, mit dumpfem Klatschlaute ertönen, erschallen." Str. 9, Z. 1: Schmeller IV, 34 u., f. Z. 2: unsere. Z. 5: über winzig f. Ebd. IV, 120; Gredl. Z. 6: Ebd. I, 369: „Das Gedäm erhall in Himel," strepitus armorum ad coelum ferri (coepit), D. v. Plieningen Jugurtha, Cap. 60. „Ein solches Geschrei und Thäm" Gem. Reg. Chr. III, 574 ad 1476." Z. 7: wedl, vgl. Ebd. IV, 21 bis 23. Z. 9: ämb? Base, amita? Z. 12 defect. Diese Str. 9 ist im Frankf. Liederb. die am stärksten veränderte.

> Ein Weib fieng an gar sehre
> Waffen zu schreyen an
> weh heut vnd jmmer mehre
> Wo ist doch vnser Mann
> da sprach das kleine Gredel
> dort ligt er in der noth
> vnd hat ein Loch im schedel
> gehackt im bösen Wedel
> ach Gott nit lat
> bringt vor sein todt
> vom Becken drat
> ein neuw gebachen Flädel
> sein krafft er wider hat.

Str. 10, Z. 1: Schmeller I, 621: „fruetig, munter, hurtig, unverdrossen, aus=
richtsam. Frutig, navus, strenuus, sedulus, Prompt. v. 1618." Z. 5:
Ebend. III, 67. 408: „Den Rigel schießen, fürschießen, den Riegel vorschieben.
Fig.: ein Hindernis bereiten." Z. 7: bunden? vgl. Str. 3, Z. 8. — Z. 8: Ebd.
III, 510. Str. 11, Z. 8: das bl.; es wird des heißen müssen (über tragen
mit dem Gen. s. d. Gramm. IV, 648. 961) und der Sinn der sein: der vierte
trug blaue Mäler davon; Frlf. der dritt trug viel der blawen. Z. 13: Schmeller
II, 132: „verheien etwas (schwäb.), es verderben, zerbrechen." Schmid 269.
Str. 12, Z. 4: da mit; Schmeller IV, 204. Z. 9: bei bund? bei Strafe, ge=
bunden, gefesselt zu werden; Suchenwirt XXIV, 295 (S. 79):

> Di hie ir trew prechen
> An der Minne, den werd chunt
> Der schanden sloz und auch ir punt u. s. w.

Z. 12: Schmeller I, 428: „Das Taiding, Tading, Teiding u. s. w., ä. Sp.
die Anberaumung eines Tages zu einer, besonders gerichtlichen Verhandlung,
die „Tagsfahrt;" die Verhandlung, Gerichtshandlung; der Vertrag." Z. 13:
bei 60 und 10 pfund. Str. 13, Z. 4: Ebend. I, 36: „aigentlich, adv., ä. Sp.
genau. Z. 5: Ebd. II, 585: „mainen, 1) wie hchd. meinen; 2) wünschen,
gerne haben, lieb haben." Z. 7: Ebd. IV, 145: „werden mit dem Infinitiv,
als Bezeichnung des Futurs in der ä. Spr. noch nicht gewöhnlich; auch später
noch hieß ich wird z. B. tanzen, singen neben ich ward tanzen, singen, ich
sange, fieng an zu tanzen u. s. w., je vais, j'allais danser." Z. 8: Fr. kein
gliten. Ebd. II, 87: „güten (wirzb.), zur Güte, zum Vergleich rathen." Z. 11:
unter welchen Umständen und zu welcher Zeit des Jahrs es auch sei. Z. 12:
blueten, Schmeller I, 241: „blüeten (blüatn), bluten." Z. 13: muesse, vgl. d.
Gramm. I, 962 u.; Fr. er müßt zu lassen Haar.

Vgl. auch Liedersaal II, 473 ff. Das Wammas. (Östreichische Volks=
lieder 158. Meinert 144.) Anzeiger 1832, Sp. 212.

Eine handschriftliche Liedersammlung des 15ten Jahrhunderts auf der
Münchner Bibliothek (Cod. germ. 379, Papier, 4°, nach Hrn. Franz Pfeif=
fers Bemerkung „vom Jahre 1454") enthält weitere Lieder des Hesselohers:

Blatt 157 b: Wes sol ich beginnen u. s. w., 20 Strophen. Be=
schreibung eines Gätlings, ländlichen Zierbengels, und seiner Bewer=
bungen um Grebel, z. B. Strophe 6:

> Sein kappen die hat zotten gnug,
> dar auf jetzt er ein preiten huot, [1]
> das messer im um die peine schlueg,

---

[1] Str. 12: in seinem hohen huot u. s. w.

unb wär bie kirch nit hoch genuog,
so stieß er oben an,
der selbe edel man.

(Ein Seitenstück hiezu giebt „der Pluderhoset Landtßknecht" auf
einem fl. Bl. der Zürcher Bibliothek:

Schaw! bin ich nit ein waidlich knecht?
Wie seind mein hosen mir so grecht!
Sie ligen mir glatt umb mein bein,
Wie die kirch ligt umb den tawsstein u. s. w.)

Der Dichter nennt sich Strophe 18:

Mich kom ein schone gar ubel an:
„sy, Essellocher! es stat nit schon,
daß du dich selbs singst daran."
Ach liebe, zarte, ich habs gethon.
vergün mir nur der weil,
daß ichs nit übereil!

Blatt 159 b:

Tanzen het ich mich vermeßen,
da man den Hesseloher sprang,
unb ob ich sein hiet vergeßen,
meins herzen gir mich darzuo zwang,
wann ich sein nit gelaßen mocht.
An zwo kam ich in gruonem kleid,
das waren hoff junkfrawen,
sy habend mir den tanz verseit;
ich hiet ins nit getrauen,
daß ich in also versmacht.

Ir zopf het sy auf gepunden schon;
ich wand, es wär die selbig Ell,
da ich vor oft mit tanzet han
auf dem Kirchtag ze Pel.
Irs adels het ich vergeßen u. s. w. (3 Strophen.)

Auch im vorigen Liede, Str. 20, ist gesagt: „Sy schone Ell pind
auf den zopf" u. s. w. Ist unter diesem Namen etwa die „Jungfrau
von Holnstein" bei Hund verborgen?

Blatt 161: Eßellocher von dem pawren knecht zü Strawing.

Mir ist gesagt von einem gatten,
wie er an dem tanz künn watten u. s. w.

Wieder ein Gemälde eines stutzerhaften und kampfgerüsteten „rewtt=
ling." Schluß:

> Und der selbig esel zwingt,
> daß man ein liedlein von im singt,
> das wol auf seiner geigen klingt,
> das haben dank die raben.
> der selbig pawr der ist so reß,
> mit tanzen ist er also gemeß,
> als het dar in gedroschen. [?]

In einer gleichfalls von Schmeller mitgetheilten Stelle aus „Ulrich
Fürterers Epilog zu den Rittergedichten, Cod. germ. monac. 247, Blatt
181 b" wird Andre Heseloher, wie bei Hund der eine Bruder heißt, als
Dichter gerühmt:

> Eur gnad den mangen findet,
> das ich red ungenött,
> der sichs auch underwindet,
> daß ich scham kunst halb sten vor im gerött;
> Jörg von Eisenhoven ist der eine
> und Andre Heseloher,
> fürwar, der ticht an kunsten ist nicht kleine.

(Vgl. Museum für altdeutsche Litteratur I, 160 f. 176.) Doch passen
die bisher angeführten Stücke so gut zusammen, daß nicht wol zweierlei
Verfasser anzunehmen sind.

Was für eine Tanzweise mit den Worten „da man den Heffeloher
sprang" gemeint sei, erhellt zwar nicht, doch hat das Lied „Von
üppiglichen dingen" u. s. w. nach Ton und Inhalt am meisten und
längsten nachgewirkt. Dasselbe ward, wozu eben·diese Anfangsworte
einluden, besonders zu Straf= und Spottgedichten verwendet, wie die
nachverzeichneten Beispiele darthun werden.

Ein Lied auf die Pest[1], eine Art von Todtentanz, in der Heidel=
berger Papier=Handschrift 109, als deren Schreiber wiederholt Simprecht
Kröll, Weber und Burger zu Augspurg, mit der Jahrzahl 1516, sich
nennt (Wilken, Geschichte u. s. w. der heidelbergischen Büchersamm=
lungen S. 345 f.), Blatt 138 b:

> Von üppigllichen dingen, geistlichen zu singen.
> Von wunderlichen dingen
> so will ich heben an,

---

[1] Mone, Anzeiger 1838, Sp. 386 meint: „Von der Modekrankheit."

die uns groß kumer bringen,
als ich vernomen han,
von einem argen danze,
den gott verhenget hat.
der thut woll umb her schwanzen,
manicher tregt einen kranze
mit zapfen lang,
   thut uns groß zwang.
der danz wert lang,
manicher muß an den tanze,
der rei wirt im zu lang.

Zum tanze komment vile
und doch nit gar umb sust,
es ist nit ganz ir wille,
stößt manchen an sein brust
mit warzen, plattern u. s. w.

Auch in Strophe 3:

er (Gott) schlecht uns also geschwinde
mit warzen und geschwer.

Eine spätere Strophe beginnt:

erst hebt sich ein groß klage,
auf funfzechen hundert jar u. s. w.

Auch kommt die Stelle vor:

Maria behüt uns vor schande u. s. w.

(In derselben Handschrift 109, Blatt 129: „ain newes lied von den faulen hawssmayden, in dem thon: von üppigklichen dingen so will ich$ heben an." 12 Strophen, gedichtet von „Mathias Wurgenbock von Gretz." Mone, Anzeiger 1838, Sp. 385.)

Einzelnes Gesätz eines Spottlieds auf Murner, als Theilnehmer an dem Religionsgespräche zu Baden, das im Mai 1526 statt fand, in G. Forsters frischen Lieblein Thl. II, Nr. 56 (Ten. Nürnb. 1565. Bass. ebd. 1553), componiert von Matth. Greyter:

Von üppigklichen dingen
so wil ich$ heben an,
ein abentheur zu singen,
die ich erfaren han
von einer graen katzen

nit fer im oberland.

Zu Baden kunt sie schwatzen,
ia auf der disputatzen,
ist wol bekant
im graen gwand,
ist ir ein schand;
all welt kan sie wol satzen,
Murmann ist sie genant.

Zeile 3 stimmt mit dem Texte des Tanzliedes im Frankfurter Liederbuch von 1584, wo dieselbe gleichfalls lautet:

ein abentheunr zu singen.

(Über andre Lieder von der Disputation zu Baden s. Grüneisens Nicl. Manuel 216 bis 220. 408 bis 422. [Vgl. Schriften II, S. 507. 508. H.])

Fl. Bl. auf der Frankfurter Stadtbibliothek, ein halber Bogen kl. 8. „New zeitung vnd spigel aller Gaistlichkait, wie Sie ytz ist, vnd sein sol, wa nit im wesen doch im gegenthail. Gestellt zusingen auff die Melodey, Von vppigklichen dingen. M. D. XXXIX." 17 Strophen. Die erste:

Groß freud zwingt mich, zu singen
diß christlich schön gedicht
von wunderlichen dingen,
itzt kommen an das liecht
auß Rom und allen landen,
wa geistlicheit mag sein;
kein geiz ist mehr vorhanden,
sie hüten sich vor schanden
und allem bösem schein.

Die Weise ist in diesem satirischen Liede um mehrere Zeilen abgekürzt.

Fl. Bl. o. D. u. J. (vermuthlich: Basel bei Apiarius zwischen 1560 und 1570), ein halber Bogen kl. 8. „Ein hüpsch Neüw Lied, Von der Narren kappen, Jm thon, Vonn üppiglichen dingen, u. s. w. gar lustig zü singen." 20 Strophen. Erste:

Jr herren, wend ir schweigen
und hören ein faßnacht spil?
merkt von den schönen weiben
und wie sie stecken ein zil,
wann sie der buolschaft pflegen!

sie greifens weislich an,

schupfen manchen künen degen,

und wann er ist erlegen,

sein täsch muoß vor daran.

Gleiche Abkürzung der Weise wie im vorigen Liede. Die Narren-kappe wird den Bulern aus allen Ständen geschenkt.

Druckblatt in Folio, o. O. u. J., auf der Berliner Bibliothek, durch Ph. Wackernagel abschriftlich mitgetheilt: „Ain news gedicht von sir-wicz der welt." 18 Strophen. Erste:

Was newes nun vor handen

und vor gewesen nie,

was mäniklich möcht anden,

das sei zuo hören hie

in disem lied vernomen,

wie es iezund ergat,

war zuo es nun sei komen!

das volk hochtewtscher zungen

praucht anß ländisch parat,

red, wesen, schnoch und waht.

Der Inhalt des Liedes ist durch diesen Eingang bezeichnet. Auf das Lied „Von üppiglichen dingen" u. s. w. ist zwar nicht ausdrücklich Bezug genommen, doch ist dessen Weise auch hier wieder, nur etwas anders als in den vorigen Stücken, zugeschnitten.

„Ein neues Liedt von der Rebellischen Paurn krieg [in Österreich unter der Enns] u. s. w. In than wie man singt von einer faullen Diern da wil ichs heben an. 1597." Aus einer gleichzeitigen Handschrift in Karajans Frühlingsgabe, 1839, S. 53 ff. Die vollständige 13zei-lige Weise des Hesselohers.

Jacobs und Ukert, Beiträge zur ältern Litteratur II, 202.

Buttermilch.

(251) Frankfurter Liederbuch von 1584, Nr. 232. Fl. Bl., Basel bei Johann Schröter, 1612: „Ein ander schimpfflich Lied." Wunderhorn II, 435: „Altfliegendes Blatt. Straßburg bei Jakob Frölich. 1500 bis 1550."

Auch in Haxthausens Liederhandschrift, woraus Mone im Anzeiger 1838, Sp. 85, abweichende Lesarten vom Texte des Wunderhorns angiebt.

Str. 1, Z. 5: Haxth. abgeschaumte; Schmeller I, 531: „faimen, 1) schäu= men; 2) den Schaum wegnehmen, wegfaffen. In dieser Bedeutung ist jedoch gewöhnlicher das Compositum abfaimen." Z. 6: Haxth. milre; myltlj kommt nur hier einmal auf dem fl. Bl. von 1612 vor, sonst immer und überall myfrlj, milrlj, daher jenes eine Buchstabenverwechslung fein kann, doch würden zweierlei Melkkuhnamen gut paffen (vgl. Schmeller II, 274). Str. 2, Z. 2: Frkf. troff, Baf. traff, Wbh. traf ihn das in die. Str. 4, Z. 2: Haxth. d. B. wolde noch beßer werden. Str. 5, Z. 2: Frkf. u. Baf. d. b. wolt noch beffer wern; Haxth. Z. 1 u. 2: gute fische und heringe. B. lag im stets im Sinne. Wbh.:

> Man bracht ihm her gut Häring frisch,
> Die Buttermilch war ihm ein beffer Fisch.

In dem Lied „Es wolt ein Pauer hochzeit han" u. s. w., wovon ein Bruchstück in „Dtth Siegfriden Harnisch, Newe Auserlesene Teutsche Lieder u. s. w., Helmstadt 1588," Nr. 12 heißt es in Strophe 2:

> Sie satztn im für den Habern Brei,
> den sauren Wein,
> die Buttermilch stund nah darbei.

Schütze, Holfteinisches Idiotikon 143.

Nesselkranz.

(252) A. Frankfurter Liederbuch von 1584, Nr. 9. Str. I in 115 guter newer Lieblein, Nürmberg 1544, Nr. 24 (componiert von Lud. Senffl).

Str. 1, Z. 1: O Bauren Knecht, Nürnb. Sie (Reg. Sihe) Baurnknecht laß mir die rosen stan. Z. 2: fenn, fein. Z. 3: Nesseln kraut, Nürnb. neffel= kraut. Str. 3, Z. 4: mehr.

B. Niederdeutsches Liederbuch Nr. 42.

Str. 2, Z. 3: hebbe.

Rosengarten 208 f. (v. d. Hagen, deutsche Gedichte des Mittel= alters II):

> Jr möhtent lieber hie heimen ein kranz ûz neffen getragen,
> den da zuo Burgent riche bi liechten rösen rôt.

Lied: „Der mon der steht am höchsten" u. s. w. (Nr. 86) Str. 3:

> Maucher geht zu feim bulen
> bei liechtes monen schein,
> was gibt sie im zu lone?
> ein rosenkrenzelein,
> ist grüner dann der kle;

ich muß mich von dir scheiden,
tut meinem herzen weh.

Variante:

von rosen ein krenzelein,
wenn das ist griener denn das gras u. s. w.

Heidelberger Handschrift 343, Blatt 136:

von rosen ein krenzelein,
das gruenet sich recht wie der wald u. s. w.

Ein Rosenkränzlein, grüner als der Klee, als das Gras, sich grü=
nend wie der Wald, ist doch wohl nicht besser als ein Nesselkranz.
Vgl. das Lied vom Kartenspiel der Liebe: „Des spilens ich gar kein
glück nit han" u. s. w. (Forsters frische Lieblein I, Nr. 89), wo in
Strophe 2 gesagt wird:

Ein blat von gras das deutet, daß
sie mir kein gmüt wil tragen u. s. w.

S. noch Anmerkung zu „Wurzgärtlein" (Nr. 51): über den Stroh=
kranz.

Goldschmieds Töchterlein.

(253) Niederdeutsches Liederbuch Nr. 131. Zwischen Strophe 2
und 3 stehen sechs weitere, zwar in gleicher Versweise, aber ein Liebes=
lied für sich ausmachend.

Str. 1, Z. 1: Goldtschmedes. Z. 2: Sön, ya Sön, ya Sön. Str. 2,
Z. 1: Wische. Z. 2: styck. Z. 5: thuo.

Bruchstück eines fl. Bl. vom Eingang des 17ten Jahrhunderts [1]:

Ei Roß und Wagen hab ich nicht,
Denn ein Bettlers Sack.
Kan ich euch damit helfen,
So hengt ihn an den Hals!
Feins Mägdщin, so habt ihr als.

Den Bettlers Sack den wil ich nicht,
Ich sei keins Bettlers Kind,
Ich sei des Goldschmieds Tochter
Zu Cölln wol an dem Rhein,
Feins Knäbichn beim külen Wein!

---

[1] Antwerpener Liebekensboeck von 1544, Nr. 31. Thottische Handschrift 778, Bl. 68 b f.

Seist du des Goldschmieds Tochter,
Bin ich des Bawrmans Sohn;
Die Kleider und die ihr traget,
Die mussen verschlemmet sein,
Feins Mägdlein, beim külen Wein.

Verschlemmest du denn mein Kleider,
Mein Silber und auch rot Gold,
So wil ich von dir scheiden
Und scheiden so brüderlich ab,
Landsknächtign, ich ziehe fortan.

Wer ist, der uns diß Liedlein sang,
Frei wol gesungen hat?
Das habn gethan drei Boßmans Jungen
Zu Cölln wol an dem Rhein,
Feins Mägdlein, beim külen Wein.

Es haben darbei gesessen
Drei zarte Jungfräwlein,
Die ein die hieß Margreta,
Die ander schön Ilselein,
Die dritte wil ich nicht nennen,
Sie soll die Liebste sein,
Feins Mägdlein, beim külen Wein.

Fl. Bl., Straubing, bei Andre Sommer:

Seit ir des Fischers Töchterlein
Dort niden an dem See, ei ja See,
So solt ir mir verheißen,
Mich znemen zu der Ehe,
Eh noch der Herbst vergeh, ei ja geh u. s. w.

Ihr gfallt mir auß der Maßen wol.
Ziecht ihr mit mir darvon, ei darvon!
Legt ewer beste Kleider an,
Sprecht, ihr wolt zum Tanze gahn,
Und ziecht mit mir darvon, ei darvon!

Das Mäidlein sprach: ich thets wohl gern
Und schlags nicht geren ab, ei ja ab.

Ich wil zuvor mein Mutter fragn;
Räth sie mirs, so wil ichs gleich wagn,
So bleib ich ungeschlagn, ei geschlagn.

Sie fragt die Mutter, wird aber von dieser so übel zugerichtet, „daß sie auf Böhmisch sang," läßt sich dann von dem Gesellen, der ein Zimmermann aus der Stadt ist, ins Ungerland führen, von wo sie mishandelt zurückkehrt:

Und da das Mäidlein heime kam,
Da weinet es gar sehr, ei ja sehr,
Verzehrt waren die Kleider,
Verloren war die Ehr,
Bekam sie nimmermehr, ei ja mehr.

Wer ist, der uns das Liedlein sang,
Von newem gsungen hat, ei ja hat?
Das hat gethan ein Fischer,
Ein junger und ein frischer,
Zu Dienst dem Fischermägdelein, ei ja lein. (12 Strophen.)

In einem Liede bei Meinert 189, wo der Entführer ein Reiter ist, fehlt auch die Strophe nicht:

Onn aus dam Land do zih' ich ni,
Ich wil mai Mutter erst froge,
Wos si mir fir a'n Noth wied gan;
Goer keindlich wiel ich's woge.

S. auch „Rosenbrechen", A (Nr. 22), und „Wäscherin" (Nr. 110). Vgl. Wunderhorn I, 189 u. Man. II, 208 b, 3 f. (Kol von Niussen): „einen smalen stic."

Liedersaal III, 400 (Von Metzen Hochzit):

V. 36 Do sprach Rudung: „Metze, gich!
Wiltu Bärschin zer e?
Si swaig, er vraget aber nie.
Si sprach: „Ja, haist mich min muotter."
Do sprach Rudung: „Si entnot dir
Nilt dar umb, gelobe mir!" (Diutisla II, 79.)

(Vgl. Nibelunge, Lachmann, Str. 566. 567. 1622. 1623.)

Mone, Anzeiger 1837, Sp. 170: „In einer Tübinger Incunabel steht folgende Brautwerbung als Federprobe des 16ten Jahrhunderts:

Bridlin, gehaiß mir die ew:

reiſtu me [ia], ſo iſt es ain ew,

ſprichſtu nain, ſo willu es tuon,

ſwigeſtu dan ſtill[e],

ſo iſt es bin will[e].

Selbſt der unentſchloſſene Ritter in der ſpaniſchen Romanze, Böhl I,
254 (Grimm 259): „iré yo á tomar consejo de una madre que tenia."
[Vgl. oben S. 112. H.] Börner, Volksſagen aus dem Orlagau 98 ob.
Des Goldſchmieds Töchterlein gilt auch ſonſt in den Liedern für
ein beſondres Juweel. Es iſt die abliche Roſenblume, um die Hinrich
und ſeine Brüder ihre Hälſe wagen (Nr. 128). Ein Lied im Frankfurter
Lieberbuch von 1584, Nr. 65, von einem zarten Jungfräulein, das keinen
Kaufmann, ſondern einen Stubenten heirathen will, ſchließt mit fol-
gender Strophe:

> Die uns diß Liedlein new geſang,
>
> eines Goltſchmidts Tochter iſt ſie genant,
>
> ſie hats ſo wol geſungen;
>
> ſie hett die Stubenten in großer Acht,
>
> alle gute Geſellen doch unveracht,
>
> und iſt ir wol gelungen.

[Vgl. auch Uhlands Gedicht „Des Goldſchmieds Töchterlein." H.]

Häuslein.

(255) Niederdeutſches Lieberbuch Nr. 121.

Str. 4, 3. 1: Brem.-niederſ. Wörterb. III, 150: „Meſs, Miſt, Dünger."
„Meſſen, 1) miſten, den Acker düngen; 2) den Miſt aus dem Stalle werfen."
Str. 7, 3. 1: engl. to shade, bergen, ſchützen.

Der Reim lyben: wyben (Str. 6) lautet niederdeutſch.

Vgl. Fichard III, 269: „Eyn ſuberlichs lytlin von eynem dinſt-
knecht." Anfang:

> Sag mir, Henslin, trut geſell!
>
> Warumb wilt du von dannen u. ſ. w.

Forſter, friſche Lieblein V, Ten. 1556, Nr. 34 (L. S.):

> Es was eins bauren töchterlein, :|:
>
> wolt gerſten auf binden,
>
> do ſtachen ſie die diſtel

wol in die finger,
in die finger, wol in die finger,
ho ſcho heia ho,
wol in die finger, das ho ſcho heia ho.

Ebb. II, Ten. 1565 (Baſſ. 1553), Nr. 73 (S. Zyrlerus):

Ach junkfraw, wolt ir mit mir gan?
oder wolt [wölt] ir mit mir reiten?
ſo lauf ich euch [dir] ein ſicheſein,
vorm Schwarzwald muſtu [müſt ir] ſchneiden, ja ſchneiden.

[Vgl. oben S. 28. 29. H.]

Ebb. II, Nr. 45 (L. Senfl):

Im meien, im meien
hört man die hauen kreen,
frew dich, du ſchöns brauns megetlein!
hilf mir den habern ſeen u. ſ. w.

Auch bei Orlando di Laſſus, Newe Teutſche Lieblein, München 1569, Nr. 11. Im abſchriftlichen Tenor von 1567 (1576?) kratzen, ſetzen; Baſſ. kraien, ſeien.

Wie die Bauernlieder überhaupt, ſo waren beſonders auch die Erntelieder nach altem Herkommen nicht immer „ſäuberliche." Zwei von Habloub, MS. II, 192: „Es gêt nu in die erne" u. ſ. w., 195 b f.: „Swem ze muote" u. ſ. w. Hier beginnt:

In der erne pfligt man gerne
Fröide und wilder ſinne,
Wan dâ huote iſt nit ze vil u. ſ. w.

Fichard III, 249: „Eyn ſuberlich lytlin von der ern." Stuttgarter Bibliothek, Cod. Theol. et Philos. 4⁰. Nr. 190, Bl. 80 a u.: „ern: bülen" u. ſ. w.

Gretlein.

(256) A. G. Forſters friſche Lieblein III, Ten. 1549. 1563, Nr. 66 (Comp. G. Othmayr). IV, Ten. 1556, Nr. 16 (Comp. J. V. V.). In III, Alt. 1549, Nr. 66. III, Baſſ. 1552, Nr. 66 und IV, Baſſ. 1556, Nr. 16 je nur die erſte Strophe.

Str. 1, Z. 1: V. (1549. 1552. 1563) meidlein; V. Gretlein. Str. 3, Z. 1: hande. Z. 3: V. fürt ſie. Str. 4, Z. 4: V. verſchlembt. Str. 5,

3. 4: floß überall. Str. 6, 3. 2: redeſt. 3. 3: außfüreſt. Str. 7, 3. 4: B. (1549. 1563) bettlein, betlein. Str. 8, 3. 1: B. liebeß. 3. 4: B. rewt. Str. 9, 3. 1: B. (1549) rewet. 3. 4: B. (1549) die mir werdn, (1563) die mir werden.

B. [Niederdeutſches Liederbuch Nr. 64. Vgl. Volkslieder S. 1027. H.] Fiſcharts Geſchichtklitterung Cap. 8 (S. 149 u., f.). Dieſer abgekürzte Text ſtimmt ſonſt mehr mit dem vollſtänbigeren niederdeutſchen im nieder‑ deutſchen Liederbuche Nr. 64: „Schörte by, Gredtlin, ſchörte by" u. ſ. w.

Eine Faſſung des Liedes bei Meinert 168 f., wo ſich dasſelbe einem anbern anreiht, hat ben eigenthümlichen Schluß:

> Woß nohm er auß ſa'm Buoſem?
> Bo Said a Ticherlai:
> Do houſt bu, faineß mai Maedle!
> Traig' bir bai Aegerlai!
>
> Woß nohm ſe vu bam Feinger?
> Bo Gould a Reingerlai:
> Do houſt bu, falſcher mai Meißner!
> Do zohl' bar Schenleinn ban Wain!

Von einem andern Liede mit ähnlichem Anfang ſteht die erſte Strophe in Forſters friſchen Lieblein II, Baſſ. 1553, Ten. 1565, Nr. 74: „Ach greblein ach greblein far mit mir vber reyn (Rein)" u. ſ. w.

Zu Str. 1 vgl. (Kinlochs) Ancient Scottish Ballads S. 180, 1.

Zu B, Str. 11, vgl. Kinloch S. 231 (Hynde Etin zu ſeinem Sohne):

> But we'll shoot the laverock in the lift,
> The buntlin on the tree,
> And ye'll tak them hame to your mother
> And see, if she'll comforted be.

Buchan I, 9 (Young Akin):

> I'll shoot the buntin' o' the bush,
> The linnet o' the tree,
> And bring them to my dear mither,
> See, if she'll merrier be.

Parcival.

Zu B, Str. 11, 12 vgl. Sv. Folkviſ. II, 175, 2 f.

Elslein.

(257) [Vgl. Volkslieder S. 1027. H.] Heidelberger Handschrift 343, Bl. 42 f. Eine andre Fassung, wonach das Mädchen „gen Wyrttenberg" geht, in der Heidelberger Handschrift 109, Bl. 135 b f. (vgl. Görres 185.) Niederdeutsch im Liederbuche Nr. 107.

Str. 1, Z. 3: niederd. se wolde hebben M. vnde R. Str. 2, Z. 1: niederd. W. nu hebben M. vnd R. Z. 4: rottes, niederd. einem Nyten Koepman tho denen. Z. 5: seynes, öft. Str. 3, Z. 2: niederd. wol vp de breyden Straten. Z. 3: fragt. Z. 4: niederd. Rüter v. Landsku. Str. 4 ist fast wörtlich Str. 2 des Liedes „Der schwarze Knab" (Nr. 196, A). Z. 1: andre Hdf. vber den gschwölle ein tratt. Str. 5 u. 6 fehlen in der andern Handschrift. Str. 6, Z. 3: schon. Str. 7, Z. 1: d. sydel; Schmeller III, 200: Die, das Sidel, Bant, die zugleich Sitz und Behältnis u. s. w. Str. 8, Z. 4: gher. Die andre Fassung:

> du magst gleich wol ein mägetlin sein,
> die kleines guot verdienet.

Str. 9 in der andern Handschrift besser:

> Der aller jüngst bruoder, den sy het,
> der thet das aller beste,
> er ließ im satten sein apfel grawes pferd,
> wolt suochen sein liebe schwester, jo schwester.

Str. 10, Z. 1: Da. Z. 2: niederd. all vp de hoge Brügge. Z. 3: das e. mensch das, niederd. De erste Frouw de em bequam. Str. 11, Z. 2 bis 4: niederd. wo synt dyne Kleider so tort, my dünckt du hefst dyn Ehr vorspelot, dartho dyn roden Wangen. Z. 4: lanngen. Str. 12, Z. 1: andre Hdf. ach br. Str. 12, Z. 4: Schmeller II, 323: Schaden teren, beteren, widerteren, (ä. Sp.) ihn wenden, ersetzen, vergüten. Str. 13, Z. 1: setz. Z. 4: Schmeller I, 413: verdrucken, (Prompt. v. 1618) dissimulare silentio acceptam injuriam. Str. 14, Z. 4: begertt. In der andern Handschrift lautet diese Strophe nebst einer weiter angehängten:

> Ach schwester, liebe schwester mein,
> du darfst dich nit als vbel gehaben;
> ich weiß dir ein freien webers tnab,
> der will dich zuon eeren haben, jo haben.

> Der uns das lieblein news gesang
> und newes hat gesungen,
> es hats gethan ein reiter guot,
> dem ist gar woll gelungen, gelungen.

Im Niederdeutschen fehlen Str. 13 und 14, dagegen steht diese:

De vns dyth nye Leedtlin sanck,
be hefft ydt wol gesungen,
dat hefft gedahn ein Rüter junck
tho Außborch by dem Wyne.
Ach, wo schön ys myn Ilselin!

(So lautet hier meist der Refrain, doch auch einzeln: „Ach du synes (schönes) myn Ilselin!")

Ein andres Lied mit gleicher Anfangszeile im Frankfurter Lieder-buche Nr. 236:

Es hett ein Schwab ein Töchterlein,
Krause, Mause,
es wolt nicht länger ein Mägdlein sein:
bei dem heiligen Dryfuß,
gib mirs Gelt in Essigkrug he, ho he,
sitz und setz, guter netz,
Rumpelspiel, und deß nicht viel!
ein frischen freien Muth ich haben wil.

Der Lorenz, der Vincenz,
schüttel den Küttel! das Hemd geht für.
stirbt die Mutter, die Tochter wirt mir,
so tanz ich mit Jungfraw Regina.

Drei Strophen mit diesem Refrain. Die zweite beginnt:

Sie wolt doch haben einen Mann u. s. w.

Vollständiger in 9 Strophen und mit andrem Refrain ebb. Nr. 237:

Es hett ein Schwab ein Töchterlein,
halt die Kanna feste!
es wolt nicht lenger ein Mägdlein sein,
bei Nachte, sein sachte,
halt die Kanna, schöne Bas Anna,
halt die Kanna feste!

Einzelne Strophen in „115 guter newer Liedlein, Nürmberg 1544", Nr. 45 (Comp. Heinr. Isaac):

Es het ein bawer (baur) ein töchterlein,
das wolt nit lenger ein meidlein sein;
du schöne mein Marutschfa,
in dem ellend laß ich dich nit.

Aus der Vermengung dieses Liedes mit dem in der Sammlung gegebenen scheint in der Heidelberger Handschrift 109 der Anfang des letztern, mit Verkennung seines Sinnes, hervorgegangen zu sein:

Es het ein Schwab ein tochterlein,
wan sy wolt nimer beiten,
wan sy wolt haben einen man,
einen man woll an die seiten, so seiten.

Ach muotter, schneid mir mantl und rock
und einen schmalen riemen!
ich wil nun gen Wyrttenberg gan
und will kleines guot verdicnen, verdienen.

Der rechte Kuckuck.

(259) Fl. Bl. des vorigen Jahrhunderts: „Sechs schöne neue Weltliche Lieder u. s. w. Gedruckt in diesem Jahr." In Rochholzs Besitze.

Str. 3, Z. 2: möchst. Str. 5, Z. 1 etwa: bist du deins vaters sein einziger sohn? oder ist hier absichtlich der Reim sohn mit schon, wie nachher: schnürlein: thürlein?

Vgl. Wunderhorn I, 241.

Nachtfahrt.

(260) A. Fl. Bl. o. O. u. J. (um 1570). „Drey schöne newe Lieder" u. s. w. Holzschnitt: Eule, auf einem Stühlchen am Spinnrocken sitzend. Ein halber Bogen klein 8⁰.

Str. 1, Z. 1: Al. Str. 2, Z. 1: bath, battet, hilft. Str. 10, Z. 2: aller eltest. Str. 12, Z. 3: nimmermeer.

Die erste Zeile jeder Strophe wiederholt sich. Strophe 1 und 2 bestehen für sich. Auf einem fl. Bl. ohne Titel, vom Anfang des 17ten Jahrhunderts, beginnt das Lied so:

Ich fuhr mich uber Rhein :|:
Auf einem Lilgenblate
Zur Herzallerliebsten mein.

Da ich hinüber kam, :|:
Da kreten all die Hanen,
Der liechte Tag brach an.

Für Strophe 8:

>Ich laſſe dich nicht ein, :|:
>Du gibſt mir denn die Trew dein,
>Daß du mein eigen wilt ſein.

>Die Trew geb ich dir nicht, :|:
>Gern wil ich dich lieb haben,
>Nemen mag ich dich nicht.

[Zu Strophe 3 vgl. Antiq. Tidsſkr. 1849 bis 1851, S. 23, Nr. 4.]

C. Frankfurter Lieberbuch von 1582, Nr. 259; von 1584, Nr. 260 (die Nr. 259 iſt hier überſprungen). Str. 1, Z. 3: über kein ſtich ſ. Schmeller III, 611 (608). Str. 4, Z. 3: 1582: ein. Str. 6, Z. 1: Schmeller I, 234: Der Bloch, Block, Sägblock O. Pf. Franken). Stalber I, 185: Bloch, n. Block. Str. 8, Z. 3: nimmermehr. Hier noch mehr Wiederholungen als bei A.

Zweierlei Auffaſſungen des Liebes bei Meinert 131 und 115, vgl. 446. Die letztbezeichnete weicht beträchtlich ab. Anfang:

>Dos raet't a Hannsle ans
>Duff aenem Leinbeblattle
>Woß vir der Annle Haus.

>Ay, Annle, beiſt du ſ' beinm'?
>Raech' du mir 'raus da' Roucke!
>Ich waer dir heilſe ſpeinn'.

Die Mutter des Mädchens zerſchlägt ihn mit einem Holzſcheit. Der Beichtvater kommt zum Kranken, allein dieſer hat ſchon drei Haus= brote, drei gebratne Haſen und ein Viertel von einer Kuh verſpeiſt. Zur Buße gemahnt, hat er im Sinne, wenn ihm der liebe Gott das Leben ſchenke, bald wieder hin zu gehen. (Vgl. Wunderhorn II, 204 f. „Mündlich".) Zum Eingange bemerkt Meinert 446: „Auf einem Linden= blättchen ausreiten: ſcherzhaft für zu Fuße gehen."

Kinberlieder 37:

>Wir ſchreibens wol auf ein Lilienblatt,
>Wir wünſchen dem Herrn einen guten Tag.

(Vgl. Miscellaneen 11, 203 u.)

S. auch „Kranzſingen" [Nr. 3. H.], Str. 10, Z. 15 f. und An= merkung dazu.

Zwei niederländiſche Verſionen ziehen das Lied mehr ins Gemeine, geben jedoch, auch in der Entstellung, Einiges für den phantastischen Theil desselben. Die eine in: „'t Nieuw Groot Hoorns Lied=Boekje" u. s. w. Te Hoorn, o. J., 16⁰. hat einen seltsamen Refrain und hebt so an:

Toon: Christyntje benje krank.

Ik voer al over de Rhijn,
Was ik'er alleyn,
Al met een Saly bladertje,
Swart bruyns Maagdelijn,
Dat was mijn`Scheepekijn;
Wat groets u mijn Heer van Switsenburg,
Wat geef u goede swiere tiere tier,
Wat geef u goeden dag, ach, ach, ach,
Switsenburg, swiere tiere tier,
Wat geef u goeden dag.

Letzte Strophe:

8 Daar saat een hoer en span,
Was ik'er alleyn,
Al met een silv'ren spilletje,
Swarts bruyns Magdelijn,
En ik kan 'er niet meer van;
Wat groets u. s. w.

Die andre Version in: „Thirsis Minnewit", D. II, t'Amsterdam 1750, S. 76:

Amoureus Gezang. Stem: Als 't begind.

Ik voer al over Zee, Wilje mee,
Ik voer al over , , , Zee,
Al met een houte Lepeltje,
Lepeltje, Lepeltje, Lepeltje,
Het steeltje brak aan , , , Twee.

Doen ik daar over kwam, Ja kwam, Doen,
Doe krayden alle de Haanen,
Van snel, rebel, en rompompom, Doe.
Den Tageraad ik ver=, , , nam.

Strophe 10, S. 77:

Daar zat een hoer en span, Ja span, Daar,
Met eenen zilvere Spelletjen,
Van snel, rebel, en rompompom, Met
Daar was geen Wervel , , , an.

Hoe ziet de Hoer op my, Ja my, Hoe,
By meend, dat it geen Geld en heb u. s. w.

Eiselein, Sprichwörter 528. Ausland 1840, Nr. 109 (April):
„Die Esthen, von J. G. Kohl," S. 434: „Wenn der Lette also spricht:
Ich rudere meiner Geliebten entgegen,
Eine Blume ist mein Ruder u. s. w.

so drückt sich dagegen erzählend der Esthe so aus:
Ein Liebhaber schiffte seiner Geliebten entgegen,
Eine Blume war sein Ruder."

(Von diesem Liede ist nicht weiter mitgetheilt, als obige Zeilen, wie es
scheint der Anfang, auch vom Inhalt nichts weiter angegeben.)

„Zwey Tröstliche Jubel-Gesang Der Augspurgischen Confession,
auff ihr Jubelfest, zu sonderbaren Ehren gemacht, vnnd gesungen. Im
Jahr 1630." (Ein halber Bogen klein 8⁰. Lucerner Cantons-Bibliothek,
in 2ter Auflage Frankfurter Stadtbibliothek.)

Das erste Jubel Gesang. Im Thon: In dulci Jubilo.

1

Jns Luthers Jubilo —
Schreien wir Mordio! u. s. w.

3

Ubi mendacia?
Nirgent mehr dann da,
Da die Wölf ersunnen
Nova dogmata
Und die Eülen spunnen
Die concordia.
Hetten wir sie da! O hetten wir sie da! 8 Strophen.

Chambers, Scottish Songs I, XXV: Die Maus spinnt.

Burschenleben.

(261) Cod. Monac. germ. 379 (Papier-Handschrift vom Jahre
1454 in 4⁰.), nach Hrn. Fr. Pfeiffers Abschrift, Nr. 27. Der Text
in der Handschrift ist verdorben und die nicht abgesetzten Strophen sind
offenbar aus den Fugen gekommen, daher versucht wurde, sie zurecht
zu rücken. In der Handschrift folgen nemlich auf Str. 1, Z. 1 bis 3,

mit der Bezeichnung R: Str. 2, Z. 7 bis 11, und nach diesen erst
Str. 1, Z. 4 bis 6; dagegen stehen Str. 1, Z. 7 bis 11, hinter Str. 2,
Z. 1 bis 6. Nach Str. 3, Z. 1 bis 6, stehen nur die zwei Anfänge:

> Du freyes bürsen u. s. w.
> R. Das macht ir freyes gemütte.

Str. 1, Z. 2: über Bursch, bursa, s. Schmeller I, 201. Z. 4: Sy liebent
auch an sorge. Z. 6: stättiklich. Z. 7: O du fr., dagegen hat die Handschrift
am Schlusse der dritten Strophe nur: Du fr. Z. 9: got hat dir geben. Z. 10:
trawen. Str. 2, Z. 1: Sy kime mit h., Fr. Pfeiffer verbessert: Sy künnen
mit h.; Schmeller II, 130: „Der Häu, der Häuet, häuget, das Heu, der Heu-
wuchs, Heuplatz (welches Wort wol gleichfalls zu häuen gehört)." Z. 2 etwa:
tawen, Dat. schw. Decl. von „daz touwe", Schmeller I, 418 (vgl. b. Gramm.
III, 388). Z. 3: visen. Z. 4: über sunder ebb. III, 267. Z. 5: künden,
ebb. II, 307: „künnen (in b. Schriften des 15ten, 16ten und 17ten Jahr-
huuderts), künden, khünden, könden, khönden, wie hochd. können." showen.
Z. 7: freyes. Z. 9: hait selbe. Z. 10: sein. Z. 11: mynneeliche. Str. 3,
Z. 2: essent. Z. 4: müssen es. Z. 5: vnd dar zuo gar vil leben; Schmeller
II, 65: „Korn (besonders Dinkel) gärben, es zwischen Mühlsteinen aus den Bälgen
drücken." Stalder I, 441: „die Gerbe, Hand- oder Windmühle." Schmeller III,
54: „reiden, (ä. Sp.) wenden, drehen" u. s. w., also: gerben oder gärbel (vgl.
b. Gramm. III, 470 f.) reiden: Handmühlen drehen. (In den Beilagen zu
Schreibers Bundschuh S. 79: „ein frömbder Burßknecht", aber ebb. auch: „ein
Burßmann", Bauer.)

Druckerorden.

(265) [Vgl. Volkslieder S. 1028. H.] „Vier schöne Newe Lieder"
u. s. w. „Das vierdt, von Art vnd eigenschafft der gesellen der löblichen
Kunst, der Büchtruckerey. In des Bentzenawers, oder in Bruder Veiten
thon, wie man singt Lobt Gott jr frommen Christen." 1 Bogen klein
8^0. „Getruckt zu Strasburg, bey Thiebolt Berger, am Weynmarckt
zum Treübel" (um 1570). Die erste Strophe in Fischarts Geschicht-
klitterung Cap. 8 (S. 151).

Str. 1, Z. 2: Ich weiß. Z. 3: alle, F. allen. Z. 4: fryen, F. freyen.
Z. 6: Römische rych, F. Römisch Reich. Z. 8: F. s. g. es ihnen gleich; glych.
Str. 2, Z. 4: lymen. Z. 6: W. auff das papyr. Str. 3, Z. 2: auff dise s.
(vgl. Str. 2, Z. 2). Str. 4, Z. 3: Darumb. Str. 5, Z. 8: Schmeller II,

427: „Das Gelôch, ä. Ep. das Gelage u. f. w. Das Geloh bezalen, wie: das Bad austrinken." Str. 7, Z. 2: Bß fr. freyen. Z. 4: würtin. Str. 8, Z. 3: Schmeller II, 626: „fich mäßen, fich mäßigen, fich enthalten."

Das fl. Bl. hat fechs Strophen weiter, alfo im Ganzen 15 Stro=phen; es reihen fich nämlich an Strophe 8 noch zwei ähnlichen Inhalts, auf Strophe 9 aber folgen drei zum Lobe der Druckerkunft, in Mis=klang mit dem heitern Tone des Liedes, endlich eine Schlußftrophe:

> Und der uns diß lieblin fang,
> Der gönt den truckern guots,
> Wünfcht in glücklich fürgang,
> Er ift gern guotes muots;
> Ift ihm etwan mislungen,
> So komm im glück zuo rath!
> Das hat ein fetzer gefungen
> Zuo Bafel in der ftatt.
> ENDE.
> Hui. Frei, frölich und frifch
> Ift guot buochtruckerifch.

Im Frankfurter Lieberbuch von 1582 fteht diefes Lied unter Nr. 256 (das Münchner Exemplar der Ausgabe von 1584 bricht in Nr. 260 ab und hat unter Nr. 256 ein andres Lied): „Ein fchön new Lied, von der hochlöblichen Kunft der Buchdruckerey, allen frommen Druckergefellen zu gut gemacht, durch G. B." Nur 13 Strophen, die letzte:

> Der uns dis lieblein new gefang,
> der günnet den druckern guts,
> er wünfcht allen ein gute nacht,
> er ift gern gutes muths;
> ift ihm etwan mislungen,
> fo kom ihm glück zu rath!
> das hat Jörg Bufch gefungen
> zu Nürnberg in der ftadt.
> Frifch, frei, frölich, freundlich und fromb
> ift aller buchdrucker reichthumb.

Ein weitfchweifiges und leblofes Lied von der freien Druckerkunft, worin diefelbe als Gottes „Cantzeley" gepriefen wird, im Frankfurter Lieberbüchlein von 1584, Nr. 257: „Loft auff vnd höret zu" u. f. w., 24 Strophen.

Freiwerbung.

(276) [Vgl. Volkslieder S. 1029. H.] Fl. Bl., ein halber Bogen
8⁰: „Zwey Schöne newe Lieder, Das erste, von der alten Schwieger"
u. ſ. w. (um 1570). Orlando di Laſſus, „Der ander Theil Teutſcher
Lieder, mit fünff ſtimmen" u. ſ. w. München 1573, Nr. 1, nur
16 Strophen. Frankfurter Liederbuch von 1584, Nr. 132: „Von der
alten Schwieger."

Str. 1, Z. 1: Frkf. gezogen. Z. 2: Orl. ſo fehlt. Z. 4: Orl. werben.
Str. 2, Z. 3 vertauſcht Orl. mit Z. 3 der folg. Str.: wil ers ſeyn, ſo iſt
er m. Z. 4: Orl. die ſchnur hinwider, auch weiterhin; Fl. Bl. harwider.
Str. 3, Z. 1: O. fehlt die. Z. 3: ſie es. Str. 4, Z. 1: B. Wenn, dann.
Z. 3: Fl. Bl. Frkf. es gilt, O. fehlt ja. Str. 5, Z. 3: Fl. Bl. Frkf. ein,
O. dein newer beltz mir wol gefelt. Str. 6, Z. 1: Fl. Bl. Frkf. wöllet. Z. 3:
Fl. Bl. trieben. Str. 7, Z. 1: O. Wie w. j. e. dañ nehren. Z. 3: O. m.
läß v. br., vnd was man hat, B. dann. Str. 8, Z. 1: Fl. Bl. Wo wöllet
ihr heint (Frkf. heut) l. Z. 3: O. vnderm h. Str. 9 fehlt bei O. Z. 1:
Fr. gehört. Z. 3: Fl. Bl. wann. Str. 10 fehlt bei O. Z. 1: Fl. Bl. dañ;
nemmen. Z. 3: drumb, Fl. Bl. bekomen. Str. 11, Z. 3: Fl. Bl. Frkf.
vñ du. Str. 12, Z. 1: O. D. h. iſt. Z. 3: Frkf. Iſt das, Fl. Bl. Frkf.
wol. m. Str. 13, Z. 1: O. wolſt a. mein, Frkf. Wolſtu. Z. 3: O. iſt m.
Str. 14 folgt bei O. erſt nach Str. 15. Z. 1: Frkf. pochen, O. Wolſtu mich
dann bochen erſt. Z. 3: O. nit. Str. 15, Z. 3: O. nimmer. Str. 16, Z. 1:
O. ſchlair. Z. 3: O. wañ. Z. 4: Fl. Bl. Frkf. da ſchl. Str. 17, Z. 1:
Frkf. Auwe, Auwe, O. Auwe meines, vgl. Str. 2, Z. 3. Z. 3: Fl. Bl.
Frkf. ach l. Str. 18, Z. 3: O. iſt es nit noch der ſitt. Z. 4: O. fehlt ſo,
Fl. Bl. darwider, Frkf. dawider.

Im Frankfurter Liederbuch iſt zwiſchen Strophe 17 und 18 eine
ſtörende eingeſchoben; eine andre ſolcher Art bei Schmeller III, 534.

Heirath.

(277) Heidelberger Handſchrift 109, Bl. 104. Fl. Bl. Neben
den beiden erſten Strophen Holzſchnitt, einen Hochzeitszug darſtellend
(Berliner Bibliothek).

Str. 1, Z. 4: B. ach got w. Str. 2, Z. 1: H. ach fehlt. Z. 3: H.
mir zerriſſe kl. Z. 4: B. v. ſey . . iämerlich a. Z. 5: mir wöder. Z. 7:
gewinne. B. hat für Z. 5 bis 8:

ain katz ift vnfer beftes vich:
fol . . . vil genieſſen,
folt ich mein ſünb hie bieſſen,
nu . . der teüfel im hauß.

Str. 3 ſteht in H. hinter Str. 4 unb 5. Z. 2: H. ſchöbigē. Z. 3: B. die
truoge k. b. . . Z. 4: H. der frehſchacke'. Z. 5: H. böſſe'. Z. 6: H. uñ wie
wilt bu mirſ g. Z. 7: B. ſo fehlt. Str. 4, Z. 1: H. Wē, frie vff, B.
bes morgens. Z. 2: H. vnb zü meinē ſtible ge. Z. 5 bis 8 fehlen in B. unb
es ſchließt ſich baſür die zweite Hälfte der Str. 5 an. Z. 5: heb mir, khſſin.
Z. 6: föde'. Str. 5, Z. 1 bis 4 fehlen in B. Z. 4: Schmeller II, 429: um
a leichts Gelb, wohlfeil. Z. 5: B. braiten, H. wol vbe' die wehtte h. Z. 6:
H. manichē güttē. Z. 7: H. bo hehret wer bo w. Str. 6, Z. 1: B. lieblin.
Z. 2: H. vnb newſſ g. h. Z. 3: B. b. h. gethon ain geſell. Z. 4: H. lüb
wehſſ. Z. 6: H. hatz, B. hat vns bas w. g. Z. 7: H. von bem w. Z. 8:
H. z. j. kumpt er nime' mer.

Eine Nachahmung dieſes Liedes, worin auch deſſen Versweiſe reim=
reicher ausgebildet, iſt: „Ain lieb von dem haußrat gůt, der gehört
zů der armůt." Heidelberger Handſchrift 793. 69. Druckblatt in Folio,
o. D. u. J. Holzſchnitt: Zwei Engel, einen leeren Schild haltenb.
Anfang: „Die welt thut an mich bringen" u. ſ. w. 17 Strophen
(hiernach bei Görres 145). Ein andres Exemplar auf der Berliner
Bibliothek, wo jeboch die Endſtrophe fehlt. [Vgl. Nr. 278. 279. H.]
Dichtungen ähnlicher Art:
Minneſ. II, 67 b, 3. 69 b, 3: Der Tanhuſer. (Vgl. 69 a, 3.) Hiezu
bemerkt von der Hagen, Leben der Dichter S. 425: „Dieſe allegoriſche
Haushaltung erinnert an jene mythiſche der norbiſchen Höllengöttin Hel;
ihr Haus heißt Elend, Hunger ihre Schüſſel, Mangel ihr Meſſer, Lang=
ſam ihr Knecht, Träge ihre Magb u. ſ. w. (Snorris Edda Cap. 28)."
[En. Edda 33.] Müllers Sammlung III, Fragmente unb II. Gedichte
S. XXXVII: „Dis iſt von dem Hurate."
„Ein new lieb in des brembergers thon." Fl. Bl. 4⁰, Berliner
Bibliothek. Anfang: „Mich fragt armůt, wa ich ir wer hin ent=
runnen" u. ſ. w. 3 Strophen.
„Der Haußrabt." Fl. Bl. 8⁰, ein halber Bogen. „Getruckt zů
Baſel, beh Samuel Apiario. 1569." Anfang: „Ich kum in biſen Palaſt
gelauffen" u. ſ. w. Nur vom Eingang ſchlägt Einiges hieher ein, die
Hauptſache iſt eine Aufzählung alles beſſen, was in einen Haushalt

nöthig ift. (Ein ähnlicher Spruch des Hans Folz: „Von allem Haußrabt." Anfang: „Welch man sich zu der ee wöll lencken" u. s. w., in Waldaus Neuen Beiträgen II, 160 ff., daraus in Gözs Hans Sachs IV, 152 ff.)

Auf der Grenze zwischen Armuth= und Schlemmerliedern (wie schon beim Tanhufer) hält sich ein Lied in Fischarts Geschichtklitterung Cap. 8 (S. 144 u. ff.): „Ich armer Knecht, komm selten recht" u. s. w. (was jedoch nicht wirklich der Anfang zu sein scheint). Bettlerstanz, Hans Sachs, der Neidhart mit dem Feihel, Bl. LII b.

Fischer.

(283) A. Niederdeutsches Lieberbuch Nr. 78. Str. 6, Z. 1: Ethen vnde drüncken.

Die Fischerlieder sind insgemein leichtfertiger Art:

„Ain hübsches lied von ainer vischerin weltlich zü syngen." Fl. Bl. der Berliner Bibliothek, klein Folio, Holzschnitt, eine Fischerin vorstellend. Anfang: „Ich waiß mir ain feine fraw fischerein" u. s. w. 5 Strophen.

„Ein leed van einer fischerinne." Einzelnes Druckblatt, klein 4⁰, nach einer Abschrift von der Hagens mitgetheilt von Ph. Wackernagel. Anfang: „Dat soehr ein fischerinne" u. s. w. 4 Strophen. Niederdeutsche Version des vorigen.

Fichards Frankfurter Archiv III, 279: „Eyn ander suberlich lytlin von eyner fischerin." Anfang: „Es wolt ein hübsches freuwelin" u. s. w.

Hoffmann, Horæ belg. II, 154: „Van 't lose Vischertjen." Die Müllerin verlockt den Fischer. (Vgl. Chambers, Scottish Songs I, XXV: Frosch und Maus.)

Fuhrmann.

(284) Fl. Bl. „Vier Hübsche Weltliche Lieder. Das erst, Vom Fitz vnd Federle, darzu zum aller heberle u. s. w. Getruckt im Jahr 1613." (Zürcher Bibliothek.) Fl. Bl. „Gedruckt zu Straubing," o. J. (Frankfurter Bibliothek.)

Zu „heberle" vgl. Barthold, Georg von Frundsberg 113 f.

Eine Abkürzung des Liedes in sieben Strophen, deren letzte noch bloßes Anhängsel, im Frankfurter Liederbuch von 1584, Nr. 239, und auf dem erstangeführten fl. Bl. (Zürcher Bibliothek); sie hat den Refrain: „Alde".

Zu Str. 3. 5. 6 vgl. Meinert 210, 3 bis 5.

Str. 2, Z. 3: darzu zum aller h., zu zum aller h. Str. 4, Z. 1: Vnd da der Fuhrman. Z. 3. 5: brun, brunn, vgl. Str. 12, Z. 3. 5. Str. 5, Z. 1: B. nit, auch weiterhin. Str. 11, Z. 2: bückßen; Schmeller I, 150: Der Bickel, die Picke, Bicke (Adelung), starker gestählter Zahn mit einem Axtstiele. Schmid 67: bickel, m. Haue mit einer Spitze. Str. 12, Z. 1: die Kisten, B. der lasten. Z. 3. 5: B. bran. Str. 14, Z. 2: B. sind. Z. 3: B. zum. Str. 15, Z. 1: B. solt, briglen. Z. 3. 5: B. Nestlen, Nesteln.

Varianten aus dem kürzern Texte:

Str. 1, Z. 1: gut Fuhrmann (ein Bawr). Z. 2: doch (da) kühlen w. Str. 3, Z. 1: Er kam. Z. 2: sahe (sah) zum Laden herauß (auß). Z. 3: mit jren braunen Augen, Alte. Str. 5, Z. 1: habt jr keinen (kein) g. Z. 2: (halt). Z. 3: darzu sein Roßß vnd Wagen, Alde. Str. 6: So viel gewalt hab ich noch wol, daß ich ein Fuhrmann behalten (halten) soll, darzu sein Roßß vnd Wagen, Alde, mein Mann ist nicht (nit) daheime (daheimen). Str. 8, Z. 3. 5: tr. eitel klaren W. Str. 16, Z. 2: e. fr. Fuhrmann ist ers genannt.

Bettler.

(285) Fl. Bl. „Getruckt durch Hans Guldenmundt." Abgedruckt im Anhang zu O. L. B. Wolffs Proben altholländischer Volkslieder, Greiz 1832, S. 215 ff. Frankfurter Liederbuch von 1584, Nr. 98: „Ein neuw Lied der Bettler genandt."

Str. 1, Z. 1: Fr. Was wöllen wir aber heben an. Z. 3: Fr. hatt. Str. 2, Z. 1: Fr. Es begab. Z. 2: Fr. Reiche. Str. 3, Z. 2: W. Herren sanct Clauß, Fr. Herrn S. Clauß. Z. 3: W. allmuß, Fr. Almuß. Str. 4, Z. 1: W. bißt, Fr. bittest. Z. 2: Fr. beschloffen. Str. 5, Z. 3: W. deck. Str. 6, Z. 2: W. bescheint. Z. 3: Fr. Steh, dann. Z. 4: Fr. ligst. Str. 7, Z. 2: Schmeller III, 463: geschmack, adj. schmackhaft. Obz so gut vnd wol gesmak. Br. Berht. Z. 3: W. So hyn. Str. 8, Z. 1: W. dann, Fr. da. Z. 4: W. behelt. Str. 9, Z. 1: Fr. da. Z. 2: W. Lebstu, Fr. lebstu, bistu. Z. 3: Fr. nicht. Str. 10, Z. 1: W. Was zer ab. Z. 2: W. Nun se, Fr. nu seh. Z. 4: Fr. kompst. Str. 11, Z. 2: W. Als, kamm, Fr. den f.

In G. Forsters frischen Lieblein, Ten. V, 1556, Nr. 8 steht der
Liebesanfang (Comp. J. B. B.):

> Der reich man war geritten auß,
> es kam ein betler für fein hauß, :|:
> er bat die frawen umb ein gab,
> das fie im geb von ihrer hab,
> das heiaho,
> er bat die frawen umb ein gab,
> das fie im geb von irer hab,
> das heiaho.

Fifcharts Gefchichtklitterung Cap. 1 (S. 24): „der Byttler heyaho.“
Vgl. Wunderhorn I, 396 und „der Pilgrim“ (Nr. 100).

Ein ähnliches fchwedifches Lied in zweierlei Verfionen, die erfte
aus einer Handfchrift des 16ten Jahrhunderts, die andre, wie fie in
Weftgotland gefungen wird, bei Arwidsfon I, 320 ff. In beiden fehlt
jedoch der Hauptpunkt des deutfchen Liedes: die feltfame Gaftfreiheit in
Ermanglung eines andern Almofens; der Pilger kommt auf des Königs
Hof, nimmt fein Nachtlager bei deffen Tochter und der König felbft
muß am Ende zufrieden fein, befonders da, nach der mündlichen Über-
lieferung, unter dem Schlapphute des Pilgers auch eine Goldkrone zum
Vorfchein kommt.

Von der Hagen, Gefammtabenteuer II, 245 bis 248.

Fuchsfang.

(286) „Ein hüpfch new lied, wie eines reiche Bauren Weib zwölff
Münch gefangen hat. Im thon, Es kompt ein frifcher Sommer daher.
[Holzfchnitt: zwei Elftern mit Caputzen.] Ein ander Lied. Von der falfchen
Münchs Kutten. Im thon, Christe qui lux es et dies u. f. w.“ Fl. Bl.,
ein halber Bogen 8⁰, o. O. u. J. (Zürcher Bibliothek, Wik. Sammlung.)

Str. 1, Z. 5: Wiederh. Ja befchawen. So auch je am Schluffe der fol-
genden Strophen. Str. 7, Z. 1: Das. Str. 10, Z. 2: ftehlen. Str. 11,
Z. 1: fpielen, Schmeller IV, 184: Das Gewiffere (s Gwiffe) fpilen, die fichrere
Partie ergreifen. Im Druck von Burc. Waldis fteht: will lieber das [des ?]
gewiffen fpilen. Vgl. Gramm. IV, 673, 14. Str. 12, Z. 1: zuo. Str. 14,
Z. 1 etwa: rot — fott? Str. 15, Z. 1: nemen.

Fischarts Geschichtklitterung Cap. 1 (S. 24): „die zwölf Atzelmönch im Keller," auf den Holzschnitt des fl. Bl. bezüglich. Auf ähnliche Weise sperrt in den Gesta Romanorum, Cap. 69, die Frau eines Zimmermanns drei Ritter ein. F. Wolf, Studien u. f. w. 539 (Anm.) u., f. Weitere Lieder von buhlerischen Pfaffen und Mönchen:

1. Das vorzugsweise sogenannte „Pfaffenlied": Es hat ein mann sein weib verlorn u. f. w. (Fl. Bl. der Münchner Bibliothek.) Vgl. Weckherlins Beiträge 96, 16).

2. Forsters frische Lieblein II, Ten. 1565, Bass. 1553, Nr. 16. Nur zwei Strophen, die erste:

> Der ziegler auf der hüten saß
> mit feiner hawen,
> begegnet im der schwarze pfaff
> mit seiner frawen.

3. Ebd. V, Ten. 1556, Nr. 36. Nur eine Strophe:

> Unser herr, der pfarrer,
> der hat der pfenning vil,
> er hat ein schöne köchin,
> er kauft ir, was sie wil.

4. Münchner Papierhandschrift des 15ten Jahrhunderts, in Folio, aus der wallersteinischen Bibliothek:

> Es wollt ein münch in küchen gan:
> „richt an! wir wollen essen."
> er wolt zu seiner negerin gan,
> das hat er nicht vergessen.

Zehn Strophen. Die letzte:

> Der uns das lieblein eins gesang
> und einem hat gesungen,
> das hat getan ein schöner münch,
> ist aus dem orden gesprungen.

5. „Zwey Schöne newe Lieder, Das erste, von der alten Schwieger. Ein ander Hüpsch new Lied, von einer Pfaffen Kellerin, In der weiß, Wie das Lied von Callis." Fl. Bl., ein halber Bogen 8⁰. Anfang des zweiten Liedes:

> Nun sond uns frisch und frölich sein!
> und unser pfaff ist voller wein,

er hat sein kellerin gschlagen,
der sigrist laust ietznnd daz dorf auf,
er will ihn gahn verklagen, ja verklagen. 5 Strophen.

Dasselbe im Frankfurter Lieberbuch von 1584, Nr. 131: „Ein new Lied, von einer Pfaffenkellerin."

6. Frankfurter Lieberbuch von 1584, Nr. 144: „Das Resonet Papistisch." Anfang: „Resch vnd behend der Pfarrherr sprach" u. s. w. Drei Strophen.

7. Ebd. Nr. 135: „Von eim schwartzen Mönch, wie jm vnd seinem Bulen das Bad zu heiß warbe."

Zu Augspurg es geschehen ist
vor Jaren im Reichstage,
es ist noch andern mehr bewust,
die wissens auch zu sagen.

Fabri, den viel heiligen Mann,
ein Andacht kam zu baden an,
wolt haben da mit Freuden;
ob 's Baden da gut wer,
vergaß der Herr,
baden bracht in in Leiden. 5 Strophen.

8. Ebd. Nr. 220: „Ich weiß mir ein stolze Müllerin" u. s. w. 26 Strophen. Niederdeutsch im Lieberbuch Nr. 109. Eine andre Version in 23 Strophen, abgedruckt „aus einer Handschrift des 15ten Jahrhunderts von S. Georgen zu Karlsruhe" in Mones Anzeiger 1838, Sp. 67 ff.: „Der Misgriff." Vgl. ebb. Sp. 431, VI.

9. Der Mann im Korbe (Nr. 287).

10. Der Mönch zu Tübingen.

Einiger dieser Stücke gedenkt Fischart a. a. O. (S. 24). Liedersaal I, 309: Die Mönche von Kolmar. III, 217: Des Fischers Rache.

Der Mann im Korbe.

(287) Niederdeutsches Lieberbuch Nr. 69.

Zu Str. 1, Z. 1: Thom Sunde heißt: zu Stralsund; vgl. Berckmanns stralsundische Chronik, z. B. S. 24 f.

[Kinder- und Hausmährchen, gesammelt durch die Brüder Grimm, Nr. 95.]

Der Schreiber im Korbe.

(288) „Ain lied von Kuntz dem schreyber." Fl. Bl., aus der in den Anmerkungen zu „Erzgrube" (Nr. 233) angeführten Sammlung mit-getheilt in Bragur VII, 2, S. 93 ff.

Eine Eingangsstrophe[1] und eine unsaubre zwischen Strophe 11 und 12, beide als späterer Zusatz kenntlich, sind weggelassen.

Str. 6, Z. 1: schlaff pule. Str. 12, Z. 2: nymer sunng.

Docens Miscellaneen I, 262 unter den Anfangsstrophen, die in den „Graßlieblein" und den „Gassenhauern und Reuterlieblin", zwei musikalischen Sammlungen aus der ersten Hälfte des 16ten Jahrhun-derts vorkommen:

> Der Schreiber geb einen Gülden drum,
> Daß man ihms Lieblin nimmer sing;
> Wir singens und schlagen ihms uff der Trumm,
> Er hat ein klein spanisch Baretlin uff,
> Ein weiße Federn drumme.

Ein ohne Zweifel gleichartiges Lied, „Johannes im Korbe," gab in den Jahren 1510 und 1511 zu blutigen Aufläufen im Erzgebirg An-laß. Die Nachrichten der Chroniken hierüber hat Canzler in einem aus-führlichen Aufsatz „Über den Berg-Reihen Johannes im Korbe und seine Folgen" (Für ältere Litteratur u. s. w. Quartalschrift, herausgegeben von Canzler und Meißner, 2ter Jahrgang, 3ten Quartals 2tes Heft, Leipzig 1784, S. 7 ff.) so zusammengestellt:

„Anno 1510 den 3 April erhub sich zu Freiberg ein großer Aufruhr unter Clerisei und etlichen Bergleuten wegen des Liedleins „Johannes im Korbe", dar-über so wohl dieses, als folgendes Jahr unterschiedliche Todtschläge geschehen und der Lerm kaum von der Obrigkeit gestillt werden konnte[2]."

„Es haben sich 1510 wegen eines Liedleins „Johannes im Korbe" viel

---

[1] Diese lautet:

> Nun well wirs aber heben ann
> von ainem Schreyber wolgethan
> du hailoß föslin
> du traufftloß pöslin
> henng nach henng nach
> Hainrice Kuenrabe der schreiber ym korb.

Sie könnte vielleicht doch mit Weglassung von Zeile 3, 4 in den Text aufgenommen werden. [2] Kirchen-Historie der Stadt Freiberg von M. Ch. Gotth. Wilisch, Th. II, S. 12, und Mollers freibergische Chronik S. 156 vom Tumult unter den Geistlichen und Bergleuten.

Tumult, Unarten, Aufruhr und Todtschläge nicht allein hier (zu Zwikau), sondern auch zu Annaberg, Freiberg, Meißen und Chemniz ereignet [1]."

„Sonsten hats 1510 zu Freiberg und Annaberg zwischen den Geistlichen und Bergleuten viel Lermens und Ungelegenheit gegeben wegen eines Liedes „Johannes im Korbe". Zu Schneeberg aber haben die Bergleute desto freier singen mögen, weil hieselbst kein Kloster gewesen [2]."

„Daß es in Annaberg 1511 zwischen den Bergleuten und Scholasticis wegen besagten Liedchens zum gefährlichen Aufstand gekommen, den man nur mit gewafneter Hand gestillt und dessen Urheber zur Haft gebracht und von dem Herzoge hernach bestraft worden, sagt Jenisch [3]; und eine handschriftliche Chronika der churfürstlichen sächsischen freien Bergstadt St. Annaberg (Balth. Gipfels) merkt von den Tumulten dieses Jahres folgendes an:

„Die Fleischer machten einen Aufruhr und Empörung wegen Hanns Rödels, sie wurden aber vom Rath hart gestraft. Gleichergestalt die Beker, die wolten einen vertreiben, der Kümmelbrot gebaken, und schlugen ihn in der Mühle; sie musten auch große Strafe geben. Sonntag nach Trium Regum ließ Herzog Georg etliche von der Scheuben [Schuelen?] gefänglich einnehmen und auf Chemniz führen; davon wurden ihrer fünf auf dem Schrekenberg (zu Annaberg selbst) gefänglich enthalten, denn es war großer Aufruhr wegen eines Gesanges, der Schuber [Schuler] im Korb genannt, daß man Tag und Nacht muste im Harnisch reiten, ehe man Bergleute und alle Aufwiegler stillete."

Zärtlicher Abschied eines Schulers: „Wolauff gut gsell von hinnen, schlag vmb vnd weit hindan" u. s. w. in G. Forsters frischen Lieblein III, 1549 und 1563, Nr. 35.

Daß ein gelehrter Liebhaber von der treulosen Schönen im Korbe aufgezogen und aufgehängt wird, findet sich schon in mittelalterlichen Erzählungen vom Zauberer Virgilius und von Hippokrates („Lai d'Hippocrate", Le Grand I, 232); s. Thoms, Early Prose Romances II, XI f. Spaziers Übersetzung I, Einleitung XXIII. Vgl. F. Wolf, über die altfranzösischen Heldengedichte 32, Anmerkung 1. Wolf, Niederländische Sagen Nr. 407. Keller, Romans des sept sages S. CCCIII f. Keller, Diocletian, Einleitung S. 57 f.

[1] Schmidts zwikauische Chronik II, S. 258. Müllers Chemnizer Chronik.
[2] Melzers Schneeberger Chronik S. 1216.
[3] Tumultus cantionis cujusdam occasione adversus scholasticos a metallicis excitatus senatus prudentia sedatur. Noctu praesidium armatum locis quibusdam in urbe collocatum est. Autores tumultus capti a principe poenisque affecti sunt. Jenis. Annæberg. annales S. 14.

Der Schreiber im Garten.

(289) „Aus einer Handschrift von St. Georgen zu Karlsruhe, Nr. 74, Bl. 312, des 15ten Jahrhunderts" mitgetheilt von Mone im Anzeiger 1835, Sp. 452 f.

Str. 2, 3. 3, 5: mäse — schläfen; Schmeller II, 624: Die Mäß u. s. w. (ä. Sp.) die Art und Weise, modus. Str. 4, 3. 1: Schmeller II, 651: umb mitte naht, Br. Berht. 10. Str. 7, 3. 5: Ebd. II, 304: bekennen (ä. Sp.) statt kennen. Str. 8, 3. 2: sin, s'im? Str. 9, 3. 5, (Str. 10, 3. 5) und Str. 11, 3. 5, sind die Casus, welche warten regiert, unrichtig vertauscht, s. Schmeller IV, 158 u., s. Str. 11, 3. 1: hat, Mone bessert: hob.

Ist es herkömmliche Formel, daß in derartigen Schwänken die Stadt Constanz genannt wird? Modus Liebinc: Constantiæ civis Suevulus u. s. w. Eberts Überlieferungen I, 80. (Schneekind, vgl. Liedersaal III, 513. [F. H. von der Hagen, Gesammtabenteuer II, S. LIII bis LV. Du Meril, Poésies populaires latines. Blätter für litterarische Unterhaltung 1851, Nr. 21 vom 24 Januar. H.])

„Ein hüpsch Lied, Der Strigel genannt, Wie ein kauffmä einen Doctor, bey seinem Weib fand, ist gar lustig zu singen, In deß Linden= schmids thon u. s. w." Fl. Bl. 8. „Getruckt zu Basel, bey Samuel Apiario. 1570." Anfang:

> Zuo Costenz saß ein kaufman rich,
> der hat ein fröuwlin, was wunniglich u. s. w.

Dieselbe Weise, wie „der Schreiber im Garten." (Vgl. Wunder= horn III, 99.)

In der Hauptsache gleichen Inhalts ist Hans Rosenplüts Schwank „Von dem mann im garten", nach einem Drucke von 1493 in Bragur V, 87 ff. (daraus in Gözs Hans Sachs III, 170 ff.), auch im Liederbuch der Hätzlerin 290, 76. [Vgl. A. v. Keller, Fastnachtspiele S. 1150. 1151. H.] Ähnliches bei Boccaccio, Burkard Waldis u. s. w.

Träume.

(290) G. Forsters frische Lieblein II, Baß. 1553, Ten. 1565, Nr. 21 (Comp. Wolff Heintz), nur Strophe 1 und 2. Frankfurter Lieder= buch von 1584, Nr 216. Handschriftliches Liederbuch im Besitze des Hrn. Dr. M. M. Mayer in Nürnberg (daraus schon von dem Besitzer selbst

mitgetheilt in seinem Buche: Des alten Nürnbergs Sitten und Gebräuche
u. s. w. 2te Abth., Heft 1, Nürnberg 1835, S. 44 f.). Würzburger
Sammelband Nr. 62, hinter der alten Schwiger.

Str. 1, 3. 1: M. Dordt bowen a. jenen b. 3. 2: Fr. M. stöckelein. M.
e. gleines beinelein. 3. 3: Fr. gewachsen. M. Es naget sich zu d. e. Str. 2,
3. 1: M. Da legedt ich mig hinnuuder. 3. 2: Forst. traumbt. Fr. Da träu-
met mir ein seltzamer Tr. M. Da traimedt mir ein teimelein. 3. 3: Forst.
stunden. Fr. zu derselbigen st. Str. 3, 3. 1: M. Es traumedt m. alleso sise.
Fr. Mir träumet wie ich hette.' 3. 2: M. w. senne madt. Fr. So gar ein
wunder schönes Kindt. 3. 3: M. sisen. Fr. bey mir an meinem Bethe. Str. 4,
3. 1: M. ichs. 3. 2: e. a. raffel seidt; Schmeller III, 59: Raffelscheit. Str. 5,
3. 2: Fr. Weiber. M. 7 aldter weimer. Fr. vmb, ohne: wol. M. woll, gewe.
Str. 6, 3. 1: M. aug. 3. 2: Fr. vmb eine. M. gewen vm. 3. 3: Fr. vmb.
M. seidtlein; Schmeller III, 199: Das Seidlein, die Hälfte der landüblichen
(Getränk= und Flüssigkeits=) Mäß.

Zu Strophe 1: Percy III, 224, 5:

A tree there is, that lowly grows,
And some do call it rue u. s. w.

(291) Heidelberger Handschrift 343, Bl. 93 b s.

Str. 1, 3. 2: Rosen heckerlein (vgl. d. Gramm. III, 674 ob. Diminut.
mit r.). Str. 2, 3. 1: mal. Str. 3, 3. 2: manne. Str. 4, 3. 2: menuer.
3. 3: junge. Str. 6, 3. 2: weis Brot. 3. 3: vij. Aiere. Str. 7, 3. 3 und
Str. 8, 3. 3: schier.

Die Alte.

(292) Aus der beim Liede 290 angeführten Handschrift des Hrn.
Dr. Mayer (auch schon gedruckt in dessen dort bemerkter Schrift S. 47 f.).
Vgl. Hoffmann, Schlesische Volkslieder 231.

Str. 2, 3. 1: gin, kirgen. 3. 3: reiger. Str. 3, 3. 1: hammer. Str. 4,
3. 1: sir. 3. 2: 4 gudter. 3. 3: lis, frailein firen. 3. 4: kirighoff. Str. 5,
3. 1: kirroff. 3. 3: glagen. Str. 6, 3. 1: sarredt, sarre. 3. 2: besse. 3. 3:
erklagedt, transitiv? Fein. Alm. 148, 3: Si hat ir lebetage Geplagt meyn
jungen Leyb. Str. 7, 3. 1: leidelein. 3. 2: saredt. 3. 3: weus, hamer.
3. 4: ichß, dri. Str. 8, 3. 1: lies igg firen. 3. 2: stann. 3. 3: gressere.
3. 4: ham. Str. 10, 3. 1: hamer. 3. 2: verganen, ladt. 3. 3: nagt. 3. 4:
mig, madt.

Eine andre Fassung im feinen Almanach 1777, S. 147 ff.: „Als ich
ein junger gselle war" u. f. w. (der Tod von Basel.)

Englisch: Th. Lyle, Ancient Ballads and Songs, London 1827,
S. 151 ff.: „When I was a young man" u. f. w., „taken down
from recitation." Im feinen Almanach wünscht der Mann, der ein
junges Weib genommen, sich seine Alte zurück; in der englischen Version
geht er zu ihrem Grabe, öffnet den Sarg, sieht sie lachen und sie kehrt
mit ihm heim.

Zu Strophe 8: Salomon und Morolf 196 bis 201.

Der Götze.

(294) Aus einer Papierhandschrift von 1603 in der rhedigerischen
Bibliothek zu Breslau mitgetheilt von H. Hoffmann in der von ihm her-
ausgegebenen Monatschrift von und für Schlesien, Jahrgang 1829,
Bd. II, S. 548 f.: „Vom Götzen."

Str. 5, Z. 3: schlug.

Wer unter dem spiritus familiaris des Liedes zu verstehen sei, dar-
über geben die am Schlusse desselben beigesetzten Reime keinen Zweifel:

Wenn die Henne kräht vor den Hahn [1]
Und das Weib redet vor den Mann,
So soll man die Henne braten
Und das Weib mit Prügeln berathen.

[Thietmar von Merseburg L. VII, c. 50.]
Über Götze vgl. J. Grimm, deutsche Mythologie 11 [13].
Zu Str. 5, 6: Nibelunge (Lachmann) 587 bis 592. Zu Str. 6,
Z. 4 vgl. „Wünsche" (Nr. 6) Str. 4.

Drei liebe Frauen.

(295) Fl. Bl. 1 Bogen 8°: „Vier schöne newe Lieder u. f. w. Das
vierdt, Von einem schnöden Mann, vnnd von dreyen lieben Frauwen."

[1] [In der Mörin des Hermann von Sachsenheim 41 b findet sich der Spruch:
In welchem haus nit kregt der han
Und kregt die henn, das ist nit guot.
Vgl. Schriften II, S. 241. H.]

Uhland, Schriften. IV.   17

„Getruckt zů Straßburg bey Thiebolt Berger." (um 1570.) Frankfurter Liederbuch von 1584, Nr. 228.

Str. 2, 3. 2: Str. jhren. Fr. jrn Nachbawrn. 3. 3: jren. Str. 4, 3. 2: Str. das w. Str. 5, 3. 4: Fr. bist du schn. Str. 6, 3. 3: Str. hofflichen. Fr. Höflichen. Str. 7, 3. 5: Str. all; vgl. Str. 10, 3. 5. Str. 8, 3. 1: Str. vernummen. Fr. vernomen. 3. 2: Str. kumen. Fr. kommen; vgl. Str. 11, 3. 1, 2. Str. 9, 3. 1: Fr. kom. Str. 12, 3. 2: Fr. nicht habt; vgl. d. Gramm. I, 932 vor γ). 3. 3: jetz. 3. 4: geschwindt.

Schwedisch: Arwidsson III, 148.

Fünftes Buch.

Tanhauser.

(297) A. [Vgl. Volkslieder S. 1032. H.] Fl. Bl. „Das Lied von dem edlen Danheuser." „Gedruckt zu Nürmberg durch Christoff Gutknecht." o. J. (um 1533, Körners historische Volkslieder 152.) Fl. Bl. o. J., gedruckt zu Nürnberg durch Georg Wachter (um 1528, P. Wackernagel, Kirchenlied 737, CXVIII), Bragur VIII, 186 ff. Frankfurter Liederbuch von 1584, Nr 224. Fl. Bl. von 1612, o. O. Kornmanns Mons Veneris u. s. w. Frankfurt 1614, S. 127 ff. (daraus in Prätorius Blocksberges Verrichtung, Leipzig 1668, S. 19 ff.) Fl. Bl. 1647, o. O. Einige weitere Drucke sind von Hoffmann und Leyser angemerkt.

B. Niederdeutsch, mitgetheilt von Leyser im Bericht an die Mitglieder der deutschen Gesellschaft zu Leipzig vom Jahr 1837, S. 35 ff., „nach einem alten Drucke aus dem ersten Drittel des 16ten Jahrhunderts". (vgl. Scheller, Bücherkunde der sassisch-niederdeutschen Sprache u. s. w. Braunschweig 1826, S. 479, XVI, wo ein fl. Bl. mit dem niederdeutschen Liede vom Tanhauser, vermuthlich von 1581, verzeichnet ist.)

C. Eine durch Stalders Vermittlung aus mündlicher Überlieferung im Entlebuch aufgezeichnete Fassung des Liedes mit seiner Singweise hat Laßberg im Anzeiger für Kunde des deutschen Mittelalters, 1832, Sp. 239 ff. mitgetheilt.

Niederländisch: „Van heer Danielken" aus „Liedekens-Boeck, Tantwerpen 1544" in Horæ belg. II, 131 ff.

Dänisch: Übersetzung des Liedes aus dem Deutschen, nach Drucken von 1684, 1700 u. s. w. in Nyerups Udvalg u. s. w. I, 117 ff.: „Ridder Danhser." Die Übertragung folgt ganz der niederdeutschen Fassung, verschlechtert aber dieselbe durch Zwischenreime; die zwei letzten Strophen sind Anhängsel.

Str. 1, 3. 1: B. ichs, ichs frölich h. a., Aber so will ich h. a. Auch
niederd.: Aber wil ich heuen an, van eynem Danhüser syngen. 3. 2: von dem
Danheuser, B. vom Danhäuser (Tanhäusser) wöllen wir singen. 3. 3: B. u.
w. er hat w. g., Vnd wz wunder er h. g. 3. 4: B. Benussine(n), mit fraw
Benussinnen, mit Frauw Benus sinnen; niederd.: mit Benus der düuelynnen;
niederl.: al met vrouwen Minne. Str. 2, 3. 1: B. war; Der Tanhäusser war.
3. 2: B. Wann (B. dann) er wolt w. sch. 3. 3: B. er wolt i., er wolte i.,
er wolt hin zu Fr. B. B. Zwischen Str. 2 und 3 ist in den hochdeutschen
Recensionen eine ausgefallen, welche niederdeutsch so lautet:

 Do eyn har all vmme quam,

 syne sünde begünden em tho leyden.

 Benus eddele Frouwe syn,

 ick wyl wedder van yw scheyden. (Vgl. niederl. Str. 2.)

Dänisch: Den Tid et Aar forlöbet var,

 Hans Synder de gjorde ham bange,

 Han strax hen til Fru Benus gaaer

 Og sagde: fra Eder jeg ganger.

 Str. 3, 3. 1: B. seind. 3. 2: d. s. jr mir g. 3. 3: B. geschworen.
3. 4: B. jhr wöllet nit v. m. w., Jhr wolt nicht v. m. w. Str. 4, 3. 1:
B. enthab, Fraw B. ich habs nicht gethan. 3. 2: B. will es w. 3. 3: B.
wann r., wann (wenn) niemand (ts) spricht das mehr dann (denn) jhr. 3. 4:
B. Gott helff mir zu dem Rechten. Str. 5, 3. 1: B. wie sagt jr mir, wie
redt jhr also. 3. 2: B. bleyben, jhr sollet bey mir (B. vns) bleiben. 3. 3:
B. Dann ich wil euch meine Gespile g., Jch gib (geb) euch meiner Gespielen
ein. 3. 4: B. stätem, stäten, ehelichen w. Str. 6, 3. 1: B. nemb, Nemme
(Nehme) ich denn (dann), anders. 3. 2: B. denn ich hab in meim Sinne, Als
ich hab in meinem Sinne, Noch hab ich in meinem Sinne. 3. 3: B. muß.
3. 4: ewigkl. B. auch ewiglich verbrinnen (B. verderben, da ewiglich verbrinnen
(verbrennen). Str. 7, 3. 1: B. vil fehlt, Du sagst mir viel. 3. 2: B. doch
fehlt, Vnd habts nie befunden, du hast es doch nit (nicht) befunden. 3. 3: B.
Gedenck. 3. 4: B. lacht. Str. 8, 3. 1: B. w. h. m. dann ewer r. M. 3. 2:
B. gantz vnm., gantz vnwerthe. 3. 3: B. Fräwlin, mein Fr. z., n. gib m.
v. Frauw Benus z. Str. 9, 3. 1: Herr D. (vgl. Str. 15, 3. 1), B. wolt.
3. 2: B. leine. 3. 3: B. bleibend, e. D. zahrt. 3. 4: B. fristet, v. fristet
mir mein l.; frischet haben das Frankf. Lieberb., Kornmann und Prätor. Str. 10,
3. 2: B. ich kan, nit. 3. 3: B. Fräwlin, Gebt (Gib) m. v. Frawe z. 3. 4:
B. ewerm, ewerem, jrem. Str. 11, 3. 1: B. redt, nit (nicht) sprecht, redt nicht
also. 3. 2: B. thund, jr seyt nit (nicht) wol bey Sinnen (besinnen). 3. 3:
B. geen, gand, Kämmerlin, So gehn w., Nu (Nun) lasst vns in ein Kammer

gahn. 3. 4: B. Wonne, der heymlichen Minnen. Str. 12, 3. 1: Erwer, mir
ausgelaſſen, Gebrauch(t) ich nun ein frembdes (ander) weib. 3. 2: ich hab i.
3. 3: B. O Venus Edle Jungfraw zart; niederb.: Ick ſe yd an yuwen ogen
wol; niederl.: uw oghen bernen al waert een vier; Entlebuch: Ich gles an ihre
brun augen an. 3. 4: B. ihr ſeind ein Teufflerinne. Str. 13, 3. 1: B. wie,
Thanheuſſer (Danhäuſer) wie ſprecht ihr (nu) alſo. 3. 2: gynnet, könet, be-
gunt zu ſch., beſteh(e)t jr mich zu ſch. 3. 3: B. Nun ſ., vnd wolt ihr lenger
hinnen ſein, Solt ihr l. jnnen ſeyn, Solt jr noch l. bey vns ſeyn. 3. 4: B.
ihr müßt ſein o. e., deß Worts müßt (muß) ihr entgelten. Str. 14, 3. 1: B.
nicht. 3. 2: B. nit. 3. 3: himelreych, B. Maria Mutter reine Magd (ſo nur
die fl. Bl. von 1612 u. 1647). 3. 4: B. dem Weibe; im Frankf. Lieberb.,
bei Kornmann und Prätor. fehlt Str. 14 gänzlich. Str. 15: Hier iſt die Stel-
lung der Zeilen vorgezogen, welche das Frankf. Lieberb., Kornmann und Prätor.
geben, ſonſt lautet die Str. ſo:

> (Herr) Danheuſer jr ſolt vrlaub han,
> Mein lob das ſolt jr preyſen,
> wo jr da (B. nun) in dem land vmbfart,
> Nembt vrlaub von dem (B. den) greyſen.

[In den Volksliedern S. 763 hat Uhland dieſe letztere Stellung der Zeilen bei-
behalten. H.] 3. 1: B. wolt. 3. 2: nembt, nempt. 3. 2: den haben die fl. Bl.
v. 1612 und 1647, Kornmann und Prätor., auch die niederb. Verſion (vgl. Hoff-
mann, Horæ belg. II, 134). 3. 3: B. Und wo jr i. b. L. v. Str. 16, 3. 1:
B. Da, ſcheid, Der Danhäuſer zog w. a. d. B. 3. 2: rewen, B. mit j. vnd mit
rewen. 3. 3: B. i. w. gen Rome (B. Rom) in die Statt, g. R. in die werthe
Statt. 3. 4: B. trawen, trewen, eins, all auff (B. auß) dē Bapſt vertrauwen.
Str. 17, 3. 2: B. muß, müß (muß) es. 3. 4: B. wolt, erhalten. Str. 18
(fehlt auf dem fl. Bl. v. 1647), 3. 1: B. Ach Bapſt(e) lieber Herre mein.
3. 2: ſünde. B. Ich klage euch mein Sünden. 3. 3: B. han. 3. 4: B. euch.
Str. 19, 3. 1: B. I. b. geweſt ein gantzes j. 3. 3: B. empfahen, Rew v.
B. e. 3. 4: B. v. i. Gott möcht a. Str. 20, 3. 1: Der Bapſt h. e. ſt. i.
d. h. B. Der Babſt hat ein Stab inn der Handt; Er hätt ein Stab in ſeiner
Hand; Der Bapſt hatt (het) einen Stecken weiß. 3. 2: dürre. B. der was
ſich alſo dürre, vnd der war aller dürre, der war vo dürren Zweigen, der
wardt vom dürren Zweig. 3. 3: B. als er gegrünen mag, Als wenig der da
grünen mag, Wenn (Wann) dieſer Stecken Bletter tregt. 3. 4: B. kompſt, ſo
wenig kompſt zu Gottes hulden, ſo ſeyn dir dein Sünd verziegen, So ſeynd
dir dein Sünd verziehen. Str. 21, 3. 1: B. Vnd ſ., Solt ich leben nit denn
e. J., Solt ich leben nicht mehr dann e. J. 3. 3: B. empfahen, Rew vnd
Buß. 3. 4: B. huld e., Gnad e. Str. 22, 3. 1: Da, B. zog. 3. 2: B.

leyde. Z. 3: B. Maria Mutter reine Magd. Z. 4: B. ich mich v. d. s.
Str. 23, Z. 1: da, B. Da zog er w., So zieh ich w. Z. 2: B. ewigll.,
Ewiglich vnd on ende. Z. 3: Ich wil zu Benus m. fr. z. B. ich will zu
Fraw Benus zart, Ich will zu Benus der Frawen zart, Zu Benus meiner
Frawen zart. Z. 4: B. sende, hin will s. Str. 24, Z. 1: B. willkumen, will-
kom, willkomb Herr D., Seyt willkommen Danhäuser gut. Z. 2: ewer, B.
euch, entboren. Z. 3: mein l. H. B. s. G. willkum mein l. H., seyt will-
komme mein l. H., Seyt willkommen mein liebster Herr, Seyt Gott-willkomb
Herr Dannhäuser. Z. 4: B. erkoren, vnd Heldt.[1]

. . . .

Alsö ist hier „Afvelsbroo Öö" geworden, die Zwergtochter heißt:
„Olle ville vargens dotter", ihre Mutter: „Olle ville vargens Fruu",
die Zwerge sind durchaus in „vargar" verwandelt; dem Ritter Tinne
wird ein vergüldeter Stuhl vorgesetzt, worauf er einschläft, die Frau
bringt „Runeböcker sem," statt „srem" und weckt ihn; patriotisch läßt
das Lied den Ritter nicht in Schweden siegen, sondern in Island die
Braut erkämpfen, daher auch die Abkürzung im zweiten Theile.

Ebd. I, 32 ist das Lied nach mündlicher Überlieferung aus Verm-
land und Vestgotland, mit Varianten eines gedruckten Exemplars, ge-
geben; es steht hier der dänischen Fassung näher, auf eine Weise, die
bei mündlichem Fortleben bewundernswerth ist, doch trifft sie namentlich
wieder in Reimen, die von den dänischen abgehn, mit der schwedischen
Handschrift zusammen, wäre übrigens dieser voranzustellen; weder Alsö,
noch Afvelsbroo Öö kommt vor; die Wirkung des Harfenschlags ist in
einer besondern Strophe auch auf die Fische erstreckt; die Schöne heißt:
„Ulfva, lilla Dvergens dotter", die Mutter: „Thora, lilla Dvergens fru";
diese setzt einen rothen Goldstuhl vor, „hon tager sram be Runeböcker
sem" (überfüllte Verszeile); die Schwestertochter ist aus Island und in
Vernerland gestohlen, doch ist auch hier die doppelte Heimführung der
dänischen Version weggelassen. [Vgl. Schriften VII, S. 384 bis 387. H.]

Bei Arwidsson II, 298: „Herr Peder och Dvergens Dotter" aus
einer Handschrift, nur 6 Strophen, scheint eine Mischung fragmentari-
scher Erinnerungen (Tynne, Olof u. s. w.) zu sein: Herr Peder reitet
in den Rosenhain, die Wege wirren sich ihm, sie sind mit Seide be-
spreitet; er wird in den Berg geführt, wo sie des Zwerges Tochter vor-

---

[1] [Hier ist eine Lücke in der Handschrift, es fehlt ein Blatt oder mehrere. H.]

holen und auf einen Stuhl setzen, es glänzt von ihr, wie Gold gegen die Sonne. „Mich verlangt und drängt nach meiner Braut; komme ich nicht diesen Abend zu ihr, so hab' ich meinen Tod gewiß." „Verlangt und drängt dich nach deiner Braut, so geh und nimm deine Gaben wider und komm hieher zurück!" Er zieht sein Schwert und haut ihr das Haupt ab sammt der rechten Hand.

(Geijer, Svea Rikes Häfder I, 171 findet in dem Liede von Thnne Züge eines hohen Alters und bezeichnet als einen solchen, daß der Name der runenkundigen Zwergtochter Ulfva dasselbe sei mit Völva, Vala, der Weissagerin in der ältern Edda. Säm. Edda 196, 18: [Hugrúnar, stafir â] „vavlu sessi." Edd. 23, 107: „Gunnlavþ mêr umgaf gullnom stôli â dryck ins dýra miaþar." Vgl. Sn. Edda 84 u.)

Das Lied von Tönne selbst hat verschiedenartige Bestandtheile; der zweite Theil desselben, die Brautfahrt, erscheint als nicht sagenhafte Erfindung, bestimmt, die Wunderkraft der Zwerggeschenke in ausgeführter Handlung zu erproben. Die alterthümlichen Züge dagegen in einem andern Liede reineren Gusses, dessen schönste Fassung die dänische ist, bei Nyerup I, 234 (nach Syv, P. II, Nr. 9, mit kleinen Veränderungen aus Handschriften ebb. 386): „Elvehöj." Der junge Gesell legt sein Haupt auf den Elfenhügel, seine Augen sinken in Schlaf, da kommen zwei Jungfraun hervorgegangen, die gerne mit ihm sprechen möchten. Die eine klopft ihn auf die weiße Wange, die andre flüstert ihm ins Ohr und heißt ihn aufstehn, wenn er den Tanz rühren wolle, ihre Jungfraun sollen vor ihm singen, das Munterste, was ihn zu hören lüste. Die Eine beginnt ein Lied zu singen, wobei der starke Strom anhält, der zu rinnen gewohnt war; alle die kleinen Fische, die im Strome schwammen, spielen mit ihren Flossen; alle Vöglein im Walde beginnen zu zwitschern. „Hör du, schöner junger Gesell! willt du bei uns bleiben, so wollen wir dich starke („ramme") Runen lehren, dazu lesen und schreiben; ich werde dich lehren den Bären zu binden und den Eber auf zur Eiche, der Drache, der auf dem vielen Golde liegt, soll vor dir das Land räumen." Sie tanzen aus, sie tanzen ein all in der Elfenfahrt; der junge Gesell sitzt da und stützt sich auf sein Schwert. „Hör du, schöner junger Gesell! willst du nicht mit uns sprechen, so soll Schwert und scharfes Messer dein Herz in Schlaf legen." Hätte Gott nicht sein Glück so gut gefügt, daß der Hahn die Flügel schlug, gewiß wär' er im Elfenhügel geblieben, all bei den Elfenweibern. Darum räth er jedem rechtschaffenen Gesellen, der im Walde reiten will, daß er nicht zum Elfenhügel reite und sich dort schlafen lege. Schwedisch in verschiedenen Versionen: Sv. Folkvis. III, 168 bis 174, vgl. 178 bis 180. Arwidsson II, 300 bis 303 (auch auf eine Meerfrau bezogen und dann spät noch auf eine historische Person angewandt); hier vergißt auch die Hindin zu springen, Sv. Folkvis. III, 171 ob.; sieghaftes Schwert, kostbares Gewand, wunderbares Schiff werden zum Geschenke geboten, ebb. III, 173 f. 168. Arwidsson II, 302 f.; die Jungfraun tragen silberne Gefäße und der junge Gesell wird sogar in den Berg geführt, wo schon das Seidenbett bereitet ist, als der Hahn die Flügel schlägt, Arwidsson II, 301, nach einer Handschrift von Anfang und Mitte des 16ten Jahrhunderts. (Vgl. auch die Ortssagen aus Schleswig u. s. w. bei W. Grimm, Zusätze zu der Übersetzung 55 u. Nyerup I, 386; Sage vom Oldenburger Horn, Grimm, deutsche Sagen II, 317.)

Auch in der nordischen Ballade von Olof wollen die tanzenden Elfen den jungen Mann in ihren Reigen ziehen und für die Weigerung wird wirklich Rache genommen, Nyerup I, 237. 386. Sv. Folkvis. III, 158 bis 167. Arwidsson II, 304 bis 309. [Vgl. Schriften VII, S. 383. H.]

Jamieson II, 11 bis 42: „True Thomas and the Queen of Elf-land," aus einer Handschrift, die in das 15te Jahrhundert gesetzt wird, mit Lesarten aus zwei andern Manuscripten mit den Überschriften: „In-cipit prophesia Thome de Erseldoun" und „Thomas off Erseldoune" (aus einem derselben ein stark beschädigtes Stück zuvor schon in der 2ten Ausgabe der Minstrelsy II, 275 bis 280, dann in der 5ten Aus-gabe III, 181 bis 186 eben dieses Stück, die Unterlage der Prophe-zeiungen, aus Jamiesons Sammlung ergänzt):

Thomas, der Anfangs selbst erzählt, geht („this Andyrs day") an einem heitern Maimorgen („be Huntley Bankis") allein und hört den Gesang der Vögel, wovon der Wald umher erklingt. Unter einen Baum gelagert, sieht er eine schöne, reichgeschmückte Frau, leuchtend wie die Sonne am Sommertage, daherreiten, eine Weile blasend, eine Weile singend, mit Windspielen und Spürhunden, Horn und Pfeilen. Thomas spricht: „Das ist die mächtige Maria („Mary of myght"), die das Kind gebar, das für mich starb; sprech' ich nicht mit dieser lichten Frau, so bricht mein Herz in drei Stücke, ich will gehen mit aller Macht, ihr beim Holunberbaume („at Eldryn [B. Eldyn] tre") zu begegnen. Er rennt über ben hohen Berg unb („certenly, as the story sayes") trifft sie beim Holunber. Nieber kniet er unter bas Waldgezweig („underneath the grenewode spray"): „Liebliche Frau, erbarm bich mein, Himmelskönigin, wie bu wohl magst!" Sie erwibert, baß sie nicht so hohen Ranges, nur eine Frau aus andrem Lanbe („of another cuntre") sei, bie bem Wilbe nachreite. Nun stellt Thomas ein Ansinnen ganz andrer Art, sie bittet ihn aber, sie gehen zu lassen, benn biese Sünde würd' all ihre Schönheit verberben. „Liebliche Frau, erbarm bich mein! unb ich will immerbar bei bir weilen, hier verpfänb' ich bir meine Treue, ob bu zu Himmel willst ober zu Hölle." „Mann von Staube, bu willst mich verberben, boch sollst bu beinen Willen haben, aber glaub mir, bu fährst um so schlimmer, benn alle meine Schönheit wirst bu zernichten." Sie steigt ab unter grünem Walb= gezweig unb („as the story tell us full right")) siebenmal liegt er bei ihr. Als er sie wieber ansieht, sind ihre Haare theils schwarz, theils grau, ihre Gewanbe sind weg, ihre Augen erloschen, ihr ganzer Leib wie Blei [1]. Thomas spricht: „Weh, o weh! bas ist ein jammer= voller Anblick, baß bu so gewelkt bist im Angesicht, bas vorher licht wie Sonne schien." „Nimm beinen Urlaub von Sonn' unb Monb unb auch vom Laube bes Holunberbaums! („Take thi leve at sune and mone and also at levys of Eldryn tre!" Bariante: „at grasse and at every tre"; vgl. nieberbeutsches Lieb vom Danhüser Str. 24.) Diese zwölf Monate sollst bu mit mir gehn, biese Mittelerbe („that mydul erth," vgl. b. Mythol. 458) wirst bu nicht sehen." Er kniet nieber unb klagt ber milben Maria: „Frau, bu erbarmest bich benn über mich, so ist all meine Freube von mir gangen; ach, weh ist mir! ich glaube, meine Thaten wollen mir Wehe schaffen; Jesu, meine Seele übergeb' ich bir, wo immer meine Gebeine gehen sollen." Sie führt ihn unter ben Waldbaum (hier verschiebene Lesarten), bort ist bunkle Mitternacht unb stets Wasser bis an bie Kniee; brei Tage lang hört er bort bas Brausen ber Flut unb stirbt fast vor Mangel an Nah= rung. Sie führt ihn nach einem schönen Aufenthalt, voll von Obst=

---

[1] Tanhuser, MS. II, 69 a 3:
„so sint blu wip gar missebar, swenne ich mich von In scheibe."

bäumen und reifen Früchten mancher Art, auch Reben; die Nachtigall
niſtet dort, der Papagei fliegt umher, der Droſſel Sang ruht nicht.
Er will Obſt pflücken, da ſagt ſie: „Thomas, laß das ſtehen! ſonſt
wird der böſe Feind dich verſuchen; wenn du pflückſt, die Wahrheit zu
ſagen, ſo geht deine Seele zum Feuer der Hölle.“ Weiter heißt ſie
ihn ſein Haupt auf ihr Knie legen und er werde den ſchönſten Anblick
haben. Er gehorcht und ſie ſpricht: „Siehſt du jenen ſchönen Weg
über den Berg? das iſt der Weg zum Himmel für ewig, wenn ſünd=
volle Seelen ihre Strafe überſtanden haben; ſiehſt du jenen, der tief
unter dem Reiſig liegt? weit iſt der Weg, die Wahrheit zu ſagen, in
die Freuden des Paradieſes; ſiehſt du jenen dritten Weg über die
Ebene? das iſt der Weg, die Wahrheit zu ſagen, den ſündvolle Seelen
ſollen zur Strafe ziehen; ſiehſt du jenen vierten Weg über den Hügel?
das iſt der Weg, die Wahrheit zu ſagen, nach dem brennenden Feuer
der Hölle; ſiehſt du jetzt jenes ſchöne Schloß, das auf dem ſchönen
Hügel ſteht? („off towne and toure it berith the bell“) auf Mittel=
erde iſt nicht ſeinesgleichen; jenes iſt mein eigen und des Königs von
dieſem Lande, aber mir wäre beſſer gehangen und erſäuft zu ſein, als
daß er wüſte, daß du bei mir lagſt; mein Herr iſt bei jeder Tafel („at
ilk a messe“) von 30 Rittern, ſchön und frei, bedient, und ich werde
ſagen, auf der Bank ſitzend, ich habe dir die Sprache genommen; wann
du in jenes luſtige Schloß kommſt, ſo bitt’ ich dich, ſei ein höfiſcher Mann,
und was immer Jemand zu dir ſage, ſieh, daß du nur mir antworteſt!“
Thomas ſteht ſtill wie ein Stein und ſchaut die Frau an, ſie iſt ſo
ſchön und ſo gut, und ſo reichgeſchmückt auf ihrem Pferde; ihre Wind=
ſpiele geſättigt mit Thierblut, ihre Spürhunde gekoppelt; ſie bläſt ihr
Horn und nimmt den Weg nach dem Schloſſe. In eine Halle geht ſie,
Thomas folgt an ihrer Hand; ſchöne und artige Frauen kommen vor
ihr Knie; Harfe, Fiedel u. ſ. w., alle Arten von Spiel („all maner
of minstrelsy“) finden ſie da; tanzende Ritter, drei und drei, die Feen=
frauen („the fearé ladys“), ſchön und frei, in reichem Schmucke mit
ihnen tanzend. Das Wunderlichſte dünkt ihn, als dreißig Hirſche auf
dem Eſtrich liegen und ebenſo viele Thiere hereingebracht werden; Spür=
hunde lecken ihr Blut und die Köche ſtehen mit dem Meſſer, haſtig ſie
zerlegend. Dort iſt Jubel, Scherz und Spiel, bis eines Tags die Frau
ihn auffordert, ſich fertig zu machen, er könne nicht länger hier bleiben,

sie werd' ihn zum Holunderbaume bringen. Er bittet sie, ihn bleiben
zu lassen, denn er sei nicht länger als drei Tage hier gewesen. (Vgl.
Tanhäuser C, Str. 2: „Ein jar war inen ein stundi.") Sie er=
widert, sieben Jahr und mehr sei er hier gewesen und nicht länger dürf'
er verweilen, denn morgen werd' Einer aus der Hölle, ein häßlicher
Teufel („a [Var. the] fowle sende") unter diesem Volke seine Gebühr
wählen; Thomas sei ein schöner und artiger Mann, er würde gewählt
werden, um alles Gold vom Himmel bis zum Ende der Welt soll er
nicht durch sie verrathen werden. Sie bringt ihn wieder zum Holunber=
baume unter das Waldgezweig („in Huntley Banks"), wo die Vögel
Nacht und Tag singen, und sagt ihm Lebewohl. Dieß ist ein Lied („a
sytte"), zwei sind zu sagen von Thomas von Erseltown. Das zweite:
Thomas bittet die Scheidende, ihm irgend ein Zeichen zu geben, daß
er sagen könne, er habe mit ihr gesprochen. „Zu harfnen und zu spre=
chen (? „to harpe and carpe". Gloss. talk), wohin immer du gehst,
Thomas, nimm dieß mit dir!" „Harfnen," spricht er, „wahr' ich nicht
(„harping, he seid, ken [Var. kepe] I non"), denn die Zunge ist das
Haupt der Kunst („chefe of mynstalse")." „Wenn du weissagen (? „spell")
wirst oder Mähren erzählen („talys telle"), Thomas, sollst du nimmer
Lüge sagen; wohin immer du gehst, zu Holz oder Hügel, ich bitte dich,
sprich nimmer Übles von mir! („wher so ever thu goo, to frith or
felle, I pray the, speke never non ille of me!" Tanhäuser Str. 15:
„wo ir da in dem land umbfart, mein lob das solt ir preisen".) Es
folgen nun durch das zweite und dritte „Fytte" die Vorhersagungen
der Frau über Schottlands künftige Begegnisse und Kämpfe in der
refrainartigen Form, daß sie hinwegeilen, er aber immer Weiteres von
ihr vernehmen will; ihre Hunde brechen die Riemen, er aber heißt sie
dieselben festhalten und an einen Baum koppeln (S. 31). Zuletzt fragt
er, ob sie für ewig scheiden. „Nein, wenn du sitzest zu Erseldown, nimm
deinen Weg „to Hunteley Bank"! und dort werd' ich gerne bereit sein,
dich zu treffen, Thomas, wenn ichs vermag." Sie bläst ihr Horn auf
dem Pferde und läßt Thomas am Holunderbaume, nach „Helmesdale"
nimmt sie ihren Weg und so trennen sie sich.

Jamieson nimmt an, daß die Einleitung schottischen Ursprungs sei,
obgleich er keine unzweifelhaft schottische Handschrift kenne, der prophetische
Theil aber sei gegen die Schotten gerichtet (S. 4 f.). Ferner bemerkt er

(S. 27 f. Anm.), Thomas habe, nach allgemeiner Sage, das Vermögen, stets Wahrheit zu sagen, als eine werthvolle Beigabe zu seiner Prophetenrolle, von der Königin der Feen empfangen und davon den Namen „True Thomas" erlangt; „Tammy Tell-the-Truth" sei ein Hauptcharakter in verschiedenen satirischen Balladen auf dem Lande und wahrscheinlich ebenso in den alten Zwischenspielen. In der aus mündlicher Überlieferung entnommenen Ballade bei Jamieson II, 7 bis 10, und Scott, Minstrelsy, 5 ed. III, 175 bis 179 nennt sich die wunderbare Frau: „the queen of fair Elfland." Nach der Volkssage bleibt Thomas auch nach seiner Rückkehr der Feenkönigin gebunden und wird auf ähnliche Weise, wie Merlin, durch einen Hirsch und eine Hindin abgeholt [1] (Minstrelsy ebb. 172 f.). Der historische Thomas Rymour von Erceldoun fällt gegen das Ende des 13ten Jahrhunderts (ebb. 169 f.). Die Dichtungen von ihm haben einige Berührung mit der Elfenballade „The young Tamlane", Minstrelsy, 5 ed. II, 191 ff., früher „young Tomlin", „Thom of Lynn"; es gab unter diesem Namen eine Tanzweise, ebb. 186 f. Scotish Songs I, XCIX. [2]

Urban IV, den das Lied nennt, hatte von 1261 bis 1264 den päbstlichen Stuhl inne (Hahn IV, 245 f.); er ist durch seine unerbittlichen Zornbriefe gegen Manfred, Conradin und das ganze hohenstaufische Geschlecht bekannt (Raumer IV, 472. 490. 547. Raynald. T. XIV zu 1262. Rymer, foed. I, 2, 80. Hahn IV, 251 f.).

„Der Tanhuser", von dem eine beträchtliche Liederreihe in die Sammlung der Minnesänger (II, 58 bis 70) aufgenommen ist, nennt sich selbst an mehreren Stellen:

>59 b, 2   Da sol nie man sin unvro,
>
>   da der Tanhusäre
>
>   reijet mit der lieben so;
>
>   daz wäre im ein swäre,
>
>   Wär da niht vron Künigunt
>
>   mit ir reiden lolfen u. s. w.

>62 b, u.   Nu heia, Tanhusäre!
>
>   zergangen ist din swäre;

---

[1] [Vgl. Uhlands Gedicht „Merlin der Wilde". H.]

[2] [Die Ballade von Tamlan hat Uhland dramatisch zu bearbeiten begonnen. Vgl. Ludwig Uhland, eine Gabe für Freunde S. 52. H.]

swa diu liebe bi dir wäre,
diu ist so vröudebäre,
da wurde wol gesungen,
getanzet unt gesprungen u. s. w.

(weiter 63 b, 69 b, 2.)

Solch fröhliche Tanzlieder, besonders in Form der Leiche, singt er bei dem Fürsten in Österreich, Friderich (Friderich II, 1230 bis 1246), von dessen Lob er voll ist und der selbst den Reihen singt:

59 b, 1 Trurik herze dro
wirt von im, swanne er singet dien drouwen den reien,
so hilfe ich im so,
daz ich singe mit im zaller zit gerne den meien;

dann auch bei einem bairischen Herzog (Otto II bis 1253, ihm folgen in Oberbaiern Ludwig II bis 1294, in Niederbaiern Heinrich bis 1290, Raumer II, 513):

63 b so mag ich des von Österriche ze guote niht vergezzen;
der was ein helt vermezzen,
bi dem was ich gesezzen.

Der uz Beierlant mak sich ze künigen wol gelichen,
ich gesach nie vürsten me so milten, noch so richen,
so rehte lobelichen.

Heia, Tanhusäre, nu la dich ie mer bi im vinden
gar an allen wandel din! so liebest dich den kinden
unt mak din leit verswinden.

Nim den rosenkranz!
trag in der guoten an den tanz
unt strikke in wol ze prise!
la din truren sin!
nim war der lieben drouwen din!
si tanzet also lise u. s. w.

Tanhuser gefällt sich im Anblicke tanzender Frauen:

65 b, 3 Diu mir an dem herzen lit,
die sach ich so schone
an einem tanze, da si gie
wol mit eren bi den schönen drouwen.
Ich wart dro der selben zit;
got ir ie mer lone,

daz ſi mich ſo wol eupfie!

ſolde ich ſi noch eineſt alſo ſchouwen,

Die vil tugentrichen,

ſo wäre mir wol ze muote u. ſ. w.

unb er giebt lüſterne Schilderungen der Tanzenden (63 a, 1. 66 b, 4 bis 67 a, 2); auch erzählt er üppige Liebesabenteuer mit der Schönen, die er unter den Blumen ober im Walde, im Maienglanz unb beim Gesange der Vögel, getroffen (60 f.). Daneben beladet er ſeine Gedichte, ſelbſt die Tanzleiche, mit allerlei Gelehrſamkeit aus der Litteratur der Ritterzeit und mitunter auch aus der Fabelwelt des Alterthums. (Die abſichtliche Verwirrung der Namen, 62 a, findet ſich auch in dem altfranzöſiſchen Wettſtreite der Jongleurs bei Roquefort, de l'état u. ſ. w. 290 ff.) Namentlich gedenkt er wiederholt der Göttin Venus unb wie ihr Paris den Apfel gab:

62 a Venus ein apfel wart gegeben,

da von ſo huop ſich michel not u. ſ. w.

65 b Si gert des apfels, den Paris

gap dur minne

der gütinne u. ſ. w.

66 a unt den apfel, den Paris

gap dur minne Venus, der gütinne u. ſ. w.

Allmählich trübt ſich die Luſt ſeines Gesanges:

69 b, 5 Jch han dien jungen

vil da her geſungen,

des iſt lanf,

als ſi mich des baten

gegen den meien do;

Dien lieben linden

ſang ich bi den linden

minen ſanf,

ſie mir liebe taten,

die ſchuof ich dike vro.

Daz hat ſich verferet

nu leider alſo:

ſwer hie vuoge meret,

wirt der doch vil ſelten drümbe geret;

an ir danf

ſang ich in ze leide, bien hoch gemuete iſt franf.

Als Wendepunkt dieser Umwandlung seines überluftigen Lebens in ein kummervolles erscheint der Hingang seines Gönners Fridrich von Österreich im Jahre 1246. „Manigen armen er beratet, ich hebe an mir selbem an" (59 a, u.), hat der Sänger noch von dem Lebenden gerühmt, nun beklagt er den Verstorbenen:

> 69 Ja herre, wie hab' ich verlorn den helt uz Österriche,
> der mich so wol behuset hat nach grozen sinen eren!
> Von sinen schulden was ich wirt, nu lebe ich trurekliche,
> nu bin ich aber worden gast; war sol ich armer keren?
> Der mich sin noch ergezze, wer tuot nach im daz beste?
> wer haltet toren, als er tet, so wol die stolzen geste?
> des var ich irre, nun' weiz, wa ich die wol gemuoten vinde,
> unt lebte er noch, so wolde ich selten riten gegen dem winde.
> der wirt sprichet: „weher, gast, wie briuset iuch so swinde?"
>
> Ze Wiene hat' ich einen hof, der lak so rehte schone;
> Liupoltsdorf was dar zuo min, daz lit bi Luchse nahen;
> Ze Himperk hat' ich schöne guot; got im der wirde lone!
> wenne sol ich iemer mer die gülte darabe enpfahen?
> Ez sol mir nie man wizen, ob ich in klage mit triuwen;
> min vröude ist elliu mit im tot, da von muoz er mich riuwen.
> wa wiltu dich behalten ie mer mere, Tanhusäre?
> weist aber ie man, der dir helfe buezen dine swäre?
> o we, wie daz lenget sich! sin tot ist klagebäre.

Sein Leben ist das eines armen Fahrenden:

> 68 Ich bin ein erbeitsälik man,
> der niene kan beliben,
> wan hiute hie, morne anders wan;
> sol ich daz ie mer triben,
> Des muoz ich dikke sorgen,
> swie vrölich ich da singe,
> den abent unt den morgen,
> war mich daz weter bringe u. s. w.

(Das Lied, wozu diese Strophe gehört, meldet von einem „ze Kride" erlittenen Seesturme.) An einer andern Stelle klagt er:

> 67b si sint alle wirte nu, die sant mir geste waren,
> unt bin ich doch der selbe, der ich was vor zwenzik jaren;
> ich bin gast unde selten wirt, daz leben ist unstäte;
> dunke ie man, daz ez senfte si, der tuo, also ich täte!

So mir min dinк niht ebeue gat, ſwar ich кere in dem lande,
ſo denкe ich ſa gegen Nuerenberк, wie ſanfte mir da wäre.
Ich wolde haben da gennoк, da man mich wol erкande,
e ich bi den vremden hete niht, geloubet mir ein märe!
Ich tet vil manigeჳ hie bi vor, daჳ mich nu riuwet ſere;
het ich gewiſt, daჳ ich nu weiჳ, ich hete lihte mere;
in' erlande do min ſelbes niht, des muoჳ ich bitte engelten;
des lade ich die vremden in min hus nu harte ſelten.
„wol uf, her gaſt, ir ſolt en weк!“ ſo ſprechent ſi mir alle.
in' weiჳ, ob ieman diſiu vnore iht wol an mir gevalle.

Wenn der Tanhuſer hier Nürnberg als einen Ort bezeichnet, wo
man ihn wohl kannte, und als Gegenſatz dazu: bei den Fremden, ſo
ſtimmt damit, daß in der Mörin Hermanns von Sachſenheim der Dan-
heuſer im Venusberg ein Ritter aus Frankenland genannt wird [1]. Der
Ortsname Tannhauſen kommt vielfach und in verſchiedenen Gegenden
Oberdeutſchlands vor, ſo auch zweimal in der Oberpfalz. (Wenn der
Tanhuſer ſagt, 68 b, u.: „Daჳ ich ze herren niht entwart, daჳ mueჳe
got erbarmen!“ ſo ſpricht dieß nicht gegen ſeine Ritterbürtigkeit; unter
Herren ſind in dortigen Zuſammenhange die vom höheren Adel ver-
ſtanden, denen Einfluß auf die Königswahl zukam, vgl. 64 a, 2.)
Lebendig und auf eine Weiſe, die ſpäterhin volksmäßig war, ſchildert
Tanhuſer ſeine Armuth und Obdachloſigkeit (67 b, 3. 69 b, 3) gegen-
über ſeinem vorigen Wohlſtande. Doch iſt er aufrichtig genug, ſich
ſelbſt mit die Schuld des Verkommens beizumeſſen, in folgender merk-
würdigen Strophe, womit er ſich den Schlemmerliedern des Volks-
geſanges anſchließt:

69 a, 3 Diu ſchönen wip, der guote win, diu murſel an dem morgen
unt zwirent in der wochen baden daჳ ſcheidet mich von guote.
Die wile ich daჳ verpfenden mак, ſo lebe ich ane ſorgen;
ſwenne eჳ an ein gelten gat, ſo wirt mir we ze muote,
Und ich diu pfant ſol löſen, ſo kumt daჳ liep ze leide,
ſo ſint diu wip gar miſſevar, ſwenne ich mich von in ſcheide,
der guote win der ſuret mir, ſwenne ich ſin niht maჳ verpfenden.
wenne ſol min tumber muot an truren ſich vol enden?
ja weiჳ ich der herren niht, die minen tumber wenden.

[1] [Vgl. Schriften II, S. 224. H.]

Ehrenwerther ift eine andre Urſache ſeiner Dürftigkeit:

68b, 5 Daz ich ze herren niht entwart, daz mueze got erbarmen!
    des git man mir des goldes niht, daz man da vuert von Walhen;
    Die herren teilentz under ſich, ſo kapfen wir, die armen,
    wir ſehen jämerliche dar, ſo vüllt man in die malhen.
    So kumt uns anderthalben von Düringen vil von guote;
    daz laze ich uf die triuwe min, daz ich des niender muote;
    ſwie tumb ich ſi, ich vinde da den, der mich gehielte ſchone;
    ich wäre e ie mer ane guot, e ich ſchiede von der krone.
    dem künige ſprich' ich wol, in' weiz, wenne er mir ſone.

Zu derſelben Zeit, da Fridrich von Öſterreich, ſeit der Verſöhnung
mit Kaiſer Fridrich II im Jahr 1239 ein getreuer Anhänger desſelben
(Raumer IV, 85 u.), in der Schlacht an der Leitha fiel (15 Juni
1246, ebd. 240), war dem genannten Kaiſer ein Gegenkönig in der
Perſon des Landgrafen von Thüringen, Heinrich Raſpe, aufgeſtellt
worden (im Mai 1246, ebd. 215), vom Pabſte durch große Geld=
ſummen zu Werbung eines Anhangs unterſtützt (ebd. 214 u. 216 ob.
Hahn IV, 189, Anm. o). Dieß iſt das Gold von Welſchland, das
die Herren unter ſich theilen, und das Gut aus Thüringen, wovon
der Tanhuſer ſchon auch ſeinen Gewinn ziehen zu können meint, den
er aber aus Anhänglichkeit an die Krone und ohne Ausſicht auf einen
Erſatz von Seiten des rechten Königes verſchmäht.

In einem ſpäteren Leiche, worin er über die hingeſchwundene Frei=
gebigkeit der Herren klagt, betrauert er zuvörderſt den Hingang des
Kaiſers Friderich, der Könige Heinrich und Konrad:

64a Alſo zel zem erſten an
    den keiſer Briderichen.

    o we, daz man niht binden kan
    in allen tiutſchen richen

    Einen künik, dem zäme wol
    nach im des riches krone!

    o we, daz er niht leben ſol,
    dem ſi ſtuont alſo ſchone!

    Daz was der milte künik Heinrich,
    bi dem was bride ſtäte.

    daz nie man tuot dem geſich,
    der zuo dem riche träte

Und im mit triuwen wäre bi!
nu ift der künic erftorben
und ift daz rich gar erbes vri;
da bi ift vil verdorben,

Des beften landes ein michel teil;
die wile unt daz er lebete,
künic Kuonrat, da was maniger geil,
der nach dem riche ftrebete (dem Kaiferhofe nachgieng).

· Nu ift aller fchal gelegen;
wa fiht man noch erglehten,
als man bi künigen hat gepflegen
den kunden unt den geften u. f. w.

Fridrich II ftarb 1250, feine Söhne: König Heinrich VII, in der Gefangenfchaft feines Vaters 1242, König Konrad IV 1254. Das Lied ift wahrfcheinlich in den fechsziger Jahren verfaßt; es hat noch einen verliebten Schluß.

Im Leich des Tanhufers Minnef. II, 64 a, 2 werden folgende Herren aufgezählt, die als verftorben angegebenen find mit * bezeichnet:

* Kaifer Friderich II, † 1250.
* König Heinrich VII, † 1242.
* König Konrad IV, † 1254.
* Uz Beheim lande ein künik rich, nicht genannt.
* Liupolt in Ofterlande (VII), † 1230.
* Friderich in Ofterlande (II), † 1246.
* Ein junger vürfte von Meran, nicht näher benannt, Otto I bis 1234, Otto II bis 1248.
* Welf von Swaben (der 1191 verftorbene, vgl. Simrocks Walther II, 167 u.).
* Ein junger helt von Abenberk.
* Hug, ein Twingäre (Pfalzgraf Hugo von Tübingen 1240, Zeller 30).
* Herman uz Düringen lant, Hermann I, † 1216, Hermann II, † 1242 (Schmidt, Gefchichte des Großherzogthums Heffen I, Stammtafel D).
* Ein Brabandäre, Heinrich I 1186 bis 1235, II bis 1247, III bis 1260, Johann I bis 1294.
* Chuonrat von Lantsperk (Konrad, Markgraf von Landsberg in einer Urkunde von 1190. Schmidt 275).

* Der Bogenäre, des milte was mir wol erkant. (Vgl. Lachmanns Wolfram XLII. Museum I, 139. Oder ein Graf von Katzenellenbogen? Vgl. meinen Walther 42.)

* Erich uz Denemarken lant, IV 1241 bis 1250, V 1259 bis 1286.

Von Brennen (?) ein grabe Dietrich (Dietrich von Brene, Schmidt, Stammtafel C, um 1220).

Sein (junger) Sohn Chuonrat.

Albrecht, der junge Fürst aus Thüringenlande; Albrecht, der Sohn Heinrichs des Erlauchten, erscheint schon vor der endlichen Erwerbung Thüringens als „Albertus Lantgravius" (1263), Hahn V, 27, Note g. Vgl. Rühs 655. Raumer IV, 542. † 1314.

Uz Polon lande ein vürste wert.

Herzog Heinrich von Pressela, Heinrich III bis 1266? (Kahlert 15), IV 1266 bis 1299.

Der junge künig uz Beheim lant, Ottokar I bis 1230, Wenzeslav bis 1253, Ottokar II bis 1278.

Heinrich der Mizenäre, „der sine triuwe nie zerbrach," Heinrich der Erlauchte, vermählt 1234, † 1288, f. meinen Walther 103 f.

Graf Hermann von Henneberg, Hermann II, 1245 bis 1290, Spangenberg, Hennebergische Chronik 115. (vgl. 111) 118.

* Herzog Albrecht aus Sachsenland, Albrecht I 1212 bis 1260 (II 1285 bis 1308).

* Bischof Egebrecht von Babenberg, 1204 bis (1208) 1235 (Raumer II, 511).

. Ein vürste uz Beierlant, Heinrich 1253 bis 1290.

Sein Bruder Ludewik, Ludwig II 1253 bis 1294 (Raumer IV, 406. II, 513).

Der Fürst von Brunenswik, Otto der jüngere 1218 bis 1252, Albert 1252 bis 1279 (Raumer II, 514).

Der Hof von Brandenburg, Johann I bis 1266, Otto III bis 1267 (Raumer II, 514).

Das Gedicht scheint hiernach in den sechsziger Jahren des 13ten Jahrhunderts verfaßt zu sein, nach dem Tode Herzogs Albrecht I von Sachsen 1260 und als Albrecht von Thüringen noch ein junger Fürst war; dieser trat erst 1263 bis 1265 wirklich in die Landgrafschaft ein.

Wiedeburg 32: „Man hat ein Schmäh=Gedichte auf den Papst Urban IV [die Volksballade], welches Goldast [parænet. S. 371. 40] eben unserm Tanhuser beilegt. Seine Worte sind: Tanhuser partibus imperatoris contra papam steterat. Urbanus papa in caussa fuit, ut in Veneris montem, h. e. lupanaria, in quibus volutatus erat Tanhuser, redierit, æternum pereundus. Aut fallor, aut ipse in papæ contumeliam carmen videtur composuisse.“

Die Jenaer Pergament=Handschrift des 14ten Jahrhunderts enthält unter der Aufschrift „der Tanhuser“ 4 Strophen in einer Weise, die unter den übrigen Liedern Tanhusers nicht vorkommt, abgedruckt in Müllers Sammlung Bd. II, Alt Meistergesangbuch 7. Es sind Buß=gesänge, in denen der Dichter seine große Schuld beklagt und den Herrn bittet, um seiner Mutter willen ihm zur Bekehrung und zum Himmel=reiche zu helfen, z. B.:

> Ez ist hinte ein wunniklicher tak;
> nu pflege min, der aller dinge walte,
> daz ich mit sälben mueze wesen
> unde ich gebueze mine groze schulde!
> Wande er mir wol geholfen mak,
> also daz ich die sele min behalte,
> daz ich vor sünden si genesen
> unt daz ich noch erwerbe gotes hulde u. s. w.
> daz mich bin helle gar verber,
> des helfe mir der reine u. s. w.

> Ich künd dir, herre, mine klage
> unt wil dir, suezer vater, wol getrouwen,
> die lazestu dir wesen leit,
> des bitte ich dich durch diner muoter ere.
> Ich habe gesündiget mine tage
> unde ist mir noch vil selten e berouwen;
> bin marter unt bin goteheit
> die helfen mir, daz ich mich hie bekere
> Der sünden, der ich begangen han,
> daz ich der hie ze buoze ste u. s. w.
> gib mir so kreftelichen sin,
> daz mich der tiuvel niht verirren kunne!
> sin lage ist so manikvalt, die er hat nach dinen kinden u. s. w.

Got, herre, sit du schepfer bist
der barmikeit, vil richer got, so wache
unt welke mich, e erge das zil
bins urteils, herre, sterke mine sinne!
Vil suezer vater, Jesu Krist,
hilf mir, das ich mich gegen dir reht gemache,
unt wise mich, da ich hin wil,
das ich dich hie mit vollem herzen minne u. s. w.
so liep so dir din muoter si,
din vor dem kriuze sere want ir hende,
unt durch die bete, der sie dich bat, hilf mir von minen sünden
unde in allen, die des gernt, das sie dich, herre, durch din himelriche vlinden!

Die niederdeutschen Formen und die aus der Vermischung mit solchen entstandenen Fehler fallen auf Rechnung des Schreibers.

Auch in der Kolmarer Handschrift erscheint „Danhuser", Grundriß 502 [vgl. Haupts Zeitschrift für deutsches Alterthum VI, 488. VII, 174. Meisterlieder der Kolmarer Handschrift, herausgegeben von Karl Bartsch, Stuttgart 1862. 8°. S. 162. 163. 245 bis 251. 635 bis 637. H.] und eine Wiener Papier-Handschrift von 1393 giebt „Des Tanhausers Gedicht, und ist gute Hofzucht" (vgl. Minnes. II, 68 a 1), ebb. 323. (Bragur VI, 1, S. 142 ist dieses Stück aus der Ambraser Handschrift 428 so verzeichnet: 20. Das ist des Tanhawsers geticht vnd ist ain gut hofzucht.)

Zwei hier anknüpfende Lieder sind neuerlich aus Handschriften des 15ten Jahrhunderts bekannt gemacht worden (durch Mone im Anzeiger 1836, Sp. 167 ff.). Das eine, welches der Herausgeber in den Anfang des 15ten Jahrhunderts setzt, hat die Überschrift „Tanhusers tagwise" und ist auch ein Bußgesang, der bei Maria Trost sucht. Anfang:

1 Ach, wer hat mir mein fröd entwant?
min jamer ist geschwinde,
es spricht menger, es si an (l. ein) tand,
des ich gar wol enpfinde.
hülff mir min frouw uß oberlant
mit irem lieben kinde,
so wurd min starker sin enttrant
mit senften worten finde;
und das si für mich bette,

ich han versetzet schwartz pfant[1]
nach falscher sinne rätte,
wibe schön hat mich geschand,
als sy noch gern tätte.

2 wibe schön hat mir gestalt
mit wißen iren armen,
in sünden bin ich gar verfalt,
dar in muoß ich erwarmen;
das ich von fröden bin gezalt,
des möcht got wol erbarmen;
sy macht dry fürsten jung und alt,
die mir hilft uß den harmen,
das merkend al besunder.
die wilden straß gar manigfalt
die bu ich durch ain wunder;[2]
die hell ist hais[3] und da by kalt,
nun fürcht ich iren zunder.

3 Gemaches han ich mich erwegen,
ich han nit ruowe und reste,
mir werd den och der gottes segen,
dar nach so sturb ich feste.
möcht ich min juncffrow uff gewegen,
ze himelrich die beste,
ob sy welt süßer spruche pflegen
mit iren lieben gesten,
wer möcht mir dan gelichen?
frou, hilf mir drucken und stegen
zuo dines kindes riche,
ich bin so lang ze schanz[4] gelegen,
laz süssy wort her strichen!

---

[1] Vgl. MS. II, 69 a, 2 (Tanhuser): wer löset mir diu pfant u. s. w. Ebd. 3: diu schönen
wip u. s. w. die wile ich daz verpfenden mac u. s. w. und ich diu pfant sol lösen u. s. w.
swenne ich sin niht mag verpfenden u. s. w.
[2] Ebd. 68 a, 4: Ich bin ein erbeitsälic man,
der niene kan beliben,
wan hiute hie, morne anderswan u. s. w.
[3] Volkslied Str. 9: So müst ich in der helle gluot
auch ewiklich verprinnen.
[4] MS. II, 61 a ob. (Tanhuser): der hebe sich uf die schanze.

Nun geht das Lied in eine geistliche Anwendung der Tageweisen über, deren sich jedoch unter den vorhandenen Gedichten des Tanhusers keine vorfindet; von der Menschwerdung des Heilands bis zu seinem Kreuze taget es mehr und mehr.

6   Mary, der tugent ein solles fas,
      ain krön ob allen wiben,
         bin schön licht durch ain spiegel glaß
      uß dinem zarten libe.

7   Höre, wie wunneklich er sang,
      des himelriches wachter,
      das es durch die lüfte drang,
      zuo aines Judes tochter!
      Gabriel hab iemer dangk,
      der die botschaft brächte u. s. w.

8   ain wachter sang ein tagelied,
      ain selberiche stimme,
      die finster nacht von dannan schied,
      do tagt es umb und inne.

9   es tagt in allen gassen[1] gar
      und ist ouch siechter morgen.

11 (Schlußstrophe) Es ist nuon guoten lüten tag,
      mich sünder muoß belangen,
      ich steck noch in der sunden sal,
      darin bin ich gefangen,
      gebunden fast uf minen nal,
      dar unter gan ich drangen,
      so spring ich uß der helle hag
      mit miner künsche stangen.
      hülff mir Maria, die süße,
      ich tet dem tiefel ainen schlak,
      mit dichten und mit büßen,
      das er mir nit verbieten magk,
      versagt si im min grüeßen.

Ganz nahe zur Volksballade tritt das andre Lied, in dieselbe Hand= schrift „im Jahr 1453 flüchtig und nachlässig geschrieben." Mone be= merkt weiter: „Es ist nur Bruchstück, dessen Schreib = und Sprachfehler

---

[1] Ebd. 59 b, 2: komen wir zesamne in der gasse von dien strazen.

ich meistentheils beibehalten muste, um die Beschaffenheit der Abschrift zu zeigen. Der Text hat aber meist richtige Reime und ziemlich regel= mäßigen Versbau, so daß er ohne große Mühe herzustellen ist und sich als ein Werk des 14ten Jahrhunderts kund giebt." Es ist ein Ge= spräch des sündigen Tanhusers, der sich an Maria wendet, mit Venus, die ihn im Berge fest halten will:

2 Tanhuser, ir selend nit truren,
    ich bin die höchest in dem berg,
al ewer schult sind ir vermuren.
ich han so vil der edlen zwerg,
helt, die müssen dienen dir
    mit stechen, singen, seitenspil[1] u. s. w.

4 Tanhuser, nun gedenck dar an!
    da ir am ersten kampt her in,
da wurdent ir empfangen schen
von menigem roten mündelin.[2]
belibet hier by uns in dem berg![3]
von uns sind ir nit wenden,
ewer selend dienen mine zwerg,
ewer truren gewint ein ende.

5 ach Venus, du bist sere betrogen,
    mit mengem bösen gaist behaft[4] u. s. w.

6 nun bin ich nit von dem twfel hie,
    min vater was ain kling her,
Babalen und Dasgandie[5],
dennoch het er landes mer;
helt, die wil ich dir nun geben,
belib unser ewelsich[6] u. s. w.

7 hilf, süeßer vatter, Jhesu Christ[7],
    und mach mich an der sel gesund!

[1] Wie bei Hermann von Sachsenheim.
[2] Volkslied Str. 7: gedenkt an meinen roten munb!
[3] Volkslied Str. 6: ir sölt bei mir beleiben. Str. 9: nun pleibt hie, edler Tanhauser!
[4] Volkslied Str. 12: ir seind ain teufelinne.
[5] Mone: Babylon und Taschkent?
[6] Volkslied Str. 23: Er zoch nun widrumb in den berg
        und ewillich on ende.
[7] Volkslied Str. 14: o Jesu Christ von himelreich,
        nun hilf mir von den weiben!

zuo dir so han ich gar guoten sin
und zuo der lieben muotter bin,
von der ich ungeschaiden bin[1],
ich hoffe, sie due mir helfe schin.

8 hilf, Marie, muoter, raine mait,
das ich in sünden nit verfar!
wan der ist us der massen vil;
Maria, fraw, nim min war!
so gewin ich aller freuden ain spil.

(Schlußstrophe, zum Theil erzählend, was nur hier vorkommt:)

9 Die Venus do hin wider sprach:
das dir als wol gewesen ist,
vil guotthat dir von mir geschach,
des wigst du ring zuo aller frist.
er antworte ir us sinem muot:
von dir wil ich geschaiden sin,
ich lob den schatz für als bin guot,
der liget in dem himel sin.

Keller, Fasnachtspiele 4, 47 ff.

MS. II, 69 a (Tanhuser):

Ich solde wol ze hove sin, da horte man min singen;
nu irret mich, daz nieman weiz, in' kan niht guoter döne.
Der mir die gäbe, so sunge ich von hovelichen dingen u. s. w.

59 b — swanne er singet dien vrouwen den reien,
so hilfe ich im so,
daz ich singe mit im zaller zit gerne den meien.

66 b, 4 nu volget mir! ich kan uns vröude machen,
Ich sing' iu wol ze tanze u. s. w.

69 b, 5 Ich han dien jungen
vil da her gesungen,
des ist lank,
als sie mich des baten
gegen den meien do;
Dien lieben linden

----

[1] Volkslied Str. 22: Maria muoter, raine maid,
ich muoß mich von dir schaiden.

sang ich bi den linden
minen sanc,
die mir liebe taten,
die schuof ich dicke vro u. s. w.

Beliebt ist dem Tanhuser folgender Tonfall, der sich, nur mit Aus=
nahme von Eingang und Schluß, durch den Leich von milden Herren
in langer Folge wiederholt:

II, 64a Also zel zem ersten an
den keiser Vriderichen.

o we, daz man niht vinden kan
in allen tiutschen richen

Einen künic, dem zäme wol
nach im des riches krone!
o we, daz er niht leben sol,
dem si stuont also schone u. s. w.

Mit eben diesem Rhythmus beginnen die fünf Strophen eines
andern seiner Lieder, 68a, 3 bis 68b, 4:

Wol im, der nu beizen sol
ze Pülle uf dem gevilde!
der birset, dem ist da mit wol,
der siht so vil von wilde u. s. w.

Ich bin ein erbeitsälic man,
der niene kan beliben,
wan hiute hie, morne anderswan;
sol ich daz ie mer triben u. s. w.

Derselbe herrscht aber auch (mittelst des wenn auch nicht immer
scharf geprägten Einschnitts) in einer Langzeile, woraus der Tanhuser
Strophen verschiedenen Umfangs gebildet hat, 67b, 1, 2, 4:

Hie vor do stuont min ding also, daz mir die besten jahen,
ich wär' den liuten sanfte bi; do hat' ich holde mage.
Si kerent mir den rügge zuo, die mich da gerne sahen,
sit ich des guotes niht enhan, so gruezent si mich trage.
Min dinc hat sich gevueget so, daz ich muoz dem entwichen,
der mir e von rehte entweich, den laze ich vür mich slichen.
Si sint alle wirte nu, die sant mir geste waren,
unt bin ich doch der selbe, der ich was vor zwenzik jaren.
Ich bin gast unde selten wirt, daz leben ist unstäte;
dunke ie man, daz ez senfte si, der tuo, also ich täte!

Mit gleichem Aufgesang, aber nur vier reimgepaarten Langzeilen im Abgesang 67 b, 3. Wieder mit demselben Aufgesang und fünf Lang= zeilen im Abgesange, wovon je die zwei erstern und die drei letztern durch den Reim verbunden sind (auch mit klingender Cäsur in der ersten Zeile des Abgesangs), 68 b, 5 bis 69 b, 3.

Auch in den vier gleichgebauten Strophen der Jenaer Handschrift läßt sich dieser tanhuserische Tonfall durchhören, gedehnt und gemehrt, aber schon in der ersten Zeile sich verkündend in der Neigung vom stumpfen Vorreim oder Einschnitt zum klingenden Abschlusse, überall an= schlagend und besonders im kurzzeiligen Theile des Abgesangs klar her= vorbrechend:

* Ez ist hiute ein wunniclicher tac;
   nu pflege min, der aller dinge walte,
* daz ich mit sälden mueze wesen
   unde ich gebueze mine groze schulde!
* Wande er mir wol geholfen mac,
   also daz ich die sele min behalte,
* daz ich vor sünden si genesen
   unt daz ich noch erwerbe gotes hulde.
* Nu gebe er mir so stäten muot,
** daz ez der lip verdiene so,
** daz mir got danken mueze,
* daz mir daz ende werde guot
** und ouch diu sele werde vro,
** min scheiden werde sueze,
** daz mich diu helle gar verber!
** des helfe mir der reine
* unt vuege mir, des ich da ger,
   daz mir diu hohe vröude si gemeine,
   also ich der mage muoz enbern, daz ich dort vriunde vinde,
   die miner künfte werden vro, daz ich geheizen müge ein sälden riches ingesinde!

Die nur einmal besternten Zeilen, der größere Theil des Ganzen, sind denen der einfachen Weise gleichartig, die doppelt besternten ergeben dazu noch dieselbe Verbindung der stumpfen Kurzzeile mit der klingenden.

Von den beiden Liedern in Mones Anzeiger giebt das eine, „Tan= husers tagwise," wieder die im Leiche waltende Weise, nur mit mehr= facher Wiederholung derselben Reime; auch nimmt im Abgesang erst

die klingende Zeile den Vortritt, bemächtigt sich aber doch wieder des
Schlusses. Im andern ist an die Stelle des klingenden Reims eine
weitere Hebung mit stumpfem getreten, doch hat sich auch jener noch
behauptet.

> Str. 4 belibet hier by uns in dem berg!
> von uns sind ir nit wenden,
> ew(er) selend dienen mine zwerg,
> euwer truren gewint ein ende.

Jene am einfachsten im Leich vorgebildete, dann in manigfachem
Wechsel durchklingende Weise ist nun dieselbe, die, bei wegfallendem
Zwischenreime, der Volksballade vom Tanhuser durch alle Mundarten
zu eigen geblieben ist und auch den nordischen Liedern vom Ritter Tönne
(Thnne) anhängt[1]. Doch muß bemerkt werden, daß diese Strophenart
auch sonst der dänischen und schwedischen Balladendichtung geläufig und
namentlich das Lied vom Schlafe am Elfenhügel darin gesungen ist.

Im altenglischen „True Thomas" erscheint statt der klingenden
Zeile, die der Sprache weniger zusagt, eine stumpfe mit weiterer Hebung,
wie im vorgedachten deutschen Liede, dem Gespräche des reuigen Tan-
husers mit Venus.

Im Meistergesange findet sich des Tanhäusers Hofton, „fast ebenso
Man. 2, 67", J. Grimm, über den altdeutschen Meistergesang 109.
Ein meistersängerisches Lied von den sieben freien Künsten (aus einer
Sammlung alter Meisterlieder, sæc. 15, mitgetheilt von Docen im
neuen litterarischen Anzeiger 1807, Sp. 772), mit der Überschrift
„Des Tanhusers haupt=don" zeigt nur je am Schlusse beider Stollen
und des Abgesangs einigen Anklang an jene tanhuserische Weise:

> von den so sing ich suße wort,
> sie kunnen mangen weisen.
>
> sie wechset in des himels gort (Garten),
> ir plüd sol mir zureisen.
>
> Philosophei die muter zart vnd wil in die derneren.

„Eandem canis cantilenam, singst gleich den alten Danhauser,"
Schmeller I, 446 aus Aventins Grammatik von 1517.

Derselbe Aventin (Joh. Thurnmayer aus Abensberg, gest. 1534)

---

[1] [Schriften VII, S. 384 bis 387. H.]

in der bairischen Chronik, Frankfurt 1580, Bl. 33 b: „Von obgenanntem Helden und Herrn, dem Danheuser und seiner Reiß, singen und sagen noch vil unser Teutschen, man heißt noch die alten Meistergesäng von ihm sprichwortsweiß der alt Danhäuser" u. s. w. (Schmeller a. a. O. giebt die Stelle aus der ältern Ausgabe von 1566. Dem Aventin ist der Danheuser ein von den Griechen Thanauses genannter König der Gothen, der vor der Zerstörung Trojas große Dinge ausgeführt habe.)[1]

In einem „schönen Dialogus" zweier luthrischer Bauren, Kunz und Fritz, über das Verhalten der Hochschule zu Tübingen gegen Luther (einer Flugschrift auf der Stuttgarter Bibliothek, o. O. u. J., dem Inhalt nach wenigstens vor 1532, nach einem Beisatze mit Bleistift: 1522), wird der dasige Professor der Theologie Jac. Lemp ein „alter Danheüserischer Esel" genannt und noch weiter heißt es:

Du weist wol, das die alten patres schlecht gelert seind, dann sie u. s. w. wissen nit von dem zierlichen latein Ciceronis und Vergilii zuo sagen, darumb schmeckt in nichts, dann das sie gelernet haben, und so sie nur den alten Danheüser gelernt haben, künden sie auch den Erasmum und ander gelert nitt versteen u. s. w.[2]

Bei Paul von der Aelst S. 132 ist als Ton angegeben: „vom alten Danhäuser."

In einem Liede Jörg Wetzels von Schussenried aus der Zeit des Bauernkriegs von 1525, bei Soltau 305, heißt es von dem Zuge des Pfalzgrafen gegen die Stadt Weißenburg:

„er hatt sie leren singen
Danheüser zuo latein."

Ungefähr wie an einer früheren Stelle, 300:

„pawr lern den reymen baß."

Jac. Freys Gartengesellschaft, Straßburg 1557, in der Erzählung „Von einer goltschmidin zů Augspurg und einem jungen Edelman, wie sie im ein gulbin ketten ab erbület und wider gab", Bl. lvij b:

„wolan die zwei tanzten die nacht den Dannheuser."

(Seb. Brands Narrenschiff, Augspurg 1498, ciiij:

Von buolern.
Fraw Venus mit dem ströwen ars
Byn nit die minst im narren fars

[1] [Schriften II, S. 230. H.]
[2] [Schriften II, S. 503. H.]

Do wiſſen die wol ſagen von
Die in fraw venus berg wend gou
Do hab ich narren vil verfiert
Der mich nie keiner an hat geriert
Den Tanhauſer hab ich gezogen
Wer er was es wär nit erlogen
Der teüfel hat ſy all betrogen
Ich zeu noch zuo mir narren vil
Vnd mach ein gauch auß wem ich wil.)

Die Sage vom Venusberg überhaupt iſt abgehandelt in den Heften über deutſche Sagengeſchichte und über Geſchichte der deutſchen Dicht: kunſt im 15ten und 16ten Jahrhundert (hier ausführlich von Sachſen: heims Mörin). [Vgl. Schriften II, S. 229 bis 235. K. Göbeke, Deutſche Dichtung im Mittelalter. Hannover 1854. 8⁰. S. 579 bis 581. J. G. Th. Gräße, Der Tannhäuſer und ewige Jude, zwei deutſche Sagen u. ſ. w. Zweite Auflage, Dresden 1861. 8⁰. H.]

Sage vom grünenden Aſt in „Tales of the Munster Festivals". Bd. II, S. 93, 3 bis 98.

Moringer.

(298) In Bragur III, 402 ff. mitgetheilt durch Schmidt in Ulm: „Von Nikolaus Thomann, Capellan zu St. Leonhard in Weißenhorn, iſt eine geſchriebene Chronik vorhanden, die er im Jahr 1533 dem Rath zu Weißenhorn dediciete. In derſelben befindet ſich das Lied, welches, wie Thomann ſagt, vor Jahren zu Buch, nicht weit von Weißen- .horn, ganz gemein geſungen wurde"[1]. Fl. Bl., deſſen Titel fehlt, um 1570. In Bragur VIII, 200 ff. durch Gräter „aus einer von Panzer mitgetheilten Incunabel" o. D. u. J. (nach Lachmann, Walther VIII: „aus einem Drucke von 1493"? Einen Bamberger Druck von 1493, 4⁰: „Des Edlen Ritters Morgeners walfart in Sant thomas land. In geſangsweiſe" führt zwar Weckherlin S. 74 an, es erhellt aber nicht, daß es, wenn auch bei gleicher Überſchrift, derſelbe ſei, der in Bragur wiedergegeben iſt). Die zwei erſtern Recenſionen ſtimmen im Ganzen

---

[1] Vgl. von der Hagen, Volkslieder 102. 391.

zufammen, die dritte dagegen ift eine Nachbefferung, welche das Silben=
maß zu regeln, auch fonft zu verdeutlichen und zu ergänzen fucht, beshalb
vier (entbehrliche) Strophen einfchiebt oder anfügt (dort Strophe 14.
15. 27. 41), wogegen drei des Textes (21. 24. 26) ausgefallen find.

Str. 1, 3. 1: B. Wolt, Herren; bei Weckherlin 74: nuwe mer. 3. 2:
B. gefchah, P. und was vor Zeiten hie gefchach; bei Wech.: Was v. z. v. ee
befchach. 3. 3: fl. Bl. Moringer, fo fortan; P. als v. d. e. morgner, fonft
immer: Morgner. 3. 5: B. nachts, P. eins nachtes da. 3. 6: B. fein.
3. 7: B. Der fpilenden Frewde, P. der fpielende freud. Str. 2, 3. 1: herz=
liebe, P. herzallerliebfte fraw. 3. 2: B. Vernim mein red fürwar. 3. 3: B.
vertraue, P. getraw. 3. 4: B. Wollt, B. mein fehlt. 3. 5: B. find, P. mir
ift abenteur b. 3. 6: B. vrlob. 3. 7: P. muß. Str. 3, 3. 1: B. gar tr.,
P. gar tugentleich. 3. 2: warde, B. war, P. gar fer was b. i. m. 3. 3:
B. Saget, P. nun fag mir. 3. 4: B. beuelcht, P. nun wem befelcht. 3. 5:
d. faget nur, P. fo fagt mirs. 3. 6: B. beuelhet, P. wem befelcht ir ewer
frawen. 3. 7: B. Wer foll nun m., P. wer foll nun ir pfl. f. Str. 4, 3. 1:
fraue, B. herz liebe frawe, P. D. th. i. edele fraw here. 3. 2: manchen werden
dienfteman, B. Mancher werder Dienftman, P. manchen werden dienftman.
3. 3: ere. 3. 4: B. follen. 3. 5: B. ye gewarent, P. i. tr. auch als ir mir
wart. 3. 6: gend, vrlob, zarte Frawe, P. frawe ich befilch euch got. 3. 7:
P. ich bin auff der hinefart. Str. 5, 3. 1: B. In dem gl., B. euch fehlt,
P. An dem glauben folt ir nit w. 3. 2: Herzliebe, P. herzliebfte. 3. 3:
fond, B. fölt Jr mein bedencken, P. folt. 3. 4: hinefart, P. wann ich pyn
auff der wallefart. 3. 5: B. So gebt mir Vrlaub zarte Fraue, P. und die
ich gott g. h. 3. 6: B. Ich wills nit vnderwegen lan, P. fant thomas dem
edeln herren. 3. 7: B. Seyd ich das gelobt han, P. ich wills nit vntter
wegen lan. Str. 6, 3. 1: frawe, B. Gott gefegen euch edle Fraue, P. Gott
gfegen euch herzliebfte fraw. 3. 2: P. i. tugenthafftem fteten m. 3. 3: ge=
trawe, B. wol trawe. 3. 4: B. G. h. vns i. f. h., P. g. müß euch haben
i. f. h. 3. 5: B. Vnd woll auch vns beuolhen fein. P. vnd der foll auch
mein pfleger fein. 3. 6: B. wol edel, P. vnd f. th. der edel h. 3. 7: P. foll
uns thun f. h. fch. fein? Str. 7, 3. 1: B. P. Vnd do. 3. 2: B. Bet, P.
feim. 3. 3: P. begegnette ym der kammerer. 3. 4: P. d. g. e. fchon v. ym
empfinge. 3. 5: B. bedin, P. e. pecke m. w. trug er dar. 3. 6: B. do n. e.,
handt, P. er nams a. f. w. h. 3. 7: B. liechten, P. vnd zwug f. vil liecht a. el.
Str. 8, 3. 1: P. Er fpr. ach kammerer tr. gefell. 3. 3: B. fündt, P. wollft
du nun thun auch was ich well. 3. 4: fr. mein, P. fo pfleg du felbs der fr.
dein. 3. 5: Ich beuil fie dirs, B. Ich beuilch dürs, P. ich gelobe dir auch
das für war. 3. 6: lande, B. ham zu Landt, P. kumb ich her wieder heym

zu land. Z. 7: begab, B. R. dich begaben fol, P. ich begab dich wohl ficher=
lichen zw. Str. 9, Z. 1: P. Der t. fpr. gar t. Z. 2: B. däucht, P. ir e. r.
Z. 3: B. Jr beleibt herhaim bey ewrem r., P. ir blibt hie heym bey ewrem r.
Z. 4: B. ein fehlt, P. haben einen t. m. Z. 5: B. euch fehlt, P. in gantzen
trewen i. e. f. Z. 6: B. Das ich der Frawen eben pflig, P. ich pfleg ewer
frawen nicht. Z. 7: B. auff fehlt, P. newer wann fyben iar. Str. 10, Z. 1:
B. P. Bnd bo. Z. 2: red, B. b. frembdt red, P. die abentewr w. b. Z. 3:
B. heym, P. e. g. dort hin. Z. 4: fl. Bl. Neyffen, fo fortan; Th. Neuffen,
nachher auch Nöffen, Neiffen, Niffen; P. eyffe, eyffen. Z. 5: P. do er yn zu
dem erften an fach. Z. 6: B. Und wie, P. der getrewe morgener. Z. 7: B.
züchtigklich. Str. 11, Z. 1: P. Hört i. h. v. eyffen. Z. 3: P. wölt ir mein
pet begreiffen. Z. 4: B. pflegt, P. das ir pflegt meiner frawen vein. Z. 5:
B. Ich benelche euchs, P. befilchs euch hie an diefer ftat. Z. 6: P. fein liebe.
Z. 7: B. Creuz, P. iohanns da er auffs treutze trat. Str. 12, Z. 1: B. den,
P. Da dem herren von eyffen. Z. 2: Diß abenthur, B. Dife ebentheur, P. die
abenttewer. Z. 3: B. fonb, P. laft ewer forg e. Z. 4: B. ziecht, P. herr
wölt ir i. f. th. l. Z. 5: B. Gelaubt auch ficherlichen f., P. ich gelob euch
herr fprich ich fürwar. Z. 6: B. b. i. euer Fr. Pflig. Z. 7: B. were, P. u.
wert ir auffen. Str. 13, Z. 1: P. Bnd da b. edeln m. Z. 2: red, B. b. guot
red, P. die gute rede. Z. 3: B. Vergangen was Jm layd vnd fchwer, P. vnd
er vergaß der feinen fchwer. Z. 4: P. vnd zoch wohl. Z. 5: b. abenthür, B.
fagt man, P. b. abenttewer fagt f. w. Z. 6: B. Das was b. e., P. aufs bleib
der e. m. Z. 7: blib, B. Williglich aus füben Jar, P. völligklich wol fyben
iar. Zwifchen Str. 13 und 14 ftehen bei P. folgende zwei:

14 Wol in den iaren funder haß
   dienet der herr der frawen wol
   man tautzt man fprang man fchlieff man aß
   als man folch frawen pflegen fol
   in gantzen eren das gefchach
   die zeit die was yn beyden laugl
   vnd nach irem herren nach.

15 Darnach fo mügt ir hören fteyff
   nach fyben iaren am dritten tag
   vnd wie der iunge herr von eyff
   thot werben vmb die frawen pflag
   fy gelobetz ym fchon an fein hand
   das ward dem eblen morgener
   offenbar in fant thomas land.

Str. 14, 3. 1: P. (Str. 16) Bud da. 3. 3: P. dem edlen r. tr. schwer.
3. 4: B. ihn v. h. a., P. hm v. h. rieff. 3. 5: P. wach morgener nit lenger
bleib. 3. 6: B. kombstu heyet nit zu Landt, P. vnd kumbst d. h. nicht h. z.
lant. 3. 7: P. der von ehff nymbt dein ehlich weib. Str. 15, 3. 1: B. ruofft.
3. 2: P. v. leide a. sein. 3. 3: P. ym was gar leid vnd bartzu schwer. 3. 4:
P. gott fehlt, geporn. 3. 5: P. geschiden. 3. 6: B. v. L. vnd von meinen
Lentten, P. von meinen leuten vnd von land. 3. 7: B. S. r. die liebste fr. m.,
P. so reut mich doch die fr. m. Str. 16, 3. 1: P. Sant thoma du viel e. her.
3. 2: Als, geklaget, B. Sey dir geklagt alles mein Layd, P. mein ellend das
sey dir gelleit. 3. 3: B. Das mich, P. scheid. 3. 4: B. P. wirdigkeit, P. zur
wirdigt. 3. 5: betrübter fehlt, P. ach gott ich ellenthaffter man. Vgl. d. Gramm.
IV, 488, 'γ. γ. 3. 6: N. b. i. fer i. fr. L., P. ich pyn zu verr in frembden
land. 3. 7: B. der fehlt, P. gott mag es doch w. u. Str. 17, 3. 1: P. Hört
da d. edele m. 3. 2: ruoff, B. Also zu Gotte rieffet, P. als hinauf gegen
gott da rieff. 3. 3: P. dem edelen ritter ward so schwer. 3. 4: Seinen s. e.
wieder e., P. aber er da sere da e. 3. 5: wißt, B. Do erwachet er weft u.
w. e. w., P. erwacht vnd weft nicht w. e. w. 3. 6: P. vnd der betrübete m.
3. 7: B. Da haim v. s. Müllen saß, P. dort hym. Str. 18, 3. 1: P. Er
danket gott vnd dem heilant. 3. 2: B. haben, P. sant thoma vnd maria her.
3. 3: B. mül, P. das was er kummen heym zu lant. 3. 4: B. Nach all m.
Hertzens b., P. so gar nach seines hertzens ger. 3. 5: B. war, P. vnd da er
an die mille gieng. 3. 6: B. müllen, P. da ward er gar ein traurig man.
3. 7: kennen, B. erkennen kann, P. das yn da nyemand da enpfieng. Str. 19,
3. 1: B. müller trauter freund, P. Grüß dich mülner vnd dein gesind. 3. 2:
B. auff, newe m., P. weist auff dem perg icht newe mer. 3. 4: B. armer
fehlt, P. so sag mirs armen petteler. 3. 5: B. Abenthür, P. newer mer.
3. 6: P. das meines herren morgners fraw. 3. 7: B. jungen fehlt, P. den
jung von ehff heut n. w. Str. 20, 3. 1: P. m. sagt. 3. 3: P. es ist. 3. 4:
B. woll, P. gott helf ym dort a. a. u. 3. 5: B. liebsten, P. genad ym gott
dem h. m. 3. 6: B. hab, P. v. d. i. het groß eer vnd gut. 3. 7: P. lieben.
Str. 21 fehlt bei P. 3. 2: B. Do er waß also e. tr. m. 3. 3: B. hilffltu,
B. nun Herr. 3. 4: B. Nun rauth mir wie greiff ich eß an. 3. 5: B. hyn
ein kem. Str. 22, 3. 1: P. Merkt wie der e. m. 3. 2: P. gieng an. 3. 3:
P. grosser; vgl. Schmeller III, 546: „Jn der ä. Sp. gilt der fuero, des fuerin
(der fwere, fwer, des fwern) für Schmerz, dolor" u. s. w. 3. 4 fehlt bei Th.,
P. der pfortner. 3. 5: B. Sage h., P. ach gee vnd fag d. frawen d. 3. 6:
B. Eß ist, P. es stee herauß vor dieser purg. 3. 7: ein ellenthaffter pilgerein.
Str. 23, 3. 1: B. N. b. i. doch heut vergangen, P. Jch pyn so ferr dort her
gegang. 3. 2: B. also müd, P. das ich warsichen milede pyn. 3. 3: P. thu

Uhland, Schriften. IV.   19

es d. g. vnd saumbs nit lang. Z. 4: Alß in der burg stett, P. s(t)et mir m. s.
Z. 5: V. büt, P. pit vmb ein a. a. s. Z. 6: P. d. g. vnd vmb s. th. will.
Z. 7: V. M. seel. Str. 24 fehlt in P. Z. 1: V. sein. Z. 3: V. fraw. Z. 4:
V. stett, V. ein Bilger sein. Z. 5: Er bütt deß. Z. 7: V. M. Seel. Str. 25,
Z. 1: P. Vnd da die fraw nun das erhort. Z. 2: V. Bilgerin, P. wohl v. d.
a. pilgerein. Z. 3: P. n. schliessent a. b. pfort. Z. 4: V. lauß, P. vnd laßt
yn geen zu uns h. Z. 5: V. die Burger Thor, P. pald schliesst auff der pilrge
thar. Z. 6: d. g. vnd durch des morgners sel. Z. 7: Glüb, V. So wil ichs
im geben ein gantzes jor, P. gib ich ym speiß ein iar. Str. 26 fehlt bei P.
Z. 1: V. Do derselbige Thorwardt. Z. 3: V. der edel M. wardt. Z. 4: V.
inn sein b. h. Z. 5: V. Gott Herr J. Ch. Z. 7: V. geöffnet. Str. 27, Z. 1:
P. Vnd da. Z. 2: P. alein i. s. e. purge gieng. Z. 3: P. das thet ym wee
u. a. schw. Z. 4: P. das yn da nyemand da e. Z. 5: V. setzt, P. nieder
auf die pank. Z. 6: P. wol dem getreuen m. Z. 7: V. ward im z. lanck,
P. wart die weil vast vnd etwe lauk. Zwischen Str. 27 vnd 28 steht bei P. diese:

27 Sy assen vnd truncken allso ser
    der morgener thet da auch allso
    man pfeiff vnd tanzt in grosser eer
    der morgener was nicht gar fro
    er het da manchen wilden syn
    ach herre gott du getrewes plut
    wie kem ich zu der frawen mein.

Str. 28, Z. 1: Hienacht, V. Hynnach g. d. abentstunde, P. Da es gieng zu
der abentstund. Z. 2: P. das die praut solt zu petthe gan. Z. 3: jm, V. an
Zn besunnen, P. sy waren all frölich gesund. Z. 4: da r. b. b. dienste man,
V. Do redet d. b. Dienstman, P. da sprach der peste dienstman. Z. 5: weiß,
V. Mein Her Möring het die yebe, P. herr morgner het einen syt. Z. 6:
V. auff, V. enschlieff, P. d. k. g. in der burg nicht blib. Z. 7: V. Er sang
dan vor ain hoffliede, P. er slüng ym dann ein hofe lyt. Str. 29, Z. 1: V.
d. Jung Her v. N., P. Da sprach der herr von eyssen. Z. 2: V. Der dan
Brewtigang solt sein, P. vnd der der preutgam solte sein. Z. 3: hörent, V.
Höret a. m. l. vnd pf., P. hört auff trummeten vnd pfeiffen. Z. 4: V. Her
Gott singet, P. der gast singt vns ein lietlein. Z. 5: V. dan sehlt, P. geset
es dann d. l. w. Z. 6: V. So glaubt auch s. s., P. ich glob ym sicherlichen
zwar. Z. 7: P. wie wol ich yn b. s. Str. 30, Z. 1: V. bedacht, P. Eins
schweigens het ich mir erdacht. Z. 2: P. so muß ich a. s. ee. Z. 3: D. haben
m. d. schönen Fr. br., P. dartzu han m. d. fr. pracht. Z. 4: V. Die mögen
m. w. helffen mee, P. die mügen mir gebieten mee. Z. 5: P. ich pit euch
darumb iunger man. Z. 6: P. gerecht m. Z. 7: mit dein Lauten an, V. Vnd

schlag m. deiner lautten a., P. vnd schlacht mir summerarchen an. Str. 31,
Z. 1: P. Jch was iungk nun phn ich alt. Z. 2: B. Dauen da, P. darumb
gibt sie vmb mich nit vil. Z. 3: B. so graw g., P. der part. Z. 4: P.
darumbs ein. Z. 5: B. jetz b. i., P. ee w. Z. 6: das, B. Daß (Jn dem
Auszug, den Gräter in der Alterth.-Zeit. 1814, Nr. 6, aus dem Liede, nach den
Abbrücken in Bragur, giebt, steht: Deß). Z. 7: P. e. a. schnssel w. gerecht.
Str. 32, Z. 1: P. Frawe n. daß erhörtt, P. Hört da die fraw nun das erkannt.
Z. 2: B. waren, P. die a. clar. Z. 3: B. gulden, P. einn gulde in pecher
da zu hannt. Z. 4: B. satz, Bilgram, P. sendet sie dem pilgram dar. Z. 5:
B. schenckt, Klaren W., P. schenkt, claren. Z. 6: P. da hett d. e. m. Z. 7:
rodt gold, B. Von rottem gold sendt, P. von gold ein s. Str. 33, Z. 1:
B. seiner hende, P. d. z. er bald v. s. hent. Z. 2: B. auch sehlt, P. e. w.
von rotem golde clar. Z. 3: B. Alleß sein layd wolt sich wende, P. als sein
traurn begund sich wend. Z. 4: B. Vnd waß, P. w. i. euch sing vnd d. i. w.
Z. 5: P. das warss er i. d. pecher dr. Z. 6: Damit jm, P. darmit sein hertze
liebste fraw. Z. 7: g. ward, B. gemählet werde, P. zum aller erst vermahelt
hat. Str. 34, Z. 1: B. trautter gesel, P. mein traut gesel. Z. 2: B. diener
sein. Z. 3: B. und sehlt, P. wolst du nun thun was ich da wel. Z. 4. B.
Frawen, P. so trag den kopff der frawen vein. Z. 5: P. wan ich g. dir s.
Z. 6: Würt, B. wurt mein sach. Z. 7: B. So will ich dich nun m. r., P.
vnd so will ich d. m. r. Str. 35, Z. 1: P. Der w. sprach gar tugentleich.
Z. 2: B. bilgran, Jr aller liebsten Bilger als zuo handt, P. gern du liebster
pilgerein. Z. 3: B. Frawen, P. zu hant trag ichs der frawen vein. Z. 4:
P. pecher gab er ir in die hant. Z. 5: B. Ach Fr., P. set nembt hin zarte
frawe mein. Z. 6: B. lasset, verschmachen, P. last euch verschmahen nicht.
Z. 7: B. das s. e. d. Bilgerin, P. das schenkt euch der pilgerein. Str. 36,
Z. 1: B. Do sehlt, P. Vnd da die ritterliche fraw. Z. 2: B. Das Fingerlein
im B. s., P. vingerlein im pecher s. Z. 3: P. sy gund es eben ane schaw.
Z. 4: B. Nun nügt Jr Herren, P. mügt gern hören. Z. 5: B. P. d. M. ist
hie. Z. 6: tugentleich. Z. 7: B. auff Jr Kniee, P. viel für yn nider auff
d. Kn. Str. 37, Z. 1: B. Setzt mir willkum mein lieber Her, P. Seit got-
willkumb mein lieber herr. Z. 2: B. Wan Jr seyt, P. ir seit doch. Z. 3:
B. seyt, P. wo seit ir gewest so verr. Z. 4: B. sollten, P. sollet. Z. 5: B.
Lasset euren trawren sein, P. ich gib mich in die gnade dein. Z. 6: B. ge-
bendt, P. lat ewer schweres trauren far. Z. 7: B. doch sehlt, P. wann ich hab
noch. Str. 38, Z. 1: B. gehalten, P. Die h. i. doch gehalten vest. Z. 2:
P. ach lieber herr gar sicherleich. Z. 3: B. dündht. Z. 4: B. Auch d. i. G.
vom H., P. ich dank sein crist von hymelreich. Z. 5: B. O. i. wol, B. gethon,
P. doch wolt ich vnrecht hab gethan. Z. 6: fraintlich, B. frewlein g., P. mein

weiplich gelüb das wolt ich prech. Z. 7: B. Do solt, P. das solt. Str. 39,
Z. 1: B. O dem, B. Niſſen, P. Da dem herren von eyſſen. Z. 2: Diß
abenthür, B. Diſe abentheuer, P. die abentteur w. bekannt. Z. 3: entſchliffen,
P. a. ſ. fr. gund ſich ſchleiffen. Z. 4: P. den herren ſannt. Z. 5: P. er ſprach
ir tugenthaffter man. Z. 6: B. Gebrochen, ayde, P. gebrochen hab ich mein
gelüb. Z. 7: haubte, B. D. ſchlagt mir a. d. Haupt mein, P. des ſolt ir mir
mein haupt abſchlan. Str. 40, Z. 2: Jungherr herr, B. Her von Niſſen,
P. ach herr von eyff das. Z. 3: B. ein tarf, B. ewer, P. geringert wirt die
ewren ſchwer. Z. 4: B. Vnd habt, P. vnd habent. Z. 5: B. laſſet, P. alten
praut. Z. 6: mich verrichten wol, P. mit der ſo kan ich mich wol richt.
Z. 7: B. peren, B. hant, P. ſy was zwar meines herzens traut. Bei P. iſt
noch dieſe Strophe angehängt:

> 41 Der red ward der von eyſſe fro
> nam er die tochter ſein zu hant
> der morgener thet auch allſo
> da er ſein frawen in eren ſant
> muter vnd tochter waren zart
> vnd die herren hochgeboren
> das iſt des morgners wallefart.

Die in Strophe 30 und 31 aus einem Liede Walthers von der
Vogelweide benutzten Stellen lauten bei dieſem, nach Lachmanns Aus-
gabe S. 72 f., vgl. die Varianten S. 188 f., ſo:

> Lange ſwigen des hât ich gedâht,
> nû muoz ich ſingen aber als ê.
> dar zuo hânt mich guote liute brâht,
> die mugen mir wol gebieten mê u. ſ. w.

> Sol ich in ir dienſte werden alt,
> die wile junget ſi niht vil.
> ſo iſt min hâr vil lihte alſô geſtalt,
> daz ſeinen jungen danne wil.
> ſô helfe iu got, hêr junger man,
> ſô rechet mich und gêt ir alten hût mit ſumerlaten an!

Sebaſtian Brands Narrenſchiff, Augspurg 1498 (Abdruck der
Straßburger Ausgabe von 1494), n j [3]:

> Grob narren.
> Ein neüer heylg heißt grobian
> Den will yetz füren yederman
> Vnd in an allem ort [sic]

Mit schentlich wüstwerk weiß vnd wort
Vnd wend das ziehen in ein schimpf
Wie wol d' gürtel hat klein glimpff [sic]
Her Glimpsius ist leyder tod
Der nar die saw bey den oren hat
Schüt sy das jr die seüglock kling
Vnd sy den moringer jm sing.

Stalder, Schweizerisches Jdiotikon II, 214: „Moor, Moore f. (Pict. S. 92), Schweinmutter physisch und moralisch." Schmid, Schwäbisches Wörterbuch 390: „mohr f., Schweinsmutter."

Mones Anzeiger 1839, Sp. 561 ob.

Weckherlin, Beiträge zur Geschichte altdeutscher Sprache und Dicht= kunst, Stuttgart 1811, bei Aufzählung des Jnhalts der Veesenmeyeri= schen Papier=Handschrift, in welcher dem Liede vom Moringer die Jahrs= zahl 1359 (1459) nachgesetzt ist, S. 74 f. Anm. 6:

„Über den Verfasser glauben wir die Vermuthung aufstellen zu dürfen, daß Michel Wyssenherre, ein bis itzt noch unbekannter Dichter des 15 Jahrhunderts, von dem sich ein interessantes Gedicht auf Heinrich den Löwen in der kön. Bib= liothek zu Stuttgart befindet, auch dieses Lied verfertigt haben dürfte, da Versart, Ton, selbst Jnhalt (denn die Abentheuer des Herrn von Möringen und Heinrichs des Löwen sind in der Hauptsache eins) bei beiden Gedichten derselbe ist."

Diese Übereinstimmung ist wirklich vorhanden und äußert sich selbst in einzelnen Ausdrücken und Zügen, man vgl. Str. 3. 4 des Liedes von Heinrich dem Löwen (abgedruckt in Maßmanns Denkmälern S. 122 ff.) mit Str. 1 bis 3. 9 des vom Moringer, Str. 9. 72. 85. 86 des erstern mit Str. 8. 16. 28. 29 des letztern. Aber der Schluß auf denselben Verfasser beider Stücke erscheint darum doch nicht gerechtfertigt. Das Lied vom Moringer hat zwar nicht den belebteren Volkston, wie schon die Versweise mit sich bringt, gleichwohl sticht es durch idyllische An= schaulichkeit gegen die trockene Darstellung des Wyssenherre merklich ab. Der gemeinsamen Versart liegt ein Ton Walthers von der Vogelweide zu Grunde, aber für die Benützung dieses Tones war beim Moringer der besondre Anlaß, daß auch der Jnhalt eines in demselben gedichteten Liedes von Walther beigezogen werden sollte. Wahrscheinlicher ist hiernach, daß der Wyssenherre durch das im 15ten Jahrhundert beliebte Moringerslied angeregt wurde, einen ähnlichen Stoff, den ihm nach seiner Angabe ein Buch darbot (Str. 62. 74), in der gleichen Weise zu behandeln.

Zur geschichtlichen und örtlichen Anknüpfung des Liedes bemerkt Schmid, Bragur III, 402 f.:

„Folgende von Thomann mitgetheilte Nachrichten mögen zu einiger Erläuterung der Familiengeschichte der im Liede erwähnten Personen dienen. Auf einem Grabstein, der auf dem Frühmeßaltar zu Weißenhorn als Altarstein gelegt wurde, fand er folgende Inschrift: Obijt Dñs Albertus de newffen Comes de Marstetten anno Dni M. CCC. Vj. Vdalrici. In einem alten Kalender fand er, daß ein Herr von Reuffen, Berchtoldus, i. J. M. CCC. XXXXVjjjj (1349) am XX Februar gestorben sei; eine Frau von Reuffen, Gräfin von Marstetten, die sich genannt hat Möringerin, ist am XI Mai, eine andere Frau von Reuffen, Namens Elizabeth, am XXjjjj Februar gestorben. Es ist nicht bemerkt, ob es auch das 1349ste Jahr war."

G. Schwab, Die Neckarseite der schwäbischen Alb, Stuttgart 1823, S. 128: „Am Schlusse des 13ten Jahrhunderts kamen die Herren von Neusen auch zur Grafschaft Marstetten und Graispach (in Oberschwaben). Ein beträchtlicher Theil ihrer Güter lag im Zabergäu. Aber schon bald nach der Mitte des 13ten Jahrhunderts begannen die Verpfändungen und Verkäufe ihrer Besitzungen an Klöster und an weltliche Herrn. Bald dauerte das Geschlecht nur noch in der Graispach-Marstettischen Linie, und auch so nur bis in die Mitte des 14ten Jahrhunderts fort."

Schwabs Notizen sind wohl aus Cleß, Versuch einer kirchlich-politischen Landes- und Cultur-Geschichte von Würtenberg Th. II., Abth. 1, S. 131 ff. entnommen (woselbst sich auf eine Legende im topographischen Lexicon von Schwaben voc. Kirchberg bezogen wird).

J. Grimm, Meistergesang 184, bezieht das Lied auf die Minnesinger von Morungen und von Nisen; er allegiert dafür neben Andrem eine Strophe des Erstern, die mit dem Gesange des Moringers Anklang zeigt, Minnes. I, 50 a:

Wär' ir mit minne sange
wol, so sünge ich ir;
jus verbot si'z mir,
und ir tete min swigen baz.
Nu swige aber ich ze lange;
solde ich singen me,
daz tät' ich, als e.

· wie zimt miner vrouwen baz,

Daz ſi min vergaz

unt verſeite mir ir hulde?

o we des! wie rehte unſanfte ich bulde

beide ir ſpot und ouch ir haz!

ſowie eine andre unter dem Namen beſſelben Dichters, in der nicht minder, als bei Walther von der Vogelweide, die Versart der Ballade vorgebildet iſt, Minneſ. I, 54 b:

Vrouwe, wiltu mich genern,

ſo ſihe mich ein vil lüzzel an!

Ich enmak mich langer niht erwern,

den lip muoz ich verlorn han;

Ich bin ſiech, min herze iſt wunt;

vrouwe, daz hant mir getan min ougen unt bin roter munt.

Die übrigen Allegate treffen weniger zu.

Heinrich von Morunge iſt aber, wie J. Grimm nachmals (deutſche Grammatik I, 455) ſelbſt aufgeſtellt hat, ein Niederdeutſcher, Gotfrid von Neifen ein Schwabe; erſterer ſteht an der Grenze des 12ten und 13ten Jahrhunderts (Wackernagel, Leſebuch I, Vorrede XIV), letzterer lebte um 1241 (Koberſtein, Grundriß S. 192, Anm. 5. 11. [Vierte Ausgabe, Leipzig 1847. 8⁰. S. 258. Über Heinrich von Morungen ſehe man ebend. S. 256. 257. K. Bartſch, Deutſche Liederdichter des 12ten bis 14ten Jahrhunderts, Leipzig 1864. 8. S. XXXII. H.])

Über die einer allgemeineren Sagenverwandtſchaft angehörenden Beſtandtheile des Liedes vom Moringer, die Erkennung durch den Ring im Becher, die wunderbare Zurückführung des fern Abweſenden zur rechten Zeit, ſ. Grimm, Hildebrandslied 79. Meiſtergeſang 184. Deutſche Sagen II, 257 (Graf Hubert von Calw, aus Cruſius, Annal. suev. dodec. II, S. 263). Kindermährchen II, 53. Sage von Kuno von Falkenſtein in Jacobis Iris 1805. Chroniques des Dues de Normandie par Benoit B. II, S. 338 bis 341, Note. (Richard-sans-Paour.)

Daß der Gaſt ein Lied ſingen muß (in Wyſſenherres Heinrich dem Löwen, Str. 85. 86 muß der Bruder nur „nüwe mere" ſagen), iſt gleichfalls ein alterthümlicher Zug.

Li diz dou soucretain, par Jehan li chapelains, Méon, Nouveau Recueil de Fabliaux et Contes, Paris 1823, B. I, S. 318:

*Usages est en Normendie
que qui herbergiez est qu'il die
fable ou chançon die à l'oste [1].

Ceste costume pas n'en oste
sire Jehans li chapelains;
voura conter dou soucretain
une avanture sans essoigne.

Montanus, Wegkürzer (1557) Dvi b: „Ein lieblin fingt Dofch
der wirtin umb die zech" u. f. w. Dvii a: „Da fieng Dofch an und
fagt: „Liebe wirtin, wann ich eüch ain lieblin finge, das eüch gefelt,
wölt ir mir die zech fchenken?" „Ja," fagt die wirtin, „wann du
ains fingft, das mir gefelt, fo will ich dir die zech fchenken," aber bei
ir felbs gedacht: „Du müft lang fingen, ee du mir ettwas fingft, das
mir gefelt" u. f. w.

Kirchhof, Wendunmuth u. f. w. Frankfurt 1563, Bl. 210 a: „CXCII.
Von dem Gefang, fo die Wirt gern hören u. f. w. „Wie aber", fprach
der Gaft, „wenn ich ein Lieblein, darmit ir zefriden, fingen würde, wers
nit fo vil als Gelt?" Der Wirt ließ ims zü" u. f. w. [Vgl. meine
Bemerkung zu Nr. 237. H.]

Selbft die Thierfabel, im altfranzöfifchen Renart, weift denfelben
Typus auf, der dem Liede vom Moringer zu Grunde liegt. J. Grimm,
Reinhart Fuchs CXXVIII: „Renart indem er hünern nachgeht, geräth
in die kufe eines färbers und wird nun glänzend gelb und unkenntlich.
Ifengrin, dem er im wald begegnet, ahnt nichts und glaubt feinem vor-
geben, daß er ein brittanifcher fpielmann fei und Galopins heiße, auch rab-
brecht er fein franzöfifch. Sie fteigen bei einem bauer ein, um eine leier
zu ftelen u. f. w. Unterdeffen hat die füchfin, die nicht weiß, was aus
Renart geworden ift, und ihn, nach einem falfchen bericht des katers,
für todt hält, einen neuen gemahl erwählt und die hochzeit foll gehalten
werden. Da erfcheint Renart als leiermann und erheitert durch fein fpiel
die gäfte. Er beredet den bräutigam, das grab der heiligen Coupée zu
befuchen u. f. w. Darauf gibt fich Renart feiner frau zu erkennen, fchilt

---

[1] [? Chanson à son hoste. Man fehe De la Rue, Essais historiques sur les bardes,
les jongleurs et les trouvères normands et anglonormands I, Caen 1834. 8. S. 195.
III, S. 253. Roquefort, De l'état u. f. w. Paris 1815. 8. S. 190 und Anm. 3 dafelbft.
F. Wolf, Über die Lais, Heidelberg 1841. 8. S. 236. Man vergleiche auch Uhlands dramatifche
Dichtung „Normännifcher Brauch". H.]

sie aus und prügelt sie durch u. s. w. Diese ganze branche von dem gelben fuchs und der gestörten hochzeit scheint mir uralt."

Hieher gehört auch, ihrem vordern Theile nach, eine bänische Ballade in den Udvalgte banske Vis. III, 127 (417): „Fru Mettelil". Herr Peder fährt nach Rom und läßt Fru Mettelil daheim; als er die Reise beendigt, will die Frau ihm nicht entgegengehn. Darum tritt er ein vor Frauen und Jungfraun; traurig sitzt Mettelil dort. Jene fragen, wie es ihm ergangen, und er fragt, warum die Frau nicht zu ihm her komme. Er setzt sich über seinen Tisch und hebt an zu reimen: ein junger Gesell diene hier im Hofe, zu schlimmer Stunde geboren; er selbst habe sich einen Wurzgarten mit edlen Blumen gepflanzt, nun sei etwas Andres dazwischen gewachsen, während er in Rom gewesen; in seinen Garten sei ein Hirsch gewöhnt, der die Blüthen niedertrete und die einzige Wurzel verwüste, die des Herren Herz erfreue. Herr Peder sitzt über breitem Tisch und dichtet die starken Reime; seufzend und klagend hört Mettelil die Reime so hinfließen, sie holt Scheere und Saum und will zu ihrem Vater gehn, der todtkrank sei. Peder giebt ihr Urlaub auf all ihre Lebenstage, die Schlüssel wirft er seiner mutterlosen Tochter zu. Immermehr verfolgt das Lied einen vom Moringer abweichenden Gang. Mettelil kommt zu ihrem Vater und erzählt, wie Herr Peder zu Rom reimen gelernt; der Vater will ihr ein Kloster bauen und nur noch die eine Nacht darf sie, auf Fürbitte der Mutter, im Hause bleiben, am Morgen aber liegt sie gebrochenen Herzens auf ihrem Bette.

Eine italiänische Erzählung ähnlichen Inhalts: „Störung zu rechter Zeit" in Bülows Novellenbuch II, 38.

[Über die geschichtliche Grundlage des Liedes vergl. man Stälin, Wirtembergische Geschichte II, S. 575. 576. Man sehe auch K. Göbeke, Deutsche Dichtung im Mittelalter S. 576. 577. H.]

Der Graf von Rom.

(299) Fl. Bl., „gedruckt zu Nürmberg durch Künigund Hergotin," abgedruckt in Adelungs Magazin für die deutsche Sprache Bd. II, St. 3, S. 114 ff. (ebd. Bd. II, St. 2, S. 64 hat ein Druck der Künigund Hergotin die Jahrszahl 1532.) Fl. Bl.: „Ein hüpsch new Lied, von dem Graffen von Rom, u. s. w. Und ist in Bruder Veyten Thon.

Getruckt zů Basel, bey Samuel Apiario." (um 1570.) Frankfurter Lieberbuch von 1584, Nr. 218. Fl. Bl. o. O. u. J.: „Der Graaff von Rom u. f. w. Im Thon, Wie man das Lied von Bruder Veyten singt." (Zürcher Bibliothek.)

In allen diesen Drucken erscheint derselbe Text und die Varianten sind unwesentlich. Am meisten sucht das Frankfurter Lieberbuch zu bereinigen.

Str. 1, Z. 2: V. wollt. Z. 3: V. z. N. saß ein edler h. Z. 5: V. war (auch sonst), V. gar fehlt. Z. 7: er w. Z. 8: V. n. ehren. Str. 2, Z. 1: V. S. fr. die. Z. 2: V. plickt. Z. 3: V. gnad. Z. 4: V. dazu, ehelich. Z. 5: V. doch fehlt. Z. 6: sol, soll. Z. 8: V. solt, Alls was jr haben solt. Str. 3, Z. 3: V. vertrauwen. Z. 4: V. in d. st. Z. 5: V. scheid. Z. 8: V. eines Königs (auch sonst), gefangner. Str. 4, Z. 1: V. nicht (auch sonst), empfliehen, entpfl. Z. 2: V. grosse. Z. 3: V. am. Z. 4: V. dann (auch sonst). Z. 5: V. vñ schw. Z. 7: V. flir. Str. 5, Z. 1: siten? vgl. 22, 1. 26, 1. Z. 4: V. schwer. Z. 5: V. fieleftu. Str. 6, Z. 3: V. Frauw dahere. Z. 4: V. V. wurd, wirt, geschmächt, V. geschwecht, geschwächt. Z. 5: V. denn hie thun bleiben. Str. 7, Z. 2: V. gefangen, gefangnen. Z. 3: mit dem. Z. 6: V. an seine Frauwe klar. Z. 7: V. wende. Str. 8, Z. 1: V. zog (etwa: Der bot der thet sich zauen; vgl. Str. 10, Z. 1, Schmeller IV, 209 f.). Z. 3: V. Frauwe. Z. 7: V. jres. Str. 9, Z. 1: V. widerumbe, widerumen. Z. 3: V. kumen, kommen. Z. 4: V. were. Z. 5: V. möcht. Z. 7: V. wolt. Z. 8: V. Herr, herr, vund Herr. Str. 10 Z. 5: V. sachen, stillen sachen. Z. 6: V. geren, ern. Z. 8: V. vnd ein platten scheren. Str. 11, Z. 1: V. kondt. Z. 2: andere. Z. 3: V. harffen. Z. 5: V. da. Z. 8: V. da man da s. Str. 12, Z. 1: V. zog. Z. 3: V. meere, zu h. Z. 4: V. da. Z. 5: V. der saß. Z. 7: V. hat, gesandt. Str. 13, Z. 1: V. Der Botte spr. Z. 2: V. Müniche, Mönchen. Z. 4: V. ziehend. Z 7: V. erbarliche(n). Str. 14, Z. 1: V. darvon. Z. 2: V. München, Mönchen, w. f. der Mönich bat. Z. 3: V. zogen, zohen; drane fehlt. Z. 4: V. Meeres stad(t). Z. 5: zugend, zogen, zohen. Z. 6: V. vber V. Z. 7: V. Münches, Münchs, Mönches kleidern. Str. 15, Z. 1: V. kam eingegangen. Z. 2: V. Ritten. Z. 3: V. schön. Z. 5: V. Da. Z. 7: V. sprachend, vberlaut. Z. 8: V. hettends; f. h. nie besser gehört. Str. 16, Z. 1: V. Mönch, tische; Der M. f. m. an den Tisch. Z. 2: hettend. Z. 3: V. auch fehlt; vñ fische. Z. 5: V. Da (auch sonst), Z. 6: V. gedacht sie (in) jhrem m. Z. 7: V. geschahe. Str. 17, Z. 1: V. harpffen. Z. 4: V. Daß i. d. Pallast e. Z. 6: V. Darmit so. Str. 18, Z. 1: V. kam. Z. 3: V. keme, käme häre. Z. 4: V. were jr. Z. 5: V. wurd; von den h.

Z. 7: V. d. Gr. der gedacht, d. Gr. der dacht. Str. 19, Z. 3: V. Graaffe.
Z. 6: V. und fehlt. Z. 7: V. jres. Z. 8: V. dört. Str. 20, Z. 2: V. h. j.
vil heiß z. w. a. (alle außer Frkf. Ldb.). Z. 3: V. da sie nicht h. k. (Frkf. Ldb.
allein). Z. 4: V. hette. Z. 8: V. ehe, da fehlt, vrloub. Str. 21, Z. 1: V.
Münch, Dem Mönch dem. Z. 3: güldene, V. guldne, gülbin, guldine; V.
tron, kronen. Z. 5: V. zieht hin, nempt hin. Z. 6: V. verschmähen, ver=
schmachē. Z. 7: V. wart, d. Münch warte, der Mönch der wehrt. Z. 8: V.
es i. n., es i. n. meines, Es ist meines. Str. 22, Z. 1: D. m. der, V. D.
Münch der, Der Mönich spr. Z. 4: V. Ist nicht. Z. 6: V. sonst, u. s. vmb,
ander, anderen. Z. 7: V. Denn. Z. 8: V. am pfl., d. in dem feld u. g.
Str. 23, Z. 3: V. von dem pfl. Z. 7: V. abtheürer, Ebentheurer. Str. 24,
Z. 1: V. das Meere. Z. 2: V. w. a. dem, biß an den. Z. 3: V. daruon.
Z. 4: V. heiligen. Z. 5: V. hett. Z. 6: V. In Haab vnnd auch in Gut.
Str. 25, Z. 2: V. also fehlt, armiglich, also ermenigkliche. Z. 3: V. schön.
Z. 4: V. süberliche. Z. 5: V. ein br. Z. 7: V. bliben, So d. d. daheyme
blieben. Str. 26, Z. 1: V. D. Fraw sprach, Die fraw die spr. Z. 3: V.
Ein Br. Z. 4: V. Deß euwers kummers gar. Z. 8: V. Bñ s., ehren.
Str. 27, Z. 3: V. die fehlt. Z. 4: V. dfrawē grosse klag, die Frauw groß
klag. Z. 6: V. v. auch sp. (vgl. Iwein 5214: „beide späte unde vruo"). Z. 8:
V. niemands, weißt, zu schaffen. Str. 28, Z. 1: V. spr. a. mit schalle. Z. 3:
V. gar balde. Z. 5: V. jre s. Z. 7: V. wer, wär. Str. 29, Z. 2: V. so
gschwindt, so geschwind. Z. 4: V. seind. Z. 5: V. erf(r)öuwt, erfrewet sich
gar b. Z. 6: V. sah. Z. 7: V. obenthürer, Der ist d. Abentheuwer. Z. 8:
V. hatte. Str. 30, Z. 1: d. jnnen. Z. 5: V. der (vor thet) fehlt. Z. 6:
V. fahrt. Z. 8: V. gehe, von vngem. Str. 31, Z. 2: V. w. je. Z. 3: V.
stuondend, von dem t. Z. 4: V. zfuoß. Z. 6: V. vergebe. Z. 7: Also w.
m. fr. abgesehn. Z. 8: V. ehre.

Noch in einem neuen Flugblatte „Te Gend, L. van Paemel, Boek=
drukker op den Brabanddam, No. 68." ist für ein „Liedeken van den vier
Koopmans" vorgezeichnet: „Stemme: Van den graeve van Roomen of
Maestricht, gy schoone stede." Die Verszweise ist die des deutschen Liedes.

In naher Verwandtschaft mit der Ballade vom Grafen von Rom
steht das meistersängerische Lied vom Alexander von Metz, 31 sieben=
zehnzeilige Strophen:

Fl. Bl., gedruckt zu Nürnberg durch Jobst Gutknecht, o. J., 1 Bogen
in 8°: „Die war Histori von dem Graffen Alexander in dem pflug."
(Frankfurter Bibliothek.) Ein andrer Druck derselben Officin, mit gleichem
Titel, ebenfalls fl. Bl. o. J., 1 Bogen in 8°. (Weimarer Bibliothek.)

Fl. Bl., „Getruckt zů Straßburg bey Thiebolt Berger." o. J., anderthalb
Bogen in 8°: „Vom Alexander vō Metz wie er in der Heidenschafft ge=
fangen, vnnd durch sein Frauw, auß dem pflůg, inn eines Münchs ge=
stalt, widerumb erlöst ward. In Gesangs weyß." Fl. Bl. 1613 o D.,
1 Bogen in 8°: „Der Alexander von Metz: Wie er in der Heyden=
schafft gefangen, vnb durch sein Eheliches Weib in eines München weiß
widerum̄ von dem Pflug erlediget vnb heim kommen ist," u. s. w.
Körner, Historische Volkslieder 49. Diese Texte variieren vielfach.

Im „Verzeichnis der Bücher u. s. w. aus dem Nachlasse des Herrn
J. J. Ch. Wilder u. s. w. Nürnberg bei J. A. Börner" 1839, unter
Nr. 1696: „Von dem aller schonsten Ritter Alexander und seiner
schünsten Frawen. Nürnberg 1515."

Würzburger Lieberband, Nr. 64, fl. Bl., 1 Bogen kl. 8°, o. J.:
„Die ware Hysto=|ria, von dem Graffen Ale=|xander in dem Pflůg.
[Holzschnitt: 3 Männer im Pfluge u. s. w.] Getruckt zů Augspurg, bey
Michael Manger."

Inhalt dieses Liedes:

Ein edler Herr, zu Metz gesessen, mit Namen Alexander, nimmt
Urlaub von seiner Frau zum heiligen Grabe. Sie bittet ihn, daheim
zu bleiben, denn sie fürchtet die falschen Zungen, auch könne sie ihm
wohl Kurzweil machen; „die Fraw kund lauten, harpfen und geigen."
Sie bittet Gott und Maria, die reine Magd, daß ihr Herr mit Freuden
wider heim komme und ihre weibliche Ehre behütet werde. Da sendet
ihr Gott einen Engel in ihr Kämmerlein, der sie für Jenen ein Hemb
aus geschlagnem Tuche machen heißt, das weiß bleiben werde, dieweil
sie ihre Ehre habe. Sie folgt dem Rathe:

> und ließ ihr ein (leinen) tuch her tragen,
> als zu Metz (das) geschriben stat,
> es was gemang(e)t und (auch) schön geschlagen.

Alexander scheidet;

> sie sach im nach mit leibe,
> da schein an im das hembde weiß,
> es gab ein schein durch (für) alle seine kleide.

Als Alexander über Meer kommt, wird er vom König Machomet,
einem Heiden, gefangen, der ihm die Wahl giebt, ob er im Pfluge
ziehen oder sich ertränken lassen wolle.

Alexander sprach: „Edel (selig) ist das leben,
wann mir gott gehelfen mag;
ich will mich willig in den pflug ergeben."

Er wird hart in einen Pflug gebunden und zehen Christenmänner
mit ihm, man schlägt ihnen tiefe Wunden, das Blut rinnt über ihre
Leiber ab, und sie ziehen eifrig. Am Laden sitzt König Machomet und
sieht, wie das Hemd allzeit weiß bleibt.

Er sprach: „Wie hat diß ein gestalt,
daß sich die farb am hembde nit verkeret?
nu ist das wetter manigfalt
und er so manchen schweiß dar durch verreret."

Der König sendet nach Alexander und als er die Eigenschaft des
Hembdes erfahren, schickt er einen hübschen und klugen Ritter aus, der
die Frau um ihre Ehre bringen soll:

„darumb gib ich dir silber, gold (reichen sold),
ob sich die farb am hembde wölt verkeren."

Der heidnische Ritter, in Kleidern, die von Golde schwer sind, reitet
gen Metz, wo er Herberge nimmt; er giebt an, daß er vom heiligen
Grabe komme, und fragt nach Alexander und dessen Frau. Der Wirth
sendet nach dieser und der Ritter meldet ihr, daß Alexander zwei ganze
Jahr im Pfluge gezogen und so sein Leben enden müsse oder, wenn er
nicht mehr darin gehen könne, ertränkt werden solle, sie ergebe sich denn
in seinen Willen. Die Frau will am andern Morgen Antwort geben.
Ihr sendet Gott wieder einen Engel: sie soll Mönchsgewand anlegen,
ihr Haar abschneiden und sich eine Platte scheeren lassen, dann soll sie
mit ihrem Saitenspiel dem Ritter nachreiten und in der gleichen Herberge
einkehren, so möge sie Alexander erlösen. Sie bescheidet nun den Ritter
abschlägig und thut nach der Weisung des Engels; das Saitenspiel an
die Seite gehängt, reitet sie in die Herberge des Ritters ein. Der Wirth,
dem sie sagt, sie wolle über Meer, nimmt ihr Roß und giebt ihm ein Haber=
meß. Der Ritter, der zu Tische sitzt, bietet ihr den Wein und ladet
sie ein, mit ihm zu essen; sie erwidert, daß sie ihren Orden halten müsse.
Sie treibt Scherz und Spiel vor dem Ritter, dem es wol gefällt.

Sie hieß den wirt ir seitenspil herbringen,
am ersten sie die lauten schluog,

darzuo (darein) kunt sie wol singen,
sie huob ein tanz mit rechtem fuog,
das hausgesind gund sie loben mit schalle.

Der Ritter spricht dem Mönche zu, mit ihm zu Schiffe zu gehen:

darinne saßen kaufleut vil,
sie kürzet in die weile
alda mit irem seitenspil,
sie kamen über meer mit (großen) freuden.

Als die Kaufleute ihren Schatz ausgetragen, fragt der Mönch nach
dem Weg zum heiligen Grabe, der Ritter aber fordert ihn auf, mit
zum König Machomet zu ziehen, dort ihm und seinem Herrn die Weile
zu kürzen; auch betheuert er, der König werde gewähren, was der
Mönch von ihm begehre. Sie reiten mit einander durch eine Aue, wo
Alexander im Pfluge zieht; sie grüßt ihn, zieht aber die Kutte vor. Sie
kommen zur Veste des Königs, der den Ritter mit Spott empfängt;

er sprach zu im: „Das hembd ist noch gar weiße.“

Auf des Königs Frage. nach des Mönches Kunst sagt der Ritter:

„Er ist der abenteurigst (abenteurlichst) man,
den ich mit meinen augen hab gesehen,
das seitenspil gar wol er kan [1],
sprechen und singen darzuo, muoß ich jehen.“

Der Mönch läßt sich auf Laute, Harfe und Geige so meisterlich
hören, daß der König zu gewähren verheißt, was jener von ihm begehre.
Nach Verlauf eines Monats verlangt der Mönch von dem Ritter Ur=
laub; es nahe sich eine heilige Zeit, wo er seines Ordens pflegen müsse,
was nun sein Lohn sei? Der Ritter bedenkt sich mit dem Könige, sie
ziehen ihm ein stolzes Pferd dar und wollen ihm dazu tausend Gulden
schenken. Der Mönch entgegnet:

„Ich darf nit reiten hohe roß,
auch dörft ir mir kein (baren) pfennig geben.“

Dagegen erbittet er sich einen Christenmann, der ihm auf den Weg
ein getreuer Bruder sei. Der König heißt ihn selbst einen vom Pfluge
wählen und der Ritter bezeichnet ihm den Alexander, damit den der König
nicht mehr sehe, von dessen wegen er selbst Spott und Schande leide.

---

[1] der alle seitenspil wol kan.

Die fraue sprach: „Het ich den mann gesehen
und wie er doch hat ein gestalt,
villeicht möcht es geschehen.
Nun sagt mir eins! ist er jung oder alt?"
Der ritter sprach: „Er ist in beider maßen."
Sie kamen dahin zuo dem pfluog gegangen,
da sie der Christen klag vernam,
sie waren hart gefangen.
Da sie zuo Alexander kam,
sie sprach: „Bruoder, wilt mit mir auf die straßen?"
Alexander sprach: „Herre mein,
und möchten ir mich von dem pfluog erlösen,
so wolt ich euer diener sein,
wolt beide für euch sterben und genesen."
Die fraue sprach: „Er füget mir gar eben."
Der ritter löset in zuohand [1],
er ward der frauen an ir hand gegeben.

Der heidnisch ritter ließ ein brief bereiten,
des königs sigel daran gab,
darzuo ein frei geleite
aus und auch ein zuom heiligen grab,
hin über lant und auf dem meere weite.
Ir fart die ward vollendt in kurzen zeiten.
Sie sprach zuo Alexander gebrat:
„Mein bruoder, du solt reiten,
so wolt ich gan hin in die stat."
Ir seitenspil das henkt sie an ir seiten.
Sie bat umb wein und auch um brot,
daß sie und Alexander hetten speise,
wann inen thet des hungers not;
sie schluog die lauten da in münches weise,
- (die)weil sie waren under den wilden heiden,
sie hetten einen guoten brief,
darumb in beiden nie geschach kein leide.

Mit einem christlichen Grafen, den sie bitten, sie „durch S. Francis-
cus ehren" mitzunehmen, und dem hinwider ihr Geleitsbrief zu statten
kommt, fahren sie über. Eine Tagreise vor Metz verabschiedet sich der

[1] ist auf seine hand.

Mönch, um in sein Klösterlein zu kehren. Er bittet Alexander um ein
Stücklein des weißen Hembes, um sich gegen denselben ausweisen zu
können, wenn ihn sein Prior austriebe; Alexander gewährt die Bitte,
auch schreibt er zwei gleiche Briefe und giebt dem Mönche den einen.
Die Frau zieht durch einen langen Wald gen Metz. Nachdem sie wieder
weibliche Kleidung angelegt, geht sie in ihr Haus, wo sie von ihrer
Schwieger mit schnöden Worten empfangen wird. Am Morgen kommt
Alexander an und seine Mutter klagt auch ihm, daß die Frau in langer
Zeit nicht hie gewesen („zwen monat und ein ganzes jar") und wohl
einen andern Mann genommen habe. Alexander aber baut auf das
Zeugnis des Hembes. Als er mit den Freunden beim Mahle sitzt, fragt
die Schwieger abermals, ob Einer von Allen sie binnen eines Jahres
und zweier Monate gesehen. Da sieht Einer den Andern an und Keiner
kann widersprechen; Alexander spricht, wenn es wahr sei, soll man sie
mit Hunden aushetzen.

> Die frau stuond vom tisch auf in großem leide,
> ir red mocht keinen fürgang han,
> legt an ir münches kleide,
> hin auf die gaß begund sie gan,
> ir seitenspil ließ sie gar laut erklingen.
> Sie schluog die lauten da⸗in münches weise,
> als sie vormals mee het gethan
> umb brot und auch umb speise.
> Alexander begunt aufstan,
> er sprach: „Ich hör mein lieben bruoder singen."

Der Mönch wird eingeführt, bewillkommt und an den Tisch gesetzt;
er fragt nach der Frau seines Bruders. Die Schwieger sucht sie ver-
geblich im Hause und redet von neuem übel von ihr. Alexander beklagt
seine Fahrt, wenn die Frau ihre Treue an ihm gebrochen. Da steht die
Frau vom Tisch auf und läßt die Kutte fallen, auch weist sie das Stück
vom Hembe, den Brief, den Alexander geschrieben, und den des Königs
vor. Die Freunde sind erfreut und Alexander gelobt, sein Leben lang
ihrer Treue zu lohnen. Schluß:

> Was ich euch sag (und) das ist wa(h)r,
> die ding die seind warlichen so geschehen,
> uns weist die schrift gar offenbar,
> zuo Metz läßt man das hembd(e) (und kutten) sehen

bei irem grab, das fag ich euch fürwar, [1]
ir jarzeit man ehrlich [2] begat,
jung und alt feiren iren tag(e).

Diefer Meiftergefang, deffen Abfaffung in die zweite Hälfte des
15ten Jahrhunderts zu fetzen fein wird, ift, wenn gleich in künftlicherem
Strophenbau gedichtet, doch vermöge des Stils und der mehr noch
mittelalterlichen Motive, für älter anzunehmen, als die Ballade vom
Grafen von Rom.

Die Sage vom Alexander von Metz kommt noch in einem nieder=
ländifchen Volksbuche vor:

„De Brouwen=Peirle', ofte dryvoudige Hiftorie van Helena de
Verdulbige, Grifelbis de Zagtmoedige, en Florentina de Getrouwe,
Alle dry aenzienlyk in vele Deugden; maer meeft in Lydzaemheyd, die
zy in tegenfpoed, overlaft en beproevninge getoond hebben. Genomen
uyt de oude Hiftorien, en nieuwelings tot voordeel der Jongheyd
overzien, by=een vergaderd en zeer verbeterd. Tot Gend by J. Beghn,
aen d'Appel=Brugge, in den Engel." O. J., 56 Seiten in 4⁰. mit
fchlechten Holzfchnitten.

Einer Ausgabe diefes Büchleins „Antwerpen by J. A. Heiliger 1621"
erwähnt Görres, die deutfchen Volksbücher 151. Diefelbe Ausgabe be=
nützt van den Bergh, De Nederlandfche Volksromans, Amfterdam 1837,
S. 52 ff. Nach den von ihm mitgetheilten Stellen weicht fie in Aus=
druck und Wortftellung von der von mir gebrauchten ab, doch ohne
erfichtliche Verfchiedenheit nach Inhalt oder Bearbeitung. Eine Aus=
gabe von demfelben Jahre, „Antwerpen by Jof. Thys," 4⁰., fowie eine
ältere „mit gleichem Titel, aber gothifchem Druck," welche zu Gend by
J. Beggen, auch in Quart, erfchien, verzeichnet Mone, Überficht der
niederländifchen Volks=Litteratur älterer Zeit, Tübingen 1838, S. 64 f.
(eine andre Auflage des zuerft angeführten Drucks). Mone bemerkt:
„Diefes Buch (Alexander von Metz) fcheint aus einem Gedichte auf=
gelöft zu fein, das aber fchwerlich älter als das 15te Jahrhundert
war" u. f. w. Die von Mone in der Profa aufgezeigten Reimfpuren
finden fich im deutfchen Meiftergefange nicht.

Die Erzählung von Alexander von Metz geht von S. 43 bis 56

[1] und die futten bei ir beider grabe.
[2] gar frölich.

20

mit der Überschrift: „Het derde Deel der Brouwen-Peirle, Floren-
tina de Getrouwe, Huysvrouwe van Alexander van Mets, die haeren
Man met groote behendigheyd uyt de Slaevernye verlost heeft."
(Anfang:)

„Hoe Alexander troutwde zyne Huysvrouwe Florentina, uyt het
Huys van Lorreynen.

In het jaer ons Heere dutzend twee honbert en tien zoo was
binnen de Stab van Mets woonagtig eenen Heer en Ridder, zeer oub
(S. 44) van bagen en magtig van Goed, ben welken in zynen tyb zeer
kloek was ter Wapenen en die bikwils groote eere en prijs behaelbe in
Steden, Tournoyen en Stryben, ben welk .. naer zyne boob agterliet
eenen Zoon, genaemb Alexander. Als nu ben Baber van bezen
Alexander langen tijb boob geweeft was, zoo hebben hem zyne Brienben
en Maegen uytgezogt eene schoone Jongvroutwe, genaemb Florentina,
uyt het Hof van Loreynen van edelen Stam geboren, die hem verzeterb
was en met de welke hy naermaels in Houtwelijk getreben is." (S. 47
fagt Alexander: „Jk ben eenen Ridder en Borger der Stab van Mets.")
Am Schluffe nennt sich: „Mar. Ban Eynatten, Kanonik en Scholaster tot
Antwerpen." Von diefem kommen ohne Zweifel die eingewobenen Stücke
in Berfen: Selbst- und Zweigespräche, Gebete zu Maria. Die Er-
zählung folgt übrigens dem Gange des deutschen Meistergesangs. Die
Abweichungen sind unerheblich; so legt die Frau, deren Namen Floren-
tina das Lieb nicht kennt, nicht Mönchs- sondern Pilgrimskleidung an
(„een Pelgrims-Kleeb"), erfteres mochte nicht mehr für schicklich an-
gefehen werden; auf Alexanders Hemb ist ein rothes Kreuz gefetzt; der
Aufbewahrung des Hembes und der Kutte wird nicht mehr gebacht und
die Eheleute felbst begehen die Jahresfeier des Ereignisses (S. 56:
„Alle jaeren hielben zy jaer-getybe van de verloffinge van Alexander"
u. f. w.). Dagegen geht die Übereinstimmung mit dem Liebe in Einzel-
heiten, bei benen sie nicht zufällig fein kann, z. B. S. 54: „En if ben
oof een jonge Brouwe, baerom vreeze if, bat be valfche tongen myne
eere onschulbig benemen zouben, twant be weirelb is vol valfchheyb en
leugenen. Jf bibbe u, blijft by my! if zal u ben tijb korten met ge-
nugten, met muziek, met snaeren-fpel en andere vrolijkheben."

Ich fürcht, daß mir mein weiblich eere
burch die falfchen zungen bie weil werb genummen u. f. w.

Die frau sprach: „Die welt ist falsch in allen sachen;
bleibt daheim! das ist mein rat,
kurzweil kan ich euch (wol) machen
beide früh und auch spat."
Die frau kund lauten, harpfen und (auch) geigen.

„Zoo bidde ik u, dat gy niet te zeer op iemand verlaeten wilt,
en let [sie] wel toe, in wat herberge dat gy logeert."
Ich bit euch, lieber herre mein,
ir solt euch an niemand lassen,
wo ir kert zu herberg ein,
die warheit thut man oft verschweigen.

S. 47: Alsdan zeyde Alexander: „O Heer! het leven is zoet, elk
begeirt te leven, hierom hebben wy liever den Ploeg te trekken, als te
sterben."
Alexander sprach: „Selig ist das leben,
wann mir got wol geholfen mag,
ich will mich willig in [den] pflug ergeben.

S. 48: Dan zeyde Florentina: „Ik hoore wel, dat moet mynen
Man zyn leven kosten, ofte myne eere; albus wille ik hier in myne
eere blyven en het Godt opgeven."
Die frau sprach: „Kost es dann sein leben
oder mir mein weiblich eere u. s. w.
Mein eer wil ich im wol und schon behalten,
dann got, der mich beschaffen hat,
den wil ich es lassen walten" u. s. w.

S. 51: „Alsdan zeyde den Ridder: „Genadigen Heer Koning, ik
zal u de waerheyd vertellen, want ik en zag noyt eerzaemere nogte ver-
standigere Brouwe, als de Brouwe van Alexander; zy en wilde mynen wil
nit doen, en habbe ik haer daer toe gedwongen, ik en habbe niet levendig
van daer gekomen, overmits de magt van haere edele Vrienden."
Der ritter sprach: „Herre mein [1],
(gnediger herr) die warheit muß ich euch verjehen,
sie wolt nit thun den willen mein [2],
kein vester weib hab ich mein tag (nie) gesehen;
solt ich sie darzu haben gezwungen [3],

[1] zum könig schon.
[2] meinen willen thun.
[3] ir ehr dann zwingklich han genommen.

fo waren ber eblen freunb fo bil,
baß ich von Metz nit were kummen 1."

S. 51 f.: „Alsban zeybe ben Ribber: „Reemt eenen, genaemb Alexander! bie zal u wel bienen, op bat hem onzen Koning niet meer ziet, want anbers zoube ik om hem nog groot vertwijt hooren, vermits my boor hem groote schanbe geschieb is."

Der heiben ritter lag ber frauen an,
er sprach: „(mein) herr, wölt ir euch an mich laffen,
ich wil euch weifen einen man,
ber euch wol bienet auf ber straßen,
heißt 2 Alexander; ben führt von bem lanbe,
baß in ber könig nimmer fehe!
von feinet wegen hab (leib) ich große (fpott unb) fchanbe."

S. 52: „Dan zeybe ben Prins: „Heer, bit en zal u nit getweygerb zijn, maer wy zijn bevreeft, of het Schip te zeer gelaeben waer, en wy en hebben bes Konings geleyb niet."

Der graf ber sprach: „Ich wil euchs nit verfagen,
boch müffen wir in forgen ftan,
mein schiff ift wol belaben 3
unb ich keins königs geleit nit han."

(S. 53 f. immer, boch wohl aus Misverftänbnis: „ben Zwaeger" für bie beutfche „Schwiger.") S. 54: „Want Alexander zeybe: „Is bit waer, ik zal haer met be Honben uyt het Hof boen verjaegen."

Alexander ber sprach: „Ift es wa(h)r,
fo fol man 4 fie mit hunben anshetzen."

S. 54: „Zy ging haer terftonb kleeben in Pelgrimskleeberen, bebe be Harpe aen haere zybe en kwam zoo boor het Hof van Alexander, flaenbe op be Harpe en bibbenbe om Brood. „Daer hoore ik zingen mynen lieben Broeber", zeybe Alexander, „bie my verloft heeft. Haeft u fnellijk en haelt hem met eere hier in!" Alexander zeybe: „Weeft wel gekomen, mynen liefften Broeber!" en bebe hem aen be tafel nebens zyne zybe zitten en hy bebankte hem zeer voor be beugb, bie hy hem gebaen hab in zynen grooten noob."

Sie schlug bie lauten aber in münichs weife,
als fie vor bick hette gethan

1 mit meinen leib wer ich nit von bannen kommen.
2 ber felbis haißt.
3 So hat biefe Zeile nur ber Nürnberger Druck.
4 laß ich.

umb brot und auch umb speife;
Alexand begund an einem laden ftan,
er fprach: „Ich hör meinen lieben bruder fingen."
Er fprach: „Ir allerliebften freünde mein,
bringt mir in herein mit großen eeren [1]!"
Sie brachten in in fein haus hinein,
Alexander fprach: „Seit got willkummen, lieber herre!"
Er begund in hinder den tifch zu fetzen [2],
er fprach: „Got dank euch brüderlicher treu [3]!"

S. 55: „En daer is ook eenen Brief met des Konings zegel, die ons
den Ridder gaf aen den Ploeg. Is die zoo neirftig voor u arbeybbe,
om u te verloffen en om uwe Edelheyd te bevryden en te verblyden,
zoo mogen zy weten, waer ik deze twaelf maenden lang geweeft hebbe."

> „So ift (auch) das des königs brief,
> den uns der ritter bei dem pflug hat geben,
> do ich in großen nöten lief,
> bis ich gefrift(et) hab dein edels [4] leben;
> die (den) foltu lefen hie gar offenbar,
> fo hören fie, wo ich bin gewefen
> die zwen monat und ein ganzes jar."

S. 55: „Alexander bede haere befte Kleederen brengen, be welke
zy aenbede."

> Do hieß er fein muter behend,
> daß fie brecht ir aller beftes kleide [5].

Grimm, deutfche Sagen II, 277. (Gesta Romanorum S. 69.)
Nicolete, als Spielmann verkleidet, Méon I, 414 ff. Acta Sanctorum,
April, B. II, S. Hildegund. Altdeutfche Blätter I, 204 bis 210: Rofe=
mont. (In Valentin und Namenlos.) [A. v. Keller, Erzählungen, aus
altdeutfchen Handfchriften gefammelt, Stuttgart 1855. 8⁰. S. 168 ff.
K. Gödeke, Deutfche Dichtung im Mittelalter, S. 568 bis 574. Hermann
Kurz, Erzählungen I: „Das weiße Hemd." Der Graf im Pfluge,
Oper in vier Aufzügen von Heinrich Hoffmann (von Fallersleben), in
deffen: Zwei Opern, Hannover 1868. 8. H.]

[1] So wieder die Zeile nur im Nürnberger Drucke.
[2] Wieder nur der Nürnberger Druck.
[3] Ebenfo.
[4] „edels", woraus im niederländifchen Büchlein eine Titulatur geworden, auch nur im
Nürnberger Drucke.
[5] Auch nur im Nürnberger Drucke.

Sanct Jacobs Lied.

(302) Papier-Handschrift des 15ten Jahrhunderts in der Münchner Bibliothek, Cod. germ. 809, Bl. 61 bis 63. Auch in Seckendorfs Musenalmanach für 1808, S. 11 ff. „aus der königlichen Bibliothek zu München," wahrscheinlich nach derselben Handschrift. (Vgl. Wackernagel 846.)

Str. 1, Z. 1: wil. Z. 5: schlüessel. Str. 2, Z. 4: rege. Str. 4, Z. 4: sterbt. Str. 7, Z. 2: nichtz. Str. 8, Z. 2: uns fehlt. Z. 5: saggt, mehre. Str. 9, Z. 1: sp'. Z. 2: uns fehlt. Z. 3: reichem schallen. Z. 5: allen. Str. 10, Z. 1: Js, in. Str. 11, Z. 1: Der eyn h. be. Z. 5: vor dient, hymmelriche. Str. 12, Z. 1: virdt. Z. 2: zu: schwester s. D. Gramm. I, 686. Z. 5: teuschen. Str. 15, Z. 5: glawen. Str. 16, Z. 2: brengen. Str. 20, Z. 1: iß. Z. 5: alz. Str. 21, Z. 2: furtn'. Str. 22, Z. 4: liebster. Str. 24, Z. 1: Sy; zu: stiller s. Schmeller III, 630 u. Z. 2; rl. Z. 4: 14, pas. Str. 25, Z. 2: saluator. Z. 5: frawe; vgl. Str. 6, Z. 5: frawen. Str. 26, Z. 4: der sandt sandt J.

Für Spuren niederdeutscher Fassung könnten angesehen werden: Str. 4, Z. 4: sterbt; Str. 11, Z. 1: be; Str. 11, Z. 5: vordient und Str. 17, Z. 5: vorgeb; Str. 15, Z. 5: glawen; Str. 16, Z. 2: brengen; Str. 26, Z. 1. 2: der Reim schuldt: holt. Dagegen reimen Str. 21: rofs: schloß, Str. 3: gebusset: briester! vor — für ver — und e für najales i sind auch oberdeutsch; zu: is für es vgl. Schmeller I, 119, auch bei Helbling.

Im Übrigen ist die Schreibung ungleich: zway, zaichen, breiten; besezet, nezet, treutz; sagth, segt, backen; teuschen, teutschen; briester, berg, bilgram, Burges, priester, perg, pilgram, Purges; lossen, schlossen (schlafen), straffe; sein (sunt), seind; war, was, waz (erat); schliessen, verdriesszen; alz (omne), es; schuldt, wardt, holt (benevolus), wart. Der Umlaut wird häufig nicht bezeichnet: mussen, fur, funff, vber, furdt (führt), hochsten (dagegen: schlüessel), es könnte daher bruder, pl. und lonig ebenfalls nur noch Sache der Schreibung sein.

Die erste Strophe, componiert von J. V. B. (Jodocus von Brand) in Forsters frischen Lieblein, Ten. V, 1556, Nr. 44:

> Wer das ellend bawen wil,
> der heb sich auf und zieh dahin
> wol auf sanct Jacob straßen!
> zwei bar schuch die muß er han,
> ein schüssel bei der flaschen.

Wie bekannt das Jacobslied war, davon zeugen deſſen mehrfache Umwandlungen und der fleißige Gebrauch ſeiner Weiſe. Die Epiſode vom Spitalmeiſter zu Burgos, Str. 13 bis 23, obgleich in gutem Tone gehalten, ſcheint doch in den mehr liturgiſchen Grundbeſtand des Liedes eingelegt zu ſein.

Unter den niederdeutſchen Spottliedern der Katholiſchen auf die Kirchenverbeſſerung, welche Joh. Berckmanns ſtralſundiſcher Chronik, herausgegeben von Mohnike und Zober, Stralſund 1833, angehängt ſind und deren Abfaſſung zwiſchen 1524 und 1527 fällt (Einleitung XXXIV), befindet ſich eines (S. 233 ff.): „Up de wyſe ſunte Jacobs: Catht Hennele knecht walt" u. ſ. w. Daſſelbe beginnt:

> Gott, myn heere, dy is wol kunt,
> De lowe ſchwecket ſeer uth quader grund·
> Dorch de boſen leren;
> Dyne barmhertigkeit ropen wy an [1],
> Wult du idt doch bekehren!

[Vgl. oben S. 183. H.]

Eine Reihe niederdeutſcher Städte wird mit Tahel oder Lob, je nachdem ſie der Reformation ergeben ſind oder nicht, aufgeführt, ähnlicher Weiſe, wie im Pilgerliede die Länder und Berge der Jacobsſtraße, z. B.:

> Nu ga wi vor tho Staden an u. ſ. w.
> Nu kame ik hen tho Wismar fort u. ſ. w.
> Nu kame ik hen to Stettin u. ſ. w.

In der vorletzten Strophe dann wieder:

> Jeſum Chriſtum ropen wy an u. ſ. w.

wie in Strophe 25 des Jacobsliedes:

> ſo ruofen wir got und ſant Jacob an u. ſ. w.

Eine allegoriſche Geſtaltung des Pilgerliedes in drei Strophen von 1550 giebt W. Wackernagel, deutſches Leſebuch II, 21, vgl. 1589, Anfang:

> Welcher das ellend buwen well,
> Der mach ſich uff und rüſt ſich ſchnell
> Woll uff die rechten ſtraßen!
> Dan wer das ewig leben will han,
> Der muoß die welt verlaſſen.

---

[1] Vgl. Jacobslied Str. 6.

Aus: Der welt spiegel Gespilt von einer Burgerschafft der wytberuempten fryhstatt Pasel, im Jor M. D. L. Vnd widerumb gebessert vnd gemehrt u. s. w. Durch Valentinum Boltz von Ruffach. Basel 1551. „Der Jacobs bruober mit synem wyb, hebend an zesingen das Jacobs lied" u. s. w.

Über weitere Umdichtungen dieser Art in protestantischem Sinne sieh Rambachs Anthologie christlicher Gesänge II, 92 (vgl. v. d. Hagens Irmin S. 41, Anm. 106), woselbst aus: „Drei geistliche Jacobslieder, weisen dem Bilgram den rechten Weg und Straßen zum ewigen Leben" u. s. w. Nürnberg 1541, eines (von „Johann Xylotectus") in 15 Strophen mitgetheilt wird; es beginnt:

> Wer hie das Elend bauen will,
> Der heb' sich auf und zieh' dahin
> Und gehe des Herren Straße!
> Glaub' und Geduld dörst' er gar wohl,
> Sollt' er die Welt verlassen.

Eines dieser drei Lieder ist vielleicht auch dasjenige, welches in einem geistlichen Liederbuche, Lübeck, 1607, kl. 12⁰, Nr. CXCV: „Ein Geistlich Lied, J. X." vorkommt und so anhebt:

> Wer hie das Elend bawen will,
> Der mach sich auf und rüst sich schnell
> Wol auf die rechte Straßen!
> Vater, Mutter, Ehr und Gut,
> Sich selbst muß er verlassen.
> Steten und Ruhten muß er han u. s. w. 5 Strophen.

Drucke desselben oder ähnlichen Inhalts:

Weimarer Sammelband A. 67: „Fl. Bl., ein halber Bogen 8⁰: „Sanct Jacobs Lied, christlich gebessert." Holzschnitt: Pilger mit Stab und bloßen Füßen.

> Wer das ellend bawen wil,
> Der mach sich auf und ziech dahin
> wol auf des herren straße!
> gedult und glauben darf er wol,
> sol er die welt verlassen.

19 Strophen. Die letzte:

> Dem vater sei nun lob und eer,
> der da was und ist immer herr

und ewig helt sein namen!
Christus der ist unser got,
des wir uns gar nit schamen.

Die wahrheit ist gen himel geflogen,
Die trew ist uber meer gezogen,
Die gerechtigkeit ist vertriben,
Die untrew ist in der welt bliben.

Am Schlusse: „Gedruckt durch Hans Guldenmundt."
„Sanct Jacobs lied, Christlich gebessert. Noch ain ander lied,
Sanct Christoff du vil hahliger man, verendert, vnd Christlich Corri=
giert." 4 Bl. 8⁰. Am Schlusse: „Getruckt zů Augspurg, durch Hans
Zimmerman." O. J. Das erste Lied hat 19 Strophen und fängt an:

Wer daz ellend bawen will,
der mach sich auf und ziehe dahin
wol auf des herren straße!
gedult und glauben darf er wol,
sol er die welt verlassen.

„Der Christen Bilgerschaft oder Walfart, wie, vnnd auff wz strassen,
ain rechtschaffner Christ wandlen sol, das er ins himlisch Hierusalem
vnd vatter land mit gnaden möge ankomen. Zů singen, Im thon,
wie sant Jacobs Lied." 4 Bl. 8⁰. Am Schlusse: Getruckt zů Augs=
purg, durch Narciß Raminger." O. J. 19 Strophen, die erste:

Welcher das ellend bawen wöll,
Sein seel bewaren vor der hell,
Der ziech auf Cristus straßen!
Dann wer mit im das leben will han,
Der muoß die welt verlassen.

„Zwey schöne newe Geistliche lieder, Das erst, Von dem Frewlein
von Samaria, bey Sanct Jacobs Brunnen wasser zů Schöpffen, u. s. w.
In der weiß, Es wolt ein Meidlein wasser holen, u. s. w. Das ander
Geistlich lied, Von der Bilgerfart, u. s. w. Im thon, Welcher das
Elend bawen will, u. s. w." 4 Bl. 8⁰. Am Schlusse: „Getruckt zů
Straßburg bey Thiebolt Berger am Weinmarckt zům Treübel." (um 1570.)
„Das ander Lied" von 12 Strophen fängt an:

Wer dstraß zuom himelreich wöl gahn,
der heb sich auf die weg vnd ban!

die welt muoß er verschetzen;
was er umb Christi namen lat,
das [des] wirt in gott ergetzen.

Weiterhin:

Hoffnung laßt niemand zschanden gan,
glauben und liebe zeigent an,
das sind drei weg geserten,
wandlend durch teutsch und welsche land,
vor dem feind thuonds erretten.

Am stab des fridens soll er gahn,
den gürtel der lieb umb sich schlau,
den helm des heils auffetzen,
das schwert des geists zieret in wol,
kein menschen thuots verletzen.

Den krebs der gerechtigkeit leg er ahn!
's wort gotts solt dich beschuohen lan,
den schilt des glaubens fassen,
der löscht aus alle fewreni pfeil
des feinds, der dich thuot hassen u. s. w.

Gsichstu ein bilger leiden noht,
tröst ihn, theil ihm speis, trank und brot!
ein reichen schatz wirst bhalten,
rost, schaben, dieb letzend in nicht,
ist deiner seel ewig gehalten.

Eine weltliche Parodie bei J. de Vento, Newe Teutsche Lieder,
München 1570, Nr. 30:

Wer doch das ellend bawen wil,
Der mach sich auf und kart und spil
und zech mit schönen frawen!
hat er kein gelt im seckel mehr,
das ellend muß er bawen.

In einer musikalischen Liedersammlung von 1544 (Nürnberg bei
Joh. Petreius) verzeichnet das Register des Tenors: „VII Quodlibet,
Vnd wer das elend bawen will, fürt yede stymm jren eygen Text."
In dem benützten Exemplar fehlt aber der Textanfang dieses Quodlibet.

Ein hüpsch nüw lied vnd verantwortung deß Sturms halb

beſchätzen zů Piggoga, In der wyß wie das Paſſier Lied (fl. Bl. o. O.
u. J. Fl. 8⁰ in einem Liederbuche der Zürcher Bibliothek).
Schluß der Strophe 12:

> darumb ſpartend ir wol den aten
> und ſungend Sanct Jacobs lied.

(Vgl. Rochholz 372. 379. Grüneiſens Ricl. Manuel 403, nach
meiner Mittheilung. Manuel, der Verfaſſer des Lieds, empfiehlt den
Landsknechten, die er als fliehende bezeichnet, ſtatt ihrer Spottlieder
gegen die Schweizer, das Bettellied der Jacobsbrüder zu ſingen. Die
Schlacht bei Bicocca fällt in das Jahr 1522. [Gödeke, Grundriß
S. 255. 256. R. von Liliencron, Die hiſtoriſchen Volkslieder der
Deutſchen III, Leipzig 1867. 8⁰. S. 403 bis 409. H.]).

Franzöſiſches Pilgerlied von St. Jacob in: Les chansons nou-
uellement assemblees u. ſ. w. 1538, Bl. 126.

Über die Jacobsſtraße ſieh Turpin C. 1 (ed. Sebaſt. Ciampi,
Florent. 1822, S. 2 bis 5). J. Grimm, Irmenſtraße und Irmen-
ſäule, Wien 1815, S. 16 bis 19. F. H. von der Hagen, Irmin
u. ſ. w. Breslau 1817, S. 38 bis 41.

In Hormayrs Taſchenbuch für vaterländiſche Geſchichte, Jahrgang
1837, S. 168 ff. iſt von einem 1520 bei Jobſt Gutknecht zu Nürn-
berg erſchienenen Büchlein: „Die Straß zu ſant Jacob in warheyt
gantz erfaren“ Nachricht gegeben und aus der Vorrede Nachſtehendes
mitgetheilt: „Ich Herrmann Kunig von Vache mit der gotts hilf will
machen ein kleines büchlein, das ſoll ſant Jacobs ſtraß genannt
ſein; darinn will ich leren ſteg und weg, und wie ſein ein ieder
Jacobs bruder wol pfleg mit trinken und auch mit eſſen, und ich will
darin nit vergeſſen mancherlei bosheit, die die kappaunen treiben,
davon wil ich hübſche leer ſchreiben.“ (Die „kappaunen“ erklären ſich
aus dem Vocabularius zum Liber Vagatorum: „Kaſpim, Jacobs
brüder.“) In der Wegweiſung für die Pilger kommen vor: „Sancte
Spiritus,“ „das Armer Jacken landt,“ „Salvatera,“ „Burges,“ „Berg
Alleſaber,“ und als Merkwürdigkeit in Burgos wird genannt: „die ſeul,
daran man den ſpitelmeiſter erſchoßen hat, der vierthalbhundert brüder
vergeben hat.“ Weitere hier beigebrachte Notizen ſind: „Im Jahre
1430 pilgerte Jobſt Keller, Bürger zu Augsburg, in Folge eines in
großer Lebensgefahr gethanen Gelübdes nach S. Jago de Compoſtella,

ohne selbes finden zu können. Drei Jahre darauf machte er diese Wall=
fahrt zum anderten Male, gieng aber dabei so oft irre, daß er erst am
Ende des fünften Monats das Ziel seiner Reise erreichte."

Heinrich Schreiber, Das Theater zu Freiburg u. s. w. Freiburg
i. Br. 1837, S. 12 f.: „Bisweilen nahmen auch ganze Schaaren von
Fremden, singend und spielend, durch die Stadt ihren Durchzug; so im
14ten Jahrhundert die Geißler, im 16ten und 17ten Jahrhundert die
stets wiederkehrenden Jakobsbrüder[1].

V. Anshelms Berner=Chronik, Bd. VI, Bern 1833, S. 223,
zum Jahr 1523:

„Einer Stadt Bern ernüwerte Ordnung wider etliche Miswesen.

Zu Bern, auch nach gemeiner Eidgenossen Abscheid, ward in Stadt und
Land mit gesetzter Buß verboten Gotteslästern, Zutrinken und Dolchentragen.

Item geboten, die Lands=, Kriegs= und Jakobsbettler, Husierer, Heiden,
frömd Feldsiechen und derglychen Lüt hinweg ze wysen, sie nit behusen, be=
herbergen, noch Unterschlouf geben."

Wernher vom Niederrhein 33, 12:

> du salt zu sente Jacobe varin
> mit binir schirpen unde mit dime stane
> unde vort zume heligin grave.

Laßbergs Schwabenspiegel 77, Anm. v. 89 bis 92. 99 bis 103.
(vgl. XXXVIII, 32.)

[Schriften II, S. 447. 448. Pamphilus Gengenbach, heraus=
gegeben von Karl Göbeke, Hanover 1856. 8. S. 630 ff. H.]

Sanct Michaels Lied.

(304) Handschriftliches Liederbuch aus dem 16ten Jahrhundert in
der von Mülinen Bibliothek zu Bern S. 15.

Str. 1, Z. 4: zu: drei vgl. Stalders Dialekt. 31. Str. 2, Z. 2: gesandt
(part. præt. von sünden), gesündigt, verschuldet; (Gesta Roman. 64 (Gregor.):
Ego vero peregrinabo donec a domino peccata nostra sint dimissa u. s. w.

---

[1] Städtische Rathsbücher von Freiburg im Breisgau 6 April 1565: „Der Jakobs=Brüder
halb, so häufig alher kommen, durch die Stadt singen und beten, ist erkannt: von Jedem
Treue zu nehmen, daß er in Jahresfrist nicht hier gewesen, und welcher solche Treue geben
mag demselben zu erlauben, durch die Stadt zu singen und weiter nicht. Welcher aber solche
Treue nicht geben kann, denselben hinweg zu weisen und nicht singen noch beten zu lassen."

per xvj miliaria in mari navigabant, ad quandam rupem pervenit u. f. w. Vita S. Brandani, ed. Jubinal, S. 43 bis 48. Sn. Edd. 84 u.). Str. 5, 3. 3: im, vffrüfft. Str. 6, 3. 2: ubel.

Bezeichnungen der sprechenden Personen sind am Rande beigesetzt, bei Strophe 1 und 7: Bilger, bei Strophe 3: Mich.

Strophe 1 bis 8 sind ohne Zweifel Überreste eines alten Wallfahrt=liedes. Dieselben sind jedoch zur Fassung einer reformatorischen Parodie tauglich befunden worden und zwar ist nach Strophe 6 dem Erzengel (mit der Randbezeichnung: Mich.) Folgendes in den Mund gelegt:

7 Es ist ein böser pfaffe,
    der das selb hat gethon.
    ach richer Christ von himel,
    nun sich das jomer an!

8 Es stat gar vil geschriben
    in der Sibillen buoch,
    man sol die pfaffen straffen
    um iren übermuot.

9 Sy triben große hochfart,
    darzuo vil übermuot,
    ouch sy den armen fressen
    irn schweiß und ouch ir bluot.

10 Sy thuend den armen fressen
    den win und auch das brot.
    da laß dich, herr, erbarmen
    durch dinen bitren tod!

11 Ich furcht falsche propheten,
    die seien uns nit hold,
    der arm der muoß in geben
    das silber und das gold.

12 Ich fürcht, der Endchrist sei kommen,
    es sicht im eben glich,
    dbäpst wöln, das wir söln glauben,
    sy seien got gelich.

13 Ein kleins meß hand sy gmessen,
    verkaufents um das gelt,
    damit thuond sy verfüren
    die Christen in der welt.

14 Sie thuond uns ablaß fchriben
mit dinten und dapir,
irn feckel damit zfpifen,
bringt in das gelt darin.

15 Ei thuond Chriſtum verkeren,
verquanten in das brot,
das ſy die armen freſſent
auch lebendig und tod.

16 Chriſtus iſt in dem himel,
nit in der pfaffen hand;
wie wir ſprechen im glauben,
da iſt er uns erkant.

17 Ich kan nit anderſt finden,
dann dmeß die leſtre got;
wer aber got wöl dienen,
der halt die zehen bot!

Ferner nach Strophe 8 des Textes ſpricht Michael abermals:

20 Dſünd mag niemant vergeben,
dann der einige got;
das ſöllen ir mir glauben,
für war, es iſt kein ſpot.

21 Du gaſt wol zuo dem prieſter,
das er dich abſolvier;
vor got mag ers nit gwären,
er nimpt wol ſgelt von dir.

22 Wenn got vergibt die ſunde,
ja macht luter und rein.
ach richer Chriſt von himel,
nun hilf uns wider heim!

23 Got hat uns alle geſchaffen,
wir ſehen alle gleich,
er het uns alle geren
in ſinem himelrich.

Dieſe parodiſche Umwendung des Pilgerliedes hat auch wohl auf
einige Stellen der in den Text aufgenommenen Strophen zurückgewirkt.
Str. 6, Z. 4 mochte ungefähr lauten:
haſt mürden glon die ſlut.

Auch in Str. 7, Z. 4 mag statt „ler" ein andres Wort gestanden sein (dine eer? vgl. Walther (Lachmanns 2te Ausgabe) 113, 13 f.: „daz er singet iuwer êre und werdekeit").

In der Handschrift ist dem ganzen Liede folgende (schon von Roch= holz 306 ausgehobene) Bemerkung vorgesetzt:

„Dises lied ist abgschriben von einer burgerin von Chur, die hats vor 40 Jaren gelernet zuo Zizers von der alten Stofflin, die hats ouch mer dann vor 40 Jaren glernet."

Und am Rande steht: „Her H:"

Die achtzigjährige Überlieferung durch alte Frauen bezieht sich doch wohl nur auf die ursprüngliche Wallfahrtlitanei, wogegen die Rand= schrift den Verfasser des Liedes in seiner jetzigen, parodischen Gestalt anzeigt. Auch bei andern Stücken des Liederbuchs sind die Namen oder Namensbuchstaben der Dichter angemerkt.

Jubinal, Nouveau recueil II, 202: De Martin Hapart. Maßmann, Wessobrunner Gebet S. 52, V. 100 ff.

Von Falckenstein, Historie von Erfurth I, 513:

„Anno 1514 ließ der Rath zu Erfurth 5 Gesellen richten, die sich vor Michaels=Brüder ausgaben, in der That aber Kasten=Brüder gewesen. Sie wurden mit einem Pannier gefangen, damit sie im Lande herum zogen, wie vor= zeiten die Jacobs=Brüder sungen."

Förstemann, die christlichen Geislergesellschaften, Halle 1828, S. 240, Anm.: „Nach Mont Saint Michel an den Küsten der Normanbie wall= fahrteten im 15ten Jahrhunderte zu zwei verschiedenen Malen Tausende von acht= bis zwölfjährigen Knaben."

Aventin S. 424.

(Jacobus de Voragine) Legendæ sanctorum, 1483, cxl: De sancto Michaele. Die erste Erscheinung und Ansiedlung des Erzengels auf dem Berge Garganus wird erzählt und dann fortgefahren:

„Secunda apparitio est, quæ circa annum domini dccx accidisse de- scribitur. Nam in loco, qui Tumba dicitur, juxta mare sex milibus ab urbe abryacensi Michael episcopo prædictæ civitatis apparuit, jubens ut in præ- dicto loco ecclesiam construeret et sicut fit in monte Gargano ita et ibi in memoriam sancti Michaelis archangeli celebraret u. s. w. Edificata igitur ibidem ecclesia, de monte Gargano partem pallii, quod sanctus Michael super altare posuit, et partem marmoris, super quo stetit, ad suam ecclesiam detulerunt. Cum vero ibidem aquæ penuriam paterentur, monitu angeli quoddam foramen in quodam saxo durissimo fecerunt et tanta aquarum copia protinus emanavit, ut usque nunc ejus benefi꞉ᵒ copiosius sustentur. Hæc autem apparitio in prædicto loco xvij kal. novembris solenniter celebratur. In eodem autem loco quoddam memoria dignum contigisse refertur miraculum. Ille enim mons undique oceano cingitur. Sed bis in die sancti Michaelis iter præbens populo aperitur. Cum ergo copiosa turba ad ecclesiam pergeret, contigit et quandam mulierem gravidam vicinamque partui secum ire. Et ecce magno impetu unda rediit et omnis turba timore concussa ad litus fugit, sola autem mulier prægnans fugere non valuit, sed a marinis fluctibus capta fuit. At Michael archangelus mulierem servavit illæsam: Ita etiamque in medio pelagi filium parturivit, quem in ulnis suscipiens lactavit, et mari iterum sibi iter præbente cum puero læta exivit."

Dieſes Wunder iſt auch Gegenſtand einer altfranzöſiſchen verſificierten Erzählung in einer Pergamenthandſchrift der k. Bibliothek zu Paris [Msc. français 375, anc. 6987, Blatt 346b. H.], nur daß hier die Bedrängte zwar auch den Erzengel anruft, aber doch die zugleich angeflehte Gottes= mutter es iſt, von deren Ärmel bedeckt die Kreiſende vor den Wellen Schutz erhält. Die Örtlichkeit wird im Eingange der Legende ſo geſchildert:

> Chi commence d'une grosse feme.
>
> Sains Mikiex a moult bele eglise,
> Servie en mervilleuse guise,
> Que la montaigne siet en son.
> Li lius est haus, Tombe a a non,
> Close est de mer de toutes pars
> Cele eglise, mais une pars
> Est seche, par la u on vait
> A l'eure que li mers s'en vait.
> Li flos i vient le jor .ij. fois
> Qui moult par est fors et destrois;
> Si a maint home tenu cort
> A cel terme, que ele acourt.
> Del liu ne vos mentirai mie
> Qu'il siet el cief de Normendie.
> Maint pelerin sovent i vont,
> A S. Mikiel dient del mont,
> Illoec font lor pelerinage
> Por acroistre lor yretage.
> Por une grant sollempnite

Se sont le jor forment haste
Li pelerin qui i alerent,
Qui por le messe se hasterent,
Si sont el point del flot venu.
Es vos la mer(e) qui acouru,
Et eil se resont mis au cours,
Car ni voient autre secours.
Une feme i avoit enchainte u. f. w.

[Die altfranzöfifche Erzählung hat Uhland bekanntlich mit der Bezeichnung „Legende" in feine Gedichte aufgenommen. Er fchreibt darüber aus Tübingen am 27 Merz 1811 an J. Kerner: „Jhre [der Legende] Bedeutung ift bloß die, daß die Todtgeglaubte mit doppeltem Leben aus den Wellen hervortritt." Über den Mont Saint Michel verweife ich auf folgende Schriften: Histoire pittoresque du Mont-Saint-Michel, et de Tombelène, par Maximilien Raoul [M. Letellier]; ornée de quatorze gravures à l'eau forte, par Boisselat, et suivie d'un fragment inédit sur Tombelène, extrait du Roman du Brut, transcrit et annoté par Leroux de Lincy, Paris 1834. 8. Histoire du Mont-Saint-Michel et de l'ancien diocèse d'Avranches, par l'abbé Desroches, 1838, 2 Bände 8. nebft einem Atlas in Querquart. Man vergleiche auch C. F. von Stälin, Wirtembergifche Gefchichte III, S. 748. H.]

Klofterlieder.

(326) Pergament=Handfchrift ,der Univerfitätsbibliothek zu Bafel, B. XI. V, Bl. 2. (Daraus bekannt gemacht durch Wackernagel in den altdeutfchen Blättern II, 126 f. und im deutfchen Lefebuch, 2te Aus=gabe, 894.) 14tes Jahrhundert.

Str. 1, Z. 1: torlvne, járlant (per annum, hoc anno, v. Gramm. III, 99). Z. 6: gihet. Str. 2, Z. 1: laude. Z. 4: nint. Z. 6: vñ. Str. 3, Z. 4: phliget. Z. 5: dc. Z. 7: wie: af fus, mage. Z. 8: ire.

(327) Aus Docens handfchriftlichem Nachlaß auf der Münchner Bibliothek (Mss. Doc. C. 48. a.), mitgetheilt von Maßmann. Docen fand diefes Lied, faft unlesbar, auf dem letzten Blatt einer alten Hand=fchrift; er fetzt deffen Urfprung in das 13te Jahrhundert, nach Baiern oder Öfterreich.

Str. 1, 3. 12: clage; in den folgenden Strophen ift der Kehrreim nicht zu Ende geschrieben. Str. 2, 3. 7: hare. 3. 8: der weile (velum), der Nonnenschleier, Schmeller IV, 55. Str. 3, 3. 6 fehlt, ohne Spur in der Hdf. 3. 7: trugin. 3. 8: mohten.

Vgl. die Klage der gefangenen Nicolette, Méon I, 384. [Aucaffin und Nicolette, überfetzt von Wilhelm Hertz, Wien 1865. 12. S. 9. H.] W. Wackernagel, Altfranzöfifche Lieder u. f. w. 84.

(328) Die Limburger Chronik, herausgegeben von C. D. Vogel, 2te Auflage, Marburg 1828, S. 41 f.: „Anno 1359 u. f. w. In derfelbigen Zeit fung und pfiffe man biß Lied" u. f. w.

Str. 1, 3. 2: nonnen. Str. 2, 3. 4: feinem.

[Vergl. Histoire littéraire de la France u. f. w. XXIII, Paris 1856. 4. S. 826. 827: La pièce suivante, d'un rhythme gracieux et vif, où une nonne se plaint d'être enfermée et se laisse enlever par son amant, atteste d'ailleurs que ce n'est pas d'aujourd'hui que Paris est un séjour d'agrément et de liberté:

> Quant se vient en mai
> Que rose espanie,
> Je l'alai cuillir
> Par. grant druerie.
>
> En poi d'ore oï
> Une vois serie
> Lonc un vert bouset,
> Près d'une abiete:
> „Je sens les dous maus
> „Leiz ma ceinturete;
> „Malois soit de Deu,
> „Qui me fist nonnete!
>
> „Qui none me fist,
> „Jhesus le maldie!
> „Je di trop envis
> „Vespres ne complies;
> „J'aimasse trop miels
> „Meneir boine vie
> „Que fust sans dednis,
> „Et amerousete.
> „Je sens les dous maus, etc.

„Celi manderai
„A cui sui amie,
„Qu'il me vaigne querre
„En ceste abaïe;
„S'irons à Paris
„Meneir boine vie,
„Car il est jolis,
„Et je sui jonete.
„Je sens, etc."

Quant ses amis ot
La parole oïe,
De joie tressaut,
Li cuers li fremie;
Si vint à la porte
De celle [abaïe],
Si en getoit fors
Sa douce amiete.
„Je sens les dous maus
„Leiz ma ceïnturete;
„Malois soit de Deu,
„Qui me fist nonette!"]

(329) Elwert, ungebrudte Refte alten Gefangs, Gießen und Mar=
burg 1784, S. 17: „Ein alt teutfdes Nonnenlieb." Vgl. Monatfdrift
von und für Sdlefien, 1829, Bb. I, S. 547.

Auch im Frankfurter Lieberbud von 1584, Nr. 109, ftebt „Ein
Klaglieb einer jungen Klofter Jungfrawen."

Arwibsfon, Svenska fornf. II, 223 f.

Lieb im Anzeiger 1835, Sp. 453 f.: „Wol uf, mir wellind
jagen" u. f. w. Str. 7 ff. (Sp. 454):

„der mir min lieb verwifet hat,
von bem id das nün hou,
der müs fin lieb verliefen
und nimer kains erkiefen!
baz wunfd im aber id."

er nam fi bi ber hende,
bi ir fdnewifen hand,

er fürt ſi über Rine
in ain klöſterline:
„nun lerna, töchterlin!"

„ich wais nit, was ich lernen
unb ich gelernet hon,
ich find in minem buoche,
unb guot geſellen wil ich ſuochen,
den ich verloren hon."

Todtengeſang.

(357) Fl. Bl. „Das Lüflänbiſche Tobten Geſang. Warhafftige
Zeitüg, wie zu Roſiben in Liffland Todten Aufferſtanden, inn einer
zerſtörten Kirchen, Geiſtliche Lieber vnnd Lobgeſang geſungen, Auch was
ſie von der Zukunfft beß Herrn für Antwort geben haben. Durch
Herman Wartman, Burggraff, den 19 May, 1584 auß Gebharten
von Ralten Munb nachgeſchriben, Wie es auch der Hertzog auß Churs
land, durch eine Poſt hat erkunbigen laſſen, unb alſo erfunden. Zu
Singen außgeſetzt, im Ton beß Letſten Stünblins Niclaß Hermans.
Bambergiſche Zeitung. Wie daſelb ein Ber, Löw, Küriſſer, vnb
Geiſtliche Perſon, am Pfingſtabenbt, biß 1584 Jahrs, Schröcklich iſt
geſehen worden. Zu Singen, inn der verblichenen Sonnen Ton."
Str. 2, 3. 4: Einn. 3. 7: biß. Str. 4, 3. 1: das (auch weiterhin).
Str. 5, 3. 1: Jü (auch weiterhin). Str. 6, 3. 3: hilfft, auß. 3. 4: vñs.
3. 6: Gleichsfahls. Str. 7, 3. 6: gfragt. Str. 8, 3. 1. 5: deß. Str. 10,
3. 1 (Str. 11, 3. 5): vbel. 3. 2: jr. Str. 11, 3. 7: boßheit.
Daſſelbe Wunder iſt auf einem breiten Foliobogen, ohne Druckort
unb Jahr, in großem Holzſchnitt bargeſtellt unb in Reimpaaren erzählt:
„Newe zeyttung auß Lyfland, Wie alba [in] einer vom Moßkowitter ver-
wüſten Kirchen, ein Muſica von Menſchen ſtimen vnb Inſtrumenten, von dreyſſig
Newolicher zeyt Geſtorbnen perſonen gehört worden, wie ſy verſchwunden, vnb
hernach vnter der Erden geſungen den Lobgeſang der Engel Eſaie 6, den 46. Pſalm:
Ein veſte Burg iſt vnſer Gott, u. ſ. w. Item, Allein Gott in der höh ſey
Ehr, u. ſ. w. Item, wer Gott nicht mit vns diſe zeyt, u. ſ. w."
Anfang:

Als man tauſend fünfhundert zelt
Und vier unb achtzig auch vermelt,

Hat sich in Lyfland zugetragen
Ein Wunderding, davon zu sagen.
Es ist ein Schloß dort wol erkant,
Ist Rosoben vom Volk genant,
In obern Däntzschen ist gelegen;
Ein Kirchen ist da underwegen,
Der Moscowitter die zerstört u. s. w.

Ähnliche Sagen:

Annal. Saxo ad ann. 929 bei Eccard B. I. (Mones Anzeiger 1839, Sp. 199.)

Niederländische Handschrift der Stuttgarter Bibliothek, Ms. Poet. et Phil. fol. Nr. 22 (ex Biblioth. Comberg.), Bl. 232 b bis 233 b:

Van eere vrauwen die niet noode
Byghilyen seide over boode.

(Vgl. Kausler, Reimchronik von Flandern XLIII. Mone, Übersicht der niederländischen Volkslitteratur S. 126, Nr. 105: „Nach Maßmanns Bemerkung aus dem Fabliau du chevalier, qui aimoit une dame entlehnt. Roquefort, Glossaire de la langue romane II, 774." Ist diese altfranzösische Erzählung dieselbe, welche bei Barbazan, ed. Méon, II, 347 abgedruckt ist, wie denn auch die Bezeichnung des Manuscripts zutrifft, so gehört sie nicht hieher.)

Thiele, Danske Folkesagn IV, 29 f.: „Stabye Kirkegaard." III, 115, XLI.

Ausführliche Beschreibung des Fichtelberges, Leipzig 1716, 69 u., s. Grimm, deutsche Sagen I, 254 (aus Widmanns Höfer Chronik, vgl. Reimann, Volksfeste 470, 65). Anzeiger 1838, Sp. 53, 10.

Über das altfranzösische Epos.

[59] Daß in der alten nordfranzösischen Sprache ein Cyklus wahr= haft epischer Gedichte sich gebildet habe, dieses auszuführen und zu be= legen, ist der Gegenstand des folgenden Versuches. Ohne mich über den Begriff des Epos, welcher dabei zum Grunde gelegt ist, mit Mehrerem zu verbreiten, bemerke ich so viel, daß ich zu zeigen suchen werde, wie jene Gedichte durch Darstellung einer mächtigen Heldenzeit, durch Bil= dung eines umfassenden Kreises vaterländischer Kunden, durch Objekti= vität und ruhige Entfaltung, so wie durch angemessene Haltung des Stils und Beständig[60]keit der Versweise, endlich durch Bestimmung für den Gesang sich als ein Analogon der homerischen Gesänge und des Nibelungenkreises bewähren.

Die Mittel, welche mir für diese Ausführung zu Gebote stehn, sind zwar beschränkt, denn die Zeit, welche ich den Handschriften, der einzigen Quelle dieses Studiums, widmen konnte, erlaubte mir nur einen sehr kleinen Theil des bedeutenden Vorraths, der sich in den Pariser Bibliotheken befindet, näher kennen zu lernen. Eine Skizze dieser Poesie hoffe ich aber dennoch geben zu können, wenigstens durch die unvollständige Arbeit das Verlangen nach einer vollständigern Kenntnis bei den Gleichgesinnten rege zu machen.

Man hat zwar die Dichtungen von Karl dem Großen und seiner Heldengenossenschaft als einen der bedeutendern Fabelkreise ausgezeichnet, man hat in Deutschland den epischen Gehalt des Romans von den Heimonskindern und des strickerischen Gedichtes, welche beide auf fran= zösischen Ursprung deuten, anerkannt und selbst die Franzosen haben ihre alten Romane als das Epos der Zeit gelten lassen, so gut oder schlecht sie es geben konnte [1], aber nach ihrem wahren Umfang [61] und

1 Legrand, Fabliaux ou Contes u. s. w. (Paris 1781. 5 Bände. 12.) préface: „Ce n'est pas au reste que je prétende attacher un grand prix à un genre de composition, qu'heureusement pour nous de meilleurs ouvrages

Zusammenhang und nach ihrer ursprünglichen Gestalt sind diese Ge-
dichte noch keineswegs bezeichnet worden und die in Frankreich gang-
baren Begriffe von der Epopöe haben die rechte Würdigung derselben
nicht zugelassen.

Die naiven und witzigen Contes und Fabliaux, der allegorische
Roman von der Rose, die galanten und abenteuervollen Erzählungen
von der Tafelrunde sagten dem modernen Sinne besser zu, als der
einfache und strenge Stil der epischen Gedichte, und es läßt sich nun
denken, welche Zweige der altfranzösischen Poesie durch Abdrücke, Aus-
züge und Übertragungen in die neuere Sprache vorzugsweise bekannt
gemacht wurden. So kam es auch, daß die Übersichten der altfran-
zösischen erzählenden Poesie sich gewöhnlich damit begnügen, zuerst die
Contes und Fabliaux von [62] den größern Romanen abzusondern, so-
dann bei den letztern Romane von Karl dem Großen, von der Tafel-
runde, von Alexander u. s. w. zu unterscheiden. Die wesentlichste Unter-
scheidung aber wäre: epischer Gesang und bloße Erzählung.

Es gehört zwar nur eben für eine Übersicht der gesammten altfran-
zösischen erzählenden Poesie, diese Abtheilung nach allen Seiten durchzu-
führen, sie wird jedoch auch im Folgenden so weit berücksichtigt werden,
als sie zu schärferer Begrenzung des Epos selbst dienlich scheint.

Die Gedichte nun, welche sich um Karln den Großen und seine
Genossenschaft, als ihren Mittelpunkt, bewegen, bilden denjenigen epischen
Cyklus, welcher hier näher bezeichnet werden soll. Zu diesem Zwecke
werde ich zuerst einen allgemeinen Umriß dieses Fabelkreises nach seinem
Umfang und Zusammenhang geben, sodann die dazu gehörigen einzel-
nen Gedichte namhaft machen, welche mir näher oder entfernter bekannt
sind. Nachdem hierdurch der Stoff gegeben ist, so wird von den Vers-
arten, dem Stil und dem musikalischen Vortrag dieser Poesieen ge-
handelt werden. Hierauf sollen Bemerkungen über die Geschichte des
Gedichtkreises folgen und endlich seine Beziehungen zu einigen andern
Fabelkreisen berührt werden. Der Geist, das innere Leben der Ge-
[63]dichte wird nicht in einen besondern Abschnitt gefaßt, aber bei den

ont anéanti. Je sais d'autant mieux l'apprécier, que j'en ai lu un grand
nombre; mais enfin c'était une production de longue haleine, c'était
l'épopée du tems; encore une fois on ne connaissait rien de mieux."

andern Erörterungen immer darauf hingedeutet werden, und die an=
gehängten Überſetzungen und Auszüge aus einem dieſer epiſchen Ge=
dichte mögen überhaupt Manches zur Anſchauung bringen, was ſich
der Beſchreibung entzog.

Der Umfang unſres Fabelkreiſes iſt nach den allgemeinſten Um=
riſſen folgender:

Nachdem Karl, in früher Jugend durch die Ränke ſeiner Stief=
brüder von ſeinem Erbe verſtoßen, ſich den väterlichen Thron wieder
erkämpft hat, muß er ſich in Kriegen mit Auswärtigen und mit wider=
ſpenſtigen Vaſallen zwölf Genoſſen durch Streit gewinnen, die ihm
nunmehr als geharniſchte Apoſtel zur Seite ſtehn, um mit ihm die
Sache Gottes zu führen. Sie ziehen zum heiligen Grabe und durch
eine Glorie, die im Tempel über ihren Häuptern erſcheint, werden ſie
als Streiter Gottes anerkannt und geweiht. Als ſolche kämpfen ſie in
vielfachen Feldzügen gegen die heidniſchen Sachſen und gegen die Un=
gläubigen in Spanien, bis ſie endlich nach vielen wunderreichen Thaten
und Schickſalen, durch den Judas Ganelon verrathen, im Thale Ron=
cebal gemeinſamen Helden= und Märtyrertod erleiden. Karl ſelbſt und
einige aus der Zahl bleiben zwar am Leben, aber nur um Jene zu
[64]rächen, zu verherrlichen und zeitlebens zu betrauern.

Dieß iſt der letzte Kern des Epos. Aber in auf= und abſteigender
Linie, ſo wie in Nebenzweigen, ſchließen ſich noch viele andere frän=
kiſche Helden an.

Den Zuſammenhang der einzelnen Dichtungen aber bilden folgende
Momente: der alterthümliche Heldengeiſt, nicht ſo rieſenhaft, wie in
unſern deutſchen Heldenliedern, zuweilen ſchon der Galanterie zugeneigt
und mit gebildeterem Ritterthum verſetzt, aber voll heroiſcher Freudig=
keit; religiöſer Nimbus; die durchgehende Charakteriſtik der bedeutendſten
Helden: Karls ruhige, zuweilen ſtarre, mehr leitende, als ſelbſtthätige
Größe, des Herzogs Naimes von Baiern bedächtiges Alter und weiſer
Rath, der achilleiſche Roland und ſeine innige Waffenbrüderſchaft mit
Olivier, Ganelons Falſchheit und Tücke; endlich der Helden gemein=
ſamer Untergang und das vorahnende Hindeuten darauf in den meiſten
Gedichten, welche noch die früheren Abenteuer darſtellen; in Hinſicht
auf das Äußere aber die Gleichförmigkeit des Stils und beſtimmte
epiſche Versarten.

Wenn nun nach den einzelnen Gedichten gefragt wird, in welchen diese Heldengeschichte dargestellt sei, so kann auch eine unvollständige [65] Kenntnis derselben dennoch zu der Hoffnung berechtigen, daß sich für jeden bedeutenderen Moment von dem in die Poesie erhobenen Leben Karls und seiner Helden eine epische Darstellung auffinden und somit ein umfassendes, aus großen Rhapsodieen bestehendes fränkisches Heldenbuch gewinnen lassen dürfte.

Als Versuch, die Begebenheiten Karls des Großen in ein Ganzes zu bringen, ist der Roman des Girart d'Amiens, in drei Büchern, namhaft zu machen.

Er befindet sich in der Handschrift Nr. 7188 [1], als Folge eines Gedichtes von Adenés le Roi, de Berte aus grans piés [2].

Das zuletzt genannte Gedicht ist, wie der Roman des Girart, in der diesen Dichtungen gewöhnlichen Versart der Alexandriner, welche un[66]ten näher beschrieben werden wird, abgefaßt. Es enthält die Geschichte der Mutter Karls des Großen, die Verfolgungen, welche

---

[1] Die ohne weitern Beisatz angeführten Nummern beziehen sich immer auf den Katalog der kaiserlichen Bibliothek zu Paris.

[2] Über diese beiden Gedichte und deren Verfasser vgl. Roquefort in der Table alphabétique des noms des auteurs u. s. w. hinter seinem vortrefflichen Glossaire de la langue Romane (2 Bände. Paris 1808. 8.) s. v. Adenez le Roi. Ein Auszug des Gedichtes von Berta steht in der Bibliothèque universelle de Romans. Avril 1777. Vol. I. [Über den Roman de Charlemagne des Girard d'Amiens vgl. man Gaston Paris, Histoire poétique de Charlemagne S. 94. 95. Ein Sommaire du Charlemagne de Girard d'Amiens giebt Paris ebend. S. 471 bis 482. Man sehe ferner Léon Gautier, Les épopées françaises I, S. 464 bis 469. II, S. 27 bis 44. Die Abfassung dieses noch nicht herausgegebenen Werkes setzt Paris zwischen die Jahre 1285 bis 1314, Gautier in die ersten Jahre des 14ten Jahrhunderts. Über den Roman de Berte aus grans piés vgl. man P. Paris in der Histoire littéraire de la France XX. Paris 1842. 4. S. 701 bis 706. F. Wolf, Über die neuesten Leistungen S. 37 bis 73. Gräße, Die großen Sagenkreise des Mittelalters S. 289. 290. G. Paris a. a. O. S. 223 bis 226. Gautier a. a. O. S. 7 bis 27. Ausgabe: Li romans de Berte aus grans piés, précédé d'une dissertation sur les romans des douze pairs, par M. Paulin Paris. Paris 1832. 8. Vgl. darüber A. v. Keller in: Jahrbücher der Gegenwart. Stuttgart 1843. 4. Nr. 22 bis 24. Eine neue Ausgabe hat G. Paris in Aussicht gestellt. H.]

sie durch eine statt ihrer untergeschobene Dienerin zu erleiden hat, und ihre endliche Wiedereinsetzung. Die Darstellung ist zwar gedehnt, aber recht alterthümlich, naiv und rührend, sie nähert sich dem Idhllischen.

Der Roman des Girart von Amiens, welcher übrigens auf histo= rische Glaubwürdigkeit Anspruch macht, erzählt im ersten Buche die Ver= folgungen, welche Karl durch die Bastarde der Pseudoberta in seiner Kindheit erfährt, wie ihn einige der fränkischen Edeln nach Spanien flüchten, wo er, unerkannt, im Dienste eines saracenischen Königs die ersten jugendlichen Heldenthaten übt, die Tochter desselben, Galiena, liebt und nach Wiedereroberung seines väterlichen Erbes sich mit ihr vermählt. Das zweite Buch begreift die sächsischen und slavischen Kriege; das dritte und letzte die spätern Kriege in Spanien und den Unter= gang der Helden, übereinstimmend mit Turpin.

Nur stellenweise hat dieser Roman episches Leben. Das erste Buch macht die Auffindung älterer Gedichte von Karls Jugendjahren wün= schenswerth. Eine schöne Episode aus Rolands Kindheit enthält das zweite Buch, wie überhaupt die fränkischen Gedichte mit besondrer Lie[67]be bei den ersten Proben ihrer Helden verweilen [1].

Noch giebt es spätere, das fabelhafte Leben Karls umfassende Schriften in Prosa, welche durch Auflösung und Compilation der älte= ren Gedichte entstanden [2].

[1] So erzählt auch das Gedicht von Berta im Anfange den Kampf Pipins mit dem Löwen und bei einem jugendlichen Ritterstücke Karls gegen die Sara= cenen wird in Girarts Roman bemerkt, er habe sich wohl als der Sohn dessen erprobt, der in früher Jugend schon den Löwen erlegt. Ein Roman de l'en= fance d'Ogier le Danois, gleichfalls von Adenès, wird von Roquefort a. a. O. genannt. [Über Les enfances Ogier von Adenet vgl. man Histoire littéraire de la France XX, S. 688 bis 701. XXII. Paris 1852. 4. S. 643. 644. V. A. Huber in der Neuen jenaischen Litteraturzeitung 1844, Nr. 100, S. 397. L. Gautier II, S. 45 bis 56. H.]

[2] Von dieser Art sind die beiden von Dippold (Leben Kaiser Karls des Großen. Tübingen 1810. 8. Beilage D: Poesieen und Sagen von Karl dem Großen, S. 255 bis 262) beschriebenen Handschriften; ferner ein Volksroman: Les conquestes du grand Charlemagne etc. avec les faits et gestes des douze Pairs de France et du grand Fierabras etc. à Troyes. 1736. Er ist in drei Bücher abgetheilt. Das erste handelt zuvörderst von einigen

[68] Was nun aber diejenigen Gedichte betrifft, welche sich auf besondre Theile dieser Heldengeschichte concentrieren, so sind es vorzüglich folgende zwei, auf welche sich meine Überzeugung von der Vortrefflichkeit des fränkischen Epos gründet: der Roman von Viane und das Buch von den vier Söhnen Aimons. Beide beziehen sich auf die Kämpfe Karls mit seinen Vasallen.

Der Roman von Viane bildet zwar allerdings für sich ein schönes Ganzes, er ist aber doch wieder nur organisches Fragment eines großen Geschlechtsgedichtes, das sich, wie es scheint, durch sieben Abtheilungen hindurchzieht und von Generation zu Generation fortschreitet [1].

frühern fränkischen Königen und sodann kürzlich von dem Zuge Karls in das heilige Land; das zweite, wobei sich ausdrücklich auf ein altes Gedicht bezogen wird, ist das ausführlichste und der Kern des Buchs, es beschreibt die früheren Abenteuer in Spanien mit Fierabras; das dritte berichtet den letzten Krieg in Spanien, übereinstimmend mit Turpin. Ältere Drucke von 1505 u. f. f. unter ähnlichem Titel sind wahrscheinlich dasselbe Buch in echterer Gestalt. [Vgl. L. Gautier II, S. 307. 308. H.] Auch die in der Bibliothek der Romane (von Reichardt) Bd. IV nach der französischen Bibliothèque universelle de Romans im Auszug gegebenen Gedichte dürfen hier nicht unberührt bleiben.

1 Das Ganze findet sich beisammen in der schönen Handschrift Nr. 7535. Roquefort, Table alphabétique s. v. Bertrans Clerc, führt dieses Manuscript nicht an. Da er bei dem Roman de Vienne der demselben folgenden Gedichte keine Erwähnung thut, vielmehr s. v. Adenez le Roi mehrere Stücke aufzählt, welche ohne Zweifel zu denjenigen gehören, die in dem gedachten Manuscript den Fortgang des Roman de Vienne bilden, so vermuthe ich, daß in den von ihm gebrauchten Handschriften der Roman de Vienne einzeln gestanden. So verhält es sich wenigstens mit dem ziemlich verwirrten Manuscript Nr. 7498³, welches ich gleichfalls eingesehen habe. In dem von mir gebrauchten Codex Nr. 7535 ist der Inhalt sämmtlicher Abtheilungen von neuerer Hand folgendermaßen angegeben: 1. Roman de Girart de Viane. 2. Roman d'Aimery de Narbonne. 3. Roman de Guillaume d'Orange et de ses frères. 4. Roman du couronnement de Louis par son père Charlemagne. 5. Roman des enfans d'Aimery de Narbonne (plusieurs branches). 6. Roman de Vivien et de Garin d'Anseaume, son père. 7. Roman de Guillaume, le marquis au-court-nés, et ses différentes branches. Der Codex ist in klein Folio, auf Pergament, mit einigen Bildern, hinten defekt, wahrscheinlich aus dem 13ten Jahrhundert. Die erste Abtheilung, der Roman von Viane, nimmt 40 Blätter in doppelten Columnen ein. Die übrigen Abtheilungen zu lesen, reichte meine Zeit nicht hin, und ich kann daher nicht beurtheilen, ob und wie

[69] Im Eingang bezieht sich der Dichter, welcher sich Bertrans nennt (Un gentil clerc qui ceste chanson fist), auf ein altes Buch in der Abtei von St. Denis, [70] worin er Belehrung über die

weit Verschiedenheit der Verfasser statt finde. Mit dem dritten Abschnitt ändert sich die Versart, von der noch die Rede sein wird, dahin, daß der kurze Abfall zu Ende jeder Reimfolge aufhört. Unter diesen Gedichten befindet sich wahrscheinlich das Original des altdeutschen Wilhelm von Orange. Der Roman de Garin de Montglaive (f. Roquefort, Table alphabétique s. v. Garin de Montglaive) ist wohl gleichfalls mit dem Roman von Biane verwandt. [Die einzelnen Abtheilungen der Chanson de Guillaume au court nez sind genauer folgende: a Garin de Montglane. b Girart de Viane. c Aimeri de Narbonne. d Les enfances Guillaume. e Le couronnement du roi Looys. f Le charroi de Nismes. g La prise d'Orange. h Beuve de Comarchis. i Guibert d'Andrenas. t La mort d'Aimeri de Narbonne. l Les enfances Vivien. m La chevalerie Vivien und La bataille d'Aleschans. n Le moniage Guillaume. o Rainouart. p Bataille de Loquifer. q Le moniage Rainouart. r Renier. s Foulque de Candie. Vgl. P. Paris in der Histoire littéraire de la France XXII, S. 435 bis 551. Guillaume d'Orange. Chansons de geste des XIe et XIIe siècles, publiées pour la première fois par M. W. J. A. Jonckbloet. I. II. La Haye 1854. 8. Guillaume d'Orange, le marquis au court nez. Chanson de geste du XIIe siècle. Mise en nouveau langage par le Dr. W. J. A. Jonckbloet. Amsterdam 1867. 8. L. Gautier III. H.] Derlei Gedichte, die einen ganzen Stamm nach seinen verschiedenen Generationen verherrlichen, scheinen in der altfranzösischen Poesie nicht ungewöhnlich zu sein. So die zusammenhängenden Heldengedichte von Garin dem Lothringer und dessen Sohn Guibert [Girbert] (f. Roquefort, Table alphabétique s. v. Garin le Loherens). Der Inhalt des ersteren steigt in die Zeiten Karl Martells hinauf. Die Versart ist wie im Roman von Biane, nur daß der kurze Abfall fehlt. Daß die Assonanz mit dem Reime gleich gebraucht ist, deutet auf hohes Alter. [La chanson des Loherains befaßt die Abtheilungen: a Hervis de Metz. b Garin le Loherain und Begon de Belin. c Girbert de Metz. d Anseis, fils du roi Girbert. Man vergleiche darüber P. Paris in der Histoire littéraire de la France XXII, S. 587 bis 643., Ch. d'Héricault, Essai sur l'origine de l'épopée française et sur son histoire au moyen âge. Paris 1859. 8. S. 39 bis 41. P. Paris, Étude sur les chansons de geste et sur Garin le Loherain in: Le Correspondant, Recueil périodique. Tome cinquante-huitième de la collection. Nouvelle série, tome vingt-deuxième. Paris 1863. 8. S. 721 bis 750. F. J. Mone, Untersuchungen zur Geschichte der deutschen Heldensage. Quedlinburg und Leipzig 1836. 8. S. 192 bis 281. Gräße, Sagenkreise S. 288. 289. Die zweite Abtheilung liegt vollständig vor in den Ausgaben: Li romans de Garin le Loherain, publié par M. P. Paris.

fränkischen Hauptgeschlechter (gestes) gefunden habe. Das erste und vornehmste ist das des Königs; das zweite das von Doon von Mainz [1], mächtig, reich und tapfer, nur leider! nicht von großer Treue, aus diesem gieng der Verräther Guenelon hervor; das dritte ist das des Garin von Montglaive und aus diesem entsprangen nur weise und hochherzige [71] Helden. Diese geste will der Dichter verherrlichen.

Die erste Abtheilung der Gedichtreihe nun, der Roman von Viane, handelt von dem Stammvater, von dessen Söhnen Girart, Rainier u. s. w. und besonders von der Belagerung, welche Girart durch Karln den Großen in Viane (Vienne an der Rhone) erleidet, wobei Roland und Olivier, jener Karls, dieser Girarts Neffe, kämpfend den Bund schließen, der bis an ihr Ende gedauert.

Statt mich hier über den Werth dieses Gedichtes zu verbreiten, verweise ich auf die in der Beilage gegebenen Auszüge und Übersetzungen aus demselben [2].

Der deutsche Volksroman von den Heimonskindern ist als eine Dichtung von epischer Größe und Lebendigkeit gewürdigt worden [3].

I. II. Paris 1833. 1835. 8. und La mort de Garin le Loherain, poëme du XIIe siècle, publié d'après douze manuscrits, par M. Édélestand du Méril. Paris 1846. 8. H.]

[1] [Daß dabei an unser deutsches Mainz auch nicht entfernt zu denken ist, darüber vgl. man G. Regis im Glossar zu seinem Bojardo S. 414. 415. H.]

[2] [Über die Chanson de Girart de Viane vergl. man Histoire littéraire de la France XXII, S. 448 bis 460. G. Paris, S. 325 bis 328. é. Gautier II, S. 83 bis 103. III, S. 155 bis 175. 200 bis 212. Auszüge aus „Gerhard von Viane" hat nach Uhlands Abschrift der Pariser Handschrift Nr. 7535 Immanuel Bekker mitgetheilt in „Der Roman von Fierabras, provenzalisch." Berlin 1829. 4. S. XII bis LIII. Vgl. dazu S. 156 bis 169. Es fehlen dieser Ausgabe nur die ersten 2600 Verse. Vgl. P. Paris in der Histoire littéraire de la France XXII, S. 459. Eine vollständige Ausgabe des Gedichtes hat nach derselben Handschrift Prosper Tarbé veranstaltet unter dem Titel: „Le Roman de Girard de Viane par Bertrand de Bar-sur-Aube." Reims 1850. 8. Tarbé hat dem Texte eine ausführliche Inhaltsangabe der Dichtung vorangeschickt. Eine solche findet sich wie in der Histoire littéraire und bei Gautier a. a. O. auch noch bei Francis Wey, Histoire des révolutions du langage en France, S. 97 bis 125. H.]

[3] Besonders durch die treffliche Charakteristik in Görres Volksbüchern S. 100 ff.

Das altfranzöſiſche Gedicht, welches dieſen Theil der Heldengeſchichte darſtellt [1], kenne ich nicht aus eigener Einſicht der Handſchrift, aber durch Aus[72]züge und Notizen, welche ich meinem Freunde Herrn Profeſſor J. Bekker aus Berlin verdanke, bin ich von dem hohen Werthe deſſelben genugſam überzeugt worden [2]. Es iſt in der epiſchen Versart der Alexandriner verfaßt. Rührende Kindlichkeit und mächtiger Heldenſinn ſind darin auf die eigenſte Weiſe verbunden. Der Gang der Geſchichte ſcheint mehr mit dem franzöſiſchen, als dem deutſchen Volksroman übereinzukommen [3].

Die Ähnlichkeit des Heldengedichts von Viane mit der Dichtung von den Aimonskindern, beſonders nach der Erzählung des franzöſiſchen Volksbuchs, iſt unverkennbar, wie man ſich ſchon aus der Vergleichung

[1] Nr. 7182: Le livre des quatre fils Aimon. Ein Foliant von mehr als 200 Pergamentblättern, in großer viereckiger Schrift, mit vielen ſaubern Bildern. [Vgl. Renaus de Montauban oder die Haimonskinder, altfranzöſiſches Gedicht, nach den Handſchriften zum erſten Mal herausgegeben von Dr Heinrich Michelant. Stuttgart 1862. 8. (Bibliothek des litterariſchen Vereins in Stuttgart. LXVII.) Über die Handſchrift Nr. 7182 ſpricht Michelant S. 512. Man vgl. auch Histoire littéraire de la France XXII, S. 687 bis 708. G. Paris, S. 302 bis 305. L. Gautier II, S. 177 bis 229. Gräße, Die großen Sagenkreiſe S. 326 bis 334. H.]

[2] [Bekkers Auszüge ſind gedruckt in ſeinem Roman von Fierabras S. I bis XII. Vgl. dazu S. 151 bis 156. Nicht minder günſtig, als Uhland, hat fünfzig Jahre ſpäter noch J. Grimm über die Dichtung von den Haimonskindern ſich geäußert: „Der Renaus de Montauban,“ ſchreibt er den 29 November 1862 an A. v. Keller, „iſt die edelſte blüte des franzöſiſchen epos und in vielem betracht, nach inhalt wie form, ein herliches werk. ich freue mich der reinlichen ausgabe [von Michelant], die alles übertrift, was an den alten dichtern jetzt zu Paris geleiſtet wird. Mich ziehen zwar alle an, es herſcht darin eine große einförmigkeit, ſie wird aber durch das einzelne vergütet. Sind noch ein paar fehlende werke gedruckt erſchienen, ſo wird ſich über die kerlingiſchen gedichte fruchtbar ſchreiben laſſen. Was davon zu uns über den Rhein drang bedeutet weniger, manches bild, manchen zug mögen aber die Franken in ihrer bruſt ſchon aus der heimat hin nach Gallien getragen haben.“ In einem Briefe von J. Grimm an F. Pfeiffer vom 27 Februar 1863 (in des letzteren Germania B. XI. Wien 1866. 8. S. 255) heißt es: „Ich bin voll von Reanus de Montauban und habe luſt vom altfranzöſiſchen epos zu handeln. hier iſt wirklich mehr epiſcher ſtil als in den Nibelungen.“ H.]

[3] Über die Verſchiedenheit beider ſ. Görres a. a. O. S. 105 ff.

Uhland, Schriften. IV.   22

des von Görres aus dem letztern gegebenen Auszugs mit den in der Beilage enthaltenen Auszügen und Übersetzungen aus dem Roman von Viane überzeugen kann.

In beiden Kampf des Königs mit den Vasallen und Zurückstehn des erstern gegen die letztern; in beiden die Neigung Rolands zu dem Gegner, den er im Zweikampf zu bestehen hat, sein Verhältnis zu Olivier dasselbe, wie das zu Regnault; in beiden Trennung der Kämpfer durch eine Wol[73]ke; auch im Roman von Viane wird König Karl von den Belagerten aufgefangen und durch einen unterirdischen Gang in die Burg geführt. Und doch ist jede dieser Dichtungen voll eigenen kräftigen Lebens, wie zwei Heldenbrüder [1].

[1] Verwandt mit dem Gedichte von den Aimonskindern ist der Roman de Maugis, cousin des quatre fils Aimon, Nr. 7183, in derselben Versart. Auch gehört hieher das Gedicht von Gerard de Roussillon, Roquefort, Table alpha-bétique s. v. Savesterot, sodann folgende Notiz ebd. s. v. Haon de Villeneuve: „Roman de Regnault de Montaubain, Mss. de la Bibliothèque de l'Arsenal. Fauchet attribue à cet auteur les Romans de Doon de Nantueil, Garnier de Nantueil, Aie d'Avignon, Guiot de Nantueil, et de Garnier son fils." Gerard von Roussillon, Doon von Nantueil und Beuves von Aigremont sind Brüder des Herzogs Aimon, und Maugis (Malagis) ist der Sohn des Beuves. [Über die Handschrift Nr. 7183, die einzige, welche auf der großen Pariser Bibliothek die Chanson von Maugis d'Aigremont enthält, vgl. man P. Paris, Les manuscrits françois de la bibliothèque du roi VI. Paris 1845. 8. S. 101 bis 126. Man sehe ferner über Maugis P. Paris in der Histoire-littéraire de la France XXII, S. 700 bis 708. G. Regis im Glossar zu seiner Übersetzung des Bojardo. Berlin 1840. 8. S. 416 bis 418. Gräße, Die großen Sagenkreise S. 335 bis 337. Was den von Fauchet genannten Dichternamen betrifft, so bemerkt Michelant in seiner Ausgabe des Renaus de Montauban S. 506: „Die Ansicht, daß das Gedicht Huon von Villeneuwe zum Verfasser habe, verdient eine tiefer eingehende Widerlegung nicht. Sie beruht, wie viele andere Aufstellungen Fauchets, auf so schwachen Grundlagen, daß wir uns eine ausführliche Untersuchung füglich ersparen können." Eine selbstständige alt-französische Dichtung über Girard von Roussillon ist noch nicht aufgefunden worden. Die dem 14ten Jahrhundert angehörende Bearbeitung in französischen Alexandrinern kommt hier nicht weiter in Betracht. Das provenzalische Gedicht ist zweimal herausgegeben worden: Gérard de Rossillon, chanson de geste ancienne, publiée en provençal et en français d'après les manuscrits de Paris et de Londres par M. Francisque Michel. Paris 1856. 8. Girartz de Rossilho, nach der Pariser Handschrift herausgegeben von Dr Conrad Hofmann. Berlin 1855 bis 1857. 8. Über Girard von Roussillon vgl. man Fauriel

Von dem Zuge Karls des Großen und seiner Genossenschaft zum
heiligen Grabe kenne ich kein Gedicht in epischer Form [1]. Hingegen giebt
es darüber einen lateinischen Roman [2], auch steht [74] eine Erzählung
von dieser Wallfahrt und dem nachherigen Aufenthalt der Helden am
Hofe des Kaisers Hugo zu Constantinopel, in welcher Andacht und
derber Heldenscherz auf die wunderlichste Weise verwoben sind, am An=
fang des prosaischen Romans von Galien le Restoré, dem Sohne
Oliviers [3]. Da der übrige Theil dieses Buches, welcher die Geschichte
Galiens selbst enthält, höchst langweilig und nur eine Nachahmung

in der Histoire littéraire de la France XXII, S. 167 bis 190 und desselben
Histoire de la poésie provençale III. Paris 1846. 8. S. 34 bis 65. G. Paris
S. 297 bis 299. Gräße S. 287. 288. E. Littré, Histoire de la langue fran-
çaise II. Paris 1863. 8. S. 384 bis 422. P. Meyer, Études sur la chan-
son de Gérard de Roussillon, in der Bibliothèque de l'école des chartes.
Paris 1860. 8. H.]

1 [Ein solches, übrigens nur 859 Zeilen befassendes und besser als fabliau,
denn als chanson de gestes, zu bezeichnendes Gedicht ist allerdings vorhanden
und herausgegeben von Fr. Michel unter dem Titel: Charlemagne, an anglo-
norman poem of the twelfth century, now first published with an intro-
duction and a glossarial index. London 1836. 8. Eine deutsche Bearbeitung
hat A. v. Keller gegeben in: Altfranzösische Sagen B. I. Tübingen 1839. 8.
S. 26 bis 58. Man vgl. P. Paris, Notice sur la chanson de geste intitulée:
Le voyage de Charlemagne à Jérusalem et à Constantinople, im Jahrbuch
für romanische und englische Litteratur, unter besonderer Mitwirkung von F. Wolf
herausgegeben von Dr Adolf Ebert. I. Berlin 1859. 8. S. 198 bis 211.
G. Paris S. 53 bis 58. 337 bis 344. L. Gautier II, S. 260 bis 282.
Gräße S. 292. 293. G. Regis im Glossar zu seinem deutschen Bojardo
S. 412. Der Mönch von Sanct Gallen über die Thaten Karls des Großen.
Nach der Ausgabe der Monumenta Germaniae übersetzt von W. Wattenbach.
Berlin 1850. 8. S. VII. VIII. 75 bis 79. H.]

2 S. den Auszug aus Lebeuf, Examen critique de trois histoires fabuleuses
dont Charlemagne est le sujet, in der Histoire de l'Académie des inscriptions
Band XXI.

3 No. 7548: Histoire des Gestes de Galien Restoré, traitant des douze
Pairs de France. fol. Auch als Volksroman, à Lons-le-Saunier 1807. 4. In
dem dänischen Roman von Karl dem Großen, welchen Dippoldt a. a. O. S. 263
aus Wartons History of english poetry anführt, befindet sich ein besonderer
Abschnitt: Von Hug, König von Constantinopel und den merkwürdigen Thaten
seiner Kämpen. [Über den Roman de Galien rhétoré vgl. man Dunlop-Liebrecht,
Geschichte der Prosadichtungen u. s. w. Berlin 1851. 4. S. 133. 134. G. Paris
S. 344. L. Gautier II, S. 282 bis 287. Gräße S. 292. 293. 353. 354. H.]

sonstiger Dichtungen von den zwölf Pairs ist, so darf angenommen werden, daß jene Wallfahrtsgeschichte schon früher, entweder einzeln, oder in einem größern Gedichte, vorhanden gewesen und nachher das übrige Machwerk an dieselbe angesponnen worden sei.

Über die früheren, abenteuerlichen Kämpfe [75] in Spanien gegen Fierabras, die in die Blüte der Heldengeschichte fallen, konnte ich, der angewandten Mühe unerachtet, kein älteres Gedicht auffinden, aber ich kenne davon eine prosaische Erzählung [1], die von wahrhaft epischem Geiste belebt und zu einem vollkommenen Ganzen abgerundet ist.

Karl und die zwölf Genossen treten darin sämmtlich in charakteristischer Thätigkeit auf und der freudige, aber rauhe Heroismus der Franken ist mit dem Zauberglanze der maurischen Welt aufs glücklichste zusammengestellt.

Dieser Erzählung nun ist die ausdrückliche Angabe vorangesetzt, daß sie aus einem gereim[76]ten Gedichte von der alten Façon (worunter ohne Zweifel die epische Versart zu verstehen ist) genommen sei. Es ist kein Grund vorhanden, diese Angabe zu bezweifeln, und bei der großen Menge altfranzösischer Handschriften, deren Gebrauch mit so vieler Liberalität freigegeben ist und gefördert wird, darf man hoffen, daß auch jenes Gedicht und damit ein bedeutendes Glied des fränkischen Cyklus noch aufgefunden werden könne [2].

[1] Es ist der S. 333, Note 2 beschriebene Volksroman. Ein deutscher Fierabras steht in Büschings und von der Hagens Buch der Liebe. In Calderons Brücke von Mantible ist dieselbe Fabel dramatisch behandelt, so wie in Lopes de Vega Casamiento en la muerte der Untergang der Helden in Ronceval. [Über die Dramen von Lope de Vega und Calderon vgl. man A. F. von Schack, Geschichte der dramatischen Litteratur und Kunst in Spanien. II. Berlin 1845. 8. S. 273 bis 276. III. Berlin 1846. 8. S. 196 bis 198. F. W. V. Schmidt, Die Schauspiele Calderons, dargestellt und erläutert. Herausgegeben von L. Schmidt. Elberfeld 1857. 8. S. 279 bis 282. H.] In Romanzen, prosaischen Romanen und Schauspielen wurde das Heldenleben Karls des Großen von den Spaniern vielfach bearbeitet und zwar auf eine eigen patriotische Weise: Karl wird von den mit dem Mohrenkönig Marsil verbundenen christlichen Spaniern besiegt und Roland von dem Castellaner Bernardo del Carpio, wie der Riese Antäus vom Hercules, in freier Luft erdrückt.

[2] [Uhlands Vermuthung hinsichtlich des Vorhandenseins epischer Dichtungen über Fierabras ist bekanntlich in der Folge aufs erfreulichste bestätigt worden und zwar zunächst durch die Auffindung des provenzalischen Gedichtes in der

Mit ähnlicher Hoffnung müssen wir uns vorderhand auch rücksicht=
lich der spätern Kriege in Spanien [1] und des Untergangs der Helben in
fürstlich wallersteinischen Bibliothek. Wie scharfblickend er alsbald bei noch un-
vollständiger Kenntnis der Handschrift an der Originalität des Werkes gezweifelt,
ergiebt sich aus den Worten, womit er seine an F. Diez gerichtete Mittheilung
über die merkwürdige Entdeckung begleitet hat: „Ob das Gedicht ursprünglich
provenzalisch abgefaßt war, ist noch zu untersuchen, da es in dieser Sprache
ziemlich vereinzelt dasteht, während es nordfranzösisch in einen vollständigen
epischen Cyklus einträte, in welchem es bisher vermißt ward. Die Alexan-
drinerform und der epische Stil find dieselben wie in den nordfranzösischen
Chansons de geste." „Und so entscheidet sich," fügt Diez hinzu, „Hr. Uhland
aus dem Anfange des Gedichtes für seinen französischen Ursprung, eine Ansicht,
welcher man gerne beipflichten wird." Vgl. F. Diez, Leben und Werke der
Troubadours. Zwickau 1829. 8. S. 614. Eine Ausgabe dieser provenzalischen
Dichtung verdanken wir Immanuel Bekker: Der Roman von Fierabras, pro-
venzalisch. Berlin 1829. 4. Das in Rede stehende altfranzösische Gedicht liegt
jetzt in folgender Ausgabe vor: Fierabras. chanson de geste, publiée pour
la première fois d'après les manuscrits de Paris, de Rome et de Londres
par MM. A. Krœber et G. Servois. Paris 1860. 8. Über die provenzalische
Dichtung sprechen sich die Herausgeber S. X der Vorrede folgendermaßen aus:
„Rien n'est moins douteux, le poëme provençal de Fierabras a été traduit
du français; mais ce n'est pas sur l'un des manuscrits aujourd'hui connus
que la traduction a été faite." In demselben Sinne hatte sich auch schon
früher Edéleſtand du Méril in seiner Histoire de la poésie scandinave,
S. 183, Anm. 3, geäußert: „Le roman de Fierabras, publié à Berlin par
M. Bekker, est complet, mais il est évidemment traduit du français, et
en a conservé trop de formes et d'expressions pour avoir la moindre valeur
grammaticale." Man vergleiche über Fierabras Fauriel in der Histoire litté-
raire de la France XXII, S. 190 bis 212. G. Paris S. 251 bis 253.
L. Gautier II, S. 306 bis 321. Gräße S. 354. 355. Über ein bedeutendes
Bruchstück des altfranzösischen Fierabras in einer Handschrift der Bibliothek des
Escorial vgl. man H. Knuſt in L. Lemckes Jahrbuch für romanische und eng-
lische Litteratur. IX. Leipzig 1868. 8. S. 44 bis 72. Man sehe auch G. Gröber,
Die handschriftlichen Gestaltungen der chanson de geste „Fierabras" und ihre
Vorstufen. Leipzig 1869. 8. H.]

1 [Über Karls Kriege in Spanien find seitdem folgende epische Dichtungen
bekannt geworden: L'entrée en Espagne. La prise de Pampelune, heraus-
gegeben von A. Muffafia. Wien 1864. 8. Gui de Bourgogne, herausgegeben
von F. Gueffard und H. Michelant. Paris 1859. 8. Gaydon, herausgegeben
von F. Gueffard und S. Luce. Paris 1862. 8. Anséis de Carthage. Man
vgl. über diese Dichtungen Histoire littéraire de la France XXII. G. Paris,
Histoire poétique de Charlemagne. L. Gautier, Les épopées françaises II. H.]

Ronceval [1] begnügen. Girart von Amiens hat zwar in dem oben an=
geführten Roman diese Geschichten, übereinstimmend mit Turpin, erzählt,
aber seine Behandlung ist ohne episches Leben. . Nun wissen wir aber,
daß gerade dieser Theil der Heldengeschichte vorzüglich in der Nation
gelebt, denn er ist zum Schlachtgesange geworden. Ist nun auch das
Rolandslied für immer verloren, so finden wir doch eines handschrift=
lichen Roman de Roncevaux gedacht, welcher,- nach den daraus be=
kannt gemachten Versen [2], nicht wie der des [77] Girart in Alexan=
brinern, sondern in fünffüßigen jambischen Versen verfaßt ist. Wenn
hiemit erwiesen ist, daß es eine anderwärtige Behandlung gebe, so ist
auch die Hoffnung erlaubt, daß dieses andere Gedicht von größerem
Werthe sei, als das von Girart, und für diese Hoffnung spricht noch
ein besonderer Umstand.

1 [Ich beschränke mich darauf, die unterdessen erschienenen Ausgaben der
Chanson de Roland von Fr. Michel, Paris 1836; F. Génin, Paris 1850;
Th. Müller, Göttingen 1863, und die deutsche Übersetzung von W. Hertz,
Stuttgart 1861, anzuführen. Den Inhalt der Dichtung giebt ausführlich an
Wilhelm Grimm, Ruolandes liet. Göttingen 1838. 8. S. XLI bis LIX.
Den Kampf und das Ende der Helden in Ronceval hat A. v. Keller, Alt=
französische Sagen B. I, S. 59 bis 187, der Chanson de Roland in treuer
Bearbeitung nacherzählt. Einzelne Stellen hat Uhland selbst in der Sagen=
geschichte, Schriften VII, S. 648 bis 652 ins Deutsche übertragen. Untersuchun=
gen über die Dichtung und reiche litterarische Nachweisungen finden sich in den
Ausgaben von Michel und Génin, bei W. Grimm, so wie im 22 Bande der
Histoire littéraire de la France und in den wiederholt genannten Werken von
Gräße, G. Paris und L. Gautier. Man vgl. auch A. Mussafia in Pfeiffers Ger-
mania. VII. Wien 1862. 8. S. 117 bis 128. A. Wolf in Eberts Jahrbuch für
romanische und englische Litteratur. IV. Leipzig 1862. 8. S. 209 bis 227. H.]

2 Montjoie crient por lor gent raliier.

Montjoie escrie por sa gent resbaudir.

In Du Fresne, Glossarium ad scriptores mediæ et infimæ latinitatis s. v.
Mons Gaudii. [Ausgabe von Henschel, IV. Paris 1845. 4. S. 538. H.] Wo sich
die Handschrift befinde, ist nicht angegeben. [Du Cange benützte eine Überarbei=
tung des Oxforder Textes der Chanson de Roland. Vgl. L. Gautier II, S. 398.
H.] Eines andern Romans über die Schlacht von Ronceval, in Alexandrinern,
von Jean Bodiaur gedenkt Galland in seinem Discours sur quelques anciens
Poètes. Mémoires de l'Académie des inscriptions Band II, S. 706. [Jean
Bodel oder Bodiaur aus Arras hat nicht über die Schlacht von Ronceval
gedichtet, er ist vielmehr Verfasser der Chanson des Saisnes, herausgegeben
von Fr. Michel, Paris 1839. 8. H.]

Wir besitzen bekanntlich in deutscher Sprache ein altes Gedicht von diesem letzten spanischen Feldzug in zweierlei Versionen (beide in Schilters Thesaurus antiquitatum teutonicarum Band II).[1] Dieses Gedicht voll wahrhaft epischen Lebens ist höchst wahrscheinlich einem französischen Originale nachgebildet. An verschiedenen Stellen beider Versionen ist auf ein Buch verwiesen, woraus die Erzählung genommen worden; es finden sich mehrere französische Worte und Formen[2]; es [78] herrscht in den deutschen Stücken ein unverkennbares Misverhältnis zwischen Inhalt und Form, die innerliche Entwicklung, ja seine Ausbildung der Fabel (man nehme die Erzählungen von Geneluns Verrath, von Alitens Tode!) deutet darauf, daß diese einst in ruhige, epische Formen, wie die des französischen Epos, gefaßt war, welche ihr offenbar im Ganzen angemessener sein musten, als die kurzen, raschen Verse des deutschen Gedichtes, so gut sich diese im Einzelnen, bei Beschreibung der Kämpfe, ausnehmen; und zu diesem Allem kömmt noch der gewichtige Grund, daß diese Dichtung, welche doch unverkennbar auf einen großen epischen Cyklus hindeutet, auf deutschem Boden isoliert dasteht[3], während sie in Frankreich auf die natürlichste Weise, ja als wesentliches, integrierendes Glied an die Kette der fränkischen Heldengedichte sich anschließt.

Möchte nun nicht in jenem Roman de Ron[79]cevaux das Original des trefflichen deutschen Gedichts, in früherer oder späterer Gestaltung, zu finden sein[4]?

Die Versart der altfranzösischen epischen Gedichte ist zweierlei, der Alexandriner und der fünffüßige jambische Vers. Eine, nach Belieben größere oder kleinere, Folge solcher Verse (z. B. von 80 und mehr, und

---

[1] [Ruolandes liet von Wilhelm Grimm. Göttingen 1838. 8. Karl der Große von dem Stricker, herausgegeben von K. Bartsch. Quedlinburg 1857. 8. Bartsch in Pfeiffers Germania B. XI. Wien 1866. 8. S. 227. H.]

[2] Munsgoy (Montjoie), Schoiose (Joyeuse), Alteclere (Haultecleire), ein Syrian (Syrien), Weder Pulle noch Lateran (Pouille). Vgl. S. 345, Note 4.

[3] Denn die altdeutschen Gedichte von Reinalt, Malagis u. s. w., deren Fr. Adelung (Altdeutsche Gedichte in Rom. Königsberg 1799) gedenkt, deuten nach den von ihm gegebenen Notizen gleichfalls auf französischen Ursprung. [Vgl. K. Gödeke, Deutsche Dichtung im Mittelalter. Hanover 1854. 8. S. 699. 704 bis 708. H.]

[4] [Vgl. Ruolandes liet von Wilhelm Grimm S. XCV bis XCVII. C bis CVII. H.]

wieder nur von 10 oder weniger Zeilen) mit demselben Reime bildet
jedesmal eine Strophe, welche in einigen Gedichten noch durch einen
dreifüßigen Abfall mit weiblicher Endung, der in keiner Reimverbindung
steht, geschlossen wird [1].

Die Reime können männlich oder mit dem stummen e weiblich
sein. Auch bloße Assonanz wird angetroffen und scheint, als noch
unausgebildeter Reim, das hohe Alter derjenigen Gedichte anzuzeigen,
worin sie gebraucht ist [2]. So hat [80] sie in dem Heldengedichte von
Garin dem Lothringer gleiche Rechte mit dem Reime [3].

[81] Die genannten beiden Versarten sind in der altfranzösischen
Poesie die vorzugsweise epischen. Alle mir bekannte, zu dem fränkischen
Heldenkreise gehörige Gedichte sind in einer von beiden verfaßt. Eben

---

[1] Doch habe ich diesen Abfall nur im Roman von Biane und dem damit
zusammenhängenden Gedichte von Aimeri von Narbonne gefunden.

[2] Dagegen fand man bei weiter vorgerückter Verskunst eine besondere
Schönheit in der völligen Consonanz, dem reichen Reime, rime léonime, denn
er galt für den König der Reime, wie der Löwe für den König der Thiere.
S. Barbazans Vorrede im 3ten Theil der folgenden Sammlung: Fabliaux et
Contes des poëtes françois des 11, 12, 13, 14 et 15 siècles, publiés par Bar-
bazan, nouvelle édition par Méon. 4 Bände, Paris 1808. 8. Chrestiens
von Troyes sagt im Eingang seines Wilhelm von England, er sei gesonnen:

    De conter un conte par rime
    U consonant u lionime.

[Vgl. Crestien von Troies. Eine literaturgeschichtliche Untersuchung von
W. L. Holland. Tübingen 1854. 8. S. 74. 75. H.] In dem Todesgesang,
lai mortal, welchen Tristan zur Harfe singt (Roman de Tristan, Nr 6776),
ist dieser Reim immer gesucht und oft durch die ganze vierzeilige Strophe fort-
gesetzt, z. B.:

    N'est pas de joye que je chant,
    Ains commens en doulour mon chant.
    Trop est amor fier et trenchant
    Qui si se va de moi venchant.

[3] Wenn man auch, wegen abgehender genauer Kenntnis der damaligen Aus-
sprache, bei den männlichen Ausgängen zweifeln möchte, so ist doch bei den weiblichen
die Assonanz unverkennbar, wenn z. B. barbe, messages, Gales, Cornuaille,
Navare, aage, aille, barnage, armes, und ein andermal erbe, merle, terre,
puceles u. f. w. zusammen gehören. Über den Roman von Garin dem Lothringer
f. übrigens oben S. 335. 336, Anmerkung. Eben so unläugbare Assonanzen
finden sich in dem Mährchen von Aucassin und Nicolette, bei Barbazan und
Méon l. c. Band I, S. 380.

so die Heldengedichte von Alexander dem Großen [1], das normännische von Robert dem Teufel, das von Bertrand du Guesclin u. s. w. Das schmutzige Gedicht von Audigier [2] ahmt scherzhaft den epischen Ton nach und bedient sich daher des fünffüßigen jambischen Verses [3].

In Hinsicht auf den Stil dieser Gedichte ist zu bemerken, daß in ihnen gewisse Redeformen, Wendungen, Beiwörter u. dgl. konstant sind und nicht nur in demselben Gedichte, sondern auch in verschiedenen, wiederkehren; jedoch keineswegs mit derjenigen Genauigkeit, wie im Homer, und mehr der Freiheit des deutschen Epos sich nähernd. Je nachdem ein anderer Reim an die Reihe kömmt, geht auch mit jenen Formen einige Änderung vor. So bekommen die alten Helden ihr Bei= wort gewöhnlich von dem Barte; ist nun der Reim auf ie, so heißt [82] es: à la barbe florie; auf ee: à la barbe meslee; auf i: au grenon flori; sonst auch bloß li barbeiz [4]. Die Beiwörter gehören niemals gewissen Individuen ausschließlich an, wie im Homer, sondern sie kommen überhaupt einem Geschlecht, Alter, Stande u. s. w. zu. Alle Greise haben die eben angeführten Epitheten vom Barte, die übrigen Helden: à la chiere hardie oder manbrée; à vis fier, au corage fier, hardi, aduré, esforcié; li ber, li guerrier; li manbreiz; li vaillant. Die Frauen: la senée; au coraige sené; à cors ligier; au gent cors honoré oder signori; à la cleire façon; qui de biauté resplent u. s. w. [5]

[1] Der gegen den Anfang des 13ten Jahrhunderts durch Alexander von Bernay und Andere in Alexandrinern verfaßte Roman ou la geste d'Alexandre soll gerade dieser Versart den Namen gegeben haben. [Vgl. P. Paris in der Histoire littéraire de la France XXII, S. 266. Li romans d'Alixandre par Lambert li Tors et Alexandre de Bernay, herausgegeben von H. Michelant. Stuttgart 1846. 8. (Bibliothek des litterarischen Vereins in Stuttgart. XIII.) S. VIII. L. Gautier I, S. 198. 199. H.]

[2] Barbazan und Méon l. c. Band IV, S. 217. Wie in diesem Gedichte der epische Ton parodiert wird, mag die Stelle V. 37 ff. zeigen, wo Graf Turgibus mit gewaltigem Bogenschuß einen Schmetterling dermaßen verwundet, daß er kaum noch fliegen kann: Molt fu quens Turgibus de grant renom u. s. w.

[3] [Vgl. F. Diez, Altromanische Sprachdenkmale, berichtigt und erklärt, nebst einer Abhandlung über den epischen Vers. Bonn 1846. 8. H.]

[4] Charl mit dem barte, beim Stricker S. 67. Vgl. S. 343, Note 2.

[5] [Man vergleiche über die stehenden Beiwörter und Redewendungen auch A. Tobler, über das volksthümliche Epos der Franzosen, in der Zeitschrift für

Der Reim hat selbst in Umwandlung einzelner Worte große Ge=
walt, wodurch seine Fortführung durch so viele Zeilen erleichtert wird.
Daß diese epischen Gedichte für musikalischen Vortrag bestimmt
waren, läßt sich zur Genüge erweisen.

Es wird gewöhnlich im Eingang derselben angekündigt, daß Gesang,
chanson, beginne [1]. [83] Anzunehmen, daß diese Dichter bloß figürlich
von Gesang gesprochen, wie man heutzutage pflegt, nachdem die Poesie
aus dem Leben verschwunden, wäre ganz gegen den Geist jener Zeit.

In der Erzählung des Girbers de Mostervel von Gerart de Ne=
vers und der schönen Violette, welche, wie die Contes insgemein, in
den vierfüßigen Schlagreimen verfaßt ist, kömmt eine Stelle vor, wie
Gerart, als Jongleur verkleidet, mit einer Viele sich in sein eigenes
Schloß geschlichen, um den Usurpator Lisiars zu belauschen [2], und wie
er zu seinem Instrument einen Gesang von Guillaume au-court-nez
anstimmt. Nun folgt wirklich die Romanze in der oben beschriebenen
epischen Versart von fünffüßigen jambischen Zeilen, und noch mehr:
die von Gerart [84] gesungenen Verse sind aus einem von denjenigen
Gedichten genommen, welche sich an den Roman von Viane anschließen,
und stehen, mit wenigen Varianten, dort in ihrem Zusammenhang [3].
Völkerpsychologie und Sprachwissenschaft, herausgegeben von M. Lazarus und
H. Steinthal. IV. Berlin 1866. 8. S. 157 bis 159. H.]

[1] Der Roman von Viane fängt an:
    Bone chanson plait vos que je vos die;
das Gedicht von Garin dem Lothringer:
    Vielle chanson voire volez oir.
In dem Gedicht von den Aimonskindern heißt es:
    Et je vous chanteray une bonne chansons,
    Oncque meilleur n'oystes, bien dire le puest hons.
Eben so in dem Roman von Maugis:
    Et je vous chanteray d'une bone chanson.

[2] In der Geschichte des Gerart von Nevers kann man sich im zweiten
Bande von Treßans Corps d'Extraits de Romans de Chevalerie orientieren.

[3] [Vgl. Le roman de la violette ou de Gérard de Nevers, publié par
M. Francisque Michel. Paris 1834. 8. S. 73. Auf dieselbe Stelle aus dem
Roman de la violette hat sich lange nach Uhland auch P. Paris zum Beweise
dafür berufen, daß die altfranzösischen epischen Gedichte für musikalischen Vor=
trag bestimmt waren. Man sehe seine „Lettre à M. de Monmerqué sur les
romans des douze pairs de France" vor Li romans de Berte aus grans
piés. Paris 1832. 8. S. XXV bis XXVIII. Daß P. Paris Uhlands

Die epischen Gedichte konnten wohl meist nur in solchen Bruch=
stücken abgesungen werden und nur etwa bei größeren Festen, die meh=
rere Tage oder Wochen dauerten, mochte es dazu kommen, daß nach
und nach ein ganzes Gedicht vorgetragen wurde. Auch sind sie ganz
für solchen fragmentarischen Vortrag eingerichtet, denn manche Strophen
bilden beinahe für sich ein besonderes Gedicht, und um einer Strophe
diese Selbstständigkeit zu geben, wird am Anfange derselben wiederholt,
was schon in der vorhergehenden berichtet war [1]. Die Bekanntschaft mit
den Helden und mit dem Fabelkreise im Ganzen durfte der Sänger gewiß
bei seinen Zuhörern voraussetzen.

Daß es Romane, besonders spätere, geben mag, welche, ohne für
den Gesang geeignet, noch selbst bestimmt gewesen zu sein, etwa bloß
aus altem Herkommen in den epischen Versarten abgefaßt wurden,
soll mit diesem Allem nicht abgeläugnet werden.

Übrigens bestand dieser Gesang ohne Zweifel nur in einem sehr

Abhandlung nicht gekannt, des letzteren Entdeckung noch einmal gemacht, geht
aus folgender Stelle a. a. O. S. XXV hervor: „Que les Romans monorimes
aient été faits pour être chantés et accompagnés de la viole, de la harpe
ou de la guitare, c'est ce dont il n'est pas permis de douter, après avoir
étudié notre ancienne littérature; et cependant, c'est ce qui ne paraît pas
encore avoir été remarqué.“ Man vgl. auch F. Wolf, über die neuesten
Leistungen S. 13. 14. In der Histoire littéraire de la France XXII, S. 264.
265 hat P. Paris noch weitere beweisende Stellen aus der Chanson de geste
de Beuve de Hanstone und aus dem Roman de Guillaume de Dole bei=
gebracht; man sehe ferner die von Paris S. 523. 524 aus dem Moniage
Guillaume mitgetheilte Stelle. Man vgl. auch Fauriel, Histoire de la poésie
provençale II, S. 286 bis 291. G. Paris S. 21. Gräße S. 266 bis 268.
Eine hierher gehörige Stelle aus dem Fabliau „Les deux troveors ribauz“
hat B. Le Clerc in der Histoire littéraire de la France XXIII, S. 95. 96
ausgehoben. Man vgl. ebendaselbst S. 89 die aus dem Roman de Girart de
Viane angeführten Zeilen. Eingehende Untersuchungen über den Vortrag der
chansons de geste finden sich endlich im ersten Bande der Épopées françaises
von L. Gautier und zwar in den Abschnitten: „Comment se propageaient les
chansons de geste“ und „De l'exécution des chansons de geste.“ H.]

[1] [Über die Wiederholungen vgl. man F. Wolf, über die neuesten Leistungen
der Franzosen S. 167 bis 175. Fauriel, Histoire de la poésie provençale II,
Paris 1846. 8. S. 291 bis 304. 310. 311. 350. 351. Fauriel in der Histoire
littéraire de la France XXII, S. 181 bis 190. Paulin Paris ebendas. S. 262.
263. L. Gautier I, S. 220 bis 225. A. Tobler a. a. O. S. 159 bis 172. H.]

einfachen Rhythmus. Wahrscheinlich gab es nur zwei Gesangsweisen, die eine für den Alexandriner, die andre für den [85] fünffüßigen jambischen Vers, welche auf alle und jede Gedichte von der einen oder der andern Versart angewandt wurden. Daraus, daß die Strophen= oder Reimfolgen von so sehr verschiedener Länge sind, läßt sich schließen, daß ein Vers so ziemlich wie der andere gesungen wurde und nur etwa An= fang und Schluß jeder Strophe sich auszeichneten. Der dreifüßige Abfall im Roman von Viane sollte vielleicht nur dasjenige mit Worten und Gesang ausdrücken, was in andern Gedichten dem begleitenden Instru= mente allein überlassen blieb [1].

Was auf diese Weise aus der Beschaffenheit der Gedichte selbst entwickelt werden kann, bestätigt sich noch durch das Mährchen von Aucassin und Nicolette [2] und die demselben beigefügten Musiknoten.

[1] [P. Paris in der Histoire littéraire de la France XXII, S. 266. 267 bemerkt hierüber folgendes: „Il y a des poëmes, en vers de dix ou de douze syllabes, qui terminent chacun de leurs couplets par un demi-vers tronqué, sans assonance ou rime. L'instrument qu'on employait pour accompagner suppléait sans doute alors à cette lacune finale, et c'était, pour la voix, le signal d'une inflexion dont pourra nous donner quelque idée la façon dont les choristes prononcent, dans les églises, les derniers mots de l'Épître. Exemple:

„De longue terre sont venu li enfant,
„Et lor servise vos offrens bonement."
Dist l'empereres: „Or vienent donc avant,
„Si devingent mi home."
Girart de Viane, coupl. 18; ms. de la Bibl. nat., n. 7498[3].

On pourrait penser que l'usage de ce vers tronqué s'introduisit pour aider les yeux ou l'oreille des jongleurs, et les avertir de donner à leur chant ou déclamation une inflexion particulière, signal de la fin de chaque couplet." Man vgl. auch L. Gautier I, S. 226. 227. H.]

[2] S. oben S. 344, Note 3. [Neue Ausgabe in: Nouvelles françoises, en prose, du XIIIe siècle, publiées d'après les manuscrits, avec une in- troduction et des notes, par MM. L. Moland et C. d'Héricault. Paris 1856. 8. S. 231 bis 309. Die neueste deutsche Übertragung ist die von Wil- helm Hertz: Aucassin und Nicolette, altfranzösischer Roman aus dem 13ten Jahr- hundert. Wien 1865. 8. Frühere Bearbeitungen sind die von Koreff, O. L. B. Wolff und E. von Bülow. Dramatisch hat den Stoff bekanntlich Platen in „Treue um Treue" behandelt. Über Aucassin und Nicolette vgl. man Fauriel, Histoire de la poésie provençale III, S. 180 bis 218. Histoire littéraire de la France XIX, S. 748 bis 761. H.]

Die prosaische Erzählung wechselt darin mit Versstrophen ab, welche mit der Form der Heldengedichte große Ähnlichkeit haben und eigentlich nur eine Verkleinerung davon sind, so wie sich auch der Stil dem der epischen Gesänge nähert. Die Zeilen sind zwar nur sieben= bis achtsilbig, aber eine beliebige Anzahl solcher sich reimender oder assonierender Zeilen bildet, wie in den epischen Gesängen, eine Strophe, an deren Schlusse sich ein Analogon [86] des Abfalls im Roman von Viane findet. Jeder Strophe sind die Noten besonders beigefügt, aber es sind bei jeder dieselben und überhaupt hat die Musik nur drei Abwechslungen, eine für die erste Zeile, eine andere für die Schlußzeile und eine dritte für sämmtliche in der Mitte liegende Zeilen, so viele nun deren sein mögen.

Es wird nicht unzweckmäßig sein, hier Einiges über die Contes und Fabliaux, hauptsächlich in Beziehung auf die Form und den Vortrag derselben, einzuschalten.

Man begreift unter jenen Namen eine zahllose Menge meist versificierter Erzählungen von der buntesten Mannigfaltigkeit des Inhalts und von großer Verschiedenheit im Umfange, von solchen an, welche sich zum größern Roman ausspinnen, bis zu andern, die sich beinahe zum Epigramm zuspitzen [1]. Das Wort conte ist ge[87]nerisch, blieb

---

[1] Durch die Auszüge von Legrand und die durch Barbazan und Méon veranstalteten Abdrücke in der mehrmals angeführten Sammlung ist dieser Theil der altfranzösischen Poesie vorzugsweise zugänglich geworden. Doch sind gerade die größern, romantischen Erzählungen, welche der Poesie am unmittelbarsten angehören, noch am meisten im Hintergrunde geblieben. Zwei vorzügliche Stücke dieser Art, den König Wilhelm von England, von Chrestiens von Troyes, welcher in der romantischen Gattung fruchtbar und vortrefflich war, sodann die auch in Beziehung auf die altdeutsche Poesie merkwürdige, wahrhaft blühende Erzählung von Flos und Blankflos besitze ich in Abschriften und behalte mir vor, beide bekannter zu machen. [Eine ausführliche Abhandlung über die Fabliaux hat V. Le Clerc in der Histoire littéraire de la France XXIII. Paris 1856. 4. S. 69 bis 215, geliefert. Über den König Wilhelm von England vgl. man mein Buch über Crestien von Troies S. 64 bis 104. Eine Ausgabe dieser Dichtung hat Francisque Michel besorgt in: Chroniques anglonormandes. III. Rouen 1840. 8. S. 39 bis 172. Eine deutsche Bearbeitung nach Uhlands Abschrift hat A. v. Keller veranstaltet in seinen Altfranzösischen Sagen. I. Tübingen 1839. 8. S. 188 bis 265. Das Gedicht von Flos und Blankflos liegt jetzt in folgenden Ausgaben vor: Flore und Blanceflor,

jedoch vorzüglich für die größeren Stücke übrig, weil es für die kleineren noch den besondern Namen fabel, fabliau gab.

Diese Erzählungen nun dürfen selbst da, wo sie als größere Romane erscheinen, durchaus nicht mit den epischen Gedichten verwechselt werden.

Schließen sich diese zu einem nationalen Mythenkreise ab, so nehmen jene zu dem Einheimischen die Erzeugnisse der fernsten Zeiten und Völker auf; wenn hier die gesammte Nation in großen Massen und in ihren angesehensten Häuptern auftritt, so werden dort die Abenteuer eines einzelnen Ritters beschrieben, oder wir treffen die Nation in alle Individualitäten des bürgerlichen und gesellschaftlichen Lebens zersplittert; wenn die heroischen Dichtungen näher oder entfernter unter sich zusammenhängen und ein großes Ganzes bilden, so wagt es andrerseits irgend ein witziger Gedanke für sich als besondres Gedicht vorzutreten; wenn in der ruhigen Darstellung des Epos die geistigen Kräfte noch ungetrennt erscheinen, so ist in den Contes und Fabliaux bald das Phantastische, bald das Rührende, [88] bald das Belehrende vorwaltend, besonders aber hat sich der muthwillige Witz in einer Menge kleinerer Stücke ausgezeichnet abgeschieden.

Dieser innern Verschiedenheit entspricht nun ganz natürlich und auf das bestimmteste die äußere in der Form und im Vortrag. Die Heldengedichte sind für den Gesang, die Contes und Fabliaux für die Erzählung bestimmt und geeignet. Die herrschende Versart der letztern ist der viersüßige jambische Vers mit männlichem oder weiblichem Ausgang und es reimen sich immer Schlag auf Schlag zwei zusammenstehende Zeilen, wie in den hans-sachsischen Gedichten. Diese Form ist nichts weniger als strophisch, sondern es findet ein beständiger Übergang von einem Reimpaar in das andere statt, und hieran sowohl, als an dem bequemen und nachlässigen Gange, läßt es sich unzweifel-

altfranzösischer Roman, nach der uhlandischen Abschrift der Pariser Handschrift Nr. 6987 herausgegeben von Immanuel Bekker. Berlin 1844. 8. Floire et Blanceflor, poëmes du XIIIe siècle, publiés d'après les manuscrits avec une introduction, des notes et un glossaire par M. Édélestand du Méril. Paris 1856. 8. Deutsch hat den Stoff bekanntlich noch Fr. Rückert unter dem Titel „Flor und Blankflor" in Terzinen behandelt. Man vgl. auch Uhland, Schriften III, S. 415. 416. H.]

haft erkennen, daß diese Gedichte nicht für musikalischen Vortrag, son=
dern für das Vorlesen und den gesellschaftlichen Ton der Erzählung
bestimmt waren. Statt daß im Eingang der meisten Heldengedichte,
wie oben gezeigt worden, ausdrücklich Gesang angekündigt wird, ist
daher hier immer nur von conter, dire u. s. w. die Rede [1].

[89] In dem schon erwähnten Mährchen von Aucassin und Nicolette
sind beide Arten des Vortrags verbunden, aber sehr bestimmt unter=
schieden; vor den kurzen versificierten Stücken heißt es jedesmal: or se
cante, vor den prosaischen Abschnitten: or dient et content et fabloient;
das Mährchen nennt sich am Schlusse eine Cante-fable [2].

[90] Merkwürdig ist es, daß die Dichtungen von Karln dem

---

[1] Man nehme das nächste beste Conte oder Fabliau! Z. B. der König
Wilhelm von England beginnt:

> Chrestiiens se veut entremetre,
> Sans nient oster et sans nient metre,
> De conter un conte par rime u. s. w.

So auch Les trois avugles de Compiegne (Barbazan und Méon, Band III,
S. 398):

> Une matere ci dirai
> D'un fablel que vous conterai.
> On tient le menestrel à sage,
> Qui met en trover son usage
> De fere biaus dis et biaus contes
> C'on dit devant Dus, devant Contes u. s. w.

[2] Wenn zu einigen Stücken, welche ihrem Inhalte nach mehr zu den
Contes und Fabliaux gehören, wie auch zu Gedichten didaktischer Art, doch die
epischen Formen gebraucht und dann wohl auch der Gesang darauf angewendet
wurde, so steht dieß der obigen Ausführung nicht entgegen, denn auch zwischen
den verschiedensten Formen der Poesie wird es nicht leicht an vermittelnden
Übergängen fehlen. Eben so wenig dasjenige, was Legrand (Band I, S. 106) über
die Lais = Fabliaux anführt. Die von ihm ausgehobenen Stellen beweisen bloß,
daß die bretagnischen Romanzen, Lais, nach welchen die Fabliaux von Graelent
und von Gugemer [ins Deutsche übertragen von Wilhelm Hertz, Marie de France
u. s. w. Stuttgart 1862. 8. S. 1 bis 37. H.] gemacht waren, gesungen und
mit Instrumenten begleitet worden, nicht aber, daß dieses auch bei den Fabliaux
selbst, welche den Namen ihrer Quellen, der Lais, beibehielten, der Fall gewesen.
Die ursprünglichen Lais und andere Romanzen dürften als Übergang des
epischen Gesanges in die eigentliche Lyrik zu betrachten sein. [Vgl. Ferdinand
Wolf, Über die Lais, Sequenzen und Leiche. Heidelberg 1841. 8. S. 64.
157. 158. H.]

Großen zwar späterhin in prosaische Romane aufgelöst, aber, meines Wissens, niemals in die Form der Contes und Fabliaux herabgezogen wurden.

So viel die Geschichte des fränkischen Epos anbelangt, so ist zuvörderst allerdings eine historische Grundlage vorhanden. Besonders sind die Kriege in Spanien und der Untergang der Helden in den Pyrenäen geschichtlich begründet [1]. Dagegen dürfte die Nachforschung über manche andere Theile der Dichtung denselben Erfolg haben, wie die Untersuchung von Rolands Grabe zu Blaye, worin man, statt der erwarteten Riesenknochen, ein Häufchen Gebeine fand, welche kaum Fingerslänge hatten [2].

[91] Frühe schon mag Karls Heldenleben in die Poesie übergegangen sein und zeitig wissen die Chroniken manch wunderbares Mährchen von ihm zu erzählen. Einzelne Sagen, Romanzen, Schlachtgesänge wuchsen im Lauf der Jahrhunderte zu immer größeren Dichtungen an, welche zuletzt, und zwar, wie es scheint, vorzüglich im 12ten Jahrhundert, von den Geistlichen, als den Unterrichtesten der Zeit, zu den epischen Compositionen vereinigt und erweitert wurden, welche auf unsre Zeit gekommen sind.

Eine solche stufenweise Ausbildung ist nicht nur der Natur der Sache angemessen, sondern auch durch sonstige Anzeigen bemerklich gemacht. Im Jahr 1066 wird das berühmte, aber nicht bekannte Rolandslied vor der Schlacht von Hastings gesungen [3]. Sodann beziehen sich

1 [Man vgl. das von L. Gautier II, S. 362 bis 366 aufgestellte „Tableau indiquant: 1. les faits historiques relatifs aux différentes expéditions de Charles au-delà des Pyrénées; 2. les textes des historiens à l'appui de ces faits; et 3. les légendes et les chansons de geste auxquelles ces faits ont donné lieu." H.]

2 Solche Resultate ergaben die Untersuchungen von Foncemagne, Willen u. A. über den fabelhaften Zug Karls des Großen nach Palästina. [Man vgl. hierüber oben S. 339, Anmerkung 1. H.]

3 [Die Frage, welchen Gesang Taillefer vor der Schlacht bei Hastings angestimmt, ob derselbe uns erhalten geblieben, oder verloren gegangen sei, ist vielfach verhandelt worden. Denjenigen gegenüber, welche, wie früher P. Paris vor dem Roman de Berte S. XXVIII. XXIX, Regis im Glossar zum Bojardo S. 436, Anm. 1, das fragliche Schlachtlied in der auf uns gekommenen Chanson de Roland, in einem Bruchstücke derselben, finden, erkennen andere, wie

die noch vorhandenen Gedichte immer wieder auf etwas Früheres, auf Sagen, Geschichtbücher, besonders aber betrachten sie den Gesang über die fränkische Heldenwelt als ein nationales Herkommen, welchem sie selbst sich anschließen. Wenn man ferner erwägt, wie die Dichtung von den Aimonskindern und der Roman von Viane, bei

Ferdinand Wolf, Über die neuesten Leistungen der Franzosen S. 15 bis 19, A. Ebert im Jahrbuch für romanische und englische Litteratur VII, S. 93. 94, in der Nachricht von dem Gesange des Taillefer eine Hinweisung auf ein nicht mehr vorhandenes Volkslied, eine kurze rhapsobische Cantilene, dergleichen schon vor den Chansons de gestes verbreitet waren. Während G. Paris in seiner Histoire poétique de Charlemagne S. 70 die Streitfrage zwar berührt, aber nicht näher auf dieselbe eingeht, läßt P. Paris in seiner Abhandlung über die Chanson de Roncevaux in der Histoire littéraire de la France XXII, Paris 1852. 4. S. 727. 728, sich nun folgendermaßen vernehmen: „Tout le monde aujourd'hui connaît les vers du roman de Rou:

> Taillefer, qui moult bien cantoit,
> Sur un ceval qui tost aloit,
> Devant aus s'en aloit cantant
> De Callemaine et de Rollant,
> Et d'Olivier, et des vassaus
> Qui moururent à Rainscevaus.

D'après cette autorité d'un poëte du XIIe siècle, les historiens de la bataille d'Hastings ont en général affirmé qu'on avait entonné, avant le combat, la chanson de Roland, cantilena Rollandi; et la critique moderne a fait pendant longtemps de vaines recherches pour retrouver, dans les anciens manuscrits, cette composition, dont l'existence et la célébrité semblaient établies d'une manière incontestable. Cependant nous croyons que les vers de Wace ne désignaient pas une chanson de Roland plutôt qu'une chanson de Charlemagne ou d'Olivier. Nous ne voudrions pas même affirmer, comme on l'a fait, que Taillefer eût précisément évoqué, sur le champ de bataille d'Hastings, les souvenirs de Roncevaux: car une défaite, pour être glorieuse, n'en est pas moins une défaite; et ce n'est pas en la rappelant qu'on peut espérer d'ajouter à l'ardeur de ceux qui vont combattre. Les nombreux exploits de tous les compagnons de Charlemagne étaient le sujet de vingt autres gestes populaires, comme les Enfances Roland, le Siége de Vienne, Aspremont, Jean de Lanson, Ferabras; Taillefer ne pouvait manquer de les connaître aussi bien que la geste de Roncevaux; et c'est une d'elles qu'il semblerait avoir dû chanter de préférence, avant la bataille qui allait décider de l'avenir de l'Angleterre." Uhland selbst scheint zu der Annahme geneigt, daß von Taillefer

solchem selbstständigem Leben eines jeden, doch in großen Grundzügen
sich unverkennbar ähnlich sind, so darf man allerdings annehmen, nicht
daß eine dieser Dichtungen Nachahmung der andern sei, [92] sondern
daß beide das Gepräge eines älteren gemeinschaftlichen Grundtypus an
sich tragen.

Dem lateinischen Roman, welcher unter dem Namen Turpins be-
kannt ist, hat sein hohes Alter (er fällt in den Anfang des 12ten Jahr-
hunderts) ein bedeutendes Ansehen in der Geschichte der Poesie ver-
schafft [1]. Allein man wird nimmermehr damit ausreichen, wenn man
denselben als den Urquell des fränkischen Fabelkreises darstellen will.
Dieser Turpin behandelt gerade denjenigen Theil des Mythenkreises,
welcher am auffallendsten in der Geschichte gegründet ist, mithin sehr
frühzeitig in der Volkspoesie gelebt haben mochte. Der schon erwähnte
Rolandsgesang, welcher eben auch der Schlacht von Roncebal gewidmet
war [2], geht dem Turpin fast um ein halbes Jahrhundert voran und

allerdings irgend ein Theil der uns erhaltenen Chanson de Roland gesungen
worden sei; wenigstens findet sich in der Sagengeschichte, Schriften VII, S. 653,
nach der Mittheilung einzelner Stellen der fraglichen Dichtung der Satz: „Kampf-
scenen, wie die ausgehobenen des Romans von Roncebal, waren wohl ge-
eignet zum Schlachtgesange." H.]

[1] [Man vgl. Gaston Paris, De Pseudo-Turpino. Parisiis 1865. 8. und
desselben Histoire poétique de Charlemagne S. 58. 59. „La chronique
faussement attribuée à Turpin," sagt hier G. Paris, „est l'œuvre de
plusieurs auteurs qui écrivaient dans des lieux et des temps divers,
mais tous entre le commencement du onzième siècle et le milieu du
douzième." Man sehe auch A. Ebert im Jahrbuch für romanische und englische
Litteratur VII, S. 85 bis 88. Über Turpin vgl. man im übrigen L. Gautier I,
S. 70 bis 88. Ferdinand Wolf, Über die neuesten Leistungen der Franzosen
S. 23 bis 27. Gräße S. 262 bis 270. Liebrecht-Dunlop S. 115 bis 121.
W. Grimm, Ruolandes liet S. XXXIV bis XXXVII. G. Regis, Glossar
zu seinem Bojardo S. 457 bis 461. A. Potthast, Bibliotheca historica medii
ævi, Wegweiser durch die Geschichtswerke des europäischen Mittelalters von
375 bis 1500. Berlin 1862. 8. S. 554. 555. H.]

[2] Taillefer, qui moult bien cantoit,
Sor un ceval qui tost aloit,
Devant le duc aloit cantant
De Rainschevax et de Rollant.

So lautet die Stelle der vortrefflichen normännischen Reimchronik von
Meister Wace (der Fortsetzung des Roman de Rou von demselben Verfasser)

dieſer letztere gedenkt ſelbſt früheren Heldengeſanges [1]. Ferner be[93]greift dieſer Roman nur einen kleinen Theil des ausgedehnten fränkiſchen Fabelkreiſes, er enthält nur den Untergang und die Verklärung der Helden und ſetzt als Schlußgedicht einen Anfang und Fortgang voraus, beſonders aber findet in demſelben die ganze Reihe von Gedichten, welche nicht unmittelbar religiöſe Tendenz haben, keinen Anklang. Überhaupt iſt es ſchwer zu begreifen, wie ein einzelnes Buch, das noch überdieß

in der von mir gebrauchten Handſchrift Nr. 6987. Die ganze Beſchreibung der Schlacht bei Haſtings iſt meiſterhaft. [Vgl. Le Roman de Rou et des ducs de Normandie, publié pour la première fois, d'après les manuscrits de France et d'Angleterre, par Frédéric Pluquet. II. Rouen 1827. 8. S. 214. 215. Die angeführte Stelle lautet hier:

3. 13149   Taillefer, ki mult bien cantout,
Sor un cheval ki tost alout,
Devant li dus alout cantant
De Karlemaine è de Rollant,
Et d'Oliver è des vassals
Ki morurent en Renchevals.

Franz Freiherr Gaudy, Der Roman von Rollo und den Herzogen der Normandie, metriſch bearbeitet. Glogau 1835. 8. S. 285, giebt dieſe Stelle folgendermaßen wieder:

Herr Taillefer, der herrlich ſang,
Saß auf 'nem Roſs von ſchnellem Gang,
Hob 's Lied, dem Herzog ziehnd voran,
Vom großen Karl und Roland an,
Vom Oliver, den Helden allen,
Die dort bei Ronceval gefallen.

Es darf hier wol gelegentlich an Uhlands Gedicht „Taillefer" erinnert werden, das auf eben dieſer Erzählung von Wace beruht. H.]

[1] Cap. XI: Oellus, comes urbis, quæ vulgo dicitur Nantas, cum duobus millibus heroum (de hoc canitur in cantilena usque in hodiernum diem, quia innumera fecit mirabilia). [Vgl. Ferdinand Wolf, über die neueſten Leiſtungen der Franzoſen S. 25, Anm. 1. H.] Auch ein anderer lateiniſcher Roman, über die Wallfahrt Karls des Großen zum heiligen Grabe, iſt wahrſcheinlich älter, als der Turpin. S. Lebeuf l. c. [Es iſt dieß die „Descriptio qualiter Carolus Magnus clavum et coronam Domini a Constantinopoli Aquisgrani attulerit, qualiterque Carolus Calvus hæc ad sanctum Dionysium retulerit." Vgl. G. Paris, Histoire poétique de Charlemagne S. 55 bis 58. H.]

nicht in der Volkssprache geschrieben ist[1], einen nationalen, im Volks=
gesange lebenden Mythenkreis, und noch überdieß in so kurzer Zeit,
erschaffen haben sollte. Für die Form, den Stil, die Darstellung, das
ganze äußere Erscheinen des fränkischen Epos ist ohnedieß durch diesen
Roman nicht das Mindeste gegeben.

Daß der Turpin ein nicht unbedeutendes Glied in der Kette sei
und, so wie er sich an [94] die früheren Dichtungen anschließt, so, be=
sonders nachdem er in die Vulgarsprache übersetzt worden[2], auf manche
spätere eingewirkt habe, will ich keineswegs in Abrede ziehen, aber zu
jenem großen Ansehn in der Geschichte der Poesie würde er schwerlich
je gelangt sein, wenn das altfranzösische Epos überhaupt nicht so sehr
in der Dunkelheit geblieben wäre.

Der erste Kreuzzug, die Stimmung, die er voraussetzte und nährte,
machte ohne Zweifel für diese Heldenpoesie Epoche, gab ihr eine be=
stimmtere religiöse Richtung[3]. Karl, der Sachsenbekehrer, der auch mit
dem Orient und dem heiligen Grabe in mannigfacher Beziehung ge=
standen, war ganz geeignet, sammt seiner Genossenschaft als Vorbild
aller Kreuzfahrer und Glaubenshelden aufgestellt zu werden. Die Geist=
lichkeit bemächtigte sich des Stoffes und so erscheinen um diese Zeit zwei
lateinische Romane von religiöser Tendenz[4]. Der eine beschreibt die

[1] Selbst darüber sind die Gelehrten verschiedener Meinung, ob dieser Roman
in Frankreich oder nicht vielmehr in Spanien verfaßt worden sei. [Gaston
Paris hat es in seiner Abhandlung De Pseudo-Turpino höchst wahrschein=
lich gemacht, daß die ersten fünf Capitel des Werkes einen spanischen Kleriker
zum Verfasser haben, die Fortsetzung dagegen von einem französischen Geistlichen
herrühre. H.]

[2] [Über die französischen Übersetzungen der Chronik vgl. man G. Paris, De
Pseudo-Turpino und desselben Histoire poétique de Charlemagne S. 104. H.]

[3] Die Sonderung der Dichtungen von Karl dem Großen nach zwei Rich=
tungen, der religiösen und der weltlichen, hat Görres a. a. O. S. 120 ff.
scharfsinnig durchgeführt.

[4] Über diese beiden lateinischen Romane und einen dritten aus dem 13ten
Jahrhundert, Philomena, s. Lebeuf l. c. [Der hier gemeinte dritte Roman ist
nun herausgegeben unter dem Titel: Gesta Caroli magni ad Carcassonam et
Narbonam et de ædificatione monasterii Crassensis, edita a Sebastiano
Ciampi. Florentiæ 1823. 8. Dieses lateinische Werk ist nur Übersetzung eines
unter dem Namen „Philomena" uns noch erhaltenen provenzalischen Romans.
„Philomena ist der Name eines von dem Verfasser erdichteten Geschichtschreibers

Wallfahrt Karls des Großen ins heilige Land und [95] fällt noch ins elfte Jahrhundert, der andere ist der schon erwähnte Turpin aus dem Anfang des zwölften [1]. Um die Mitte desselben Jahrhunderts erscheint die Poesie im nordfranzösischen Romanzo nach verschiedenen Formen in voller Reife [2]. Von nun an wurden die fränkischen Kunden von den Unter-

Karls des Großen. Tunc Carolus, heißt es in der Übersetzung, vocavit Philomelam, magistrum historiæ, et dixit, quod totum hoc poneret in historia; dieser Name ist auf das Buch übergegangen." F. Diez, Die Poesie der Troubadours S. 205. Original und Übersetzung, als deren Verfasser sich Guillelmus Pabuanus nennt, setzt G. Paris, Histoire poétique de Charlemagne S. 89. 90, ins 13te Jahrhundert. „L'original provençal," sagt er S. 89, „est au moins de la première moitié du treizième siècle. Nous ne pensons pas qu'il soit plus ancien" u. s. w. Man vgl. über Philomena F. Diez a. a. O. S. 203 bis 206. Gräße, Die großen Sagenkreise S. 290. 291. Fauriel in der Histoire littéraire de la France XXI. Paris 1847. 4. S. 373 bis 382. L. Gautier I, S. 485 bis 487. Paul Meyer, Recherches sur l'épopée française. Paris 1867. 8. S. 26 bis 33. H.]

[1] [Vgl. oben S. 354, Anmerkung 1. H.]

[2] Bechada, Wace, Chrestiens de Troyes sind hier zu nennen, als von denen bestimmte Zeitangaben vorhanden sind. Meister Wace lebte unter den drei Heinrichen von England:

Trois rois Henri vi et connui
Et clercs lisans en lor tans fui.

Von Heinrich dem zweiten hatte er eine Präbende zu Baives [Bayeux. H.] erhalten. Er beendigte eine Erzählung „Le chevalier au lion" im Jahr 1155. Sein Roman de Rou ist in der epischen Versart der Alexandriner verfaßt. In der Fortsetzung desselben, der schon erwähnten normännischen Chronik in vierfüßigen Schlagreimen, betrauert er schon eine verschwundene Zeit, in welcher die Dichter besser geehrt und belohnt worden. Überhaupt setzen die Werke der genannten Dichter bereits eine ansehnliche Stufenfolge früherer Versuche in romanischer Sprache und in verschiedenen Gedichtformen voraus. Über mehrere Poesieen im französischen Romanzo aus dem 11ten und der ersten Hälfte des 12ten Jahrhunderts findet man Notizen in Barbazans Dissertation sur l'origine de la langue françoise, Fabliaux et Contes Band I, und in Roqueforts Discours préliminaire vor seinem Glossaire. [In Uhlands Handschrift der Abhandlung über das altfranzösische Epos findet sich die folgende Anmerkung: „Bechadas versificierter Roman über Gottfried von Bouillon wurde ums Jahr 1130 verfertigt (Eichhorn, Allgemeine Geschichte der Cultur und Litteratur des neueren Europas, I, S. 157 f., welcher angiebt, daß sich das Andenken desselben nur durch eine Chronik erhalten. Es finden sich jedoch im Katalog der kaiserlichen Bibliothek Nr. 6972. 7628. 7188[2] Romane von Gottfried von Bouillon verrichteten der Zeit, unb bieß waren ja vorzüglich bie Geiftlichen, zu grö[96]ßern Compofitionen vereinigt unb ausgebilbet, in welcher Ge= ftalt fie auch auf uns gekommen. Der Verfaffer bes Romans von

zeichnet)." Bechaba gehört inbeffen nicht unter bie altfranzöfifchen Dichter. P. Paris in ber Histoire littéraire de la France XXII, S. 352. 353, bemerkt: „La chronique du prieur du Vigeois nous a signalé le nom de Guillaume Bechada, chevalier de profession, auteur d'un grand volume des gestes de la Croisade, rimé en langue vulgaire, avant 1137. Cette chanson pro- vençale de Guillaume Bechada ne nous a pas été conservée." Man vgl. auch Histoire littéraire de la France X, S. 403. Fauriel, Histoire de la poésie provençale. II. Paris 1846. 8. S. 377 bis 379. Die aus bem Roman de Rou angeführte Stelle finbet fich in ber Ausgabe von F. Pluquet B. I, S. 273:

Z. 5324 Treiz reis Henris vi è cunui
         E cler lisans en lur tems fui.

Die Stellen, in welchen Wace ber früheren, ben Dichtern günftigeren Zeiten gebenkt, lauten nach ber Ausgabe von Pluquet B. I, S. 272. 273 folgenbermaßen:

Z. 5312 Morte est, ki jadis fud, noblesce
         E périe est od lié largesce;
         Ki ses leis ait, nel pous truver.
         Tant ne puis luing ne proès aler,
         Ne truis gaires ki riens me dunt,
         Fors li reis Henris li secunt.
         A Baieues une provende
         Il me fist duner. Dex li rende!
         E maint altre dun m'ad duné.
    5321 De tut li sace dex bun gré!

unb bann wieber:

Z. 5330 Jà soleient estre onuré
         E mut preisié è mut amé
         Cil ki li gestes escriveient
         E ki li estoires faseient.
         Sovent aveient des baruns
         E des nobles dames biax duns,
         Mez ores par lunges penser,
         Livres escrire è translater,
         Fere romanz è serventoiz,
    5339 Poi truverai, tant seit cortoiz.

   Lis romans dou chevalier au lyon ift bekanntlich keine Dichtung bes Wace, fonbern bes Creftien von Troies. Die irrige Angabe rührt von Gallanb her. Man vgl. hierüber mein Buch über Creftien von Troies S. 153. Aus= führliche litterarifche Nachweifungen über Wace habe ich ebenbafelbft S. 152.

Biane nennt sich ausdrücklich einen clerc[1], und die Glaubensbekenntnisse und Gebete, welche in diesem Gedichte, so wie in dem von den Aimons= kindern, vorkommen, lassen über den Stand der Verfasser keinen Zweifel übrig. Begreiflich tragen nun jene Heldengedichte überall das Gepräge der Zeit dieser letzten Bearbeitung und der Gesinnung ihrer Bildner. So wurden in einigen derselben Wallfahrteifer und Glaubensheroismus

153 und in meiner Ausgabe der altfranzösischen Legende der heiligen Margarete, Hannover 1863. 8. S. VII. VIII, gegeben. Man vgl. weiter: Kloppe, Re- cherches sur le dialecte de Guace (Wace), trouvère anglonormand du XIIe siècle. I. II. Magdeburg 1853. 1854. G. Körting, Über die Quellen des Roman de Rou. Leipzig 1867. 8. und von demselben Verfasser „Über die Echtheit der einzelnen Theile des Roman de Rou" im Jahrbuch für romanische und englische Litteratur, herausgegeben von L. Lemcke B. VIII. Leipzig 1867. 8. S. 170 bis 204. Daß unsere Kunde über die altfranzösischen Dichter seitdem bedeutend gewachsen, daß nun auch über andere, als die genannten, bestimmte Zeitangaben möglich sind, braucht kaum ausdrücklich bemerkt zu werden. H.]

[1] [Die Stelle lautet nach der Mittheilung von P. Paris in der Histoire littéraire de la France XXII, S. 449:

> Ce fu en mai qu'il fait chaut et seri,
> Ke l'erbe est vers et rosier sont flori;
> A Bar sor Aube, un chastel signori,
> Lai cist Bertrans en un vergier flori,
> Uns gentis clers qui ceste chanson fist.
> A un juedi, quant don mostier issi,
> Ot escoulé un gaillart pallerin
> Ki ot saint Jaque aoré et servi,
> Et per saint Piere de Rome reverti;
> Cil li conta ce que il sot de fi,
> Les aventures qu'en repairer oï,
> Et les graus peines que dans Girars sofri,
> Ains qu'il éust Viane.

Über den hier genannten Verfasser bemerkt P. Paris ebendaselbst folgendes: „Il semble bien, d'après un passage aussi net, que l'auteur était Bertrand, clerc de Bar-sur-Aube. Cependant l'expérience que nous avons des inno- centes fraudes des jongleurs pour relever le prix de leur marchandise, nous laisse encore d'assez grands doutes; et nous ne serions pas étonnés que ce Champenois Bertrand n'eût été qu'un personnage fictif, auquel on aurait donné pour compagnon un pèlerin nouvellement arrivé de loin, et par conséquent garni de beaux récits, afin d'inviter l'auditoire à prêter plus d'attention à la chanson promise. Dans tous les cas, cet auteur, vrai ou sup- posé, Bertrand de Bar-sur-Aube, n'est connu par aucun autre ouvrage." H.]

vorherrschend, wo die Keime dazu schon von Anbeginn in der Sage liegen mochten, andere dagegen verläugneten nicht ihre ursprünglich und innerlich weltliche Richtung, und die andächtige Stimmung zeigt sich dann mehr nur in einzelnen Zügen und in Zusätzen, wie z. B. das weltliche Gedicht von den Aimonskindern mit der Wallfahrt und dem Martyrthum Regnaults sich schließt.

In diesen größern Compositionen treffen wir eine auffallende Oppo= sition zwischen den Verfassern derselben, den Gelehrten der Zeit, Clercs, und den herumziehenden Sängern, Jongleurs. Diese werden von jenen der Verfälschung der Kunden bezüchtigt und die Clercs geben sich die Miene, nach alten Urkunden die Wahrheit herzu[97]stellen [1]. Es ist dieß

---

[1] Adenés, der Verfasser des Romans von Berta, führt als seine Quelle ein Geschichtbuch an, das ihm von einem gefälligen Mönche zu St. Denis, Namens Savari, mitgetheilt worden und worin er die durch Jongleurs ver= fälschte Geschichte in echter Gestalt gefunden:

> Aprentif jugleor et escrivain marri
> Qui l'ont de liex en liex ça et la conqueilli,
> Ont l'estoire faussée.

[In der Ausgabe von P. Paris S. 2:

> Aprentif jugléor et escrivain mari
> Qui l'ont de lius en lius çà et là conqueilli,
> Ont l'ystoire faussée, onques mès ne vi si. H.]

Girart von Amiens beruft sich am Schlusse seines Gedichtes auf die Chronik von Aachen (cronique d'Ays), worin sich die Substanz von den Thaten Karls des Großen befinde und worin auch noch der Tod Turpins berichtet werde. [Girard d'Amiens beruft sich zweimal auf die Chroniken von Aachen als auf seine Quellen, am Schlusse des ersten und des dritten Buches. Vgl. G. Paris, Histoire poétique de Charlemagne S. 94. 478. 482. H.] Bertrans beschul= bigt im Roman von Viane die Sänger, daß sie den besten Helden in Vergessen= heit kommen ließen:

> Mais dou millor nos ont mis en obli
> Cil chanteor qui nos en ont servi,
> Car il ne sevent l'istoire que je di.

[Diese Stelle lautet nach der Mittheilung von P. Paris in der Histoire littéraire de la France XXII, S. 449 folgendermaßen:

> Del duc Girart avés sovent oï,
> Cel de Viane au corage hardi,
> Et d'Ermangart et del conte Aimeri;
> Mais dou meillor vos ont mis en obli

aber, wenigſtens in früherer Zeit, kein innerer Zwieſpalt, welcher durch
Streit des tobten Buchſtabs mit dem Leben der Sage, als beſſen Reprä=
ſentanten die Jongleurs zu betrachten ſind, entſtanden wäre, ſondern
es iſt [98] das Zeichen der Zeit, in der ſich die Helbengeſänge zu um=
faſſenbern epiſchen Gebichten bilbeten. Dieſes große Geſchäft konnte
nur von den Unterrichtetſten und Gebilbetſten, alſo eben von den Clercs,
ausgeführt werden [1]. Darum aber iſt das Gebicht ber Clercs keines=

> Cil chanteor qui vos en ont servi,
> Car il ne sevent l'histoire que je vi,
> La commancele dont la chanson issi. H.]

Der Verfaſſer des Maugis ſagt:

> Cil jougleour vos chantent de Maugis le larron,
> Comment il guerroya l'empereour Karlon,
> Pour aidier ses cousins, les quatre fils Aymon,
> Dont il ne sevent mie la monte d'un bouton.

[Nach P. Paris in ber Histoire littéraire de la France XXII, S. 701,
lautet bieſe Stelle in ber Handſchrift 7183, Blatt 1, folgenbermaßen:

> Cil jugleor vous chantent de Maugis le larron,
> Coment il guerroia l'empereor Charlon,
> Pour aider ses cousins, les quatre fis Aimon;
> Mais ce n'est pas d'iluec dont nos vous chanteron;
> Mais je vous en dirai la droite nascion,
> Où il aprist le sens dont il ot à foison. H.]

[1] Daburch wäre es möglich, daß bas fränkiſche Epos allerbings auch Ein=
flüſſe des griechiſchen erfahren hätte. Wie in ber Dichtung von den Heimous=
finbern bie Jlias ſichtbar ſei, hat Görres a. a. O. S. 102 ff. zu zeigen geſucht.
[Daß bas altfranzöſiſche Epos vielfach an bas griechiſche erinnert, hat P. Paris
in ber Histoire littéraire XXII, S. 271. 272 entwickelt: „On nous permettra
de comparer, sinon les chansons de geste avec la grande épopée homérique,
du moins la façon dont on y représente les hommes du XIe siècle avec
les mœurs des anciennes populations de la Grèce, telles qu'on les reconnaît
dans l'Iliade. Nos héros français se prennent aisément de querelle, et
n'épargnent pas les grossières invectives; avant de combattre, ils échangent
d'amères paroles; leurs jeux sont la chasse, les échecs, les luttes corps
à corps; leurs armes offensives et défensives, outre la lance, qui n'était
que pour entrée de combat, sont le glaive, le brand, la masse d'armes,
et le heaume, le haubert, la cotte de mailles. Ils luttent non-seulement
contre les traîtres et les mécréants, mais aussi contre les bêtes féroces,
les serpents, les dragons. Leurs chevaux partagent leur gloire, et sont
sensibles à leurs paroles. Au lieu d'invoquer Mars, Apollon, Vénus, les
preux font des oraisons dont la vertu n'est pas moins efficace. Dans la

wegs von dem Gesange der Jongleurs feindselig abgeschieden, vielmehr stehen beide in reger Wechselwirkung. Die Clercs bearbeiteten nicht etwa bloß was sie in Schriften verzeichnet fanden, sondern sie kannten und benützten die lebendige Sage [1], und [99] hinwieder sind ihre Gedichte großentheils nicht nur voll regen inneren Lebens, sondern auch, wie oben gezeigt worden, ausdrücklich zum Gesange bestimmt und nach ihrer ganzen Form für den Vortrag der Jongleurs eingerichtet, die ihrerseits jene Gedichte wirklich durch Gesang in das Leben zurückführten [2].

forme des détails, on doit signaler entre la rapsodie grecque et plusieurs gestes françaises d'autres analogies. Ainsi, dans les Loherains, le nom des héros ramène constamment la même épithète caractéristique: c'est toujours Fromont le *poestés*, Guillaume l'*orguilloux*, Bernard le *fel*, Garin le *ber*, Gautier l'*orphelin*, Isoré le *gris*, etc., etc. Les ordres donnés aux messagers sont transmis précisément dans les mêmes termes; les songes envoyés de Dieu préparent aux événements qui doivent suivre; les guerriers qui survivent prononcent quelques phrases touchantes sur le corps de leurs amis morts:

„Tant mar i fus, frans chevaliers ardis,
„Qui vous a mors, il n'est pas mes amis . . .
„S'or ne vous venge, en esragerai vis," etc.
Garin le Loherain, t. 1, p. 266, etc.

Enfin il y a bien aussi dans l'Iliade quelque chose de la monotonie de nos descriptions de combats, de nos répétitions d'hémistiches et de vers entiers. On ne peut s'empêcher, en voyant Olivier et Roland, de penser à Patrocle et Achille; Bazin de Gênes rappelle Ulysse; Naime de Bavière, Nestor; Charlemagne, Agamemnon. Ces analogies ne sont pas dues à l'imitation; et deux sociétés parvenues à peu près au même point, à deux mille ans de distance, ont rendu pour ainsi dire nécessaire le retour des mêmes tableaux et des mêmes caractères." Man vergleiche auch L. Gautier I, S. 114 bis 116. II, S. 150 bis 152. H.]

[1] So bezieht sich derselbe Bertrans, von dem ich so eben eine Beschuldigung gegen die Sänger angeführt habe, doch wieder einigemal auf frühere Gesänge, und wenn er einerseits seine Kenntnis von den edeln fränkischen Geschlechtern aus einem alten Buche zu St. Denis geschöpft haben will, so beruft er sich andrerseits auf die Erzählungen eines lustigen, von St. Jakob heimkehrenden Pilgers, der ihm zur lieblichen Maienzeit, zu Bar sor Aube, in einem blühenden Baumgarten, die Abenteuer Gerhards erzählte, welche der Pilger selbst unterwegs gehört hatte. [Vgl. die Stelle oben S. 359, Anm. 1. H.]

[2] Ein Beispiel ist die oben S. 346 angeführte Romanze in der Erzählung von Gerard de Nevers.

Daß die nordfranzöſiſche nicht weniger als die provenzaliſche Poeſie, nur in einer andern Art der Dichtung, auf die altdeutſche Adelspoeſie bedeutenden Einfluß gehabt habe, iſt eine bekannte Sache; wiewohl eben darin die ſeit kurzer Zeit ſo mächtig geförderte Kenntnis unſerer ältern vaterländiſchen Poeſie noch eine große Lücke hat, daß noch keineswegs durch eine umfaſſendere und genauere Vergleichung das eigenthümliche Verdienſt jeder Nation überzeugend ausgemittelt worden iſt [1]. Auf der andern Seite aber dürfte es uns Deutſchen nicht gleichgültig ſein, wenn ſich eine Einwirkung des älteren, urſprünglich [100] deutſchen Heldengeſanges auf die Bildung des altfranzöſiſchen Epos nachweiſen ließe.

Es darf zum voraus als wahrſcheinlich angenommen werden, daß mit den Franken, ſo wie ſpäter den Normannen, auch germaniſcher Geſang nach Gallien übergewandert ſei, und daß, ſo wie deutſche Verfaſſung, deutſche Sitte, überhaupt deutſches Leben in Gallien Wurzel gefaßt, ſo auch Geiſt und Weiſe des deutſchen Geſanges. Germaniſcher Sinn und Geiſt, germaniſche Sitte und Verfaſſung, wie ſich dieß Alles in unſrem einheimiſchen Epos bewegt, erſcheint nun auch wirklich in dem fränkiſchen; zwar durch die Vermiſchung der Nationen, durch gebildeteres Ritterthum und andre Einflüſſe verwandelt und gemildert, im Grunde jedoch unverkennbar [2]. Stellt man noch dem fränkiſchen Epos die Contes und

---

[1] [Es mag hier an der allgemeinen Verweiſung auf die folgenden Hauptwerke genügen: A. Koberſtein, Grundriß der Geſchichte der deutſchen NationalLitteratur. I. Leipzig 1847. 8. W. Wackernagel, Geſchichte der deutſchen Litteratur. Baſel 1848. 8. G. G. Gervinus, Geſchichte der deutſchen Dichtung. Vierte Ausgabe. I. Leipzig 1853. 8. K. Gödeke, Deutſche Dichtung im Mittelalter. Hannover 1854. 8. und deſſelben Grundriß zur Geſchichte der deutſchen Dichtung aus den Quellen. I. Hannover 1859. 8. Man vergleiche auch W. Wackernagel, Altfranzöſiſche Lieder und Leiche. Baſel 1846. 8. S. 199 bis 237. Über den Einfluß der provenzaliſchen Lyrik auf die altdeutſche Liederpoeſie vergleiche man F. Diez, Die Poeſie der Troubadours S. 255 bis 271. H.]

[2] [Vgl. W. Grimm, Ruolandes liet S. CXX. Fauriel, Histoire de la poésie provençale II, S. 269 bis 277. La mort de Garin le Loherain, poème du XIIe siècle, publié pour la première fois par M. Édélestand Du Méril. Paris 1846. 8. S. XXXIII bis XLIV. F. Diez, Altromaniſche Sprachdenkmale, berichtigt und erklärt, nebſt einer Abhandlung über den epiſchen Vers. Bonn 1846. 8. S. 130. W. J. A. Jonckbloet, Geſchiedenis der middennederlandſche dichtkunſt. II. Amſterdam 1852. 8. S. 55 bis 57. A. Holtzmann in F. Pfeiffers Germania. I. Stuttgart 1856. 8. S. 493. 494.]

Fabliaux entgegen, so zeigt sich dieß noch auffallender und man möchte vermuthen, daß, so wie in dem epischen Gesange das deutsche, so in der Erzählungspoesie das gallische Element der francogallischen Nation vorgeschlagen habe.

Hiemit ist übrigens wohl der Einfluß deutscher Sinnesart, aber nicht zugleich die Einwirkung des deutschen Gesanges selbst gegeben. Ob in der Fabelgeschichte selbst und deren Ausbildung ein solcher Zusammen= hang stattgefunden habe oder nicht, wird erst die vollständigere Kenntnis der [101] altfranzösischen Poesie aufhellen [1]. In Hinsicht auf die Darstellung, den Stil, findet zwar allerdings viele Ähnlichkeit zwischen dem französischen und dem deutschen Epos statt, aber da beide wieder so manche Zusammenstellung mit dem griechischen gestatten, so könnte der Grund jener Ähnlichkeit schon in der Natur der dargestellten Gegen= stände, im Wesen der epischen Darstellung überhaupt und in der ana= logen Bildungsstufe gesucht werden. Nur eine solche Vergleichung, welche sich durch die Menge und Beständigkeit treffender Einzelnheiten bewährte, könnte hierin überzeugend werden [2]. Die Versart jedoch gestattet schon jetzt eine merkwürdige Beziehung.

G. Paris, Histoire poétique de Charlemagne S. 43 bis 52. Für den deutschen Ursprung des altfranzösischen Heldenliedes ist namentlich L. Gautier eingetreten. Man vergleiche Les épopées françaises I, S. 10 bis 27. „Les épopées françaises, les chansons de geste“, sagt Gautier S. 10, „sont d'origine et de nature essentiellement germaniques." Gegen Gautier hat sich Paul Meyer, Recherches sur l'épopée française S. 57 bis 59 ausgesprochen. Man vergleiche auch die Bemerkung von J. Grimm oben S. 337, Anmerkung 3. H.]

[1] Görres a. a. O. S. 126 hat das Gedicht des Stricker als den Nibelungen nachgebildet dargestellt. W. C. Grimm, Altdänische Heldenlieder u. s. w. S. 503, bemerkt, daß in Ritsons Ancient english romances III, 274 zwei Helden Hildebrant und Herebrant aus einem altfranzösischen Gedicht an= geführt werden, welche in den altdeutschen Cyklus gehören möchten. [Vgl. W. Grimm, Ruolandes liet S. CXX bis CXXII. G. Paris, Histoire poétique de Charlemagne S. 118 bis 129. F. Diez a. a. O. S. 130. K. Simrock, Die Nibelungenstrophe und ihr Ursprung. Beitrag zur deutschen Metrik. Bonn 1858. 8. S. 96. H.]

[2] In den Noten der Beilage ist ein Versuch gemacht, einzelne Züge, Redeformen, Wendungen u. s. w. des Romans von Viane mit solchen aus dem Nibelungenliede zu vergleichen. Schon aus den oben angeführten Gründen kann jedoch auf diesen ersten Versuch noch kein besondres Gewicht gelegt werden.

[102] Der epische Alexandriner der Franzosen ist gerade der Vers der deutschen Heldengedichte. Sollte nicht der Nibelungenvers als der epische Stammvers der germanischen Völkerschaften zu betrachten sein, welchen sie auf ihren Wanderungen mitgenommen und in den eroberten Ländern unter verschiedenen Modifikationen einheimisch gemacht [1]?

Bei den Deutschen und den Nordländern, als den Stammvölkern, erscheint er in seiner größten Einfachheit und Freiheit; in den englischen Balladen hat er sich, wie auf etwas verschiedene Weise (mit hinzugekommenem Reim) nachher in Deutschland selbst, in schärfere Abschnitte zersetzt; in den französischen Gedichten ist der Reichthum der Reime hinzugetreten, als Folge der großen Reimfähigkeit aller Sprachen römischen Ursprungs. Auch das alte spanische Gedicht vom Cid ist in ähnlicher Versart verfaßt [2].

Die Zusammensetzung der französischen Nation aus so verschiedenen Völkerstämmen macht es überhaupt zu einem Gegenstande der Untersuchung, was sich in der altfranzösischen Poesie als Beitrag jedes einzelnen noch erkennen lasse. Hier [103] mag es nicht überflüssig sein, den fränkischen Cyklus mit zwei andern, in der nordfranzösischen Poesie sich auszeichnenden Fabelkreisen zusammenzustellen.

Möglich, aber nicht wahrscheinlich, wäre es sogar, daß vielmehr der Stil der französischen Gedichte auf den des deutschen Epos, in seiner jetzigen Gestalt, eingewirkt hätte, so wie sich in den Nibelungen einzelne französische Worte nachweisen lassen.

[1] [Vgl. Schriften I, S. 357 bis 388. W. Wackernagel, Altfranzösische Lieder und Leiche S. 213. Derselbe, Geschichte der deutschen Litteratur S. 131. 132. F. Diez a. a. O. S. 130 bis 132. A. Holtzmann, Untersuchungen über das Nibelungenlied. Stuttgart 1854. 4. S. 77. K. Simrock a. a. O. S. 1. 2. 95. 96. Man vergleiche auch K. Bartsch in Pfeiffers Germania B. IV. Wien 1859. 8. S. 124 bis 128. Es ist wol manchem Leser von Belange, zu erfahren, daß mir Uhland die Schrift von Simrock für das beste erklärt hat, was in dieser Sache geschrieben worden. Über den epischen Vers und das epische Couplet der Franzosen hat sich zuletzt noch L. Gautier im ersten Bande seiner Épopées françaises S. 192 bis 228 ausführlich verbreitet. Man vergleiche dazu K. Bartsch in der Revue critique d'histoire et de littérature. Paris 1866. 8. Nr. 52, S. 410. 411. H.]

[2] Man vgl. hierher Grimm a. a. O. S. XXXVII. [Über die Versart des Poema del Cid vergleiche man Diez a. a. O. S. 107. Simrock a. a. O. S. 99. 100. Ferdinand Wolf, Studien zur Geschichte der spanischen und portugiesischen Nationallitteratur. Berlin 1859. 8. S. 42. H.]

Nicht ohne Einfluß war das fränkische Epos auf die Ausbildung der ursprünglich brittischen Dichtungen vom König Artus und der Tafelrunde. Aber zu eigentlich epischem Leben sind diese dadurch keineswegs in der französischen Poesie gelangt, vielmehr mag eben diese Umschmelzung nach einem fremden Gedichtkreise die phantastische Bodenlosigkeit befördert haben, womit sie großentheils in der französischen und aus dieser auch in der deutschen Poesie erscheinen.

Ich kenne kein französisches Gedicht aus diesem Fabelkreise, das in einer der zwei epischen Versarten verfaßt wäre [1]. Die dahin einschlagenden Dichtungen wurden in vierfüßigen Schlagreimen als Reimchroniken, oder als Contes und Fabliaur, zum Theil nach bretagnischen Lais [2], vorzüglich aber in prosaischen Romanen von ungeheurem Umfang bearbeitet. In diesen Romanen herrschen Galanterie und Hofzucht, besonders aber eine auffallende Sentimentalität. Bei den fränkischen Helden sind die Thränen der heftige Ausbruch einer plötzlichen, gewaltsamen Bewegung; Karl, als er den Olivier in Gefahr weiß, verdeckt seine Thränen mit dem Pelze (s. [104] Beilage, Strophe 18) und Richart, einer von den Aimonssöhnen, verspottet seine Brüder, als sie beim Abschied vom väterlichen Hause weinen [3], dem Tristan und Lanzelot aber ist das Weinen zur andern Natur geworden und sie ergießen sich nicht selten in die beweglichsten Klagelieder [4].

[1] [Die beiden von Roquefort, Glossaire de la langue romane I, S. 25 angeblich aus einem Roman de Perceval mitgetheilten Langzeilen kommen hier nicht in Betracht. Man vergleiche mein Buch über Crestien von Troies S. 238, Anmerkung 1. H.]

[2] [Vgl. mein Buch über Crestien von Troies S. 26 und Anmerkung 1 daselbst. H.]

[3] Mainte larme ont plouré à celle départie,
Mais le gentil Richart celui ne ploura mie,
Car il estoit si fier que oncques jour de sa vie
Il ne dengna plourer, tant eust de hachie.
Ains en moquoit les autres et tanchoit à la fie
Et disoit: „Nuls francs cuers plourer ne devoit mie
Pour meschief ne destresse, annuy ne vilonie."

[Man sehe diese Stelle in Bekkers Fierabras S. III, Z. 180 bis 186. H.]

[4] S. oben S. 344, Anmerkung 2. Aber kein Wunder, daß Tristan so traurig ist. Man höre, wie ihn seine Mutter, gleich nach der Geburt für die Traurigkeit

In Wales herrscht König Artus und hier ist die Tafelrunde, aus Kleinbritannien stammen die zwei ersten Ritter derselben, Lanzelot und Tri[105]stan, das letztere Land ist als Lehen mit dem erstern verbunden, beide sind Schauplatz der Thaten und Leiden der Helden von der Tafelrunde. Gottfried von Monmouth, der erste bekannte Erzähler der Geschichten von Artus, will dieselben aus der Bretagne erhalten haben[1]; alles dieß deutet darauf, daß die dahin einschlagenden Dichtungen, bei aller phantastischen Willkür und bei aller Umbildung nach dem fränkischen Epos, doch in den verwandten Provinzen, Wales und Bretagne,

einweiht: „Triste vius ici; triste j'accouche; en tristesse t'ai eu; triste est la première fête que je te fais; pour toi mourrai triste; et comme ainsi par tristesse es venu en terre, à tant auras nom Tristan."

[1] S. Eichhorns Allgemeine Geschichte der Cultur und Litteratur. Bd. I, Erläut. S. 41. Dieser Schriftsteller sucht übrigens die Angabe des Gottfried von Monmouth, als hätte er bloß eine durch Walther, Archidiaconus von Oxford, aus der Bretagne mitgebrachte Geschichte der Könige von Britannien ins Lateinische übersetzt, als Erdichtung darzustellen. Mag sie auch nicht nach ihrem vollen Inhalt wahrhaft sein, die Hindeutung auf Bretagne kann immerhin einigen Grund haben. Nimmt man aber mit Eichhorn an, daß Gottfried von Monmouth wälsche Dichtersagen nach dem Turpin zugebildet, so haben wir statt der Bretagne das Mutterland, und dieß stimmt nicht weniger für die folgende Ausführung. Auch führt Percy, Reliques of ancient english Poetry Vol. III, b. 1 in der Einleitung, an, daß die Walliser einige sehr alte Romane vom König Artus haben. Die Angabe in einem Roman von der Tafelrunde, daß Rusticien de Pise ein Ritterbuch in lateinischer Sprache aus den Erzählungen von Artus und dessen Rittern gesammelt habe, welche durch Thelesin und Melchin, zwei Bretagner, in ihren Chroniken aufgezeichnet worden, ist eine weitere Andeutung. [Vgl. Schriften II, S. 112 bis 117. San-Marte, Die Arthursage und die Mährchen des rothen Buches von Hergest. Quedlinburg und Leipzig 1842. 8. Gottfried von Monmouth, Historia regum Britanniae, mit litterarhistorischer Einleitung und ausführlichen Anmerkungen, und Brut Tysilio, altwälsche Chronik, in deutscher Übersetzung. Herausgegeben von San-Marte (A. Schulz). Halle 1854. 8. Ausführliche litterarische Nachweisungen über die Arthursage und die ihr angehörenden Gedichte finden sich bei Gräße, Die großen Sagenkreise des Mittelalters, und in meinem Buche über Crestien von Troies. Man vergleiche auch F. Zarncke, Über das Verhältnis des Brut y Tysilio zu Gottfrieds Historia regum Britanniæ, in Eberts Jahrbuch für romanische und englische Litteratur B. V. Leipzig 1863. 8. S. 249 bis 264. A. Holtzmann, Artus, in Pfeiffers Germania B. XII. Wien 1867. 8. S. 257 bis 284. H.]

eine Heimath haben. Nimmt man hinzu, daß der weinerliche Ton in den oben erwähnten profaischen Romanen (über welchem ich übrigens die sonstigen Schönheiten derselben kei[107]neswegs verkenne und durch welchen nicht selten das echtere Gefühl hervorbricht) nur Ausartung einer edleren Sentimentalität zu sein scheint, wie sie in den kleinen bretagni= schen Romanzen, Lais [1], gewaltet, welche nicht selten Gegenstände aus dem Cyklus der Tafelrunde behandeln; daß eben diese Lais durch Ton und Form, durch Geist und Inhalt eine ganz besondre Gedichtart ausmachen: so läßt sich wohl mit Recht annehmen, daß bei den nach Armorica geflüchteten [107] Britten sich eine eigenthümliche Poesie ge= bildet habe, die sich nicht bloß durch Originalität in Geist und Weise, sondern auch durch nationale Mythen ausgezeichnet, welche zum Theil schon aus dem Mutterlande mitgebracht sein mochten, wenigstens in viel= facher Beziehung auf dasselbe stehen.

In der Normandie reihte sich eine Folge nationaler Kunden, welche sich zwar nicht zu einem besondern epischen Cyklus erweitert und gebildet haben, aber doch vom Vater auf den Sohn fortschreiten und auch inner= lich durch einen eigenthümlich finstern Geist zusammenhängen. Was ich davon kenne, sind einige Sagen von den Roberten und Richarden im Anfange normännischer Chroniken, besonders der vortrefflichen Reim= chronik von Wace [2], sodann die beiden Volksromane von Robert dem Teufel und dessen Sohne Richard Ohnefurcht [3]. Der erstere macht durch

---

1 Auszüge und Beschreibungen fünf solcher Lais stehen bei Legrand Band IV, S. 27 bis 37. Daß ich diese Art von Gedichten bretagnisch nenne, geschieht darum, weil sie in beständiger Beziehung auf die Bretagne stehen. Es wird davon vielleicht zu andrer Zeit besonders gehandelt werden. Auch die Pro= venzalen hatten Lais, aber die Gleichheit der Namen begründet noch keine innere Verwandtschaft. [Vgl. F. Wolf, Über die Lais. Heidelberg 1841. 8. H.]

2 S. oben S. 354, Anmerkung 2, und S. 357, Anmerkung 2. Zwei solche Kunden aus dieser Reimchronik stehen, mit einigen andern altfranzösischen Ge= dichten, von mir übersetzt in Kerners Poetischem Almanach für 1812. [Uhland hat diese altfranzösischen Stücke nachher auch in die Sammlung seiner Gedichte aufgenommen, zuerst in die zweite Auflage vom Jahre 1820. H.] Der eigent= liche Roman de Rou mag gleichfalls Manches dieser Art enthalten.

3 La terrible et épouvantable vie de Robert le Diable, avec plusieurs choses remarquables contenues en icelle, à Limoges, chez F. Chapoulaud, imprimeur-libraire. 28 Seiten. L'histoire de Richard Sans-Peur, Duc de

seinen [108] bedeutsamen Inhalt um so mehr aufmerksam auf ein noch vorhandenes Gedicht in der epischen Alexandrinerweise über denselben Helden [1].

Der finstere, gespenstische Charakter dieser normännischen Dichtungen deutet bestimmt auf nordische Abkunft [2]. Verkehr mit dem bösen Geiste, nächtlicher Geisterspuk erscheinen darin bald als finsterer Ernst, bald als schauerlicher Scherz. Robert der Teufel, schon vor der Geburt verflucht, unter Sturm und Gewitter geboren, unter Frevel aufgewachsen, baut sich ein Haus im dunkeln Walde, wo er alle erdenkbaren Greuelthaten verübt, zuletzt aber vor sich selbst erschrickt und durch eine wunderbare Buße mit dem Him[109]mel versöhnt wird. Richard Ohnefurcht reitet immer in der Nacht umher, sieht bei Nacht, so gut als am Tage, neckt die Geister und wird von ihnen geneckt, besteht gegen sie und durch

Normandie, fils unique de Robert le Diable, lequel par sa grande générosité fut Roi d'Angleterre. A Troyes, par les associés. 27 Seiten. So wie diese Volksbücher jetzt in Paris ausgeboten werden, sind sie freilich sehr verstümmelt, besonders das letztere. Eine Skizze des ersteren steht in Görres Volksbüchern S. 216. [Vgl. Nouvelle bibliothèque bleue ou légendes populaires de la France, précédées d'une introduction par M. Charles Nodier de l'Académie française et accompagnées de notices littéraires et historiques par M. Le Roux de Lincy. (Robert le Diable. Richard sans peur. Jean de Paris u. s. w.) Paris 1842. 8. Gräße, Lehrbuch einer Litterärgeschichte der berühmtesten Völker des Mittelalters. Zweite Abtheilung, zweite Hälfte. Dresden und Leipzig 1842. 8. S. 628. 629. Derselbe, Die großen Sagenkreise S. 355. 356. A. v. Keller, Altfranzösische Sagen B. II, S. 58 bis 166. De la légende de Robert le Diable par M. Édélestand du Méril. Extrait de la Revue contemporaine, livraison du 15 juin. Paris 1854. 8. Mit Zusätzen wiederholt in des Verfassers Études sur quelques points d'archéologie et d'histoire littéraire. Paris und Leipzig 1862. 8. S. 273 ff. Charles Nisard, Histoire des livres populaires ou de la littérature du colportage depuis le XVe siècle u. s. w. II. Paris 1854. 8. S. 485 bis 500. H.]

[1] Dict de Robert le Deable, Mss. fonds de l'Église de Paris, N. 21. 3. Die Versart desselben läßt sich aus mehreren in Roqueforts Glossaire (z. B. s. v. Nas) daraus angeführten Stellen ersehen. [Einen spätestens im Anfange des 16 Jahrhunderts gedruckten versificirten „Romant de Richart, filz de Robert le diable" hat Silvestre in seiner Collection de poésies, romans, chroniques u. s. w. Paris 1838, wieder herausgegeben. H.]

[2] Man stelle ihnen einmal die farbenhellen südlichen von Aucassin und Nicolette, von Flos und Blankflos gegenüber!

ihre Hülfe die seltsamsten Abenteuer und erinnert an die nordischen Geisterkämpfe[1], so wie an die deutschen Kunden von Heinrich dem Löwen, Thedel Unverferd von Walmoden[2], Junker Rechberger[3].

Dadurch, daß ein Richard von der Normandie in die Genossenschaft Karls des Großen aufgenommen worden[4], verlieren sich die normännischen Kunden gewissermaßen im fränkischen Epos[5].

[1] [Vgl. hierüber Schriften zur Geschichte der Dichtung und Sage, VII, S. 665. 666. H.]

[2] [Vgl. Göbeke, Elf Bücher deutscher Dichtung. I. Leipzig 1849. 8. S. 149 bis 153. Derselbe, Grundriß S. 292. H.]

[3] Verwandt mit den normännischen Dichtungen ist die flandrische vom Grafen Balduin, der sich mit dem bösen Geiste vermählt, wovon ein altfranzösischer Roman in Prosa vorhanden ist. [Vgl. Le livre de Baudoyn, conte de Flandre, suivi de fragments du roman de Trasignyes, publié par Serrure et Voisin. Bruxelles 1836. 8. (réimpression de l'édition de Gand 1485.) F. Wolf, über die neuesten Leistungen S. 122. 123. Gräße, Sagenkreise S. 391. 392. Liebrecht-Dunlop S. 479. An Uhlands Gedicht „Junker Rechberger" habe ich wohl nicht erst zu erinnern. Uhlands Quelle war, um dieß gelegentlich zu bemerken, J. F. Stockhausen, Mira præsagia mortis, das ist: Wunderliche Todes-Vorboten u. s. w. Helmstedt 1694. 8. S. 53. 54. Die Geschichte wird übrigens bekanntlich auch in Kirchhofs Wendunmuth erzählt. Man sehe auch Schriften I, S. 204. 208. VII, S. 662. H.]

[4] [Vgl. G. Regis, Glossar zum Bojardo S. 420. 428. G. Paris, Histoire poétique de Charlemagne S. 418. 507. L. Gautier II, S. 174, Anm. 2. H.]

[5] [Ausführlicher spricht Uhland über den normännischen Sagenkreis in den Schriften VII, S. 655 bis 666. H.]

[101] Proben aus altfranzöfifchen Gedichten.

(Beilage zu der im dritten Heft der Mufen, S. 59 ff. abgedruckten Abhandlung
über das altfranzöfifche Epos.)

Aus dem Heldengedicht von Viane. [1]

Das Gedicht, aus welchem hier Bruchftücke in der Überfetzung mit=
getheilt werden, ift in litterarifcher Hinficht in dem vorhergehenden Auf=
fatze befchrieben worden. Statt des Reimes im Original ift hier die
Affonanz gebraucht, welche, wie zuvor gezeigt worden, der altfranzöfifchen
Poefie nicht fremd ift. Die fünf erften Strophen, welche fchon in Kerners
Poetifchem Almanach für 1812 ftehen, find einer nochmaligen Durchficht
unterworfen worden. Damit übrigens diefe Bruchftücke in ihrem Zu=
fammenhang erkannt werden mögen, ift eine darauf berechnete Skizze
des Gedichts beigefügt.

[102] Rainier und Gerhard, Söhne Garins von Montglaive, haben
Karln dem Großen wefentliche Ritterdienfte gethan. Er giebt dafür dem
erftern das erledigte Genua, dem letztern verfpricht er das erledigte Herzog=
thum Burgund. Später aber findet er die Witwe des Herzogs fo fchön,
daß er ihr feine eigene Hand anträgt. Die Herzogin, fchon für Gerhard
eingenommen, erbittet fich Bedenkzeit, während welcher fie diefen zu fich
beruft. Gerhard findet es fonderbar, daß die Frau fich dem Mann an=
biete [2]. Sie beruft ihn zum zweiten Mal und er läßt zurückfagen, daß er

---

[1] [Vgl. oben S. 336, Anmerkung 1. H.]

[2] [P. Paris bemerkt in der Histoire littéraire de la France XXII,
S. 268: „Les plus anciennes chansons de geste, d'ailleurs très-concises sur
ce qui touche aux questions d'amour et de galanterie, prêtent aux femmes
les premières avances; elles nous les montrent luttant contre la pudeur
naturelle ou la timidité des plus braves guerriers; et ce moyen ne leur

vor fünfzehn Tagen nicht kommen werde. Hieburch gekränkt, läßt sie den König Karl zu sich laden unb bieser erscheint sogleich. Diesem giebt sie nun ihre Hanb, unb, um Gerharden zufrieben zu stellen, bewilligt ihm Karl bas feste Biane (Bienne) an ber Rhone. Gerharb begiebt sich in bas Gemach bes Kaisers, um ihm zu banken unb bie Füße zu küssen. Die neben ihrem Gemahl sitzenbe Kaiserin weiß jeboch ihren Fuß so vor= zustrecken, baß Gerharb für ben bes Kaisers ben ihrigen küßt. Er be= zieht nun Biane unb vermählt sich mit ber Wittwe bes vorigen Gebieters. Geraume Zeit nachher zieht Aimeri, Sohn bes Milon von Apulien, Neffe Gerharbs, an ben kaiserlichen Hof. Einmal in ber Abwesenheit bes Kaisers erzählt die Kaiserin bem Ai[103]meri an offener Tafel, was sie seinem Oheim gethan. Aimeri wirft bas Messer nach ihr, beschäbigt sie jeboch nicht gefährlich. Von weiterer Rache burch bie Umstehenben ab= gehalten, begiebt er sich nach Biane zu seinem Oheim. Dieser, noch ben alten Groll hegenb unb nun von Neuem aufgereizt, beschließt, ben Kaiser zu bekriegen. Der Kaiser zieht vor Biane unb belagert Gerharben sieben Jahre lang. Diesem sinb seine Brüder Milon von Apulien, Arnolb von Beaulanbe unb Rainier von Genua zu Hülfe gezogen, letz= terer mit seinem Sohn Olivier unb seiner Tochter Aube. Im Heere bes Kaisers befinben sich Karls Neffe Rolanb, Herzog Raims von Baiern u. a. m. Über einen Falken Rolanbs, welchen Olivier auf= gefangen, gerathen biese Jünglinge zuerst in Haber. Verschiebene Ritter= stücke von beiben unb anbre Gefechte. Einmal ist bie schöne Aube mit anbern Damen aus ber Stabt gekommen, um bem Kampfe zuzusehn; Rolanb ergreift sie unb will sie ins Lager wegführen, sie wirb ihm aber von ihrem Bruber wieber abgejagt. Olivier begiebt sich in bes Kaisers Zelt, um Friebensvorschläge zu machen, welche jeboch schnöbe zurückgewiesen werben, worauf Olivier ben Rolanb auf bie Insel unterhalb Biane zum Zweikampf forbert. Die Verabrebung wirb bahin getroffen, baß, wenn [104] Rolanb überwunben wirb, ber Kaiser abziehe, wenn Olivier unterliegt, Herzog Gerharb Biane übergeben unb bas Lanb räumen

réussit pas toujours." Man sehe ferner P. Paris, Les chansons de geste, discours d'ouverture du cours de langue et littérature du moyen âge au collège de France, in: Bulletin du bibliophile et du bibliothécaire, revue mensuelle, publiée par J. Techener. Mars. Paris 1859. 8. S. 135 bis 139. Man vgl. auch L. Gautier I, S. 18. 19. II, S. 90. H.]

müſſe. Es erhebt ſich Zank und blutiger Streit zwiſchen Olivier und
den Baronen des Kaiſers. Die Vianer kommen dem erſtern zu Hülfe.
Allgemeine Schlacht. Die Vianer werden mächtig gedrängt; Gerhard
hornt zum Rückzug, faßt Oliviers Zügel, damit dieſer nicht im Gefecht
zurückbleibe, und eilt mit ſeiner Schaar in die Stadt zurück.

1.[1]

Schon kehren die Vianer in die Stadt,
Gehoben wird die Brück', das Thor verwahrt.
Als Karl es ſieht, kömmt er von Sinnen faſt,
Laut auf er ſchreit, von wildem Zorn entbrannt:
„Wohlan zum Sturme, wackre Ritterſchaft!
Wer jetzt mir fehlt, was er zu Lehen hat,
Hab' er in Frankreich Bergſchloß oder Stadt,
Thurm oder Veſte, Flecken oder Mark,
Es wird ihm all dem Boden gleich gemacht."
Auf ſolche Worte kamen all heran,
Die Schildner drangen auf die Mauern dar,
Mit Hammer ſchlagend und geſtähltem Schaft.
Die von Viane ſteigen maueran,
Da werfen Stein' und Scheiter ſie herab
[105] Und mehr denn ſechzig wurden da gemalmt,
Zu Boden mehr denn hundert hingerafft
Der Jünglinge vom ſchönen Frankenland.
„Herr Kaiſer," ſagte Herzog Naims im Bart,
„Wollt Ihr die Stadt gewinnen mit Gewalt,
Die hohen Mauern mit den Zinnen ſtark,
Die feſten Thürme, manch Jahrhundert alt,
So Heiden einſt erbaut mit großer Kraft,
In Eurem Leben wird es nicht vollbracht.
Drum ſendet eh' zurück nach Frankenland,

[1] [Tirade 1 bis 5 hat Uhland, wie ſchon bemerkt iſt, zuerſt in Juſtinus
Kerners Poetiſchem Almanach für das Jahr 1812, S. 243 bis 248 unter dem
Titel „Roland und Aude" mitgetheilt, ſpäterhin, übrigens mit manigfachen
Änderungen, unter der Aufſchrift „Roland und Alda" auch in ſeine Gedichte
aufgenommen und zwar zum erſten Mal in die zweite Auflage derſelben vom
Jahre 1820. Man vergleiche jetzt die vierundfünfzigſte Auflage, Stuttgart 1869.
8. S. 420 bis 424. Die Überſetzung iſt in Tübingen entſtanden am 28 Fe-
bruar 1811. H.]

Daß Zimmerleute werden hergebracht!
Und sind sie angekommen vor der Stadt,
So laßt sie bauen Rüstzeug mancherhand,
Davon die Mauern werden hingerafft!"
Der König hört es, all sein Blut aufwallt,
Groß Leid hat ihn befallen.

2.

So sprach der Herzog Naims mit blühndem Kinne:
„Herr Kaiser Karl, es sei Euch unverschwiegen [1]!
[106] So helf' mir Gott! thörecht ist Euer Sinnen,
Daß Ihr die Stadt vermeinet zu gewinnen
Durch solchen Sturm, solch ungestümes Dringen.
Hoch ist die Maur, vom Heidenvolk errichtet;
Bei meiner Treu zur heiligen Marie!
Vor Jahresfrist erobert Ihr sie nimmer.
Laßt Euch aus Frankreich Hülf' und Steuer schicken,
Werkleute, die als Meister sich erwiesen!
So werfen sie die alten Mauern nieder."
Der Kaiser hört es, mächtig er ergrimmet.
„Monjoie!" rief er aus mit lauter Stimme,
„Was zögert Ihr, Ihr meine kühnen Ritter?"
Von Neuem da der wilde Sturm beginnet,
Sie werfen, schleudern, in gewaltgem Grimme.
Und sieh', schön Aude dort, die Minnigliche!
Mit reichem Mantel war sie wohl gezieret,
Der mit Goldfaden meisterlich gestiftet;
Die Augen blau, und blühend das Gesichte [2].
[107] Sie trat auf der gewaltgen Veste Zinnen.

---

[1] nel vos celerai mie. Sonst auch: ne vos soit pas celé u. dgl. Eine sehr gewöhnliche Form, vgl. Strophe 2, V. 36. Str. 7, V. 12. Str. 36, V. 14 und 33. Lied der Nibelunge (Müllers Ausgabe): V. 420: Do sprach der gast zem künige: Daz sol iuch unverdaget sin. V. 4510: Daz ir mir, fürste, erloubet, so wil ich niht verdagen. Ebenso V. 566.

[2] Lied der Nibelunge V. 1115 ff.:
      Er sach die minneklichen nu vil herlichen stan,
      Ja luht ir von ir wäte vil manic edel stein,
      Ir rosenrotin varwe vil minnekliche schein.

Als sie den Sturm, das wilde Toben siehet,
Da bückt sie sich, 'nen Stein hat sie ergriffen,
Auf eines Gascons Helm wirft sie ihn nieder,
Daß sie den ganzen Helmring ihm zersplittert,
Es fehlte wenig, wär' er todt geblieben.
Roland ersah es, mit dem kühnen Blicke,
Der edle Graf, er rief mit lauter Stimme:
„Von dieser Seite, bei dem Sohn Mariens!
Wird man die Veste nimmermehr gewinnen,
Denn gegen Damen stürm' ich nun und nimmer."
Er ließ nicht länger, daß er nicht ihr riefe [1]:
„Wer seid Ihr doch, o Jungfrau, Adeliche?
Wenn ich Euch frage, nehmts in gutem Sinne!
Ich frag' es nicht um irgend Unglimpfs willen."
„Herr," sagte sie, „es bleib' Euch unverschwiegen!
Die mich erzogen, Aude sie mich hießen,
Die Tochter Rainiers, welchem Genua pflichtet,
Die Schwester Oliviers, mit kühnem Blicke,
Gerhards, des mächtigen Gebieters, Nichte;
Mein Stamm er ist erlaucht und hochgebietend.
Bis heute bin ich ohne Herrn geblieben
[108] Und werd' es bleiben, bei dem Sohn Mariens [2],
Es wäre denn mit Herzog Gerhards Willen
Und Oliviers, den Rittertugend zieret."
Da sprach Roland für sich, mit leiser Stimme:
„Es thut mir leid, beim ewgen Sohn Mariens,
Daß Ihr Euch nicht in meiner Haft befindet.
Doch soll es noch geschehn, nach Gottes Willen,
Durch jenen Kampf, zu welchem mich beschieden
Olivier, der Genueser."

3.

So sprach schön Aude, die Verständige:
„Herr Ritter, nun ich hab' Euch nicht verhehlt,

---

[1] Or ne lairait ke des or ne li die. Lied der Nibelunge V. 6967 f.:
Ezele, der riche, daz niht langer lie,
Er spranc von sine sedele.
[2] Lied der Nibelunge V. 58: Ane recken minne so wil ich immer sin.

Was Ihr von mir erforschet und begehrt.
Nun sagt hinwieder mir, so Euch gefällt [1],
Von wann Ihr seid und welches Eur Geschlecht!
Es steht Euch wohl der Schild, mit Reisen fest,
Und jenes Schwert, das Euch zur Seite hängt,
[109] Und jene Lanze, dran das Fähnlein weht,
Und unter Euch das apfelgraue Pferd,
Das flugs, wie ein beschwingter Pfeil, hinrennt.
Ihr drängtet heute mächtig unser Heer,
Vor allen Andern scheinet Ihr ein Held.
Nun glaub' ich wohl, wie mirs in Sinnen steht,
Daß Eure Freundin hohe Schönheit trägt."
Roland vernahm es und er lachte hell.
„Ja, Dame," sprach er, „wahr ist, was Ihr sprecht.
In Christenlanden keine Gleiche lebt,
    Noch sonsten, daß ich wüßte."

4.

Als Roland höret, daß sie also spricht,
Entdeckt er ihr sein ganzes Herze nicht,
Doch allerwegen gut er sie beschied:
„Jungfrau, nach Wahrheit geb' ich Euch Bericht:
Roland benennen meine Freunde mich."
Schön Aude hört' es, wohl ihr das gefiel:
„Seid Ihr der Roland, welcher, wie man spricht,
Mit meinem Bruder sich zum Kampf beschied,
Noch wißt Ihr wenig, wie so kühn er ist.
Und habt Ihr Kampf beschlossen gegen ihn,
Auf Treue sag' ich Euch, es kränket mich,
Weil man für meinen Freund Euch halten will,
Wie mir zu Ohren kam von dort und hie.
[110] Bei jener Treu, womit Ihr Karlen dient!
Wär' ich nicht gestern Eurer Haft entwischt,
Erbarmen nicht, noch Gnade hättet Ihr,
Daß zu den Meinen Ihr mich wieder ließt."

---

[1] Or me redites, s'il vos plait, verité! Vgl. Str. 22, V. 17. Auch:
se il vos vient an gré. Str. 36, V. 22. Lied der Nibelunge 5362: Ob
es dir wol gevalle.

Roland vernahm es wohl, antwortet' ihr:
„Ich bitt' in Liebe, spottet meiner nicht!"
Der Kaiser rief den Grafen von Berri:
„Herr Lambert, gebt mir redlichen Bericht!
Wer ist die Dam' auf jener alten Zinn',
Die mit dem Roland spricht, und er mit ihr?"
„Bei meiner Treue!" Lambert ihn beschied,
„Schön Aude ists, das edle Frauenbild,
Rainiers von Genua, des Tapfern, Kind.
Der Lombard soll sie führen nach Main[1]."
„Das wird er nicht," versetzt der Kaiser ihm,
„Roland hat selbst auf sie gestellt den Sinn.
Eh' stürben hundert Mann, in Stahl gestrickt,
Bevor der Lombard Auden führte hin."
So sprach der Kaiser, Roland aber schied
Von Auden, die auf hoher Mauer blieb.
Der König sieht es, neckt ein wenig ihn:
„Traut Neffe," spricht er, „was ist Euer Sinn
Gegen die Maid, mit der Ihr sprachet hie?
Wenn irgend Zorn Ihr heget gegen sie,
In Liebe bitt' ich Euch, verzeihet ihr!"
Roland vernahms, sein Blut empörte sich
 Aus Schaam vor seinem Ohme.

---

[1] [Die Übersetzung ist hier unrichtig. Der Text lautet bei Bekker S. XXXI,
Z. 1851: Mener l'en doit li Lombars Enroin. S. 163 bemerkt Bekker: „Der
Name Enroin oder Enroin kommt auch im Agolant vor, Blatt 172:

  quant Hiamont voit l'enseigne à viz Girart
  desus la tor qui reflamboie et art,
  par mal talent empoigna Durendart.
  si fiert un Franc qu'en ij moitiez le part,
  et puis ra mort Acelin et Benart
  et Rocelin Guielin et Guichart
  et Enroin et Robert et Richart.
  quan qu' Hiamon fiert, qui a cuer de lipart,
  ne puet garir que de mort n'ait sa part."

Tarbé macht in seiner Ausgabe des Romans de Girard de Viane S. 191 zu
dem Namen Enroin folgende Bemerkung: „Didier, roi des Lombards, demanda
en mariage pour son fils Gisele, sœur de Charlemagne. Il y a peut être
ici une allusion au refus qu'il subit." H.]

[111] 5.

„Traut Neffe mein," fprach Karl, der ftarke Held,
„Ob jener Maid, mit welcher Ihr geredt,
Habt Ihr zu lang verweilet an der Stell'.
Denn aus der Stadt brach Olivier indeß
Und mit ihm hundert Ritter, wohl bewehrt,
Sie haben überfallen Euer Heer,
Der Unfern Zwanzigen das Haupt gefpellt
Und ihrer viel gefangen weggefchleppt.
Die Jungfrau Aude wuft' es wohl vorher,
Sie hat Euch nur gehöhnet und genedt."
Roland vernahms, fchier kam von Sinnen er,
Von wildem Grimm das Angeficht ihm brennt.
Als nun der Kaifer Rolands Zorn gefehn,
Da thät er freundlich ihn befchwichtigen:
„Traut Neffe," fprach er, „zürnet nicht fo fehr!
Ob jener Maid, mit welcher Ihr geredt,
Ziehn wir zurück zu Hütten und Gezelt [1]
Und ihr zu Liebe nimmt der Sturm ein End'."
Roland verfetzte: „So, wie Ihr befehlt!"
Ein Horn erfcholl, es wandte fich das Heer.

[112] In der Nacht träumt es dem Kaifer, wie fein Habicht mit
einem Falken, der aus der Stadt hergeflogen, heftig kämpfe, wie aber
zuletzt die Vögel Frieden machen und fich fchnäbeln. Ein weifer Meifter
deutet es auf den Zweikampf der Jünglinge [2]. Olivier rüftet fich in aller
Frühe. Ein alter Jude, Joachim, ift gutmüthig genug, ihn mit vor=
trefflichen Waffen (worunter ein Halsberg, welches Aneas vor Troja
erobert) auszuftatten, ob er gleich von Olivier nicht wenig genedt wird.
Die Waffen werden jedoch zuvor vom Bifchof eingefegnet. Olivier reitet,
Gerhards Abmahnung unerachtet, von dannen, läßt fich auf die Infel
überfetzen und ftößt dreimal ins Horn. Roland, höchlich erfreut, rüftet fich
gleichfalls und gürtet das gute Schwert Durenbart um. Vergeblich räth
ihm der Kaifer ab, der Oliviers fo wenig, als Rolands Schaden wünfcht.

1 Nos en irons as loges et as treiz. Lied der Nibelunge V. 4950:
Do fach man uf gefpannen hütten unt gezelt. Vgl. V. 2191. 5158. 5794. 6253.
2 Ähnlich ift Chriemhildens Traum von ihrem Falken und den zwei Aaren,
Lied der Nibelunge V. 48 bis 56.

6.

Roland sogleich ein werthes Roß bestieg,
Man hängt' ihm an den Hals 'nen festen Schild,
[113] Dann nahm er in die Faust den starken Spieß,
Das Fähnlein an fünf goldnen Stiften hieng.
Vorliegend rennt er an den Zelten hin,
Zur Rhone kömmt er, sonder weitre Frist
Auf seinem werthen Roß er überschwimmt,
Gerad' ans zieht er nach dem Eiland hin,
Wo Olivier, der Kühne, sich befindt.
Herzog Roland sein Pferd ansprengen ließ,
Olivier siehts, entgegen raunt' er ihm,
Den festen Schild, den wandt' er vors Gesicht,
Weil Rolands Muth er kannte.

7.

Als Olivier den Roland kaum erspäht,
Kömmt er entgegen ihm, als stolzer Held [1].
Der Herzog Roland reitet näher her
Und ruft ihm zu: „Wer seid Ihr, Ritter? sprecht!
Ein freier Alemann, ein Bairischer,
Flamländer, Normann, oder andrer Held?"
„Nun helf' uns Gott!" versetzt Graf Olivier,
„Herr Roland, kennet Ihr mich denn nicht mehr?
[114] Ich bin der Sohn vom tapferen Rainier,
Dem Herrn von Genua, hohen Lobes werth [2],
Mein Ohm ist Herr Gerhard, der Kriegesheld,
Mein Vetter ist, das sei Euch unverhehlt,
Herr Aimeri, ein Jüngling stolzgeherzt,
Der, dem ihr gestern weggeführt sein Pferd;

[1] Contre lui vient en guise d'ome fier. Anderswo: a guise de baron,
comme dui chanpeon. Vgl. Str. 12, V. 28. Str. 28, V. 15. Str. 16, V. 3.
Lied der Nibelunge: Er lief uf zuo den gesten eime recken gelich.
[2] ki tant fait à pr(o)isier. Sonst auch: ki moult fait à proisier oder
à loer. Vgl. Str. 21, V. 14. Str. 23, V. 1. 13. Str. 28, V. 20. Ferner:
Rollant li proisié; Rome, France la loée u. s. w. So ist in dem Lied der
Nibelunge „lobelich" das gangbarste und allgemeinste Beiwort.

Zu rächen meinen Vetter, kam ich her.
Wohl bin ich jenes Tages eingedenk,
Da meine Schwester Ihr, die Liebliche,
Schön Auden, dannen führtet auf dem Pferd.
Gott, dem getreuen Vater, dank' ich es,
Daß ich sie rettete mit blankem Schwert.
Damals bedurftet Ihr der Sporen sehr,
Um heimzukehren zu dem Frankenheer.
Doch sag' ich dieses nicht, um Euch zu schmähn,
Vielmehr ersuch' ich Euch, mein edler Held,
Daß Ihr mit Eurem Öhm uns Frieden werbt.
Schön Auden ließ' ich Euch zum Weibe gern ¹."
[115] Da sprach Roland: „Was hör' ich für Geschwätz?
Wenn ich zu Fuß dich, neben meinem Pferd,
Nach Frankreich führe, als Gefangenen,
Dann nehm' ich Auden, wen es immer kränkt."
„Nein, wahrlich nicht!" antwortet Olivier,
„So lang als ich noch lebe."

8.

Olivier war voll ritterlichen Sinnes;
Wie er den Roland so feindselig findet,
Spricht er zu Jenem, inniglich erbittert:
„Herr Roland, bei dem ewgen Sohn Mariens,
Ein Wahnwitz ist es, muß ich Euch versichern,
Wenn Ihr vermeint in Eurem stolzen Sinne,
Zum Dienste meinen Öhm Gerhard zu zwingen.
In seinem Leben wird er nicht Euch pflichten,
Um ganz Normannenland gestatt' ichs nimmer."
Und Roland sprach: „Ich hör', du redest irre,
Nicht einen Elsbeer ² gilt mir all dein Schimpfen ³.

---

¹ Vgl. Str. 9, V. 16. Lied der Nibelunge V. 1324 f.:
　　Unt lumt din schöne Prünhilt in dizze lant.
　　So wil ich dir ze wibe die mine swester geben.
² [? eine Elsbeer'. H.]
³ Kan ke tu dis, ne pris pas une alie. Vgl. Str. 25, V. 23.
Deutsches Volksbuch von den vier Heimonskindern, Kap. 11: „Ich gebe nicht
eine Kirsche um den König Karl."

[116] Wenn Gott den blanken Durendart mir friftet [1],
Sollt du vor Vesperzeit dein Haupt verfieren [2]."
Sprach Olivier: „Das bin ich nicht gewillet.
Der Herzog Gerhard mit dem kühnen Blicke
Der hätte davon Schaden."

9.

Die beiden Krieger auf dem Eiland ftehn,
Zween folche Ritter hat man nie gefehn.
Zum Sohne Rainiers spricht des Königs Neff' [3]:
„Vafall," fo fagt er, „laßt die Rede ftehn!
Viane zu erftreiten, kam ich her,
[117] Die fefte Stadt, mit hohem Wall bewehrt,
Für Karl den Großen, meinen rechten Herrn,
Und feid Ihr tapfer, jetzt bedürft Ihr defs."
Ihm gab Antwort der edel Olivier,
Sprach folche Worte, drob er Preifes werth,
Darum mit Recht ihn jeder Ritter ehrt [4]:
„Herr Roland, edler Ritter, tapfrer Held,
Um Gottes willen, der zum Heil der Welt
Am heilgen Kreuze litt den Todesfchmerz,
Erfuch' ich Euch, bringt diefen Krieg zum End'!
Schön Aude würde dir zum Weib gewährt,
Viane folltest du befehligen;
Herzog Gerhard bewilligt mir es gern.
In großer Schlacht und in des Sturms Gedräng'
Werd' ich dein Panner fein, dieweil ich leb'."
Roland verfetzt: „Sprich nicht von Frieden mehr!
Wann ich dich umgebracht mit blanker Wehr,

---

[1] Se deus me save Durendart la forbie. Vgl. Str. 28, V. 32. Lied
der Nibelunge V. 9192: Ez enfi, daz mir zebrefte daz Nibelunges fwert.

[2] Le chief perdrais ainz ore de conplie. Lied der Nibelunge V. 771:
E fich der tac verende, fol ich habn den lip.

[3] Vgl. Str. 22, V. 36. Str. 28, V. 13. So im Lied der Nibelunge:
daz Sigemundes kint; Sifrit, des küniges Sigemundes fun; daz Sigelinde kint;
daz Uoten kint; des klienen Adrianes kint.

[4] Lied der Nibelunge V. 7562: Dar umbe lop vil grozen der küene
Dancwart gewan.

Wird Viane mein und Aude mir vermählt,
Trotz deinem ganzen Sippe [1]."

10.

Olivier, mit dem kühnen Herzen, spricht:
„Herr Roland, wollt verzeihen, Gott zulieb!
Was Ihr gesprochen, das geschiehet nie.
[118] Nein, thut, warum ich Euch in Liebe bitt'!
Um Gottes willen, der wahrhaftig ist,
Bewirkt den Frieden! Freunde seien wir!
Um alle Heldenehre wollt' ich nicht,
Daß Ihr beschädigt würdet je von mir.
Am Ende käme doch, wohl weiß ich dieß,
Mein ganz Geschlecht darob zu Schand und Schimpf.
Der König und mein Oheim würden nie
Wohlwollend und befreundet unter sich.
Nein, thut, warum ich Euch ersuch' und bitt'!
Ich und mein Oheim, mit dem kühnen Sinn,
Sind Eure Mannen dann mit Eid und Pflicht."
„Traun!" sprach Roland, „du beugst nicht meinen Sinn.
Nein, tödten oder fangen muß ich dich,
Zum König Karl, der mein Ernährer ist,
In seine Haft dich führen neben mir.
Dort sollt du bleiben, wahrhaft sag' ich dieß [2],
Bis man dich aus dem Lande bannen wird.
Dann wird sammt Auden Viane mir verliehn,
Gerhard, dein Öhm, der seinen Herrn verrieth,
Wird als ein armer Bettelmann entfliehn."
[119] Olivier sprach: „Das ist ein leer Gedicht.
Ich bin ein Thor, wenn ich dich länger bitt'.
Mein Gott! wie kams, daß ich um Gnade rief?
Ein Thor wohl bin ich und ein feiger Wicht [3].

---

[1] [? deiner. H.]
[2] par verté le te di. So auch oben Str. 4, B. 4. Lied der Nibelunge
V. 8225: daz si iu werlich geseit!
[3] Lied der Nibelunge V. 7483 f.:
     So enwelt ir niht erwinden? sprach do Dancwart,
     So rinwet mich min vlehen, daz wäre daz verspart.

Hilf du mir, Gott, du meine Zuversicht!
Herr Roland, sint es nun nicht anders ist
Und mir von Euch nicht Gnade werden will,
Sollt Ihr nicht sagen, daß ich Euch verrieth;
Verwahret Euch! ich widersag' Euch itzt,
Ich hab' Euch wohl gewarnt, bevor ich hieb."
Antwortet Roland: „Wohl vernahm ich dich."
Wer nun sie sähe, wie sie beid' ergrimmt!
Ein jeder sein arabisch Streitroß sticht,
Anderthalb Jauchert trennen beide sich,
Dann bei der Umkehr schütteln sie die Spieß'
Und die gewölbten Schilde fassen sie.
Dann spornen sie auf blühnder Wiese hin,
    Der eine auf den andern.

11.

    Wer nun sie auf einander rennen säh'[1],
    Wie sie handhaben, schütteln ihre Speer'
[120] Und mit den Sporen stacheln ihre Pferd',
    Man priese sie mit Fug die besten Zween,
    Die je auf Erden um ihr Recht gekämpft.
    Gewaltge Stöße han sie sich versetzt,
    Die Schilde werden beidesammt zerspellt,
    Die dicken Speer' gebrochen und zersprengt;
    Stark sind die Halsberg', blieben unversehrt.
    So haben sich die Ritter angerennt,
    Daß unter ihnen biegen ihre Pferd'
    Und mit den Knieen stürzen auf die Erd'[2].
    Die Ritter sprengen an einander weg,
    Dann kehren sie, wie Falken, wieder her,
        Der eine auf den andern.

[1] Qui donc veist l'un vers l'autre adrescier. Vgl. Str. 10, V. 36.
Str. 12, V. 14. Str. 15, V. 1. Lied der Nibelunge V. 8082 f.:
        Hawart unde Hagene zesamne waren komen.
        Er mohte wunder kiesen, ders hete war genomen.
[2] Lied der Nibelunge V. 828 f.:
        Die slege Liudgeres die waren also starc,
        Daz im under satele struchte daz marc.

12.

Herr Roland saß auf dem Gascogner Roß,
Den Durendart er von der Seite zog,
Trifft den Olivier auf den Helm sofort,
Daß er die Stein' und Blumen schlägt davon [1].
[121] Der Streich mit großer Macht hernieder schoß,
Hinter dem Sattel trifft er auf das Roß,
Sprengt den Speerhalt von rothem Siglaton,
Durchhaut das gute Pferd von Aragon
Hernieder an der Niere fort und fort,
Die ganze Schnalle des vergoldten Sporns
Haut er ihm glattweg von der Ferse los,
Daß in zwo Hälften fällt Oliviers Roß
Und in die Erde noch der Degen schoß.
Nun sähet ihr zu Fuß die Ritter dort.
„Monjoie Karl!" Herr Roland laut frohlockt,
„Viane stürzt in Trümmer heute noch,
Drin Gerhard, der Verräther, sich verschloß.
Er soll dafür empfangen bittern Lohn,
Am Galgen, als ein Dieb, er hangen soll."
Sprach Olivier: „Nun hör' ich Schelmenwort.
Bei Gott steht Alles, der ertrug den Tod,
Sein Segen giebt vor Euch mir Heil und Trost.
Drum biet' ich Euch im Kampfe ecklich Trotz,
Viane zu vertheidgen und das Schloß.
Gewinnst du nur den Werth von einem Sporn [2],

---

[1] Ke flors et pieres en abait de randon. Vgl. Str. 14, B. 14.
Str. 15, B. 7, u. f. f. Lied der Nibelunge B. 147: Vil der edelen steine gevellet
uf daz gras.

[2] Jai n'en aurois vaillant un esperon. Eine häufig vorkommende Redens-
art, so auch: valisant un bouton u. dgl. Vgl. Str. 16, B. 43. Lied der
Nibelunge B. 6368 f.:
Dem schaffe ich solhe huote, daz sin wirt niht verlorn,
Daz iuch ze schaden bringe gegen einem halben sporn.
Deutsches Volksbuch von den vier Heimonskindern, Kap. 9: „für welches wir
alles von Eurer Majestät nicht einen einzigen Sporn an unsere Füße bekom=
men haben, will geschweigen unsere Besoldung." [Vgl. A. Schweighäuser,
De la négation dans les langues romanes du midi et du nord de la

[122] Es soll Dir kosten hundert Pfunde Golds."
Den Degen zieht er, wie ein Leu erbost,
Und als ein rechter Ritter tritt er vor.
Wohl stund der Herzog Gerhard sorgenvoll
Auf seines Schlosses höchstem Thurme dort,
Um alles Gold des Königs Salomon
Spräch' er 'ne Stunde lang kein Sterbenswort.
Dann rief er zum allmächtgen Gott empor:
„Glorreicher, der für uns erlitt den Tod,
Der Lazarus vom Grabe rief hervor,
Der Magdaleuen milde Gnade bot,
Den Jonas aus des Fisches Bauche zog,
Wie dieß wahrhaftig ist und unser Trost,
So rette meinen Kämpen heut vom Tod,
Den ihm Roland, des Königs Neffe, droht!
Zu groß wär' dieser Schaden."

13.

Schön Aude steht an einem kleinen Fenster,
Sie weint und seufzet, auf die Hand gelehnet.
[123] Als sie den Bruder sieht auf grüner Erde,
Herabgesunken vom kastilschen Pferde,
Dem guten Pferd, deß Sattel nun geleeret,
Da fühlt das edle Mägdlein solche Schmerzen,
Daß ihr das Herz im Busen will zerbrechen.
Alsbald stieg sie hinab in die Kapelle,
Und vor den Altar ist die Maid getreten:
„Glorreicher Gott," so hub sie an zu beten,
„Der zu der reinen Jungfrau sich gesenket,
Zu dem in Nöthen mancher Sünder flehet,
Laß mir vom Grafen solche Botschaft werden,
Die Gerhard und der König gern vernehmen,
Der edle Frankenkaiser!"

France. Paris 1852. 8. S. 72. F. Diez, Grammatik der romanischen
Sprachen. III. Zweite Ausgabe. Bonn 1860. 8. S. 415. J. B. Zingerle,
Die bildliche Verstärkung der Negation bei mittelhochdeutschen Dichtern. Wien
1862. 8. H.]

Uhland, Schriften. IV.   25

14.

Die Maid unmächtig auf den Marmor fällt [1],
Mit ihren Thränen hat sie ganz genetzt
Den neuen Mantel und den Hermlinpelz [2].

[124] Zu Gott erhebt sie treulich ihr Gebet:
„Mein Gott, erbarme dich der beiden Herrn,
Zu denen alle meine Freundschaft steht,
Daß sie von Schimpf und Schande bleiben fern!"
Nun lassen wir die Jungfrau, die sich härmt,
Und kehren zu Roland, dem Helden werth,
Und zu dem kühnen Streiter Olivier,
Der ganz zu Fuße mit dem Roland kämpft.
Er hält das Schwert am goldbelegten Heft
Und trifft den Roland auf den blanken Helm,
Daß er ihm Stein' und Blumen niederschlägt.
Der gute Degen tief hernieder fährt,
So daß er vorne trifft das gute Pferd
Und an den Schultern durch und durch zerspellt;
Bis in den Boden fährt das gute Schwert,
Daß Rolands Pferd mit Einem Streiche fällt.
Olivier sieht es, da frohlocket er;
Wenn wer halb Frankreich ihm gegeben hätt',
Und Orleans und Erzbisthum Rheims geschenkt [3],
Es hätte minder ihm erfreut das Herz,
Als daß der Graf Roland zur Erde fällt
Auf der Bianer Insel.

[125] 15.

Wärt ihr gewesen auf dem Eiland hier,
Wo der Olivier mit dem Roland stritt:
Zween tapfre Herrn, wie diese, lebten nie,

---

[1] Vgl. Str. 18, V. 17. Lied der Nibelunge V. 3784: Ei seie zuo der erden, daz si niht ensprach.

[2] Lied der Nibelunge V. 4656 f.:
Do pflac niwan jamers diu vrouwe vil gemeit,
Ir wat was vor den brüsten von heizen trehen naz.
V. 5313: Do begond ir aber salwen von heizen trehen ir gewant.

[3] Vgl. Str. 8, V. 9. Lied der Nibelunge V. 1098: Daz er dafür niht näme eins richen küniges lant.

So kühn, so muthig und im Streite wild.
Sie tummeln sich mit ihren Schwertern frisch.
Sie thun sich auf die Schilde manchen Hieb,
Vom Helme schlagen sie der Steine viel,
Das Feuer springt, der ganze Platz ist licht.
Solch grimmen Streit sah keines Menschen Kind,
Wie jener war, davon ich sag' und sing',
Und wer ihn sah, nie wieder solchen sieht.[1]
Der Herzog Gerhard an der Mauer liegt
Und Arnold von Beaulande steht bei ihm
Und Aimeri, so kühn und ritterlich.
Rainier von Genua große Klag' beginnt
Um Olivier, den er von Herzen liebt.
„Heilge Maria," Rainier weinend spricht,
[126] „Nimm meinen tapfern Sohn in deinen Schirm,
Daß er nicht unterliege noch entflieh'!"
Auch Karl der Große steht inbrünstiglich:
„Heilge Maria, wahr' den Roland mir!
Ihn krön' ich einst zum König."

16.

Auf der Bianer Insel, auf dem Sand,
Bekämpfen sich die Herren beisammt,
Da fechten sie nach rechter Kämpen Art,
Keiner den Andern schonet oder spart,
Weil wilder sie, denn Leu und Leopard;
Und Keiner wär' dem Andern sporenlang
Gewichen um des Samsons ganzen Schatz.
Sie schlagen rüstig sich mit blankem Stahl,
Die Schild' und Helme halten da nicht Stand[2],
Die goldnen Reife haben wenig Kraft,

---

[1] Vgl. Str. 25, V. 38. Str. 30, V. 2. Str. 33, V. 3. Lied der Nibe-
lunge V. 932 bis 934:
        Strit den allerhohsten, der inder da geschach,
        Je jungest und zem ersten den ieman da gesach,
        Den tet vil degenlichen diu Sifrides hant.
V. 8649: Sie vachten also grimme, daz man ez nimmer mer getuot.
[2] [Handschriftliche Änderung Uhlands. Die Zeile lautete früher: „Die
Schild' und Helme werden durchgeschlan." H.]

Die spalten sie, wie seidenes Gewand.
Vom Stahle fährt das Feuer mit Gewalt,
Die Funken fliegen ringsum überall [1].
So grimm und bitter sind sie beidesammt,
Daß Keiner irgend vor dem Andern zagt.

[127] Sie suchen sich vielmehr mit solcher Hast,
Mit solchem Zorn, ein Wunder ists fürwahr.
Die Schild' und Panzerringe sind zerhackt,
Daß unter ihnen vordringt das Gewand.
Wenn Gott nicht wär' und seine heilge Macht,
Sie blieben vor dem Tode nicht bewahrt.

In Viane, auf dem höchsten Thurme stand
Frau Guiborg, große Klage sie begann,
Mit ihr schön Aude, deren Antlitz stralt,
Die Hände ringend, mit zerwühltem Haar:
„Ha Viane, schlimme Glut und schlimmer Brand
Mög' dich verzehren ringsum überall,
Nicht Warte bleibe stehen noch Palast,
Da solche Zween um dich den Kampf gewagt!
Wenn Einer stirbt, wir wissen das fürwahr,
So wird Frankreich verheert und dieses Land."

Die Jungfrau Aude hat sich kurz bedacht,
Zum vielberühmten Arnold von Beaulande
Hat sich die Maid mit Rede so gewandt:
„Herr Oheim, sagt uns, was wir fangen an!
Ertheilet Rath, der uns vor Schande wahrt,
Wie man die Beiden dort versöhnen mag!"

„Ich kanns nicht wenden," sprach der tapfre Mann,
„Das haben Gerhard und der König Karl
Durch ihren Stolz und Übermuth gemacht.
Denn unser Ahn, wir wissen das fürwahr,
Der Herzog Beuvon, mit dem blühnden Bart,
Hat nie für eines Knopfes Werth gezahlt,

[128] Noch irgend Zins gezollt dem Kaiser Karl
Vom Lehen von Viane."

---

[1] Vgl. Str. 15, V. 8. Str. 32, V. 3. Lied der Nibelunge V. 737 f.:
Do stoup uz dem helme sam von brenden groz
Di viwerrote vanken von des heldes hant.
Vgl. V. 7964. 8006. 8905. 8914.

17.

Noch waren auf der Insel beide Herrn,
Zu Fuße, hatten keine Pferde mehr,
Die hatten sie zerhaun mit blanker Wehr.
Da sprach der Herzog Roland, hartgeherzt [1]:
„Bei meiner Treu zu Gott, Herr Olivier!
Nie sah ich einen Mann von Eurem Werth,
Seitdem die Mutter mich zur Welt gesetzt.
Sint wir uns nun allhier zum Kampf gestellt,
So sei der Streit vollführt im offnen Feld,
Bis einer sieglos oder todt hinfällt!
Und Keiner soll uns helfen, der da lebt.
Bei meiner Treu zum Herrn der Majestät!
Zwei Damen seh' ich an der Zinne stehn,
Die sehr um uns geschrien und sich gehärmt
Und sehr gejammert um den Olivier.
So helf' mir Gott! gar sehr erbarmt mich deß."
Sprach Olivier: „Wohl habt Ihr wahr geredt.
Das ist Frau Guiborg, die Verständige,
[129] Und Schwester Aude, lieblich und geehrt,
Die wegen mein in solcher Trauer stehn.
Wenn Gott es giebt, der Schöpfer dieser Welt,
Daß lebend und gesund ich hinnen geh',
Werd' ich noch morgen ihr verkündigen:
Wenn sie nicht Euch zum Ehgemahl erhält,
Wird sie in ihrem Leben nicht vermählt
Und Nonne muß sie werden."

18.

Da stunden auf der Au' die beiden Degen,
Wo sie mit großem Zorne sich bekämpfen.
Der Herzog Roland, Held von großer Stärke,
· Schlug diesen Tag viel manche Schwertesschläge
Mit Durendart, das sich so wohl bewähret
In Ronceval, am Tage des Verderbens,

---

[1] au coraige aduré. Vgl. Str. 19, V. 38. Lied der Nibelunge V. 8594:
Swie grimme Hagene wäre und swie herte gemuot.

Als Roland es verſuchte zu zerſchmettern.

Auch Olivier hub ſeines zum Geſechte,
Auf Rolands runden [1] Schild hat ers geſchwenket,
Bis mitten in die Wölbung eingeſenket.

Als er dran ziehet, findt ers eingeklemmet,
Das gute Waffen bricht er ab am Heſte,
Vor Viane ſchleudert ers in das Gewäſſer.

Zum Herzog Gerhard kam davon die Mähre,
Daß Olivier, der Held von großer Stärke,
Zerbrochen und geſtümmelt ſeinen Degen.

Schön Aude hörts, ſie fällt ſinnlos zur Erde,
[130] Bald hebt ſie wieder ſich zu Klag' und Wehe,
Zur heilgen Jungfrau hat ſie laut geflehet.

„Olivier, Bruder, weh, der großen Schwere!
Verlier' ich dich, ſo hat Gott mein vergeſſen [2],
Mit Roland würd' ich nimmermehr vermählet,
Dem Beſten, der je umgeſchnallt den Degen [3],
Als Nonne würd' ich eingeſchleiert werden.

Heilge Marie!“ ſprach Aude, die Verſtändge,
„Da drunten ſeh' ich meinen Bruder fechten
Und meinen Freund, der mich zur Liebſten wählte;
Und welcher ſtirbt, wahnſinnig muß ich werden.
O ſcheide du ſie, Königin der Ehren!“

Gerhard vernimmts, da hat er ſich entfärbet,
In Eile hebt er Auden von der Erde,
Hernieder führet er ſie zur Kapelle [4],
[131] Wohl hat er Mühe, Troſt ihr einzuſprechen.

Dem König ward die neue Mähr' gemeldet,

---

[1] [„runden“ hat Uhland ſtatt des früheren „rundes“ geändert. H.]

[2] Si je vos pert, bien m'ait deu obliée. Lied der Nibelunge V. 9083 f.:

          unt ſint erſtorben alle mine man,
     So hat min got vergezzen.

[3] Le millor home ke ainz cainsist d'espee. In den Fils Aimon
heißt es von Regnaut: Oncques plus vaillant prince ne viesti haubergon.
Lied der Nibelunge V. 9216: den küeniſten recken, der ie ſwert getruoc.
V. 9303 f.:

                    der aller beſte begen,
     Der ie kom ze ſtürmen, oder ie ſchilt getruoc.

[4] Änderung Uhlands ſtatt des früheren „in den Tempel.“ H.]

Darob sich tausend seiner Ritter härmten,
Und heimlich weinte da der König selber
Unter dem Pelz von Marder [1].

19.

Als Olivier zerstückt sein gutes Schwert,
Das in zween Stümmeln daliegt in dem Klee,
Und dort zerhauen sieht sein gutes Pferd
Und seinen Schild zerspalten und zersprengt,
So denkt ihr leicht, ob zornig war sein Herz,
Denn nirgends sah er eine frische Wehr.
Da blickt er auf der Wiese rings umher,
Von allen Seiten sieht er sich gesperrt,
Auf keine Weise kann er hier entgehn,
Von Sinnen kam er schier vor wildem Schmerz.
Ein groß Erkühnen faßt im Herzen er,
Eh will er rühmlich sterben auf dem Feld,
Als daß man dessen ihn bezüchtige,
Daß er zu fliehen je sich angestellt.
Urplötzlich fällt er über Roland her ·
Mit beiden Fäusten, alle Herren sehns.
Doch Roland merkt, was der im Sinne trägt,
[132] Drum sagt er ihm, nach tapfrer Männer Recht:
„Herr Olivier, wie seid Ihr stolz und leck!
Zerbrochen habt Ihr Eur gestähltes Schwert,
Und ich hab' eines hier von hohem Werth,
Das nimmer wird zerschlagen, noch versehrt.
Ich bin der Neff' des Frankenköniges,
Hätt' ich dich jetzt besiegt oder verletzt,
In allen Tagen würd' ich drum geschmäht,
Daß einen Waffenlosen ich erlegt.
Hol' dir ein Schwert, ganz wie es dir gefällt,
Und eine Flasche Weins oder Clarets [2]!
Mich dürstet sehr, das sei dir unverhehlt!"
Olivier hört es und er dankt ihm deß:

---

[1] Lied der Nibelunge V. 8753: Es weinet harte sere vil manic uzerwelter degen.
[2] Gewürzwein.

„Herr Roland, dankbarlich erkenn' ich es,
Daß Ihr mich so in Sicherheit gestellt.
Wenns Euch nach Eurer Gütigkeit gefällt,
So lagert Euch ein Kleines hier im Klee,
Bis daß mit jenem Fergen ich geredt,
Der mich geführt auf dieses Eiland her!"
Roland erwiedert: „Ganz, wie Euch gefällt."
Und Olivier, der Ritter hartgeherzt,
Kömmt an das Ufer, nicht verweilt er mehr [1],
Er ruft nach seinem Fergen.

[133] 20.

Der Graf Olivier wandte sich von dann,
Dem Fergen rief er zu in großer Hast,
So sprach der Graf: „Nimm meiner Rede wahr!
Geh hin nach Viane, plötzlich, ohne Rast!
Sag meinem Öhm Gerhard, dem tapfern Mann,
Gebrochen sei mein Schwert am Griffe hart,
Ein andres soll er schicken alsobald,
Ich werde gut auskämpfen seine Sach',
Im Namen der allmächtgen Gotteskraft
Und Sankt Morizs, auf den ich trauen darf.
Wein o'r Claret schick' er 'ne volle Flasch'!
Denn großen Durst hat Roland, Neffe Karls."
„Herr," sagte Jener, „ganz wie Ihr befahlt [2]."
Er trat ins Schiff und wandte sich von dann,
Am andern Ufer langt' er rudernd an
Und stracks nach Viane kam er hingerannt,
[134] Denn Herr Olivier ließ ihm keine Rast

---

[1] Vient à la rive, ni ait plus demoré. Anderswo: ni ait plus terme quis; ni mist arestison; ni vot plus delaier; sans point de delaier; sans plus de demorée u. s. w. Vgl. Str. 6, V. 6. Str. 21, V. 1. Ebenso geläufig ist dem Lied der Nibelunge eine ganz ähnliche Form:
V. 5131 f.: Ezel, der vil riche, enbeite do niht mer,
Er stuont von sime rosse.
V. 2937: Si biten da niht langer, si riten zuo der stat. V. 9232: Ern beite do niht mere, er lief her für den sal. Vgl. V. 6967. 8623.

[2] [Änderung Uhlands statt des früheren „befehlt." H.]

Und dessen große Noth, die ihm bekannt.
Urplötzlich stieg er auf zu dem Palast,
Wo er den Gerhard sieht und eilig sagt:
„Beim Gott der Gnade!" spricht er, „Herr Gerhard,
Euch meldet Olivier, der tapfre Mann,
Daß Ihr in dieser Noth ihm Hülfe schafft.
Am silbern' Hefte brach das Schwert ihm ab.
Schickt ihm ein andres, eilig, alsobald,
Auch Wein oder Claret, 'ne volle Flasch'!
Denn großen Durst hat Roland, Neffe Karls."
Und Gerhard sprach: „Es sei, nach Gottes Rath!
    Ein Held ist Karles Neffe."

21.

    Der Herzog Gerhard zögerte nicht mehr,
Den wackern Fergen hat er angeredt:
„Freund," spricht er, „Gott behüte dich vor Weh!
Bring Hülfe schnell dem wackern Olivier!
So helf' mir Gott, als ich dirs wohl vergelt'!
Auf! nimm die Schlüssel, in den Keller geh!
Nimm nach Gefallen Wein, ein Siebentel,
Vom Kellner heisch' das goldene Gefäß!
Zwei Schwerter laß' ich dir einhändigen,
Das eine mein, das andre von Rainier,
Dem Herrn von Genua, Vater Oliviers."
[135]   „Herr," sagte Jener, „das geschiehet gern."
Und Joachim war dazumal nicht fern,
Der gute Jude, hohen Lobes werth,
Der Oliviern mit Waffen jüngst versehn.
Er hörte wohl des Volkes großen Lärm
Und jene Mähre, die der Ferg' erzählt,
    Da wandt' er sich nach Hause.

22.

    Als nun der Jude das Geschrei vernommen
Sowie die Kunde jenes wackern Boten,
Daß Olivier sein stählen Schwert gebrochen,
Hat er ein vielberühmtes hergeholet,
Das über hundert Jahr er aufgehoben.

Dem Clofamont gehört' es, dem ruhmvollen,
Der Kaiser war in Rom, der vielbelobten;
Im Holz unterm Gebüsch hatt' ers verloren
In jener großen Schlacht, der schreckenvollen,
Wo ihn Maucon von Balfondee ermordet.
Zur Erde fiel er mit gespaltnem Kopfe
Und aus der Scheid' ist ihm das Schwert geschoffen,
Das Gras war dicht, darinne bliebs verborgen.
Nach langer Zeit sind Mähder drauf gestoßen,
Und eine Sense hat es durchgeschroten.
Als sies gesehn, han sie es aufgenommen
Und dargebracht dem römischen Apostel.
Er sah, wie schön es war, das Heft vergoldet,
[136] Und in der Schrift, die er dran wahrgenommen,
Fand er verzeichnet die wahrhaften Worte,
Daß ihm der Name Altecler erkoren
Und daß es war in Rom geschmiedet worden.
Munificans [1], der hatt' es wohl beklopfet,
Der war ein Meister von viel großem Lobe.
Mit Fleiße fegen ließ es der Apostel,
Hat in Sankt Peters Schatz es aufgehoben.
Pipin von Frankreich hat es dort genommen,
Am Tage da er erstmals trug die Krone.
Dem Herzog Beuvon gab es der zum Solde,
Vom Herzog hat es Joachim bekommen,
Der ein beladen Maulthier drum geboten.
Und seit der Jude nun es aufgehoben,
Hat nie ein Mensch vom Schwerte was vernommen
Bis zu der Stunde, da ers vorgeholet
Für den Olivier, welcher hoch zu loben,
Den Sohn Rainiers von Genua.

23.

Der gute Jude, hohen Lobes werth,
Er brachte her das blanke stählne Schwert,

---

[1] [P. Paris in der Histoire littéraire de la France XXII, S. 457 liest
Manificaz und bemerkt ebendaselbst S. 458: „Peut-être ce nom de *Manificax*
n'était-il que le premier mot d'un verset de psaume gravé sous la poignée
de l'épée." H.]

Herrn Gerhard, dem Kriegshelden, bot er es,
Dann einem freien Knappen gab es der
Und ließ ihm reichen noch ein andres Schwert,
Auch eine Flasche Weins sammt Goldgefäß,
Und alsbald setzte Jener sich zu Pferd,
[137] Ohn' Aufhör bis zum Schiffe spornet er,
Wo ihn der wackre Fährmann übersetzt.
Entgegen gehet ihm Graf Olivier,
Dem giebt er beide Schwerter, wohlgestählt.
Der Graf erprobte, welches besser wär';
Wohl Alteclere wars, so Preises werth.
Dem Knappen übergiebt er 's andere,
Vom Weine schenkt er voll das Goldgefäß,
Vor Roland er sich auf die Kniee senkt,
Und Jener nimmts, denn sehr bedarf er deß,
Lang trank er, daß den Durst er stillete,
So viel er wollt', der edle Kriegesheld.
Der Knappe siehet Rolands Haupt gesenkt,
Durch Untreu will er helfen seinem Herrn
Und aus der Scheide zieht er 's blanke Schwert,
Damit den Roland er zu schlagen denkt,
Hin auf den Nacken, eilig, unvermerkt.
Als dieß gewahrt der freie Olivier,
Als leuchten er und flammen sieht das Schwert,
Da fällt er plötzlich übern Knappen her,
Erhebt die Faust und giebt ihm solchen Treff,
Daß er ihn gleich zur Erde niederstreckt,
Und nachderhand beginnt er ihn zu schmähn:
„Du Hurensohn, wie hielt ich dich so werth!
Statt du auf Pfingsten Ritter worden wärst,
Hast du nun meine Liebe gar verscherzt.
Gleich morgen frühe heb dich aus dem Feld!
Läst du dich nach dem Mahle noch erspähn,
Gehangen wirst du, oder hingeschleppt,
[138] An eines Saumthiers Schweif, in alle Welt,
Den Strick am Hals, wie man mit Dieben pflegt.
Schlimm wolltest du erschlagen diesen Herrn
    Durch solche groß' Untreue."

24.

Als nun Herr Roland nicht mehr trinken wollt',
Rief er dem Olivier durch kühnen Trotz:
„Laßt nun die Rede von dem Hurensohn [1]!
Wär' ich erschlagen, Frankreich ständ' in Noth
Und ringsum alles Land wär' freudelos,
Und alle Herrn in Kaiser Karls Gefolg
Sie hätten heute Freud' und Lust verlorn.
Doch lassen wir nun den Verräther dort,
Mag er zum Teufel gehn, von dem er kommt!
Nehmt Eure Waffen, geht zum Streit hervor!
Wir haben ausgesetzt zu lange schon.
Herr Gerhard soll erzittern heute noch,

[139] Der uns nach Schelmenrecht in Biane trotzt."
Sprach Olivier: „Da hör' ich Thorenwort.
Es stehet Alles bei dem wahren Gott,
Der ihn behüten kann in dieser Noth;
Auf den verlaß' ich heute mich getrost
Und auf mein Schwert und meine Waffen sonst,
Daß er mir Muth und Kraft verleihen woll',
Für meinen Ohm zu streiten."

25.

Wohl hört Graf Olivier, mit kühnem Blicke,
Was Roland ihm für trotzge Worte bietet;
Dürft' es geschehen, um der Ehre willen,
Nicht stritt' er mehr um alles Gold Paviens.
Er nimmt die Tartsche, faßt sie an dem Griffe,
Hält Alteclere, glänzend und geschliffen.
Roland hält Durendart, die blanke Klinge,
Hat den Olivier tapfer angegriffen,
Giebt starken Schlag ihm auf den Helm Paviens;
Was er erreicht, das haut er ihm zu Splittern,

---

[1] Leissiez ester le plait dou licheor! S. oben Str. 9, B. 4: Vassauz,
dist il, laisiez vostre plaidier! Lied der Nibelunge B. 4563: Do sprach aber
Hagne: Nu lat die rede stan! B. 4707: Sie sprach in ir zühten: Nu lat
die rede stan! Vgl. B. 6894. 9166.

Bis auf den Helmring ist das Schwert geglitten;
Wenn Gott nicht wär', der heilge Sohn Mariens,
Es hätte bis zum Ohre durchgeschnitten.
So wandte sich die Klinge nach der Linken,
Da fuhr sie auf den blanken Schild hernieder,
Den hat sie durch und durch entzwei geschnitten
Und selbst den Bauch der Brünne noch ergriffen,
[140] Bis auf dem Boden ist das Schwert geglitten.
Olivier sieht es, all sein Blut erzittert:
„Gott," spricht der Graf, „und heilige Marie,
Wollet mir heute Leib und Leben fristen!
Das ist kein Scherz, ich merk' es an den Hieben.
Kein' Elsbeer' gelt' ich, geb' ich ihms nicht wieder."
Schwingt Alteclere, die betraute Klinge,
Schlägt Roland auf den blanken Helm Paviens,
Zur linken Seite hat er ihn durchschnitten,
Bis auf das Hauptnetz ist das Schwert geschliffen,
Doch Gottes Gnade hat ihn noch geschirmet,
Nur an dem Ohre streift die gute Klinge;
Mit so gewaltgem Schwunge fuhr sie nieder,
Daß sie den Bauch durchhieb vom festen Schilde,
Bis auf den Boden ist das Schwert geschliffen.
„Traun!" sprach Roland, „du sparst mich nicht mit Hieben."
Drauf han sie sich von Neuem angegriffen,
Einer den andern, mit gewaltgem Grimme.
Ein jeder hat die starke Tartsch' ergriffen,
Sie fechten frisch mit guten Stahles Klingen,
Von so gewaltgem Streit vernahm man nimmer.
Von solchem Adel sind die beiden Ritter,
Daß keiner, mocht' er 's Leben drum verlieren,
Dem andern wär' um einen Schritt gewichen,
   So stolz sind sie gemuthet.

[141] 26.

Wohl sind die beiden Ritter kühn und stolz
Und mehr denn Leu und Leopard erbost,
Kein Waffenstück hält ihrem Hieb und Stoß,
So kämpfen sie, ein Wunder ist es wohl.
Schön Aude war in großer Angst darob,

In Biane auf dem höchsten Thurme dort,
Sie betete mit treuem Herzen so [1]:
„Bei deinem heilgen Namen, reicher Gott,
Der du am Kreuze littst den bittern Tod,
Am dritten Tag vom Grabe dich erhobst,
Die Hölle brachst, zum Himmel stiegst empor:
Wie dieß wahrhaftig ist und unser Trost,
So hilf dem Ritter Olivier aus Noth,
Daß ihm nicht Herzog Roland giebt den Tod!
O sende Frieden unter sie, mein Gott!
Denn bleibt von jenen beiden einer todt,
    So bleib' ich nicht am Leben."

27.

    Viel härmt sich Aude, klar von Angesicht,
Sammt Herzog Rainier, Gerhard, dem Marki,
Und all den Andern, die im Schlosse sind,
[142] Um Olivier, das edle Fürstenkind,
Der mit dem Roland sich in Kampf einließ;
Gewaltge Furcht die Kühnsten selbst ergriff.
Graf Roland war so keck und ritterlich
Und Olivier zum Kampfe so geschickt;
Er warf 'nen Schlag dem Roland ins Gesicht,
Den Ring des blanken Helmes er durchschnitt,
Vom Nasenband ein großes Stück er hieb.
Der Streich hernieder auf das Halsberg dringt,
Zerhauet mehr denn sechsundvierzig Ring',
Bis auf den Boden fährt die blanke Kling'.
„Heilge Marie!" spricht Gerhard, der Marki,
„Um großer Sünde willen muß er itzt
Zu schwerem Schaden kommen."

28.

    Herzog Roland ergrimmte nur noch mehr,
Als er zerschnitten sah das Band am Helm
Und sein Halsberg durchbrochen und zersprengt,

---

[1] Das folgende Gebet und Glaubensbekenntnis ist abgekürzt worden.

Wohl hundert Ringe liegen in dem Klee.
Mit Durendart der Held sich trefflich wehrt,
Er bringet Schritt vor Schritt auf Olivier,
Giebt großen Schlag ihm auf den stählnen Helm,
Daß er ihm Stein' und Blumen niederschlägt.
Groß war der Schlag, den ihm der Held versetzt,
Hernieder fuhr das wohlgestählte Schwert,
Schlägt hundert Ring' vom guten Halsberg weg,
Vom linken Arme strömt das Blut so sehr
[143] Und auf die Kniee sinkt der Sohn Rainiers.
Deß schämt er sich, ich sage das mit Recht,
Und wieder springt er auf als wilder Kämp',
Als guter Ritter setzt er sich zur Wehr.
Er ruft zu Gott, dem mächtgen Herrn der Welt,
Daß er von Tod und Schaden ihn errett',
Damit er wiederseh' sein gut Geschlecht,
Den Herzog Gerhard, hohen Lobes werth,
Die Schwester und den Vater, Herrn Rainier.
„Herr Roland," also sprach Graf Olivier,
„Ist das Schoiose, Karls, des Stolzen, Schwert,
Damit du mir so reichlich Streiche zählst?"
„Nein, lieber Herr," versetzt Roland, der Held,
„'s ist Durendart, mein Schwert mit goldnem Heft,
Damit ich Euch noch so zu strafen denk',
Daß sich Herr Gerhard schwer darüber kränkt,
Denn der hat Euch gesandt zu dem Gefecht."
„Da bist du falsch daran," sprach Olivier,
„Heut' ist der Tag, da du mir büßest schwer,
Wenn Gott mir wahrt die Waffen."

29.

Als Olivier sein gutes Halsberg sieht,
Das Roland ihm zerspaltet' und zerriß
Mit Durendart, der wohlgeschliffnen Kling',
Im Herzen ist er mächtig drob ergrimmt,
Faßt Altectere, beßres gab es nie,
[144] Auf Rolands Helm das starke Schwert er schwingt,
Daß er ihm Stein' und Blumen niederwirft.
Der Streich fährt nieder, aufs Halsberg er trifft,

Haut ihm ein Stück hinweg und zögert nicht,
Vor Roland fällt es auf die Wiese hin.
„Gott," spricht Roland, „wie dieser da mich trifft!
Gar trefflich schneidet die geschliffne Kling'
Und dieser Jüngling kämpfet tugendlich,
Er liebt mich wenig, wohl vermerk' ich dieß."
Olivier hört es und antwortet ihm:
„Herr Roland, wohl begreif' ich Euren Sinn.
So helf' mir Gott, der sonder Anfang ist!
Groß Unrecht hattet Ihr vom Anbeginn.
Ungern geschahs, daß ich zum Kampfe schritt,
Doch wenns gefiele dem glorreichen Christ,
Daß ich ein wenig Euren Stolz zerknick',
    Deß wär' ich hoch erfreuet."

30.

    Dort auf der Insel steht das tapfre Paar,
Daß man so kühne Streiter niemals sah,
Gewaltig schlagen sie sich mit dem Stahl.
Und sieh! Herr Gerhard auf der Mauer stand,
Der freie Herzog diese Worte sprach:
„Olivier, helf' dir Gott an diesem Tag,
Der Herr der Welt, nach seinem weisen Rath!
[145] Bezwingst du heute den Herzog Roland,
Daß du ihn sieglos oder flüchtig machst,
Nie wird der König mehr uns zugethan
Und nimmer wird er zum Vergleich gebracht."
Auch andrerseits der mächtge König Karl
In seinem Hauptgezelte betend lag,
Wo er herzinnig den Erlöser bat,
Daß er den Neffen Roland ihm bewahr',
Daß er nicht sieglos werde noch verzagt,
    Zu große Schande wär' es.

31.

    Dort auf der Wiese stunden beide Kämpen,
Ein jeder in der Faust den guten Degen,
Sie haben sich die Rüstung so zersetzet,

Ein Wunder ift es, daß fie noch am Leben[1].
In Biane drin erhob man lautes Wehe[2],
[146] Und jenfeits waren fie in großen Ängften
Im Heere Kaifer Karles, des Graubärtgen.
Da haben hundert Rittersleut' in Schnelle,
Geheim und ftill, die Waffen angeleget
Und unter Biane lauern fie im Felde
Auf Olivier, den Herrn von großer Stärke,
Dem fie das Haupt wohl abgefchnitten hätten.
Dem Kaifer aber ward die Mähr' erzählet,
Bei feinem Barte fchwur er, wild erreget,
Und wär' es der Gepriefenfte des Heeres,
Wenn er den Olivier zu Schaden brächte,
An einen Baum follt' er gehenket werden.
Als jen' es hören, fchnell fie wiederkehren,
In Frieden fchaun fie zu dem Kampf der Helden
Und legen ab die Waffen.

32.

Zu Fuße kämpfen dort die beiden Herrn,
Schwer treffen fie fich auf die lichten Helm',
Daß Feuer aus den ftählnen Klingen fährt.
Die Schilde haben fie fich fo zerfetzt,
Die Halsberg' fo durchbrochen und zerfprengt,
Es war vom Ganzen nicht die Hälfte mehr.
Da fann Herzog Roland, der Kriegesheld,
Wie er verfuchen könnt' den Olivier,
Den man folch einen frommen Ritter nennt.
„Herr Olivier,“ fo fprach Roland, der Held,
„Krank bin ich, länger hab' ich deß nicht Hehl,
[147] Drum legt' ich gerne mich ein Weniges,

---

[1] Ke v'est mervoile k'il n'ont la vie outrée. Vgl. Str. 16, V. 17.
Str. 26, V. 4. Lied der Nibelunge V. 9237: Man fagt ez noch für wunder,
daz do Dietrich ie genaz. Vgl. V. 8083. 8101.

[2] Dedans Viane en font moult grant criée. Lied der Nibelunge
V. 8742 f.:

    Do hort man allenthalben jamer alfo groz,
    Daz palas und turne von dem wuofe erdoz.

Uhland, Schriften. IV.   26

Um auszuruhn, denn sehr bedarf ich deß."
„Das thut mir wahrlich leid," sprach Olivier,
„Viel lieber zwäng' ich Euch mit blankem Schwert,
Als daß Euch andres Übel niederschlägt.
Nun geht und legt Euch, wenn es Euch gefällt!
Wind will ich machen, daß Euch kühler werd',
Bis zu der Stunde, da die Kraft Euch kehrt."
Roland vernimmt es und ihn wundert sehr,
Mit lauter Stimme ruft der wilde Kämp':
„Herr Olivier, was habt Ihr da gewähnt?
Allein um Euch zu prüfen, ists geschehn.
Vier Tage föcht' ich fort, unausgesetzt,
So daß ich Speise nicht, noch Trank begehrt'."
„Und traun! auch ich," versetzt Graf Olivier,
„Nun schreiten wir von Neuem zum Gefecht!"
Und Roland sprach: „Das ist Euch gern gewährt,
Fürwahr! bis morgen Abend kämpf' ich gern."
Von Neuem da der wilde Streit sich hebt,
Doch hat der Schweiß sie beide so bedrängt,
Der ihnen an den Schenkeln niederfällt,
Daß keiner weiß, wie er sich länger helf'.
Roland ersieht es und ihn wundert sehr.
„Herr Olivier," so sprach Roland, der Held,
„So mächtgen Ritter sah ich nie vordem,
Der so mich ausgedauert im Gefecht."
„Herr Roland," spricht zu ihm Graf Olivier,
„So lang mir Gottes Hülfe nicht entsteht,
[148] So weiß ich, daß kein Mensch auf Erden lebt,
Der mich zu Schaden brächte."

33.

Von Neuem haben sie den Kampf begonnen,
Hart ist der Sturm und grimmig wird gefochten;
Von wildern Streitern hat man nie vernommen,
Und nimmer wär' die Schlacht zu End' gekommen,
Bevor der Eine seinen Leib verloren,
Wenn Gott nicht hätte jenen Bund geschlossen,
Den sie in ihrem Leben nicht gebrochen,
Bis zu dem Tag, da er getrennet worden

In Ronceval, in jenem wilden Forſte [1],
Durch Ganelon (ihn treff' die Rache Gottes!),
Der ſie verkaufet hat dem Heidenvolke,
Dem König Marſil, welchem Gott es lohne!
Niemals betraf noch Frankreich, das ruhmvolle,
    So leidig großer Schaden.

[149] 34.

So lange trieben ſie das wilde Stürmen,
Bis ſchier der Tag gegangen war zur Rüſte.
Doch haben ſie zu raſten kein Gelüſte,
Weil bittrer Grimm ſie ſtachelt und entzündet.
Ein jeder hält das bloße Schwert gezücket,
Das er dem Andern theur verkaufen würde.
Da ſank 'ne Wolke zwiſchen die zween Kühnen,
Die ihnen alſobald den Blick umdüſtert.
Ganz ruhig ſtehn ſie, daß ſich Keiner rühret,
Und ſolches Grauen kam dem Keckſten über,
Nicht ſagen konnten ſie: „Gott ſend' uns Hülfe!"
Und ſieh! ein Engel ſteigt aus Wolkenhülle,
Der ſie im Namen Gottes freundlich grüßet:
„Ihr freien Ritter, Ehr' iſt Euch erblühet,
Doch allzu lange treibt Ihr dieſes Stürmen.
Nun hütet Euch vor ſolchem Streite fürder!
Denn Gott der Herr verbeuts und ich verkünd' es.
Doch an dem Heidenvolk, in Spanien drüben,
Werd' Eure Kraft erſehen und geprüfet!
Dort mag wohl Eure Tapferkeit ſich üben,
    Um Gottes Liebe werbend."

35.

Erſchrocken ſtanden beide Herren dort,
Als ſie vernommen den Befehl von Gott.
Der Engel ſprach: „Entſetzet Euch nicht ſo!

---

[1] Vgl. Str. 36, V. 13. 45. Lied der Nibelunge V. 6955 ff.:
    Volker und Hagene geſchieden ſich nie,
    Niwan in eime ſturme an ir endes zit;
    Daz muoſen beweinen vil ſchöne juncfronwen ſit.
Vgl. V. 2539. 4868. 4871.

Denn Gott entbeut es Euch vom Himmel hoch,
[150] Daß Ihr nun laſſet dieſen wilden Zorn.
In Spanien an dem ungetreuen Volk
Da werde, wer ein Kühner ſei, erprobt,
Im weiten Lande König Marſilions!
Der Saracenen Reich erobert dort!
Alſo erhöhet Eures Gottes Lob!
Einſt erntet Ihr dafür viel reichen Sold
Und Euren Seelen wird es wohl gelohnt;
Zu ſich hinauf, zu ſeines Himmels Thron,
Wird Gott ſie einſt erhöhen."

36.

Als nun den Engel angehört die Herrn,
Der ihnen als von Gott den Kampf verwehrt,
Dem königlichen Herrn der Majeſtät:
„Wahrhaftger Gott, ſei höchlich uns verehrt,
Daß du der Botſchaft uns gewürdiget
Durch deinen Engel, der mit uns geredt!"
Der Engel ungeſäumt ſich dannen hebt,
Und nicht verweilen mehr die beiden Herrn
Des heilgen Geiſtes Licht hat ſie erhellt,
Sie han ſich unter einen Baum geſetzt,
Da haben ſie beſchworen und beſtärkt
Genoſſenſchaft bis an ihr Lebensend.
Roland begann, der Ritter hartgeherzt:
„Herr Olivier, nun ſei Euch unverhehlt
[151] Und meine Treue ſei dafür verpfändt [1]!

---

[1] Je vos plevis la moie loialté. Lied der Nibelunge V. 5883: Des ſezze
ich in ze burgen min triwe hie ze hant. Am Schluſſe dieſer Parallelſtellen iſt
noch im Allgemeinen zu bemerken, daß viele von den aus dem Roman von
Viane hier ausgehobenen Redeformen und andere denſelben ähnliche auch in
dem altfranzöſiſchen Gedichte von den Aimonskindern gangbar ſind und gewis
ebenſo in den übrigen Heldengedichten. In den fils Aimon iſt noch beſonders
der Gebrauch des Wortes corps merkwürdig, welches nicht bloß da erſcheint,
wo eine nähere Beziehung auf den Körper oder körperliche Thätigkeit ſtatt findet,
ſondern auch da, wo nur eine entfernte oder gar keine Beziehung dieſer Art
vorhanden iſt und nur eine Perſönlichkeit überhaupt bezeichnet werden ſoll, auf
ähnliche Weiſe wie in dem Lied der Nibelunge das Wort Lip auf jedem Blatte

Ich lieb' Euch wie sonst Keinen, der da lebt,
Als den gekrönten König, meinen Herrn.

[152] Nun Gott will, daß wir uns betheidigen,
Werd' ich nie Stadt besitzen, noch Castell,
Nicht Burg noch Flecken, Thurm noch festes Werk,
Das du nicht hälftig mit mir theiletest,
Und Außen führ' ich, wenn es dir genehm.
Vermag ichs, eh der vierte Tag vergeht,

[153] Wird von dem König Friede dir gewährt.
Und wenn er nicht verwilligt mein Begehr,
Wenn er nicht gütlich Alles zugesteht,
Werd' ich zu Euch in Eure Veste gehn;
Dann fehlts ihm nicht an Krieg, so lang er lebt."
Olivier hört es und er dankt ihm deß,
Zu Gott er seine beiden Händ' erhebt:
„Glorreicher Herr, sei höchlich mir verehrt,
Daß du mit diesem mich betheidiget!
Herr Roland, nun es sei euch unverhehlt!
Ich lieb' Euch wie sonst keinen, der da lebt.
Die Schwester geb' ich Euch von Herzen gern,
Mit dem Beding, wie ich zuvor gemeldt,
Daß uns von Karlen Friede wird gewährt.

gesunden wird. Ich hebe aus beiden Gedichten einige Stellen aus und zwar vorzüglich solche, in welchen die allgemeinere Bedeutung zu Grunde liegt. Fils Aimon:

Dimenche au bel matin que mon corps court tenra.
Oncques en mon lignage traitour ne regna
Fors mon corps seulement.
Bailliés moi une corde! mon corps se pendera,
Et se tu me rencuses, le mien t'occira.
J'ay deservi le pendre, si que mon corps vouldra
Faire de moy justice de ce que messait a.
Si devenrez hermite et mon corps avec ty.

(Auch das Wort char [chair] wird auf diese Weise gebraucht.) Lied der Nibelunge B. 2930: Des was in grozen vröuden maniges riters lip. B. 3163: Wie mich hat gehönet siner swester lip. B. 4570: Do sprach aber Hagne: Daz gerätet nimmer min lip. B. 5145: Do enpfienc si sus mit gruoze maniges riters lip. B. 5812: Swen du sehest weinen, dem troste sinen lip! B. 7884: Des wart vil unmuotes der fromen Chriemhilden lip. B. 9182 f.: wie zimt daz helede lip, Daz si suln schelten sam diu alten wip u. s. f.

Nun ſtricket ab den ſteingeſchmückten Helm,
Daß wir ans Küſſen und Umhalſen gehn!"
Und Herzog Roland ſpricht: „Von Herzen gern."
Alſo entblößen ſie die Häupter ſchnell,
Mit rechter Liebe küſſen ſich die Herrn.
Dann ſetzen ſie ſich in den grünen Klee,
Geloben Treue ſich von ganzer Seel'
Und Brüderſchaft bis an ihr Lebensend',
So ſchloſſen ſie den Frieden.

Roland kehrt ins Lager zurück und räth dem Kaiſer zum Frieden;
als aber dieſer ſich weigert, [154] ſo ſchwört er, das Schwert nicht
mehr umzugürten. Karl zieht auf die Jagd und verliert ſich, bei Ver-
folgung eines Ebers, von ſeinem Gefolge. Herzog Gerhard und die
andern Herren von Viane, welche Kundſchaft von dem Jagen erhalten,
ſind durch einen unterirdiſchen Gang in den Wald gekommen und über-
fallen den verirrten Kaiſer. Aimeri räth, ihn zu tödten. Gerhard
aber und die andern fallen vor Karln auf die Knie und bitten ihn
um Frieden. Der Kaiſer bewilligt denſelben und begiebt ſich mit ihnen
durch den unterirdiſchen Gang in die Stadt, wo er die Nacht über
aufs herrlichſte beherbergt wird. Auden, die ihm ausnehmend gefällt,
erbittet er ſich für ſeinen Neffen Roland. Am Morgen ſetzen ſich Karl
und Gerhard mit 2000 Vianern zu Pferde, alle feſtlich gekleidet, ohne
Waffen. Mit Freudengeſchrei reiten ſie dem Lager zu. Die Franken,
noch in der größten Beſtürzung über den Verluſt ihres Kaiſers, meinen,
die Vianer wollen dieſe Gelegenheit zu einem Überfalle benützen. Sie
reiten ihnen gerüſtet entgegen. Karl lacht darüber, reitet allein voraus,
zeigt ſich den Franken und verkündet ihnen den Frieden. Am Feſte
des heiligen Moriz wird Aube mit Roland verlobt. An demſelben Tage
kom[155]men Boten an, welche den Einfall der Saracenen in Gaścogne
melden. Karl ſetzt einen Tag feſt, woran man ſich zum Heereszug
ſammeln ſoll. Dem Gerhard und deſſen Brüdern überträgt er die
Hut des Reiches während ſeiner Abweſenheit. Roland giebt Auden
ſeinen Ring, ſie ihm dagegen eine weiße Fahne. Das Hochzeitfeſt aber
vereitelt der Tag von Ronceval.

Druck:
Customized Business Services GmbH
im Auftrag der KNV-Gruppe
Ferdinand-Jühlke-Str. 7
99095 Erfurt